डॉ. राममनोहर लोहिया का समाजवादी दर्शन

डॉ. लोहिया का समाजवादी चिन्तन देश-प्रेम एवं जन-कल्याण की भावनाओं से ओतप्रोत हैं, उनका दर्शन नितान्त मौलिक है। जहाँ वे मार्क्स या गाँधी से असहमत हैं, उन्होंने अत्यन्त निर्भीकता एवं ईमानदारी से अपनी असहमति व्यक्त की है। उन्होंने समाजवाद पर अत्यन्त गहराई से सोचा-समझा है। उनके समर्थकों का दावा है कि समाजवाद का अस्थिपंजर तो बहुत पहले से तैयार हो गया था, डॉ. लोहिया ने इसमें 'फ्लैश एण्ड ब्लड' डालकर इसको एक नया जीवन दिया है। उनका समाजवादी दर्शन मानवतावाद की पूर्ण अभिव्यक्ति है। उनके सिद्धान्त और कर्म वे आधार हैं जिन पर एक नवीन विश्व-व्यवस्था, नवीन संस्कृति और नवीन सभ्यता के कल्याणकारी भवन निर्मित हो सकते हैं और उनमें सम्पूर्ण मानवता, जाति, धर्म, वंश, लिंग, संस्कृति, सम्पत्ति आदि की भिन्नता (कटुता) से मुक्त हो निवास कर सकती है। इसमें कोई सन्देह नहीं कि लोहिया जी भारत के ही नहीं, अपितु विश्व के मौलिक राजनीतिक विचारकों में प्रतिष्ठित स्थान रखते हैं।

प्रस्तुत पुस्तक में न तो डॉ. लोहिया की अन्धविश्वास के साथ प्रशंसा की गयी है और न ही किसी पूर्वाग्रह के साथ आलोचना। जहाँ उनकी प्रशंसा अपेक्षित है वहाँ प्रशंसा की गयी है और जहाँ आलोचना आवश्यक है वहाँ आलोचना। इस प्रकार इस दृष्टि को सामने रखकर डॉ. लोहिया के सम्बन्ध में सम्यक् विचार प्रस्तुत किये गये हैं।

इस पुस्तक में डॉ. लोहिया के कृतित्व और व्यक्तित्व पर प्रकाश डालने के अतिरिक्त समाजवाद की विशिष्टताओं को देते हुए डॉ. लोहिया द्वारा चलाये गये समाजवादी आन्दोलन का भी उल्लेख किया गया है। डॉ. लोहिया की सामाजिक साधना, समाजवादी राज्य का स्वरूप एवं उसके प्रशासनिक ढाँचे का तुलनात्मक ढंग से उल्लेख किया गया है। भाषा-विषयक विचारों और लोहिया की मौलिक अधिकार-सम्बन्धी धारणा का विश्लेषण भी किया गया है। विश्व की समाजवादी विचारधारा को डॉ. लोहिया की देन, विश्व-समाजवाद का नव दर्शन, संयुक्त राष्ट्र-संघ का पुनर्गठन, विश्व-सरकार, विश्व-विकास-समिति, अन्तरराष्ट्रीय जाति-प्रथा उन्मूलन, साक्षात्कार का सिद्धान्त, नि:शस्त्रीकरण आदि विषयों से सम्बन्धित उनकी विचारधाराएँ स्पष्ट की गयी हैं। मार्क्स, गाँधी और डॉ. लोहिया के समाजवादी दर्शनों का तुलनात्मक विवेचन कर यह स्पष्ट करने का प्रयास किया गया है कि किस प्रकार मार्क्स और गाँधी-दर्शनों का संशोधन एवं समन्वय कर डॉ. लोहिया ने उन्हें पूर्ण किया और एक नया सन्तुलन और सम्मिलन का दर्शन जन-मानस को दिया।

आवरण : लोकभारती स्टूडियो

ताराचन्द दीक्षित

डॉ. राममनोहर लोहिया का समाजवादी दर्शन

लोकभारती पेपरबैक्स

प्रथम पेपरबैक संस्करण : 2013
तृतीय पेपरबैक संस्करण : 2022

लोकभारती पेपरबैक्स : उत्कृष्ट साहित्य के लोकप्रिय संस्करण

लोकभारती प्रकाशन
पहली मंजिल, दरबारी बिल्डिंग, महात्मा गाँधी मार्ग,
प्रयागराज

वेबसाइट : www.lokbhartiprakashan.com
ईमेल : info@lokbhartiprakashan.com

शाखाएँ : 1-बी, नेताजी सुभाष मार्ग, दरियागंज, नई दिल्ली-110
अशोक राजपथ, साइंस कॉलेज के सामने, पटना-800 006 (बिहा
36-ए, शेक्सपियर सरणी, कोलकाता-700 017

आस्था पेपर कन्वर्टर
प्रयागराज द्वारा मुद्रित

मूल्य : ₹ 250

Dr. RAMMANOHAR LOHIA KA SAMAJWADI DARSHAN
by Tarachand Dixit

ISBN : 978-81-8031-748-4

आमुख

प्रत्येक देश–काल की अपनी समस्याएँ होती हैं। तत्कालीन राजनैतिक विचारधाराएँ जहाँ एक ओर उनसे प्रभावित होती हैं वहाँ दूसरी ओर उन समस्याओं का समाधान भी प्रस्तुत करती हैं। समाजवाद भी एक ऐसी ही विचारधारा है। वैज्ञानिक आविष्कार, औद्योगिक क्रान्ति और व्यक्तिवाद के अतिक्रमण के कारण उन्नीसवीं शताब्दी में पूँजीवादी व्यवस्था ने अपने पैर फैलाये। श्रमिक वर्ग शोषण से उत्पीड़ित हो उठा। प्रतिक्रियास्वरूप समाज में पूँजीवाद के विरुद्ध विद्रोह की भावना भड़क उठी। इस विद्रोह की अभिव्यक्ति में पूँजीवाद के विकल्प के रूप में समाजवाद का उद्भव हुआ। यद्यपि समाजवाद आज बहुप्रचलित एवं बहुचर्चित शब्द हो गया है, तथापि समग्र रूप में समाजवाद का स्वरूप अब भी निश्चित नहीं है। इस विचारधारा की नित्य निकलती उपधाराएँ अपने उद्देश्यों तथा प्रणालियों में इतनी भिन्न हैं कि उनके मूल रूप को समझना दुर्लभ हो गया है। अपनी अनेकरूपता, अस्पष्टता, जटिलता, प्रगतिशीलता आदि के कारण यह विचारधारा अनेक विचारकों के अनुसार अनिश्चित तथा भ्रमात्मक हो गयी है।

समाजवाद की इस अनेकोन्मुखी प्रवृत्ति के कारण ही प्रबुद्ध भारतीय विचारकों के समक्ष यह प्रश्न एक पहेली ही बना हुआ है कि आखिर समाजवाद है क्या? भारत में समाजवाद के रूप और सिद्धान्त को लेकर सब अपनी अपनी ढपली लिये अपना–अपना राग अलाप रहे हैं। भारतीय राजनीति के पाँच महान् उद्देश्यों—समानता, जनतन्त्र, विकेन्द्रीकरण, अहिंसा और समाजवाद का अब भी कोई ठोस रूप निश्चित नहीं है। ऐसी स्थिति में डॉ. लोहिया के समाजवादी दर्शन का अध्ययन एक निश्चित दिशा दे सकता है। उपर्युक्त उद्देश्यों की व्याख्या करने के साथ डॉ. लोहिया ने देश–काल के अनुरूप उनके ठोस और साकार रूप भी प्रस्तुत किये हैं।

प्रस्तुत पुस्तक में डॉ. लोहिया के समाजवादी दर्शन के अध्ययन का प्रयास किया गया है। इस ग्रन्थ में न तो डॉ. लोहिया की अन्धविश्वास के साथ प्रशंसा की गयी है और न ही किसी पूर्वाग्रह के साथ आलोचना। जहाँ उनकी प्रशंसा अपेक्षित है वहाँ

प्रशंसा की गयी है और जहाँ आलोचना आवश्यक है वहाँ आलोचना। इस प्रकार इस दृष्टि को सामने रखकर डॉ. लोहिया के सम्बन्ध में सम्यक् विचार प्रस्तुत किये गये हैं। मैंने इस विचारक के दर्शन को बोधगम्य बनाने का पूरा प्रयत्न किया है। मुझे विश्वास है कि इससे लोहिया-दर्शन के जिज्ञासुओं को सन्तोष प्राप्त होगा।

डॉ. लोहिया का समाजवादी चिन्तन देश-प्रेम एवं जन-कल्याण की भावनाओं से ओतप्रोत है। उनका दर्शन नितान्त मौलिक है, जहाँ वे मार्क्स या गाँधी से असहमत हैं, उन्होंने अत्यन्त निर्भीकता एवं ईमानदारी से अपनी असहमति व्यक्त की है। उन्होंने समाजवाद पर अत्यन्त गहराई से सोचा-समझा है। उनके समर्थकों का दावा है कि समाजवाद का अस्थिपंजर तो बहुत पहले से तैयार हो गया था, डॉ. लोहिया ने इसमें 'फ्लैश एण्ड ब्लड' डालकर इसको एक नया जीवन दिया है। उनका समाजवादी दर्शन मानवतावाद की पूर्ण अभिव्यक्ति है। उनके सिद्धान्त और कर्म वे आधार हैं जिन पर एक नवीन विश्व-व्यवस्था, नवीन संस्कृति और नवीन सभ्यता के कल्याणकारी भवन निर्मित हो सकते हैं और उनमें सम्पूर्ण मानवता जाति, धर्म, वंश, लिंग, संस्कृति, सम्पत्ति आदि की भिन्नता (कटुता) से मुक्त हो निवास कर सकती है। इसमें कोई सन्देह नहीं कि लोहिया जी भारत के ही नहीं, अपितु विश्व के मौलिक राजनैतिक विचारकों में प्रतिष्ठित स्थान रखते हैं।

प्रस्तुत पुस्तक 10 अध्यायों में विभक्त है। प्रथम अध्याय में डॉ. लोहिया के कृतित्व और व्यक्तित्व पर प्रकाश डाला गया है। द्वितीय अध्याय समाजवाद के स्वरूप से सम्बन्धित है। इसमें समाजवाद के अर्थ, परिभाषा और लक्ष्यों को स्पष्ट करते हुए उसके विभिन्न रूपों का संक्षिप्त परिचय दिया गया है तथा भारतीय समाजवाद की विशिष्टताओं को देते हुए डॉ. लोहिया द्वारा चलाये गये समाजवादी आन्दोलन का भी उल्लेख किया गया है। तृतीय अध्याय में डॉ. लोहिया की सामाजिक साधना प्रस्तुत की गयी है। इस अध्याय के अन्तर्गत डॉ. लोहिया के इस विश्वास को व्यक्त किया गया है कि सामाजिक समता के बिना समाजवाद का आगमन सम्भव नहीं। इस दृष्टि से समाज में व्याप्त जाति-प्रथा, नर-नारी असमानता, साम्प्रदायिकता, अस्पृश्यता और रंग भेद नीति पर उन्होंने जो सशक्त प्रहार किये हैं, उन सबका तुलनात्मक विवेचन किया गया है। चतुर्थ अध्याय में समाजवादी धरातल पर डॉ. लोहिया का आर्थिक चिन्तन प्रस्तुत किया गया है। इस शीर्षक के अन्तर्गत वर्ग-उन्मूलन, आय और मूल्य नीति, अन्न एवं भू-सेना भूमि के पुनर्वितरण, आर्थिक विकेन्द्रीकरण, राष्ट्रीयकरण तथा व्यय पर प्रतिबन्ध सम्बन्धी उनके विचारों का अध्ययन किया गया है। पाँचवें अध्याय में डॉ. लोहिया के समाजवादी राज्य का स्वरूप एवं उसके प्रशासनिक ढाँचे का तुलनात्मक ढंग से उल्लेख किया गया है। इस अध्याय के प्रतिपाद्य हैं...डॉ. लोहिया द्वारा की गयी राजनैतिक इतिहास की मौलिक व्याख्या, धर्म और राजनीति पर उनका स्वर्णिम

मध्यममार्गीय दृष्टिकोण, सविनय अवज्ञा और वाणी स्वतन्त्रता तथा कर्म नियन्त्रण में उनकी अडिग आस्था, जन-शक्ति के प्रति उनकी भक्ति, उनकी चौखम्बा योजना, व्यक्ति और समाज-सम्बन्धी उनका सामञ्जस्यपूर्ण दृष्टिकोण।

छठवाँ अध्याय डॉ. लोहिया के भाषा-विषयक विचारों का सोपान है। इस अध्याय में हिन्दी और अन्य भारतीय भाषाओं के प्रति डॉ. लोहिया की अगाध आस्था को व्यक्त किया गया है। विदेशी भाषा अंग्रेजी के तत्काल निष्कासन और लोक-भाषाओं के प्रतिष्ठापन के लिए उन्होंने क्या-क्या किया और भाषा के मामले को उन्होंने किस प्रकार समाजवाद से जोड़ा, आदि प्रश्नों पर भी प्रकाश डाला गया है। सातवें अध्याय में डॉ. लोहिया की मौलिक अधिकार-सम्बन्धी धारणा का विश्लेषण किया गया है। इसमें मौलिक अधिकारों के लिए उनके द्वारा किये गये सतत संघर्ष का विचारात्मक विवरण भी प्रस्तुत किया गया है। आठवाँ अध्याय विश्व की समाजवादी विचारधारा को डॉ. लोहिया की देन से सम्बन्धित है। विश्व-समाजवाद का नव दर्शन, संयुक्त राष्ट्र संघ का पुनर्गठन, विश्व-सरकार, विश्व-विकास-समिति, अन्तरराष्ट्रीय जाति-प्रथा-उन्मूलन, साक्षात्कार का सिद्धान्त, निःशस्त्रीकरण आदि विषयों से सम्बन्धित उनकी विचारधाराएँ इस अध्याय के अन्तर्गत स्पष्ट की गयी हैं। नवम् अध्याय में मार्क्स, गाँधी और डॉ. लोहिया के समाजवादी दर्शनों का तुलनात्मक विवेचन कर यह स्पष्ट करने का प्रयास किया गया है कि किस प्रकार मार्क्स और गाँधी-दर्शनों का संशोधन एवं समन्वय कर डॉ. लोहिया ने उन्हें पूर्ण किया और एक नया सन्तुलन और सम्मिलन कादर्शन जन-मानस को दिया। दशम अध्याय विषय के मूल्यांकन का है। इसमें डॉ. लोहिया के दर्शन की यथासम्भव आलोचनाओं के साथ विशिष्टताएँ स्पष्ट करते हुए सम्यक् विचार प्रस्तुत किये गये हैं।

मेरे इस विषय के परिष्करण, परिवर्द्धन एवं परिवर्तन में मेरे सहयोगी बन्धुओं ने मुझे हर प्रकार का सहयोग दिया है। मैं उनके प्रति कृतज्ञता प्रकट करता हूँ। लोहियावादी विचारधारा में आस्था रखनेवाले अनेक विद्वानों ने मुझे इस विषय की सामग्री प्रदान करने में विशेष योगदान दिया है। श्री कर्पूरी ठाकुर, श्री मधु लिमये, श्री लाड़ली मोहन निगम, श्री जगदीशचन्द्र जोशी-जैसे प्रभृति समाजवादी विचारकों को मैं धन्यवाद देता हूँ कि उन्होंने मुझे लोहिया के समाजवादी रूप को पहचानने में पर्याप्त योग दिया।

—ताराचन्द्र दीक्षित

दिनांक 15-3-72

अनुक्रम

1

डॉ. लोहिया : जीवन और व्यक्तित्व

विश्लेषण

डॉ. लोहिया का व्यक्तित्व बहुप्रशंसित, बहुचर्चित, बहु-आलोचित एवं अत्यन्त विवादास्पद रहा है। उनकी मृत्यु हुए अभी अधिक समय नहीं हुआ है। इसलिए उनकी स्मृति भी अभी धूमिल नहीं हुई है। एक ओर उनके प्रशंसक उन्हें भगवान् की श्रेणी में रख देते हैं तो दूसरी ओर उनके आलोचक उनकी आलोचनाएँ भी करते हैं। यदि उनके प्रशंसकों ने उन्हें धर्म-रक्षक, युग-प्रवर्तक, संन्यासी, वैरागी, निर्भीक, स्थितप्रज्ञ आदि अलंकारों से अलंकृत किया है तो उनके आलोचकों ने उन्हें व्यर्थ में टाँग अड़ानेवाले हर विषय पर नोक-झोंक करनेवाले, अशिष्ट-भाषी, अक्खड़, अव्यावहारिक, दु:साहसी, मूर्तिभंजक आदि कहकर उनका उपहास भी उड़ाया है। जो कुछ भी हो, इतना तो सत्य है कि पीड़ित मानवता के इस पुजारी ने भाग्य की विडम्बना, कुत्सित उपेक्षा, लोक उपहास और अनेक विषम परिस्थितियों के बीच जिस पौरुष, अविचलित उत्साह, धैर्य, निष्ठा, तपस्या एवं त्याग का आदर्श उपस्थित किया है, वह मानव के लिए प्रेरणा-सूत्र के रूप में स्मरणीय रहेगा।

प्रारम्भिक जीवन, शिक्षा और क्रान्तिकारी जीवन का सूत्रपात

दलितों के प्रवक्ता डॉ. राममनोहर लोहिया का जन्म 23 मार्च, सन् 1910 को तमसा नदी के किनारे स्थित कस्बा अकबरपुर, जिला फैजाबाद में हुआ। उनके पिता, हीरालाल एक उद्‌भट देशभक्त और गाँधीवादी थे। पुत्र पर अपने पिता का प्रभाव पड़ा और आगे चलकर उन्हीं ने लोहिया को गाँधी जी का आशीर्वाद प्रदान कराया। उनकी माता चन्दा चनपटिया ग्राम (मिथिला प्रदेश) की थीं। लोहिया ढाई वर्ष में मातृहीन हो गये थे।

डॉ. लोहिया का प्रारम्भिक शैक्षणिक अध्ययन अकबरपुर में हुआ और वे इन कक्षाओं में प्रथम श्रेणी में उत्तीर्ण होते रहे। अत: उन पर अध्यापकों का विशेष स्नेह होना स्वाभाविक ही है। सन् 1925 ई. में उन्होंने मैट्रिक की परीक्षा बम्बई के मारवाड़ी

विद्यालय से प्रथम श्रेणी में उत्तीर्ण की। उन्होंने सन् 1927 ई. में इण्टर की परीक्षा हिन्दू विश्वविद्यालय बनारस से उत्तीर्ण की। कलकत्ता की एक शिक्षण संस्था विद्यासागर महाविद्यालय से सन् 1929 ई. में उन्होंने बी. ए. की परीक्षा उत्तीर्ण की। इसी समय लोहिया ने 'अखिल बंग विद्यार्थी सम्मेलन' की अध्यक्षता की। उन्होंने बर्लिन विश्वविद्यालय से सन् 1932 ई. में 'नमक और सत्याग्रह' विषय पर 'डॉक्टरेट' की उपाधि प्राप्त की और सन् 1933 में जर्मनी से वे अपना विद्यार्थी जीवन समाप्त कर स्वदेश लौट आये।

इतिहास में डॉ. लोहिया को अधिक रुचि थी, किन्तु गलत इतिहास में उन्हें कोई आस्था नहीं थी। त्रुटिपूर्ण इतिहास का अध्ययन बन्द करने और पुनः शुद्ध व सच्चा इतिहास लिखे जाने के लिए उनकी आलोचक बुद्धि विद्रोह कर उठी। उदाहरणार्थ इण्टर के इतिहास के पाठ्यक्रम में 'राइज ऑफ क्रिश्चियन पावर' नामक पुस्तक निर्धारित थी, जिसमें शिवाजी को 'लुटेरा सरदार' कहा गया था। लोहिया ने इसको झूठा सिद्ध किया। उनके अध्ययन का क्षेत्र व्यापक था। राजनीतिशास्त्र, दर्शन, इतिहास, अर्थशास्त्र, महाभारत, स्थापत्य कला, प्राचीन इतिहास और नक्षत्र मण्डल आदि में उनकी गहरी रुचि थी। उनमें विद्वत्ता, विवेक और क्रान्ति का अद्‌भुत सम्मिश्रण था। राजसी खेल क्रिकेट की भर्त्सना, गिल्ली-डण्डा, अलगोजा का शौक, त्रुटिपूर्ण इतिहास की आलोचना, राष्ट्रीय विद्यालयों में अध्ययन, साम्राज्यवादी ब्रिटेन में नहीं, अपितु राष्ट्रप्रेमी जर्मनी में अध्ययन, स्वतन्त्रता-संग्राम के लिए विद्यार्थियों का नेतृत्व आदि उनके ऐसे कृत्य हैं जिनसे उनके प्रारम्भिक जीवन के मेधावी और क्रान्तदर्शी व्यक्तित्व की झलक स्पष्ट दृष्टिगोचर होती है।

डॉ. लोहिया की राजनैतिक चेतना

डॉ. राममनोहर लोहिया के राजनैतिक जीवन को अध्ययन की सुविधा के लिए हम दो भागों में विभाजित कर सकते हैं—(1) स्वातन्त्र्यपूर्व राजनैतिक आन्दोलन और डॉ. लोहिया (2) स्वातन्त्र्योत्तर राजनैतिक चेतना और डॉ. लोहिया का यथार्थवादी चिन्तन।

1. स्वतन्त्र्यपूर्व राजनैतिक आन्दोलन और डॉ. लोहिया—डॉ. लोहिया का राजनैतिक जीवन विद्यार्थी जीवन से प्रारम्भ होता है।[1] अगस्त, 1920 को लोकमान्य बालगंगाधर की मृत्यु को उन्होंने महामृत्यु माना और बम्बई के मारवाड़ी विद्यालय के अपने छात्र साथियों को हड़ताल का संकेत कर उनका नेतृत्व किया। इसी समय गाँधी जी के असहयोग आन्दोलन से प्रभावित होकर उन्होंने विद्यालय का त्याग कर दिया और अपने को स्वतन्त्रता-संग्राम की महाग्नि में झोंक दिया। यहीं से उनका संघर्ष का जीवन प्रारम्भ होता है। उन्होंने विदेशी बसों के जलाने, ट्राम गाड़ियों के तार काटने और विदेशी वस्त्रों की होली जलाने में उग्र दल का नेतृत्व किया।

असहयोग आन्दोलन के समय ही गाँधी जी बम्बई गये। उनके पिता हीरालाल, डॉ. लोहिया को लेकर गाँधी जी से मिलने गये। वहीं अपनी आदत के विपरीत उन्होंने गाँधी जी के चरण स्पर्श किये और गाँधी ने उनकी पीठ थपथपायी। सन् 1924 ई. में लोहिया एक प्रतिनिधि के रूप में गया में हुए कांग्रेस अधिवेशन में सम्मिलित हुए। खद्दर पहनना और उसी का प्रचार करना उनका प्रमुख उद्देश्य था। 1928 में 'साइमन वापस जाओ' के लिए कलकत्ता में लोहिया ने विद्यार्थियों को कमीशन के इस बहिष्कार के लिएं तैयार किया और उनका नेतृत्व किया। जर्मनी के भारतीय विद्यार्थियों द्वारा निर्मित 'मध्य-यूरोप हिन्दुस्तानी संघ' नामक संस्था के लोहिया मन्त्री बने। इस संस्था ने भारत के बाहर भारतीय राष्ट्रीयता का प्रचार-कार्य किया।

भारतीय राष्ट्रीय कांग्रेस से प्रतिबद्धता—सन् 1934 ई. में जब 'कांग्रेस सोशलिस्ट पार्टी' का निर्माण हुआ था तभी 'कांग्रेस सोशलिस्ट' नामक साप्ताहिक मुखपत्र आरम्भ हआ जिसके डॉ. लोहिया सम्पादक बने। सन् 1935 ई. में पण्डित नेहरू की अध्यक्षता में हुए कांग्रेस अधिवेशन में कांग्रेस ने अपनी अखिल भारतीय समिति के अन्तर्गत एक परराष्ट्र विभाग खोला और लोहिया उस परराष्ट्र विभाग के मन्त्री हुए।[2] सन् 1938 ई. में परराष्ट्र विभाग के मन्त्री पद से त्यागपत्र दिया, किन्तु इस कार्य-काल में लोहिया का व्यक्तित्व भारतीय राजनीति में एक प्रतिभावान् विचारक और परराष्ट्र-नीति के विज्ञ प्रवक्ता में रूप के सर्वमान्य हो चुका था।

द्वितीय महायुद्ध और राजनैतिक उथल-पुथल—सन् 1939 में द्वितीय विश्वयुद्ध के समय डॉ. लोहिया ने भारत के स्वतन्त्रता-संग्राम को नया एवं शक्तिशाली मोड़ दिया और निम्नलिखित चार-सूत्री कार्यक्रम तैयार किया—(1) युद्ध भरती का विरोध (2) देशी रियासतों में आन्दोलन (3) ब्रिटिश मात-जहाजों से माल उतारने व लादने से इनकार करनेवाले मजदूरों का संगठन (4) युद्ध कर और युद्ध कर्ज को मंजूर न करना और अदा न करना।[3] इस प्रकार डॉ. लोहिया का विचार था कि युद्ध में किसी भी पक्ष में भारतीयों को नहीं जुड़ना चाहिए। इस प्रकार के प्रचार से वे 24 मई, 1939 को गिरफ्तार किये गये और 14 अगस्त, 1939 को मुक्त किये गये। शोषण और दासता की नींव पर आधारित अंग्रेजी साम्राज्य के विशाल भवन को धराशायी करने के लिए लोहिया तुरन्त सत्याग्रह छेड़ने के पक्ष में थे। लोहिया ने गाँधी जी के पत्र 'हरिजन' के 1 जून के अंक में 'सत्याग्रह तुरन्त' नामक लेख लिखा। 11 मई, 1940 को दोस्तपुर में दिये गये भाषण के सन्दर्भ में वे 7 जून, 1940 को कैद किये गये और मुकदमे के परिणामस्वरूप 1 जुलाई, 1940 को दो वर्ष की सख्त कैद की सजा उन्हें दी गयी। वे बरेली जेल में भेजे गये जहाँ उनको अनेक यातनाएँ और अंग्रेजों के दुर्व्यवहार को सहन करना पड़ा। गाँधी जी लोहिया को जेल से छुड़ाने के लिए बहुत प्रयत्नशील रहे। गाँधी जी ने कांग्रेस कमेटी की एक सभा में बम्बई में स्पष्ट

कहा था, "जब तक डॉ. राममनोहर लोहिया जेल में हैं, तब तक मैं खामोश नहीं बैठ सकता। उनसे ज्यादा बहादुर और सरल आदमी मुझे मालूम नहीं। उन्होंने हिंसा का प्रचार नहीं किया। जो कुछ किया है, उससे उनका सम्मान और अधिक बढ़ता है।" 4 दिसम्बर, 1941 को लोहिया रिहा किये गये।

भारत छोड़ो आन्दोलन की सक्रियता—डॉ. लोहिया ने प्रचार द्वारा तथा 'विश्वासघाती जापान या आत्म-सन्तुष्ट ब्रिटेन' नामक लेख लिखकर जनमत और गाँधी जी को 'भारत छोड़ो' आन्दोलन के लिए तैयार किया। इस हेतु 'अलमोड़ा जिला राजनीतिक सम्मेलन' की डॉ. लोहिया ने अध्यक्षता की। उन्होंने युद्ध के दौरान 'बिना पुलिस या फौज के शहर' की योजना दी जिनके बारे में गाँधी जी ने वाइसराय को पत्र लिखा था, 'अहिंसात्मक सोशलिस्ट डॉ. लोहिया ने भारतीय शहरों को बिना पुलिस या फौज के शहर घोषित करने की कल्पना निकाली है।"[4] इसी समय उन्होंने गाँधी जी के समक्ष दूसरी योजना रखी जिसकी नींव के चार तत्त्व थे—(1) एक देश की दूसरे देश में जो पूँजी लगी है उसे जब्त करना (2) सभी लोगों को संसार में कहीं आने-जाने और बसने का अधिकार (3) दुनिया के सभी राष्ट्रों को राजनीतिक आजादी (4) विश्व-नागरिकता।[5]

9 अगस्त, सन् 1942 को सुबह 'भारत छोड़ो' आन्दोलन पर एक भाषण के कारण गाँधी जी गिरफ्तार किये गये। उस समय नेतृत्वहीन जनता के मार्गदर्शन के लिए 'केन्द्रीय संचालन मण्डल' बनाया गया जिसमें नीति निर्धारण करके विचार देने का कार्य डॉ. लोहिया पर सौंपा गया। लोहिया ने भूमिगत आन्दोलन दिया। तार यन्त्र तोड़ना, हथियार ढोनेवाली फौजी रेलगाड़ियाँ बारूद से उड़ाना, यातायात को बेकार करना, सरकारी कारोबार के मौके की जगहों पर कब्जा करना या उन्हें नष्ट करना भूमिगत आन्दोलन के प्रमुख अंग थे। अगस्त, 1942 की रात में 20 मई, 1944 तक भूमिगत रहते हुए लोहिया ने विद्रोहियों की प्रेरणा के लिए कई बुलेटिनें और छोटी-छोटी पुस्तकें लिखीं जिनमें से 'जंग जू आगे बढ़ें', 'क्रान्ति की तैयारी करो', 'आजाद राज कैसे बने' मुख्य थीं। गुप्त रेडियो-केन्द्रों की स्थापना कर लोहिया ने अपने भाषणों द्वारा आन्दोलन को जीवित रखा। नाम, पोशाक और भाषा में बदले हुए लोहिया को अंग्रेज पहचानने में असमर्थ रहे। कलकत्ता में लोहिया जी उन दिनों बाँठिया जी के नाम से ही जाने जाते थे। अन्त में सतत प्रयत्नों के बाद अंग्रेजों ने 20 मई, 1944 को बम्बई में लोहिया को गिरफ्तार कर लिया। अब उन्हें यातनाओं के लिए प्रसिद्ध या बदनाम लाहौर किले की एक अँधेरी कोठरी में बन्द कर अनेकानेक शारीरिक एवं मानसिक यातनाएँ दी गयीं। 11 अप्रैल, 1946 को उन्हें मुक्ति मिली।

गोवा-मुक्ति आन्दोलन की दिशा—10 जून, 1946 को अपने गोवा-वासी मित्र जूलियो मैनेजिस के निमन्त्रण पर लोहिया गोवा पहुँचे। वहाँ भी उन्होंने गोवा-

वासियों की स्वतन्त्रता के लिए पुर्तगालियों के विरुद्ध विद्रोह की आग सुलगायी। 18 जून, 1946 को गोवा के मड़गाँव स्थान पर उन्होंने अपने भाषण की प्रतियाँ बँटवायीं, क्योंकि पुलिस कमिश्नर ने भाषण के लिए खड़े विशाल जनसमूह में डॉ. लोहिया को गिरफ्तार कर लिया। उनका यह निम्नलिखित भाषण भारत के सभी अखबारों में छपा, "....गोवा की जनता का दिल दर्द से भरा है। उनकी आँखें हिन्दुस्तान की ओर लगी हैं।...यहाँ की पुर्तगाली सत्ता की चिन्ता मुझे नहीं है। क्योंकि पुर्तगालियों के बड़े भाई अंग्रेज की सत्ता खतम होने के बाद पुर्तगाली सत्ता भी अवश्य नष्ट होगी।...गोमान्तकीय राष्ट्रीय जीवन के पुनरुत्थान के लिए नागरिक स्वातन्त्र्य का अपहरण करनेवाले बदनाम काले कानूनों को हटाया जाना पहला कदम होगा।...यदि गोमान्तकीय मेरे पास न आते तो भी मैं खामोश न बैठा रहता...।" 19 जून को लोहिया अचानक रिहा कर दिये गये।

लोहिया-आन्दोलन के परिणामस्वरूप वहाँ की जनता को बिना सरकारी आदेश के सभा और भाषण की स्वतन्त्रता प्राप्त हुई। वे भारत लौट आये। गाँधीजी ने गोवा के गवर्नर को 14 अगस्त, 1946 के 'हरिजन' में एक पत्र लिखा जिसमें लोहिया की प्रशंसा करते हुए लिखा, "...आप और गोवा के नागरिक दोनों को ही डॉ. लोहिया को बधाई देनी चाहिए कि उन्होंने यह मशाल जलायी...।" 29 सितम्बर, 1946 को लोहिया गोवा के लिए पुन: चल दिये परन्तु कोलिम स्टेशन पर ही उन्हें गिरफ्तार कर अगवाद के किले में बन्द कर दिया गया। गाँधी जी के प्रयासों से 9 अक्टूबर, 1946 को उन्हें रिहा कर भारतीय सीमा पर छोड़ दिया गया। लोहिया ने गोवा-आन्दोलन के लिए धन संग्रह किया, किन्तु आन्दोलनकारियों की आपसी फूट के कारण गोवा का मामला ठण्डा कर दिया गया। डॉ. लोहिया की इस कृति को इतिहास कभी नहीं भुला सकेगा। गोवा की स्त्रियों ने अपने लोक-गीतों में लोहिया का नाम जोड़ा। "पहली माझी ओवी, पहले माझ फूल, भक्ती ने अर्पिन लोहिया ना।"

देश-विभाजन की छटपटाहट—संविधान सभा, देश-विभाजन आदि प्रश्नों पर नेताओं में आपसी मनमुटाव पड़ा। परिणामस्वरूप कानपुर में 26, 27, 28 फरवरी, 1947 को कांग्रेस सोशलिस्ट पार्टी का सम्मेलन डॉ. राममनोहर लोहिया की अध्यक्षता में हुआ, जिसमें देश के सभी सोशलिस्ट सम्मिलित हुए और जिसके निर्णय द्वारा कांग्रेस शब्द हटाकर दल का काम केवल 'सोशलिस्ट पार्टी' रखा गया। इसी फरवरी, 47 को ब्रिटिश प्रधानमन्त्री एटली ने घोषणा की कि वे जून, 47 में देश छोड़कर चले जायेंगे। पदलोलुप नेतागण भारत-पाक दो राष्ट्रों के लिए इस समय अधीर हो रहे थे। लोहिया ने हिन्दू-मुस्लिम एकता का महत्त्वपूर्ण कार्य तन, मन, धन से करने का असफल प्रयास किया। गाँधी, नेहरू, पटेल आदि के साथ वार्त्ता में उन्होंने कहा भी था, "देश की एकता के लिए क्या लिंकन को युद्ध नहीं करना पड़ा था? अमेरिका

के गृह-युद्ध में दोनों पक्षों को मिलाकर तीन-चार लाख लोग मारे गये थे, लेकिन उनका भाईचारा तो बना रहा। हिन्दू-मुसलमान जानवर की तरह एक-दूसरे को मार सकते हैं, पर वे भाई-भाई ही रहेंगे। भाई-भाई अपने निजी झगड़े में एक-दूसरे को मारते नहीं क्या?'' (ओंकार शरद : लोहिया, पृ. 179)

स्वातन्त्र्योत्तर राजनीतिक चेतना और लोहिया का यथार्थवादी चिन्तन

स्वतन्त्रता के पूर्व और पश्चात् दोनों समयों में डॉ. लोहिया का जीवन विद्रोही रहा। यदि एक में विदेशी सत्ता के प्रति कड़ी खिलाफत रही तो दूसरे में देशी सत्ता के प्रति न्याय के लिए प्रबल और सतत विरोध। विश्व के इतिहास में सम्भवत: कहीं भी दो विरोधी नाम इस तरह नहीं जुड़े जिस तरह नेहरू व लोहिया के नाम जुड़े हैं। वे संघर्षात्मक एवं विरोधपक्षीय राजनीति के पक्ष में थे। लोकप्रियता के लिए लेन-देन, सौदेबाजी और बनावट उन्हें आती ही न थी। अपने सिद्धान्त और कर्म के द्वारा उन्होंने बहुमुखी जन-जागरण किया और अनेकानेक कष्ट सहन किये। उनके सिद्धान्त और कर्म-निष्ठा का इससे अधिक प्रमाण भला क्या मिलेगा कि साधनहीन एवं सत्ताहीन होकर भी वे हिन्दुस्तान के जन-जन तक पहुँच सके। डॉ. लोहिया हिन्दू-पाक महासंघ का निर्माण चाहते थे। उन्होंने कहा था, ''मैं नकली और बनावटी विभाजन को मिटाना चाहता हूँ।...मेरी राय में भारत और पाकिस्तान की जनता में एक हो जाने की इच्छा पैदा करना ही शान्ति का अकेला रास्ता है।'' (ओंकार शरद : लोहिया, पृष्ठ 24) वे अंग्रेजी भाषा का निरन्तर विरोध करते रहे। सोशलिस्ट पार्टी ने मार्च, 1948 के नासिक सम्मेलन में कांग्रेस से अलग होने का निश्चय किया। डॉ. लोहिया की प्रेरणा से इसी सम्मेलन में एक प्रस्ताव स्वीकृत किया गया, जिसमें भारत की 650 रियासतों की हस्ती को देश की स्वतन्त्रता के लिए हानिकारक बताया गया।

भारत के आर्थिक, सामाजिक और राजनीतिक उन्नयन की दिशा में क्रियाशीलता

डॉ. लोहिया ने तिब्बत पर चीन के आक्रमण को शिशु-हत्या बताया और सरकार को हिमालय प्रदेशों की सुरक्षा के लिए चेतावनी देते हुए 'हिमालय नीति' प्रस्तुत की, जिसमें उन्होंने उत्तरी सीमा पर लगनेवाले पड़ोसी राष्ट्रों में जनतन्त्र की स्थापना पर बल दिया था।[6] वे पार्टी के परराष्ट्र विभाग समिति के अध्यक्ष थे। उन्होंने परराष्ट्र नीति के अन्तर्गत गत महायुद्ध के समय विश्व-राष्ट्रों के दो गुटों में विभक्त होने का विरोध किया तथा एक तीसरी शक्ति की कल्पना की थी—तीसरा खेमा। डॉ. लोहिया ने कश्मीर समस्या को पण्डित नेहरू द्वारा संयुक्त राष्ट्र संघ में ले जाना एक महान् भूल माना। मार्च, 1949 में सोशलिस्ट पार्टी का दूसरा राष्ट्रीय सम्मेलन हुआ, जिसमें डॉ. लोहिया ने 'आगे बढ़ो' के रूप में एक क्रान्तिकारी विचार दिया। इसी समय उन्होंने 'चौखम्भा राज' की योजना प्रस्तुत की। इन्हीं दिनों उत्तर प्रदेश के किसानों की बहुत-सी माँगें जैसे गन्ने का कम मूल्य तथा दसगुना लगान की जबरदस्ती वसूली आदि को लेकर

लोहिया के नेतृत्व में एक विशाल जन-प्रदर्शन का आयोजन किया गया। पटना में हिन्द किसान पंचायत की स्थापना हुई, जिसके अध्यक्ष डॉ. लोहिया चुने गये।

26 फरवरी, 1950 को रीवा में हिन्द किसान पंचायत का पहला राष्ट्रीय सम्मेलन डॉ. लोहिया की अध्यक्षता में हुआ, जिसमें उन्होंने देश के सम्मुख कृषकों की माँगें रखीं और 'गरीबी मिटाओ' नामक प्रसिद्ध कार्यक्रम रखा। मई, 1950 में 'चम्पारन जाँच समिति' के अध्यक्ष के रूप में डॉ. लोहिया ने चम्पारन का दौरा किया। उन्होंने 20 अप्रैल से 17 मई तक रचनात्मक कार्यक्रम चलाया। उनके इस रचनात्मक कार्यक्रम का आधार फावड़ा था, गाँधी का चर्खा नहीं। इस कार्यक्रम का उद्देश्य छोटे तालाब, नहर, सड़क और कुएँ निर्मित करना था। इसके अन्तर्गत उन्होंने बुलन्दशहर की तीन सौ एकड़ भूमि में नाली खोदने के कार्य का उद्घाटन किया। पथरेड़ी ग्राम के किसानों ने पनियारी नदी पर दो पहाड़ों के बीच 'लोहिया सागर बाँध' बनाया।[7] इस प्रकार उन्होंने ऐच्छिक और सामुदायिक श्रम की आवश्यकता पर बल दिया। उनका कहना था कि रचनात्मक कार्यक्रम के बिना सत्याग्रह एक क्रियारहित वाक्य के समान है।[8] इससे स्पष्ट होता है कि उनकी राजनीति जितनी ध्वंसात्मक थी उतनी ही रचनात्मक। यह कहने की कोई आवश्यकता नहीं कि रचनात्मक कार्यक्रम से भी अधिक उन्हें गरीबों की रोजी, रोटी और कपड़े का ध्यान था। इस हेतु उनकी अध्यक्षता में दिल्ली में 3 जून, 1951 को 'जनवाणी दिवस' मनाया गया। 13, 14 मई, 1954 से जून, 54 तक लोहिया तथा उनके अनुयायियों ने उत्तर प्रदेश के तेरह जिलों में नहर रेट-वृद्धि के विरोध में सविनय अवज्ञा की और जेल भोगी।

समाजवादी दलों का संगठन और दिशा-निर्देश

पददलितों के उत्थान के लिए डॉ. लोहिया ने समाजवादी दलों को संगठित करने और उन्हें कुशल मार्गदर्शन प्रदान करने का आजीवन प्रयास किया। उनके प्रयासों के परिणामस्वरूप ही सन् 1953 में 'किसान मजदूर प्रजा पार्टी' और 'सोशलिस्ट पार्टी' मिलकर एक 'प्रजा सोशलिस्ट पार्टी' के रूप में संगठित हो गयी। संगठन हुए बहुत दिन नहीं हुए थे कि दल का बिखरना प्रारम्भ हो गया। केरल के प्रजा सोशलिस्ट पार्टी के मन्त्रिमण्डल ने सन् 54 में निहत्थी भीड़ पर गोली चलवायी। अहिंसात्मक और मानवीय राजनीति के द्योतक डॉ. लोहिया ने पार्टी के महामन्त्री की हैसियत से मुख्यमन्त्री श्री पट्टमथाणु पिल्ले से पद-त्याग की माँग की।[9] पार्टी ने उनकी माँग ठुकरायी। इधर आवाडी कांग्रेस अधिवेशन (1954) की 'समाजवादी समाज की रचना' की नीति का अशोक मेहता आदि प्रजा समाजवादियों ने स्वागत करना आरम्भ किया। दल में फूट पड़ी और लोहिया को 31 दिसम्बर, '55 एवं 1 जनवरी, '56 के सन्धिक्षणों में समाजवादी दल का निर्माण करना पड़ा। 29 जनवरी, 1965 को पुनः समाजवादी दल और प्रजा समाजवादी दल एक होकर संयुक्त समाजवादी दल के रूप में संगठित

हुए। अंशतः वैयक्तिक और अंशतः सैद्धान्तिक मतभेद के कारण संयुक्त समाजवादी दल से प्रजा समाजवादी दल पृथक् हो गया। इस प्रकार डॉ. लोहिया को समाजवादी एकता के कार्य में केवल आंशिक और अस्थायी सफलताएँ ही प्राप्त हुईं। उनको इस असफलता का कारण उनकी सिद्धान्तनिष्ठ राजनीति थी।

हाँ, दिशा-निर्देशन के कार्य में डॉ. लोहिया काफी हद तक सफल हुए। उन्होंने पाश्चात्य एवं पूर्व की समाजवादी विचारधारा का विश्लेषण किया और अपने समाजवादी आन्दोलन को व्यवहार एवं सिद्धान्त मिश्रित मौलिक चिन्तन से आभूषित किया। इतना सब होते हुए भी उन्हें बार-बार पराजय का मुँह देखना पड़ा, क्योंकि उनके दल के अधिकांश कार्यकर्त्ता, कर्मठ, सिद्धान्तनिष्ठ और त्यागी नहीं थे। कुशल कार्यकर्त्ताओं के अभाव में और कांग्रेस के संगठन के प्रभाव में डॉ. लोहिया के सिद्धान्तों को शक्ति हासिल नहीं हुई। उनके सिद्धान्त कमजोर सत्य बनकर रह गये। यदि लोहिया के विचार वास्तव में सत्य हैं तो उन्हें कभी-न-कभी शक्ति प्राप्त होगी, क्योंकि सत्य की ही तो विजय होती है।

अपने सिद्धान्तों को सत्य निरूपित करने के लिए ही वे संगठन और शक्ति चाहते थे। यही कारण है कि उन्होंने केवल देश के ही समाजवादी आन्दोलन को नहीं, अपितु देश के परे समाजवादी दलों को भी एकत्रित करने का प्रयास किया। इस हेतु 3 जुलाई, 1951 से प्रारम्भ होनेवाले विश्व-समाजवादियों के अन्तरराष्ट्रीय सम्मेलन में भाग लेने के लिए वे जर्मनी गये। वहाँ पर उन्होंने अपने भाषण में तीसरे खेमे की आवश्यकता और स्थापना पर बल दिया। डॉ. लोहिया के प्रयत्नों के फलस्वरूप ही 25 मार्च, 1952 को रंगून में एशियायी सोशलिस्ट कान्फ्रेन्स की नींव पड़ी।

आम चुनाव, आन्दोलन और डॉ. लोहिया—अपने जिन समाजवादी सिद्धान्तों के लिए वे तीसरे खेमे का निर्माण चाहते थे, उन्हीं को देश में प्रतिष्ठित करने के लिए वे आन्दोलनों और चुनावों में सफलता के आकांक्षी थे। सन् 1957 के आम चुनाव में डॉ. लोहिया उत्तर प्रदेश के चकिया-चन्दौली चुनाव क्षेत्र से लोकसभा की सदस्यता के लिए खड़े हुए, लेकिन असफल हुए। तब उन्होंने संसद् के बाहर की राजनीति तीव्र की और 'अंग्रेजी हटाओ', 'दाम बाँधो', 'जाति तोड़ो', 'हिमालय बचाओ' आदि आन्दोलनों को लेकर सविनय अवज्ञा करने में लग गये। विशेषाधिकारों का विरोध उन्होंने विशेष रूप से किया। देश के हर डाक बँगले और सर्किट हाउस में वे सामान्य जन को भी ठहरने का अधिकार दिलाना चाहते थे। उनकी मान्यता थी कि वे सरकारी धर्मशालाएँ हैं। 17 अप्रैल, 1960 को कानपुर के सर्किट हाउस में ठहरने के कारण उन्हें 100 रुपये का जुर्माना भी देना पड़ा था। ऐसी कुत्सित उपेक्षाएँ सहते हुए भी वे जनता के हितार्थ और शासन के विरोधार्थ निरन्तर संघर्षरत रहे। अवसर आने पर वे इसी उद्देश्य के लिए चुनाव भी लड़े। सन् 1962 के तीसरे आम चुनाव में

फूलपुर चुनाव क्षेत्र से लोहिया नेहरू के विरुद्ध लोकसभा के लिए खड़े हुए। चुनाव परिणाम उनके विपक्ष में गया।

संसदीय जीवन में विस्फोटक लोहिया—हलचल और लोहिया का पृथक्करण नहीं किया जा सकता। अमरोहा निर्वाचन क्षेत्र के उपचुनाव में विजयी होकर 1963 में डॉ. लोहिया लोकसभा के सदस्य बने। उनके आते ही लोकसभा भी हलचल की केन्द्र बन गयी। उनके विद्रोही व्यक्तित्व ने लोकसभा में खलबली मचा दी। उन्होंने लोकसभा का ध्यान आकर्षित करते हुए कहा कि देश के लगभग 18 करोड़ व्यक्तियों में से प्रत्येक तीन आने प्रतिदिन पर अपना जीवन निर्वाह करता है। उनका यह कथन ऐसा था जिसकी कल्पना तक शायद किसी ने न की होगी, परन्तु उन्होंने इसको प्रमाणित करने का प्रयास किया था। भले ही उनका यह कथन विवादास्पद हो, किन्तु उनका यह विवादास्पद कथन दलितों के प्रति उनकी सहृदयता को निर्विवाद रूप से प्रकट करता है। विश्व-नागरिक डॉ. लोहिया भारत में स्वेवलाना को शरण देने के पक्ष में थे। आपका एक अन्य महत्त्वपूर्ण प्रस्ताव 'खर्च पर सीमा' था। यहाँ यह कहने की कोई आवश्यकता नहीं कि उनके किसी भी प्रस्ताव पर उस समय की सरकार ने ध्यान नहीं दिया।

अन्तरराष्ट्रीय समस्याओं के प्रति दृष्टिकोण और विश्व-भ्रमण

जितने क्रान्तिकारी डॉ. लोहिया संसदीय राजनीति में थे उतने ही संसद् के बाहर की राजनीति में और उतने ही अन्तरराष्ट्रीय राजनीति में। हर क्षेत्र में वे अन्दर और बाहर की एकता के प्रतीक थे। वे राष्ट्रीय समस्याओं के प्रति जागरूक थे, किन्तु अन्तरराष्ट्रीय समस्याओं के प्रति भी कम नहीं। अन्तरराष्ट्रीय जाति-प्रथा, अन्तरराष्ट्रीय जमींदारी, अन्तरराष्ट्रीय आर्थिक असमानता, साम्राज्यवाद आदि का उन्होंने आजीवन विरोध किया। वे संयुक्त राष्ट्र संघ का पुनर्गठन, विश्व-विकास समिति और विश्व-सरकार की स्थापना चाहते थे। सन् 1949 में विश्व-सरकार के समर्थकों का स्टाकहोम में एक सम्मेलन हुआ जिसमें भाग लेने के लिए विश्व-शान्ति-प्रेमी डॉ. लोहिया वहाँ पहुँचे थे। उन्होंने 15 अप्रैल, 1964 से विश्व-भ्रमण करना पुनः प्रारम्भ किया। पूर्वी देशों में होते हुए वे मई में अमेरिका पहुँचे जहाँ उन्होंने रंगभेद नीति का विरोध किया। उन्होंने वहाँ के नीग्रो को रंगभेद के विरुद्ध सत्याग्रह करने के लिए प्रोत्साहित किया।[10]

अन्तिम राजनीति और संविद की कल्पना—अमेरिका से वापस आने के पश्चात् जून, सन् 1965 में डॉ. लोहिया ने जर्मनी, रूस, अफगानिस्तान आदि देशों की यात्रा की। विदेश यात्रा से लौटने पर पुनः शासन के विरोध और कष्टों के निरोध में लग गये। सन् '66 की 11 जुलाई को महँगाई, भ्रष्टाचार और जनता के कष्टों के प्रति शासन को सचेत करने के लिए उन्होंने 'उत्तर प्रदेश बन्द' का आयोजन किया। 11

जुलाई को आगरा स्टेशन पर लोहिया को गिरफ्तार किया गया। मुकदमे के परिणामस्वरूप उन्हें मुक्ति मिली। 1967 के आम चुनाव में उन्होंने 'कांग्रेस हटाओ और देश बचाओ' का नारा लगाया। डॉ. लोहिया कन्नौज निर्वाचन क्षेत्र से लोकसभा की सदस्यता के लिए चुने गये। कई राज्यों में उनकी कल्पना के अनुसार संविद सरकारें बनीं। 30 सितम्बर, 1967 को नयी दिल्ली के विलिंगटन अस्पताल में डॉ. लोहिया की पौरुष-ग्रन्थि का आपरेशन हुआ और उसी के परिणामस्वरूप गरीबों का मसीहा 12 अक्टूबर, 67 को 1 बजकर 5 मिनट पर इस धरा से उठ गया।

डॉ. लोहिया : राजनीतिक प्रभविष्णुता

डॉ. लोहिया के सम्पूर्ण जीवन से स्पष्ट होता है कि उनके चरित्र में कुछ ऐसी विशेषताएँ हैं जो सामान्यत: एक राजनीतिज्ञ के जीवन में नहीं होतीं। उनके जीवन की निम्नलिखित विशिष्टताएँ उनके समाजवादी दर्शन का भी पर्याप्त रूप में आभास कराती हैं।

1. गरीबों का मसीहा—वे गरीबों के मसीहा और दु:खियों के पैगम्बर थे। अपनी अन्तिम साँस तक वे गरीबों को रोटी, रोजी, कपड़ा के लिए सतत् संघर्ष करते रहे। उनको गरीबों के पेट के भी पहले उनके मन और जबान का अधिक ध्यान था। उनको गरीबों के प्रति स्वाभाविक रूप से श्रद्धा थी। अपने जीवन के अन्तिम क्षणों में भी उनके शब्द थे, "लाखों का क्या होगा?' किसानों का क्या होगा? लगान का क्या होगा? हिन्दी का क्या होगा?" और "मेरे अकेले के लिए इतने डाक्टर। करोड़ों तो एक डाक्टर का चेहरा भी नहीं देख पाते।"[11] डॉ. लोहिया रात-रात भर कलकत्ते में चक्कर लगाकर देखते थे कि कितने गरीब सड़क पर सोते हैं।[12] संसद् के बाहर और अन्दर की उनकी कृति भी इसका प्रमाण है। इनकी मृत्यु पर सभी महान् और उनके विरोधी नेताओं की श्रद्धांजलियाँ भी इस तथ्य को स्वीकार करती हैं। उदाहरणार्थ यशवन्त राव चव्हाण ने ही कहा था, 'डॉ. लोहिया पददलितों के प्रवक्ता थे...।"[13] एक बार लोहिया के चाचा रामकुमार लोहिया ने उनकी पसन्द का धन्धा पूछा। उन्होंने तुरन्त उत्तर दिया, "दल बनाकर करोड़ी समाप्त करना है।"[14] वास्तव में डॉ. लोहिया शासकों, सत्ताधारियों के लिए आतंक, गरीबों के लिए हौसला, गिरे हुओं के लिए प्रेरणा, बेजुबानों की वाणी और शक्तिहीनों की शक्ति थे।

2. लौह पुरुष—डॉ. लोहिया एक लौहपुरुष थे। विषम-से-विषम स्थिति में भी वे हमेशा दृढ़प्रतिज्ञ रहे। यों तो उनकी इस विशेषता को स्पष्ट करने के लिए उनका समग्र जीवन ही एक उदाहरण है, परन्तु संक्षेप में सन् 1942 के 'भारत छोड़ो' आन्दोलन के प्रणेता डॉ. लोहिया ने अगस्त, 1942 की रात्रि से 20 मई, 1944 तक भूमिगत आन्दोलन किया। इस आन्दोलन की खानाबदोशी, अनिश्चितता, नकाबपोशी, शारीरिक मुसीबतें, कठिनाइयाँ और अन्य यातनाएँ लोहिया को लोहिया बना देती हैं। लाहौर

किले की जेल में गोरे ऑफिसर द्वारा उनको खिझलाया जाना, भारी-भरकम हथकड़ी पहिनाया जाना, जमीन के खुरदरे फर्श पर उन्हें चक्करदार गोलाई में घसीटा जाना, कुर्सी पर बैठाये रखना और जबरन आँखें खुली रखने को विवश करना, 6-6 दिनों तक लगातार सोने न देना, उनके मित्रों और राष्ट्रीय नेताओं को गाली देना, डॉ. लोहिया ऐसे लोहिया ही सहन कर सके और फिर भी गाँधी के लिए निकले अपशब्दों के लिए 'मुँह बन्द करो, किले का बुजदिल' ऐसा कठोर उत्तर ऑफिसर को लोहिया ही दे सके।

गोवा-स्वतन्त्रता-अभियान में मड़गाँव की हजारों की भीड़ में भाषण के लिए खड़े डॉ. लोहिया को और एक एडमिनिस्ट्रेटर मिराण्डा का हाथ में रिवाल्वर लेकर लपकना और डॉ. लोहिया का रिवाल्वरवाले हाथ को पकड़कर नीचे करना और "धीरज से काम लो, देखते नहीं, कितनी भीड़ जमा है। खून खराबी होगी तो शान्ति कायम रहेगी क्या?"[15] कहना उनको स्पष्टतः लौहपुरुष बना देता है। अपने सम्पूर्ण जीवन में 18 बार जेल जाना और निर्भयता से सामाजिक न्याय के लिए कष्ट उठाना लोहिया को अद्वितीय साहसी और क्षमतावान् सिद्ध करता है।[16] श्री एल. पी. सिन्हा के एक निबन्ध 'सोशलिज्म इन इण्डिया : चैलेन्जज एण्ड रिसपोन्सस' में डॉ. लोहिया को 'निर्भीक डॉ. लोहिया' (Dauntless Dr. Lohia) कहा गया है।[17] उनके स्वर्गवास पर श्रद्धांजलि अर्पित करते हुए भूतपूर्व लोकसभा अध्यक्ष संजीवा रेड्डी ने ठीक ही कहा था, "जो व्यक्ति सल्तनतों को भस्म कर देने की शक्ति रखता था, आज अग्नि ने उसे ही भस्म कर दिया। इस देश में अनेक नेता हुए, लोहिया केवल एक हुआ।"[18]

3. मानवतावादी दृष्टि—डॉ. लोहिया का दर्शन तो मानवतावादी है ही परन्तु उनका जीवन उनके दर्शन से कहीं अधिक मानवतावादी। आधुनिक युग में अधिकांशतः 'पर उपदेश कुशल बहुतेरे' को चरितार्थ करते हुए बहुत-से नेता मिलते हैं, किन्तु 'कथनी और करनी में एक' केवल लोहिया ही हैं। मानवता के निर्माण करने के लिए ही डॉ. लोहिया जीवनपर्यन्त राजनीति के क्षेत्र में रहे। मानव की प्रतिष्ठा और सम्मान के कारण ही वे कभी रिक्शे पर नहीं बैठते थे। फलस्वरूप डॉ. साहब को अकसर पैदल, ताँगे में या किसी साथी की साइकिल के पीछे बैठकर ही यात्रा करनी पड़ती थी। सन् 1950 ई. में हिन्द किसान पंचायत की अध्यक्षता के लिए उन्हें लखनऊ से रीवा जाना था। लोहिया मोटर पर बैठे, लेकिन मोटर खराब हो गयी। रिक्शा मिल सकता था लेकिन पैदल चलने लगे और साथियों से कहा, "तुम रिक्शे से जाओ और ताँगा या इक्का मिले तो भेज देना।"[19] वे एक विश्व-नागरिक थे। डॉ. लोहिया ने 'समान प्रसवा जाति' के सूत्र को केवल समझने के लिए नहीं, अपितु स्थायी मानसिक दशा के रूप में अपनाने के लिए विश्व-नागरिकों को जागृत किया। उन्होंने जाति-

प्रथा उन्मूलन, नर-नारी समानता, वर्ग-समाप्ति, रंग-भेद-उन्मूलन आदि के लिए अतुलनीय संघर्ष किया है।

डॉ. लोहिया का जीवन सदैव विस्फोटक रहा एवं उन्होंने राजनीति में एक झाड़ूवाले की भूमिका अपनायी। वे बार-बार चिल्लाकर कहते थे कि आदमी को मक्खी के समान मानना बुरा है, इन्सानियत की इज्जत होनी चाहिए। डॉ. लोहिया फाँसी की सजा के जन्मजात विरोधी थे। उनका कहना था कि चाहे जिन्दगी भर जेल में डाले रखो, पर फाँसी न हो, क्योंकि गला घोंटकर मार डालना इन्सानियत की बात नहीं है। इस हेतु फाँसी आदेश प्राप्त तोता नामक व्यक्ति को फाँसी न दी जाने की राष्ट्रपति से पहल की तथा अपने दल की केरल की सरकार से अगस्त '54 को त्यागपत्र माँगा। लोकसभा के अन्दर हो या बाहर, उनके प्रखर व्यक्तित्व के पीछे मनुष्य की प्रतिष्ठा की माँगें बोलती थीं। चाहे वह पुलिस का प्रश्न हो या साधुओं का, अकाल का प्रश्न हो या विद्यार्थियों का, डॉ. लोहिया की प्रक्रिया सीधे-सीधे होती थी। यदि डॉ. लोहिया की राजनीति को अमानवीयता के विरुद्ध मानवीयता की राजनीति कहा जाय तो अतिशयोक्ति न होगी।

4. जन्मतः समाजवादी—डॉ. लोहिया जन्मतः सच्चे समाजवादी होने के नाते मानवता के अनन्य उपासक थे। जब वे 9 वर्ष के थे, तब पाठशाला जाते हुए एक बार उन्होंने देखा कि 18 या 19 वर्ष का एक नवयुवक अपने से कुछ छोटे नवयुवक को पीट रहा है। लोहिया अपनी दुर्बल शक्ति से ही उस सताये जानेवाले लड़के की रक्षा कर रहे थे।[20] पीड़ित एवं शोषित के प्रति करुणा एवं सहानुभूति तथा शोषक के प्रति चिढ़ उनके स्वभाव में प्रारम्भ से ही थी। डॉ. लोहिया को दीन-दलितों की सेवा में जन्म से ही बड़ी रुचि थी। एक बार एक अपाहिज, गरीब, एवं प्यासे व्यक्ति को उन्होंने कुएँ से पानी खींचकर पिलाया।[21] इस कृत्य ने उनको इतना आनन्द दिया कि वे जीवनपर्यन्त सच्चे समाजवादी होकर मानव एवं निरीहों के लिए सदा संघर्षरत रहे।

5. विद्रोही व्यक्तित्व—डॉ. लोहिया आत्मा से विद्रोही थे। उनके विद्रोही व्यक्तित्व में विचार, प्रतिभा और कर्मठता का सम्मिश्रण था। उनकी समस्त कृतियों के रूप में अन्याय का तीव्रतम प्रतिकार ही रहा है। उन्होंने केवल सन् '42 के आन्दोलन, लाहौर का किला, गोवा, नेपाल या अन्य ऐसे प्रसंगों में अपनी बहादुरी नहीं दिखायी, बल्कि उनकी बहादुरी का स्वरूप जिन्दगी की सारी जंजीरें—लोभ की, सफलता की, कीर्ति की, प्रीति की—किसी स्थितप्रज्ञ की तरह बेहिचक तोड़ने में है। उनकी राजनीति सिद्धान्तनिष्ठ थी। उनमें प्रबल इच्छा-शक्ति, संयम, असीम शौर्य और धैर्य था। अपनी इन्हीं विशेषताओं के कारण वे बारम्बार कष्टों और अपमानजनक अनुभवों को आमन्त्रित करने के अभ्यस्त हो गये थे। विरोधियों की कटुता तो उन्होंने जीवनपर्यन्त हर क्षण

सही, साथ-ही-साथ उनके अभिन्न मित्रों और साथियों ने भी उनका साथ छोड़ा, परन्तु डॉ. लोहिया अपने मार्ग पर चट्टान की तरह अडिग रहे। बारम्बार आहत होकर भी उन्होंने कभी समझौते का मार्ग नहीं स्वीकारा। अन्तिम समय की अचेतनावस्था में भी उन्होंने बड़बड़ाया, "मैं आजीवन विरोधी दल का ही नेता रहूँगा।" डॉ. रामधारीसिंह दिनकर ने भी उन्हें 'आजीवन विस्फोटक व्यक्तित्व' और 'भाग्यवाद के विरोधी, निश्छल आदर्शवादी की संज्ञा दी।[22] भूतपूर्व राष्ट्रपति डॉ. जाकिर हुसैन ने उन्हें श्रद्धांजलि अर्पित करते हुए कहा..."एक महान् देशभक्त, आदर्शवादी और जीवनपर्यन्त विद्रोही डॉ. लोहिया ने अपना जीवन गरीबों की सेवा में उत्सर्ग किया...।"[23]

6. भविष्यद्रष्टा—डॉ. लोहिया एक महान् भविष्यद्रष्टा थे। उनका अनुभव गम्भीर एवं उनकी दृष्टि अति सूक्ष्म थी। भविष्य के गर्भ में छिपी हुई घटनाओं को समझ लेना उनके लिए बहुत सरल था। उनकी भविष्यवाणियाँ ज्योतिषियों के किसी मायाजाल पर नहीं, अपितु तर्क एवं चिन्तन पर आधारित थीं। उन्होंने अनेक भविष्यवाणियाँ कीं जो पर्याप्तरूपेण सत्य निकलीं। प्रमाण के लिए कुछ उदाहरण दिये जा सकते हैं। उन्होंने अकाल की परिभाषा की जिसके अनुसार दो दिन में एक बार भोजन मिलना अकाल है। और इस परिभाषा के सन्दर्भ में सन् '52 में उन्होंने भविष्यवाणी की थी कि सन् 1954 ई. और सन् 1958 ई. में अकाल पड़ेगा। उनकी यह भविष्यवाणी सत्य निकली।[24] सन् 1962 ई. में भारत पर किया गया चीनी आक्रमण भी उनकी दूरदृष्टि का परिचायक है, क्योंकि तिब्बत पर किये गये चीनी आक्रमण को शिशु-हत्या बताकर उन्होंने सन् 1950 में ही शासन के समक्ष 'हिमालय नीति' प्रस्तुत की थी, जिसमें उन्होंने प्रतिपादित किया था कि देश उस समय तक सुरक्षित नहीं हो सकता जब तक वह पड़ोसी राज्यों में जनतन्त्र और समाजवाद के लिए संघर्ष न करे।[25] सन् 1967 ई. के चुनाव परिणामस्वरूप राज्यों में संविद् सरकारों का अभ्युदय और पतन भी डॉ. लोहिया के द्वारा की गयी सन् 1962 ई. की भविष्यवाणी के अनुकूल था।[26]

डॉ. लोहिया ने सन् 1958 ई. नें ही कहा था कि संविधान के लागू होने के 15 वर्ष बाद भी भारतीय सरकार अंग्रेजी भाषा को सार्वजनिक कार्यों के माध्यम से रूप में समाप्त न कर पायेगी।[27] इस भविष्यवाणी की सत्यता भी सन् 1968 ई. के राजभाषा संशोधन विधेयक से स्पष्ट है। अभी कांग्रेस में हुई फूट को उन्होंने सन् 1963 में ही देख लिया था। उन्होंने स्पष्ट कहा था, "कांग्रेस तो खतम होनेवाली है, टूटनेवाली है,...(संयुक्त) मोर्चा...प्राय: असम्भव है।"[28] स्वयं के देहावसान का संकेत उन्होंने सन् 1966 ई. में ही दे दिया था। अपने दल को ठीक बनाने के लिए निर्देश देते हुए उन्होंने कहा था, "अब हमारी उम्र भी बढ़ गयी है। हो सकता है कि फिर बाद में ठीक-ठाक न कर पायें।"[29]

बँगला देश के स्वतन्त्रता-संघर्ष और उसके अभ्युदय की भविष्यवाणी उन्होंने पहले ही कर दी थी। सन् '50 में अपनी पुस्तक 'फ्रैगमेण्ट्स ऑव ए वर्ल्ड माइण्ड' में उन्होंने लिखा था, "पश्चिम पाकिस्तान और पूर्व बंगाल एक-दूसरे से इतनी दूरी पर हैं और संस्कृति, वेश-भूषा, रहन-सहन, रंग-रूप, इतना भिन्न है कि वे एक-दूसरे के साथ नहीं रह सकते। आनेवाले दिनों में हो सकता है कि पश्चिम पाकिस्तान पूर्व पाकिस्तान को अपना उपनिवेश बनाकर रखे और उसका शोषण करे और शोषण के विरुद्ध वहाँ की जनता आवाज उठाये और अपने को स्वतन्त्र घोषित करे।" साथ-ही-साथ उन्होंने यह भी लिखा था कि "वहाँ की जनता की जो आजादी की लड़ाई होगी, उसका समर्थन भारत सरकार नहीं करेगी और भारत की जनता सम्पूर्ण रूप से उसका समर्थन करेगी।" उनकी यह भविष्यवाणी आंशिक रूप से गलत निकली क्योंकि भारत की जनता ने तो बँगला देश को अपना सम्पूर्ण समर्थन दिया, किन्तु उनकी अपेक्षा के विरुद्ध भारतीय शासन ने भी अत्यधिक महत्त्वपूर्ण कार्य किया। उनकी भविष्यवाणी की आंशिक असत्यता का कारण उनमें दूरदृष्टि का अभाव नहीं, अपितु इन्दिरा गाँधी की साहसी और कुशल राजनीति है।

उनके निधन पर श्री जयप्रकाश नारायण ने भी स्वीकार किया था, 'भविष्यद्रष्टा डॉ. लोहिया ने दस साल पहले ही समझ लिया था कि हिन्दुस्तान किधर जा रहा है। उन्होंने जो तस्वीर खींची थी वह कितनी सच्ची थी, इसका कारण भारत का चौथा आम चुनाव है जो खुद डॉ. लोहिया की एक क्रान्तिकारी यादगार है।" वास्तव में डॉ. लोहिया एक अनन्य भविष्यद्रष्टा थे। उनकी निम्नलिखित भविष्यवाणी अब भी भविष्य के परीक्षण में है—"आज संसार में एक विकट स्थिति हो गयी है। अगले 25-30 वर्ष के अन्दर-अन्दर या तो दुनिया खतम होगी या हथियार खतम होंगे। इसके ऊपर आपके मन में सन्देह नहीं रहना चाहिए।"[30]

7. मौलिक चिन्तक—डॉ. लोहिया एक मौलिक चिन्तन थे। उनके दर्शन में अधिकांश विचारकों और दार्शनिकों की विचारधाराएँ समाहित दिखायी पड़ती हैं। यह तथ्य उनके व्यापक दर्शन का द्योतक है। किसी दूसरी की पीठ पर बैठना अथवा अनुकरण करना उनकी आदत के विपरीत था। यों तो सम्पूर्ण दर्शन मौलिकता से परिपूर्ण है, तथापि इस हेतु उनके कुछ मौलिक सिद्धान्त यहाँ गिनाये जा सकते हैं। 'इतिहास-चक्र' नामक उनकी पुस्तक की प्रशंसा पाश्चात्य देशों ने भी मुक्त-कण्ठ से की है। उनकी चौखम्भा-योजना, विश्व-समाजवाद का नवदर्शन, समान असंगति, वाणी स्वतन्त्रता और कर्म नियन्त्रण, अन्तरराष्ट्रीय जमींदारी और अन्तरराष्ट्रीय जाति-प्रथा आदि के सिद्धान्त उनके मौलिक चिन्तन के जीवित उदाहरण हैं। 23 जुलाई, सन् 1951 को डॉ. लोहिया से वार्त्ता करते हुए महान् वैज्ञानिक आइन्स्टीन ने भी उनके स्वतन्त्र मस्तिष्क की प्रशंसा करते हुए कहा था, "I see, you have an independent mind."[31]

सन्दर्भ

1. हिन्दी विश्व-कोश, खण्ड 10, पृ. 366 (नागरी प्रचारिणी सभा, वाराणसी)
2. हिन्दी विश्व-कोश, खण्ड 10, पृ. 366 (नागरी प्रचारिणी सभा, वाराणसी)
3. इन्दुमति केलकर : लोहिया : सिद्धान्त और कर्म, पृ. 74
4. ओंकार शरद : लोहिया, पृ. 112
5. इन्दुमति केलकर : लोहिया : सिद्धान्त और कर्म, पृ. 95
6. डॉ. लोहिया : भारत, चीन और उत्तरी सीमाएँ, पृ. 5
7. ओंकार शरद : लोहिया, पृ. 222
8. Dr. Lohia : Marx, Gandhi and Socialism, p. 386
9. मार्च 1968, जन, पृ. 33
10. Harris Wofford Jr. : Lohia and America Meet, p. 26
11. दिनमान, 22 अक्टूबर, 67, पृ. 9
12. जन, मार्च, 1968, पृ. 32
13. दिनमान, 22 अक्टूबर, 1967, पृ. 24
14. ओंकार शरद—लोहिया, पृ. 79
15. ओंकार शरद—लोहिया, पृ. 164
16. 22 अक्टूबर, 67, दिनमान, पृ. 25
17. The Indian Journal of Political Science, p. 12 (Jan-March 1970)
18. दिनमान, 22 अक्टूबर, 1967, पृ. 24
19. इन्दुमति केलकर—लोहिया-सिद्धान्त और कर्म, पृ. 15
20. वही, पृ. 23
21. वही, पृ. 29
22. धर्मयुग, 24 मार्च, 1968, पृ. 10
23. ओंकार शरद—लोहिया, पृ. 30
24. लोहिया—अन्न समस्या, पृ. 21 और 37
25. लोहिया : भारत, चीन और उत्तरी सीमाएँ, पृ. 5-6
26. लोहिया : भाषण, सिकन्दराबाद, 2 अक्टूबर, 1963
27. लोहिया : पाकिस्तान मे पलटनी शासन, पृ. 18
28. लोहिया—सरकारी, मठी और कुजात गाँधीवादी, पृ. 25
29. डॉ. लोहिया : सुधरो अथवा टूटो, पृ. 17
30. लोहिया : भाषण, 1963, अक्टूबर 2, सिकन्दराबाद
31. Harris Wofford Jr. : Lohia and America Meet, p. 66

2

समाजवाद : एक सैद्धान्तिक विवेचन

समाजवाद की परिभाषा एवं उसके स्वरूप को डॉ. राममनोहर लोहिया ने मौलिक मोड़ दिया है। अत: उनके विचार जानने से पहिले कतिपय पूर्वगामी विचार जानना उपयुक्त होगा।

समाजवादी विचारधारा ने जितनी अधिक हलचल वर्तमान शताब्दी में उत्पन्न की है उतनी अन्य किसी भी विचारधारा ने नहीं। आज समाजवाद अन्य किसी भी विचारधारा की अपेक्षा अधिक छाया हुआ है। एक-न-एक रूप में यह संसार के करोड़ों व्यक्तियों का धर्म-सा बन गया है और उनके विचारों तथा कार्यों की रूपरेखा निर्धारित करता है। 'समाजवाद' तथा 'समाजवादी' शब्दों को विविध अर्थों में प्रयुक्त किया जाता है, फिर भी शब्द और अर्थ का घनिष्ठ सम्बन्ध है। 'समाजवाद' शब्द भी इन सिद्धान्त का अपवाद नहीं है। शब्द व्युत्पत्ति की दृष्टि से 'समाजवाद' शब्द का अर्थ निम्न प्रकार से किया गया है—

समाजवाद का अर्थ और परिभाषा—'समाजवाद' शब्द अंग्रेजी भाषा के 'सोशलिज्म' शब्द का हिन्दी रूपान्तर है, 'सोशलिज्म' शब्द लैटिन भाषा के सोसियस (Socius) शब्द से निकला है जिसके अर्थ हैं साथी, सहायक अथवा भागाधिकारी। यह किसी ऐसे व्यक्ति को सूचित करता है जो समान कोटि अथवा व्यवस्था का हो। अतएव समाजवाद के अर्थ हैं भ्रातृत्व अथवा मित्रता जिसमें सब मनुष्य समानता के भाव के साथ मिल-जुलकर काम करेंगे। राज्य के शासन के सम्बन्ध में यह प्रकट करता है कि प्रत्येक कार्य निष्पक्ष रूप से साधारण जनता की सेवा के लिए किया जायेगा।

सम्भवत: समाजवाद के अतिरिक्त और किसी आन्दोलन पर न इतना अधिक विवाद हुआ है और न परिभाषा के विषय में इतनी कठिनाइयाँ ही उपस्थित हुई हैं। एक दृष्टि से समाजवाद एक विरोधी नीति है जिसके झण्डे के नीचे वर्तमान सामाजिक व्यवस्था की समस्त विरोधी शक्तियाँ संगठित हो गयी हैं, जो पूँजीवाद के भिन्न-भिन्न

पहलुओं, दोषों तथा दुर्बलताओं को दूर करने की चेष्टा करती हैं। फलतः समाजवाद जिन आन्दोलनों की ओर संकेत करता है वे प्रारम्भिक बिन्दु और उद्देश्य में, साधनों और तथ्यों में इतने भिन्न हैं कि एक संक्षिप्त परिभाषा के अन्तर्गत उन सबका सन्तोषजनक वर्णन हो जाना सरल काम नहीं है। इसके अतिरिक्त समाजवाद एक जीवित आन्दोलन एवं सिद्धान्त दोनों है जो भिन्न ऐतिहासिक एवं स्थानीय स्थितियों में भिन्न रूप ग्रहण करता रहा है—"Socialism is both a movement and a theory and takes different forms under different historical and local conditions."[1]

रैम्जे म्योर ने उचित ही लिखा है कि समाजवाद 'गिरगिट के समान रंग बदलनेवाला विश्वास है। यह वातावरण के अनुसार रंग बदलता है। सड़क के कोने तथा क्लब के कमरे के लिए यह वर्ग युद्ध का लोहित वस्त्र पहन लेता है। मानसिक पुरुषों के लिए इसका लाल रंग भूरे में परिवर्तित हो जाता है। भावनात्मक पुरुषों के लिए वह कोमल गुलाबी रंग का हो जाता है तथा क्लर्कों के समाज में यह कुमारियों का श्वेत वर्ण ग्रहण कर लेता है जिसको महत्त्वाकांक्षा की मन्द मुस्कान का अभी अनुभव हुआ हो।''[2] श्री डान ग्रिफिथ्स ने 1924 में एक पुस्तक 'समाजवाद क्या है?' सम्पादित की जिसमें उन्होंने समाजवाद की 263 परिभाषाएँ दी हैं। सन् 1892 ई. में पेरिस के लि फिगारों ने समाजवाद की 600 परिभाषाएँ प्रकाशित कीं। समाजवाद का मूल, विचार की अपेक्षा जीवन में तथा अध्ययन की अपेक्षा कारखानों, दुकानों तथा गन्दी गलियों में है। समाजवाद समाज के अस्तित्व एवं संगठन से सम्बन्धित बहुत से सिद्धान्तों का सम्मिश्रण है। समय-समय पर इसे धर्म तथा दर्शन की उपाधियाँ भी दी जाती रही हैं। 19वीं शताब्दी के अन्तिम वर्षों में समाजवाद एक संगठित राजनीतिक शक्ति हो गया। इसकी आयोजनाएँ राष्ट्रीय तथा अन्तरराष्ट्रीय हो गयीं, और इसके प्रतिनिधि, दल तथा प्रेस स्थापित हो गये। अतएव समाजवाद पर इनमें से किसी एक अथवा समस्त दृष्टिकोणों से विचार किया जा सकता है। और उसी के अनुसार परिभाषा बनाने के लिए प्रयास किया जा सकता है।

बरट्रेण्ड रसेल का कथन है कि समाजवाद का अर्थ भूमि तथा पूँजी पर सार्वजनिक अधिकार करना है, साथ-ही-साथ लोकतन्त्र शासन भी स्थापित करना है। इसके अनुसार उत्पति, प्रयोग के लिए है, लाभ के लिए नहीं, और उत्पत्ति का वितरण या तो सबको समान रूप से, अथवा केवल इतना विषम हो जो कि जनता के लिए अहितकर न हो। यह अनुपार्जित धन तथा मजदूरों की जीविका के साधनों पर व्यक्तिगत अधिकार के निराकरण का समर्थक है। पूर्णरूप से सफल होने के लिए इसका अन्तरराष्ट्रीय होना आवश्यक है।[3]

श्री डी. एच. कोल लिखते हैं कि समाजवाद में सिद्धान्त की अपेक्षा विश्वास की भावना अधिक है। यह एक ऐसे समाज को स्थापित करने की इच्छा तथा योजना है जिसका आधार सहयोग तथा भ्रातृभाव हो, जो संगठित मजदूरों के आन्दोलन द्वारा प्रतिफलित हो सके और यह समझे कि सामाजिक अधिकार तथा सामाजिक कर्त्तव्य समान हैं, तथा जो उन वर्गीय सेवा-सम्बन्धी सभी प्रोत्साहन और प्रेरणा को स्वतन्त्र कर सके जिनको पूँजीवाद अस्वीकार करता है। संक्षेप में यह मजदूर वर्ग का तत्त्व ज्ञान है जो आर्थिक अनुभव के द्वारा सीखा गया है, और अपने को समय की परिस्थितियों के अनुसार एक रीति अथवा कार्य योजना में परिवर्तित कर लेता है। इसके द्वारा शासनप्राबल्य का विनाश होता है और वर्गीय आधिपत्य के मिट जाने से मनुष्य स्वतन्त्र हो जाते हैं।[4]

जार्ज बर्नार्ड शॉ के अनुसार व्यक्तिगत सम्पत्ति व्यवस्था की पूर्ण समाप्ति एवं सार्वजनिक सम्पत्ति का सम्पूर्ण जनता में समान एवं भेदरहित विभाजन ही समाजवाद है। उन्हीं के शब्दों में, "Socialism is "the complete discarding of the institution of private property and the division of the resultant public income equally and indiscriminately among the entire population." परन्तु यह परिभाषा अपूर्ण है, क्योंकि सेण्ट साइमन एवं फोरियर के समाजवादी कार्यक्रम पर लागू नहीं होती, साथ-ही-साथ वर्तमान समाजवादी व्यवस्था के लिए भी अनुपयुक्त है।[5]

समाजवाद की प्रत्येक वह परिभाषा असफल है जो समाजवादी आन्दोलन के मुख्य उद्देश्य को दृष्टि से ओझल कर उसके केवल बाह्य लक्षणों पर अपना ध्यान केन्द्रित करती है। आस्कर जास्जी ने उचित ही कहा है कि, "Every definition must fail which focuses attention upon external features only and overlooks the central motif of all socialist movement."[6]

डॉ. राममनोहर लोहिया ने समाजवाद की परिभाषा 'समानता' एवं 'सम्पन्नता' ऐसे दो गम्भीर शब्दों में देकर गागर में सागर भर दिया है। डॉ. लोहिया की परिभाषा समाजवादी आन्दोलन के मुख्य एवं केन्द्रीय लक्ष्य को सर्वाधिक रूप से स्पष्ट करती है। इसलिए आस्कर जास्जी द्वारा दी गयी परिभाषा औचित्य की कसौटी को पूर्ण रूपेण सन्तुष्ट तो करती ही है, साथ-साथ संक्षिप्त किन्तु व्यापक है, क्योंकि इस परिभाषा में वे सभी तत्त्व निहित हैं जो समाजवादी सम्पूर्ण ऐतिहासिक विचारधाराओं एवं विभिन्न समाजवादी आन्दोलनों के लिए सामान्य हैं। संदिग्धता इस परिभाषा का दोष इस सन्दर्भ में हो सकता है, किन्तु भिन्न स्थानों पर उनके द्वारा कहे गये शब्द सभी ऐसे तत्त्वों को स्पष्ट करते हैं। आस्कर जास्जी के अनुसार सभी ऐतिहासिक विचारधाराओं और विभिन्न समाजवादी आन्दोलनों में निहित सामान्य तत्त्व निम्नलिखित हैं और ये सभी तत्त्व समाजवाद की पूर्ण परिभाषा में अवश्य ही होने चाहिए—

1. वर्तमान राजनैतिक एवं सामाजिक व्यवस्था को अन्यायपूर्ण घोषित करना तथा उसके प्रति विद्रोह प्रकट करना।

2. एक नवीन व्यवस्था की पहल जो कि वर्तमान के नैतिक मूल्यों से मेल खाती हो।

3. एक विश्वास कि इस नवीन व्यवस्था को कार्य रूप दिया जा सकता है।

4. यह विश्वास कि वर्तमान अव्यवस्था न तो किसी चिरस्थायी विश्व-व्यवस्था के कारण है और न ही मानव-स्वभाव के कारण है, बल्कि यह कुछ सामाजिक एवं राजनैतिक भ्रष्ट संस्थाओं की देन है।

5. एक ऐसे क्रियात्मक कार्यक्रम का सृजन जो कि मानव प्रकृति अथवा संस्थाओं अथवा दोनों का पुनर्निर्माण करे।

6. निर्धारित योजना को कार्यान्वित करने के लिए एक क्रान्तिकारी संकल्प।[7]

7. डॉ. लोहिया के समाजवाद में ये सभी तत्त्व पूर्ण रूपेण मिलते हैं। इसलिए इस अर्थ में भी वे एक सच्चे समाजवादी थे। डॉ. लोहिया ने वर्तमान की सामाजिक, आर्थिक और राजनैतिक व्यवस्थाओं को अन्यायपूर्ण घोषित कर उनके प्रति सतत विद्रोह किया। उनमें परिवर्तन के लिए अत्यधिक छटपटाहट थी। वे वर्तमान विषमता पर देश को चौंका देनेवाले थे। उनके अधिकांश वाक्यों में उनका विस्फोटक व्यक्तित्व झलकता है। उसकी उत्कट अभिलाषा थी कि 'क्रान्तिकारी राजनीति का संगठन बनाना है और बढ़ाना है।.... उलट-पुलट होनी चाहिए...।''[8] उनके वाक्य, "लोगों का मन तो हिलने दो, लोगों में विश्वास तो जमने दो कि अन्दर से भी राज्य बदला जा सकता है।...यह देश बड़ा स्थिर देश है, जमा हुआ देश है, बदलता नहीं, बदलना चाहता नहीं...''[9] मन को झकझोर देनेवाले हैं।

यदि उनमें एक ओर वर्तमान के प्रति ध्वंसात्मक वृत्ति थी तो दूसरी ओर वर्तमान नैतिक मूलयों से मेल खाती हुई नवीन व्यवस्था की पहल भी थी। उनके पास एक निश्चित कार्यक्रम था, दर्शन था, आन्दोलन था। उन्होंने घोषणा की थी कि "जनता को गरमाने और उसे दिशा देनेवाली नीति से मेल खाता विरोध, चुनाव-संघर्ष और दल की शक्तिशाली बनाना ही होगा।''[10] उन्होंने अपने कार्यक्रम और पथ के सम्बन्ध में स्पष्ट किया था कि "पथ अलग है और पथ है सम्भव बराबरी का, यह पथ है मातृ-भाषा का, यह पथ है पिछड़े समूहों और गरीब इलाकों के लिए विशेष अवसर का, यह पथ है शान्ति और विश्व-व्यवस्था का।''[11] उनका कहना था कि "समस्याओं पर सम्मिलित कर्म का प्रयास करना चाहिए। गरीबी और शोषण, भाषा, जाति, बढ़ते दाम, विदेशी मामले-जैसी समस्याएँ ली जा सकती है।[12]

डॉ. लोहिया का विश्वास था कि वर्तमान समस्याओं का कारण मानव-प्रकृति अथवा कोई चिरस्थायी विश्व-व्यवस्था नहीं है, अपितु कुछ सामाजिक और राजनैतिक भ्रष्ट संस्थाएँ हैं।[13]

डॉ. लोहिया में अपने द्वारा निर्धारित किये एक समाजवादी कार्यक्रम को कार्य रूप देने का दृढ़ संकल्प था। सिद्धान्तों के साक्षात्कार के लिए उनका विचार था कि "समाजवाद के सिद्धान्त को एक दृढ़ आधार प्रदान करने के साथ कार्य के उन कारगर तरीकों को खोज निकालना जिनके द्वारा सिद्धान्त कार्यान्वित किया जा सके, उतना ही आवश्यक है। सारे कार्य का लक्ष्य जनता की इच्छा को संगठित और व्यक्त करना और राष्ट्रीय जीवन का पुनर्निर्माण होना चाहिए।"[14]

डॉ. लोहिया समाजवादी कार्यक्रम को कार्यान्वित करने की तड़पन व्यक्तियों में उत्पन्न करना चाहते थे। क्योंकि उनका विश्वास था कि बिना क्रान्तिवाद के समाजवाद का सही विज्ञान सम्भव नहीं है। उनके ही शब्दों में, "True science of society is not possible without revolutionism."[15] अत: उनका सन्देश था कि "जब तक लागों के मनों को एक साथ हिलानेवाली, कोई अन्दर से निकली हुई तड़प नहीं होती, तब तक यह सब काम सफल नहीं हो पाते, और वह तड़प अभी है नहीं, वह मन अभी है नहीं। उसको बनाने का काम हमारा पहला काम है।"[16]

समाजवाद का मूल उद्देश्य

यदि हम विभिन्न देशों के समाजवादी इतिहास का अवलोकन करें, तो हमको और कोई बात उतनी प्रभावित नहीं करती जितनी कि इस आन्दोलन को जीवन-शक्ति। अपने को विभिन्न अवस्थाओं तथा प्रकृतियों के अनुरूप बना लेने की शक्ति एवं परिस्थितियों के अनुकूल नवीन रूप धारण कर लेने की तत्परता अत्यन्त ध्यान देने योग्य है। इसलिए आधुनिक युग में दुनिया के हर देश में समाजवाद किसी-न-किसी रूप में व्यक्त हो रहा है। समाजवाद का मूल आधार मानवता है। मानवतावाद और आदर्शवाद ही समाजवाद की लोकप्रियता का कारण है। आचार्य नरेन्द्र देव के समाजवाद के ध्येय को स्पष्ट करते हुए लिखा है कि, "समाजवाद संसार को आजाद करना चाहता है, व्यक्तित्व के विकास में रुकावट डालनेवाले सामाजिक बन्धनों से उसे छुटकारा दिलाना चाहता है। शोषणमुक्त समाज की रचना करके मौजूदा समाज का प्रचलित दासता, विषमता और असहिष्णुता को सदा के लिए दूर करके, समाजवाद, स्वतन्त्रता, समता और भ्रातृत्व की वास्तविक स्थापना करना चाहता है।"[17] समाजवाद के मुख्य लक्ष्य निम्नलिखित हैं—

1. वर्गविहीन समाज की स्थापना
2. समाज अथवा राज्य को अधिक महत्त्व देना

3. उन्नति के अवसरों में समानता
4. पूँजीपतियों को समाप्त करना
5. जमींदारों से भूमि छीनना
6. व्यक्तिगत जोखिम का अन्त करना
7. व्यक्तिगत प्रतिस्पर्द्धा की समाप्ति।

1. वर्गविहीन समाज की स्थापना

आधारभूत रूप से हर समाज में दो ही वर्ग पाये जाते हैं। एक वर्ग साधनों पर एकाधिपत्य रखनेवाला मालिकों का है जो शोषक है और दूसरा वर्ग साधनहीन मजदूरों का है जिसको शोषित किया जाता है। इन दोनों आधारभूत वर्गों में प्रत्यक्ष या परोक्ष रूप में वर्ग-संघर्ष निरन्तर बना रहता है। मार्क्स और एंगेल्स ने 'कम्युनिस्ट पार्टी के घोषणा-पत्र' में लिखा है कि "पिछले प्रत्येक समाज का इतिहास वर्ग-विरोधों के विकास का इतिहास है, उन वर्ग-विरोधों का, जिन्होंने भिन्न युगों में भिन्न रूप धारण किया था।"[18] प्राचीन काल में दास और स्वतन्त्र मालिक, मध्य युग में सामन्तगण और कृषक तथा आजकल के पूँजीवादी समाज में पूँजीपति और मजदूर इसी प्रकार के आधारभूत वर्ग हैं। इन आधारभूत वर्गों के अतिरिक्त भी समाज में कई प्रकार के वर्ग पाये जाते हैं। परन्तु उन वर्गों का स्वार्थ अन्ततोगत्वा इन्हीं आधारभूत वर्गों में से किसी एक के साथ होता है। समाजवाद इन परस्पर विरोधी शोषक और शोषित वर्गों को समाप्त कर समाज को सहयोग के आधार पर संगठित व्यक्तियों का सच्चा प्रजातन्त्र बनाना चाहता है।[19]

महात्मा गाँधी ने लिखा है कि समाजवाद का मतलब है कि समाज के सब अंग समान हैं, उसी प्रकार से जैसे कि शरीर के सब अंग। इस वाद में राजा और प्रजा, अमीर और गरीब, मालिक और मजदूर का द्वैत नहीं है। इसलिए समाजवाद अद्वैतवाद का ही दूसरा नाम है।[20] इस अद्वैतवाद का आदर्श न तो आर्थिक एकरूपता स्थापित करना है और न ही सबको एक धन्धेवाला बनाना है, बल्कि हर व्यक्ति से उसकी योग्यता के अनुसार काम लेकर उसकी आवश्यकतानुसार उपयोग की वस्तुओं का प्रबन्ध करना है।

2. समाज अथवा राज्य को अधिक महत्त्व देना

समाजवाद व्यक्ति से समाज को ऊँचा स्थान देता है। यह आत्महितवाद के विरुद्ध सर्वात्महितवाद का पक्षपाती है। 'सर्वे भवन्तु सखिनः—मा कश्चित् दुःख भाग भवेत्' का आदर्श समाजवाद में चरितार्थ होता है। समाजवाद व्यक्ति की बलिदान की भावना को समष्टि के लिए जागृत करता है। मनुष्य जाति की मजबूती ही समाजवाद है।[21] समाजवाद समाज का एक ऐसा संगठन है जिसमें एक सामान्य

योजना के अनुसार, उत्पत्ति के भौतिक साधनों पर समूचे समाज का स्वामित्व होता है और समान अधिकारों के आधार पर समाज के सभी सदस्य समाजवादी आयोजन के द्वारा किये गये उत्पादन का लाभ प्राप्त करते हैं। इस प्रकार समाजवाद यह मानकर चलता है कि राज्य सभी के कल्याण के लिए कार्य करता है। राज्य एक आवश्यक बुराई नहीं है। समाजवादी व्यवस्था में उत्पत्ति के साधनों का स्वामित्व भी राज्य को सौंप देने पर बल दिया जाता है। इसमें उत्पादन का उद्देश्य लाभ की अपेक्षा जन-कल्याण अधिक रहता है।

3. उन्नति के अवसरों में समानता

समाजवाद दरिद्रता दूर करके गरीबों की आर्थिक और सामाजिक व्यवस्था को ऊँचा करना चाहता है जिससे कि सामाजिक विषमता इतनी भीषण न रहे। आय की दृष्टि से एकसमानता सम्भव नहीं, क्योंकि प्रत्येक मनुष्य की कार्य-क्षमता, प्रतिभा तथा परिश्रमशीलता एक समान नहीं होती, किन्तु यह तो सम्भव है कि ऐसी परिस्थिति उत्पन्न की जाय कि जिसमें कोई व्यक्ति दूसरे का शोषण न कर सके। डॉ. भाषा ने केवल आर्थिक समानता की ही चर्चा नहीं की, वे तो सामाजिक, राजनीतिक, आध्यात्मिक एवं मानसिक सम्भव समानता चाहते थे। उनका कहना था कि 'दिमागी बराबरी के बिना भौतिक बराबरी की नींव बिलकुल कच्ची रहेगी।''[22] जिस प्रकार स्वतन्त्रता व्यक्तिवाद की कुंजी है वैसे ही समानता समाजवाद की कुंजी है। प्रोफेसर ग्राहम लिखते हैं कि 'समाजवाद का केन्द्र, जो उसके सब स्वरूपों में समन्वित रहता है, विषमता में कमी करना है।'[23] डि लैवि ले ने इसी विचार को व्यक्त करते हुए लिखा है कि 'प्रत्येक सामाजिक सिद्धान्त का उद्देश्य सामाजिक दशाओं में समानता का समावेश करना है। समाजवाद समाज के धरातल को समान तथा समतल करनेवाला है।''[24]

4. पूँजीपतियों को समाप्त करना

गरीबों पर अत्याचार करना और उन्हें दरिद्र बनाना 'शोषण' कहलाता है। पूँजीपति मजदूरों का शोषण करके व्यक्तिगत सम्पत्ति एकत्र करते हैं और उसे अधिक शोषण करने के लिए प्रयुक्त करते हैं। इसलिए समाजवाद का लक्ष्य उस व्यक्तिगत सम्पत्ति को समाप्त करना है, जिससे गरीबों का शोषण किया जा सकता है। ब्ला. ई. लेनिन ने स्पष्ट कहा है कि 'समाजवाद का अर्थ है—वर्गों का उन्मूलन। वर्गों को समाप्त करने के लिए सबसे पहले जमींदारों तथा पूँजीपतियों का तख्ता उलटना जरूरी है।'[25]

5. जमींदारों से भूमि छीनना

समाजवाद का विरोध केवल पूँजीपतियों से ही नहीं, अपितु जमींदारों से भी है। भूमि परिश्रम से नहीं बनायी जाती, वरन् यह तो ईश्वर का वरदान है। इसलिए भूमि

के उपयोग का अधिकार उसमें परिश्रम करनेवाले व्यक्तियों को ही होना चाहिए, अन्य किसी को नहीं। फ्रांसीसी मजदूर पार्टी की दसवीं कांग्रेस (1892) द्वारा पारित प्रस्ताव भूमि-सम्बन्धी कर्त्तव्यों को सन्तुलित ढंग से स्पष्ट करता है—"चूँकि एक ओर जहाँ समाजवाद का यह कर्त्तव्य है कि बड़ी-बड़ी जमींदारियों को उनके वर्तमान नाकारा स्वामियों के हाथों से छीनकर उन्हें फिर खेतिहर सर्वहारा के स्वामित्व (सामूहिक अथवा सामाजिक रूप के स्वामित्व) में ले आये, वहाँ दूसरी ओर उसका उतना ही अनिवार्य कर्त्तव्य यह भी है, कि जमीन के अपने छोटे-छोटे टुकड़ों को जोतनेवाले किसानों को माल के महकमे, सूदखोरों तथा नवोदित बड़े-बड़े जमींदारों के अतिक्रमण से बचाकर अपनी जमीनों पर उनका कब्जा बरकरार रखे।"[26] फ्रेडरिक एंगेल्स एक पग और जाते हैं और कहते हैं कि 'जब हमारे हाथों में राज्य-सत्ता आयेगी, तब हम बलपूर्वक छोटे किसानों की सम्पत्ति (बमुआवजा या बिला मुआवजा) छीनने की—जो काम हमें बड़े जमींदारों के मामले में करना पड़ेगा—बात भी नहीं सोचेंगे। छोटे किसानों के सम्बन्ध में हमारा कार्य प्रथमत: उनके निजी उद्यम और निजी स्वामित्व को सहकारी उद्यम और स्वामित्व में अन्तरित करना होगा।[27] भारतीय सरकार ने जमींदारी उन्मूलन पर मुआवजा भी दिया था, परन्तु डॉ. लोहिया जमींदारों से बिना मुआवजा के जमीन छीनकर जमीन जोतनेवाले को दे देना चाहते हैं।[28]

6. व्यक्तिगत जोखिम का अन्त करना

पूँजीवादी प्रणाली के संसारव्यापी होने के कारण आज संसार भर में पूँजीपतियों का बोलबाला हो रहा है। आधुनिक युग की भीषण विषमता का कारण है—उत्पादन, विनिमय और वितरण के साधनों पर चन्द पूँजीपतियों का अधिकार। ये पूँजीपति ही शोषक हैं जो श्रमिक वर्ग का शोषण कर समाज में वर्ग-संघर्ष की स्थिति उत्पन्न करते हैं। पण्डित जवाहरलाल नेहरू के शब्दों में, "पूँजीवाद के कारण एक व्यक्ति का दूसरे व्यक्ति के द्वारा, एक समुदाय का दूसरे समुदाय के द्वारा या एक देश का दूसरे देश के द्वारा शोषण होता है।"[29] समाजवाद शोषण करनेवाले व्यक्तिगत व्यापार की समाप्ति कर समाज में शान्ति और सहयोग का वातावरण स्थापित करना चाहता है। मार्क्स और एंगेल्स ने 'कम्युनिस्ट पार्टी के घोषणा-पत्र' में व्यक्तिगत व्यापार की समाप्ति के सम्बन्ध में स्पष्ट किया है कि "हम श्रम की उपज के उस व्यक्तिगत अधिकार का अन्त नहीं करना चाहते जो मुश्किल से मानव जीवन कायम रखने और प्रजनन के लिए किया जाता है और जिसमें ऐसी बचत की गुंजाइश नहीं होती जिससे दूसरे के श्रम को वशीभूत किया जा सके। हम जिस चीज को खतम कर देना चाहते हैं, वह है इस अधिकरण का वह दयनीय रूप, जिसके

अन्तर्गत मजदूर केवल पूँजी बढ़ाने के लिए जिन्दा रहता है। और उसे उसी हद तक जिन्दा रहने दिया जाता है जहाँ तक शासक वर्ग के स्वार्थों को उसकी जरूरत होती है।''[30] इस प्रकार समाजवादी व्यवस्था का उद्देश्य है कि कमेरा आयेगा, लुटेरा जायेगा।'

7. व्यक्तिगत प्रतिस्पर्द्धा की समाप्ति

पूँजीवादी व्यवस्था में व्यक्तिगत लाभ की चेष्टा होती है, जिसमें प्रतियोगिता या स्पर्द्धा बहुत स्वाभाविक होती है। पण्डित जवाहरलाल नेहरू के शब्दों में, "पूँजीवाद का हेतु व्यक्तिगत लाभ है और प्रतियोगिता उसका मूल मन्त्र है।''[31] इस हानिकारक प्रतिस्पर्द्धा के परिणामस्वरूप ही मजदूरों की दशा बहुत दयनीय हो जाती है। मार्क्स और एंगेल्स ने 'कम्युनिस्ट पार्टी के घोषणा-पत्र' में पूँजीवादी व्यवस्था के अन्तर्गत मजदूरों की दु:खद स्थिति का चित्रण करते हुए लिखा है, "ये मजदूर जो अपने को अलग-अलग बेचने के लिए लाचार हैं, अन्य व्यापारिक माल की तरह खुद भी माल हैं और इसलिए वे होड़ के हर उतार-चढ़ाव तथा बाजार की हर तेजी-मन्दी के शिकार होते हैं।''[32] समाजवाद का उद्देश्य इस स्पर्द्धा को जड़ से उखाड़ फेंकना है। समाजवाद व्यक्तिगत व्यापार को समाप्त करना चाहता है जिसका आवश्यक परिणाम होगा स्पर्द्धा की इतिश्री और सहयोग का साम्राज्य।

समाजवाद के विभिन्न रूप

समाजवाद का प्रत्येक रूप मनुष्य द्वारा मनुष्य के शोषण की समाप्ति चाहता है। परन्तु उनमें अन्तर है मात्रा का, साधनों का, कार्यक्रमों का, दर्शनों का। इन विभिन्न रूपों में गहरे अन्तर का कारण अंशत: सैद्धान्तिक मत-वैषम्य और अंशत: नेताओं की महत्त्वाकांक्षा। जो कुछ भी हो, समाजवाद को पूर्णरूपेण समझने के लिए समाजवाद के विभिन्न रूपों का अध्ययन आवश्यक है। ये रूप निम्नलिखित हैं—

1. मार्क्सवाद (Marxism)
2. फेबियनवाद (Fabianism)
3. श्रम-संघवाद (Syndicalism)
4. श्रेणी समाजवाद (Guild Socialism)
5. समष्टिवाद (Collectivism)
6. अराजकतावाद (Anarchism)

1. मार्क्सवाद—कार्ल मार्क्स के पूर्ववर्ती समाजवादी सेण्ट साइमन, फोरियर, प्रूँदा तथा आवेन आदि हैं। इनका समाजवाद काल्पनिक कहा जाता है क्योंकि यह इतिहास के किसी दर्शन पर आधारित नहीं था। इन विचारकों ने एक नवीन समाज

की रूपरेखा अपने मस्तिष्क से तैयार की जिसका यथार्थ जगत् के तथ्यों से कोई सम्बन्ध न था। यह समाजवाद वैज्ञानिक नहीं था। क्योंकि इसके प्रवर्तकों ने यह बताने की चेष्टा नहीं की कि इसकी सृष्टि किस प्रकार की जा सकती है और इसे किस प्रकार कायम रखा जा सकता है। वेपर महोदय ने उचित ही कहा है कि "उन्होंने सुन्दर गुलाब के फूलों की कल्पना तो की परन्तु गुलाब के वृक्षों के लिए कोई भूमि तैयार नहीं की।"[33] इसलिए काल्पनिक समाजवाद केवल एक ऐतिहासिक विषय मात्र रह गया। उसको व्यावहारिक सफलता लगभग न के बराबर मिली। कार्ल मार्क्स ही समाजवाद के ऐसे प्रथम लेखक हैं जिनके ग्रन्थ वैज्ञानिक कहे जा सकते हैं। उन्होंने केवल आदर्श जगत् का ही वर्णन नहीं किया, वरन् यह भी बताया कि उस आदर्श जगत् का किन-किन सीढ़ियों द्वारा विकास होगा और क्यों होगा और इस विकास का आन्तरिक दर्शन क्या है? मार्क्सवाद के प्रमुख 5 सिद्धान्त हैं—इतिहास की आर्थिक व्याख्या, द्वन्द्वात्मक भौतिकवाद, वर्ग-संघर्ष का सिद्धान्त, अतिरिक्त मूल्य का सिद्धान्त, सर्वहारा वर्ग का अधिनायकत्व।

इतिहास की आर्थिक व्याख्या—मार्क्स के इस सिद्धान्त के अनुसार जीवन के भौतिक साधनों की उत्पादन-पद्धति सामाजिक, राजनैतिक तथा बौद्धिक जीवन की सम्पूर्ण प्रक्रिया की स्थिति निर्धारित करती है।[34] मार्क्स विचारों को पदार्थ का प्रतिबिम्बमात्र मानता है। उसके अनुसार भौतिक परिस्थिति के अनुसार ही मानव के विचार बनते और परिवर्तित होते हैं। अपने इस विश्वास के कारण ही उसने विचार-परिवर्तन का नहीं, अपितु भौतिक स्थिति के परिवर्तन का प्रयास किया।

द्वन्द्वात्मक भौतिकवाद—हीगेल और मार्क्स का विश्वास है कि सत्य और उन्नति विरोधी तत्त्वों या प्रवृत्तियों के संघर्ष से ही अनुभूत होते हैं। दोनों में अन्तर केवल यह है कि हीगेल के लिए विकासशील वास्तविकता आत्मा है, जबकि मार्क्स के लिए वह पदार्थ। इस सिद्धान्त के अनुसार प्रत्येक वाद अपने प्रतिवाद को जन्म देता है जिससे संघर्ष के पश्चात् संवाद की श्रेष्ठतर स्थिति उत्पन्न होती है। कालान्तर में संवाद भी वाद में परिवर्तित हो जाता है और अपने प्रतिवाद को जन्म देता है। यही क्रम चलता रहता है। मार्क्स ने इस सिद्धान्त को भौतिक जगत् में लागू किया और बताया कि किस प्रकार पूँजीपति अपने विरोधी श्रमिक वर्ग का शोषण करता है, उन्हें इकट्ठा करता है, क्रान्ति के लिए समस्त साधन देता है और अन्त में उसके द्वारा स्वयं विनष्ट हो जाता है।

वर्ग-संघर्ष का सिद्धान्त—मार्क्स का कहना है कि प्रत्येक युग में अर्थोपार्जन के कोई-न-कोई प्रमुख साधन होते हैं और जिस वर्ग का अर्थोपार्जन के इन साधनों पर आधिपत्य होता है, वही वर्ग समाज में सबसे बलशाली होता है। और उसी के

हाथों में राजनीतिक शक्ति होती है। दूसरे साधनहीन वर्ग उनके अधीन होते हैं। मार्क्स के मत में आज तक विश्व-इतिहास वर्ग-संघर्ष का इतिहास रहा है। प्राचीन काल में स्वामी और दास, मध्य काल में सामन्त और कृषक तथा आधुनिक युग में पूँजीपति और सर्वहारा- जैसे दो विरोधी वर्ग संघर्षरत हैं। मार्क्स वर्ग-संघर्ष के सिद्धान्त को सामाजिक परिवर्तन का यन्त्र समझता है।

अतिरिक्त मूल्य का सिद्धान्त—पूँजीवाद के विरुद्ध मार्क्स की समस्त आलोचना का आधार अतिरिक्त मूल्य का सिद्धान्त है। यह उत्पादन की पूँजीवादी प्रणाली के अन्तर्गत पूँजी द्वारा श्रम के शोषण का सिद्धान्त है। इसका मूल उद्देश्य यह दिखाना है कि पूँजीपति श्रमिक वर्ग के श्रम पर सुखी रहता है और उसकी सहायता से उत्पन्न किये हुए धन के अधिकांश भाग से उसे वंचित कर देता है।

सर्वहारा वर्ग का अधिनायकत्व—मार्क्स और एंगेल्स ने 'कम्युनिस्ट पार्टी के घोषणा-पत्र' में स्पष्ट कहा है कि पूँजीपति ने ऐसे हथियारों को ही नहीं गढ़ा है जो उसका अन्त कर देंगे, बल्कि उसने ऐसे व्यक्तियों को भी उत्पन्न किया है जो इन हथियारों का प्रयोग करेंगे। ये व्यक्ति आज के मजदूर ही हैं।[35] इनका उद्देश्य अपने को एक वर्ग के रूप में संगठित करना, पूँजीवादी प्रभुत्व का तख्ता पलटना और राजनीतिक सत्ता पर अपना अधिकार जमाना है। इस हेतु उनका कार्यक्रम हिंसात्मक और क्रान्तिकारी है। सर्वहारा वर्ग का अधिनायकत्व एक संक्रान्ति काल है जिसमें पूँजीवाद के ध्वंसावशेषों को समाप्त करने के लिए श्रमजीवी वर्ग की तानाशाही स्थापित की जाती है। ऐसी स्थिति में ही वर्गविहीन और राज्यविहीन समाज की स्थापना होगी, जिसमें प्रत्येक व्यक्ति अपनी योग्यतानुसार धन का उत्पादन करेगा और उसे आवश्यकतानुसार प्राप्त हो सकेगा।

2. फेबियनवाद—फेबियनवाद का जन्म जनवरी 4, सन् 1884 ई. में इंग्लैण्ड की फेबियन सोसाइटी के जन्म के साथ हुआ। फेबियनवाद का विश्वास है कि क्रान्तिकारी हिंसात्मक कार्यक्रम भद्दा एवं अमानवीय है।[36] यह संवैधानिक तरीकों में आस्था रखता है। फेबियनवादी राजनीतिक संस्थाओं का पूर्ण उपयोग करने, अधिकाधिक लोगों को मताधिकार दिलाने, चुनावों में अपने उम्मीदवारों को खड़ा करने तथा समाजवादी विधि-निर्माण में विश्वास करते हैं। पीज महोदय लिखते हैं कि "फेबियन सोसाइटी समाजवाद के मत का प्रचार करने में, उसके प्रति सहानुभूति पैदा करने में और स्त्री-पुरुषों को समान नागरिकता के अधिकार देने में विश्वास करती है।"[37] यह विचारधारा भूमि और व्यावसायिक पूँजी से व्यक्तिगत और वर्गगत स्वामित्व हटाकर, उस पर राष्ट्रहित के लिए राष्ट्र का स्वामित्व स्थापित कर समाजवादी प्रजातन्त्र का निर्माण करना चाहती है। फेबियनवादी समाज में उत्पत्ति, वितरण, विनिमय और उपभोग की उन समस्त वस्तुओं का, जहाँ कि राष्ट्र व्यक्ति

से श्रेष्ठतर है, राष्ट्रीयकरण होगा। फेबियन विचारकों के अनुसार मूल्य का सृजन समाज करता है, न कि श्रमिक अथवा कोई वर्ग-विशेष। अत: उसका वितरण भी सामाजिक होना चाहिए। धन का उपयोग सम्पूर्ण समाज की भलाई के लिए होना चाहिए, न कि किसी व्यक्ति, समूह अथवा वर्ग के लिए।[38]

फेबियन विचारकों का एक महत्त्वपूर्ण ध्येय यह भी है कि शासन-व्यवस्था पूर्णरूपेण लोकतान्त्रिक हो। उद्योगों का संगठन तथा संचालन एक जनतान्त्रिक एवं विकेन्द्रित प्रणाली द्वारा होना चाहिए, जिसमें शासन जनमत के प्रति पूर्णरूपेण उत्तरदायी हो। इसी कारण वे स्थानीय सरकारों के महत्त्व पर अधिक बल देते हैं। इस प्रकार फेबियनवादियों के लिए समाज की प्रगति का आधार केवल शक्ति नहीं, बल्कि विवेक-सम्मत विश्वास तथा सामाजिक न्याय को प्राप्त करने की नैतिक भावना द्वारा उत्प्रेरित शक्ति है।

3. श्रम-संघवाद (व्यवसाय संघवाद)—श्रम-संघवाद की जन्मभूमि फ्रान्स है। श्रम-संघवाद सामाजिक सिद्धान्त का वह रूप है जो श्रम-संघों को नये समाज का आधार तथा उस समाज को प्राप्त करने का साधन मानता है।[39] श्रम-संघवाद मार्क्सवाद की भाँति राज्य को सबल, शक्तिशाली तथा अधिकारयुक्त वर्ग के हाथों में एक खिलौना मानता है। श्रम-संघवादी जनतान्त्रिक पद्धति के भी विरुद्ध हैं। जनतन्त्र के प्राण राजनीतिक दलों पर उन्हें कोई आस्था नहीं है। उनकी यह मान्यता है कि सच्चा प्रजातन्त्र केवल वर्ग पर आधारित रह सकता है। श्रम-संघवादियों की युद्ध में कोई आस्था नहीं है। उनकी मान्यता है कि विभिन्न देशों के पूँजीपतियों के हितों की टकराहट से युद्ध जन्म लेते हैं। पूँजीपतियों के स्वार्थ-साधन के लिए एक देश के मजदूर दूसरे देश के मजदूरों के विरुद्ध युद्ध की ज्वाला में झोंके जाते हैं और मजदूरों के आन्दोलनों को भी दबाने के लिए युद्ध का प्रयोग किया जाता है। श्रम-संघवाद उत्पादकों का शासन स्थापित करना चाहते हैं। उनके मत में श्रम-संघों (उत्पादकों) का अधिकार समाज के केवल आर्थिक जीवन पर ही नहीं, अपितु राजनैतिक जीवन पर भी होना चाहिए।

श्रम-संघवादी सीधी कार्यवाही में विश्वास करते हैं। अपने उद्देश्य की प्राप्ति के लिए वे ध्वंस, बहिष्कार, छाप तथा आम हड़ताल-जैसे शक्तिशाली साधन प्रयोग में लाते हैं। इस प्रकार शान्तिपरक सुधारवादी समाजवाद तथा साम्यवादी क्रान्ति द्वारा राज्य के नियन्त्रण के अभित्याग के कारण श्रम-संघवादियों ने अपनी विचारधारा को 'समाजवाद की एक नवीन विचारधारा' घोषित किया। यद्यपि उन्होंने कोई नवीन दर्शन नहीं दिया, तथापि समाजवाद-प्राप्ति के तरीकों में कुछ नवीनता थी।

4. श्रेणी (पूग) समाजवाद—श्रेणी-समाजवाद का जन्म इंग्लैण्ड में हुआ। सन् 1906 ई. में ए. जे. पेण्टी ने 'श्रेणी सिद्धान्त की पुनर्प्राप्ति' नाम की पुस्तक

लिखकर मध्यकाल के व्यवसायों के स्वायत्त शासन को श्रेणी-समाजवाद के रूप में पुनर्जीवित किया। ए. वी. आरेंज, एस. जी. हाब्सन, जी. डी. एच. कोल ने इस आन्दोलन के प्रचार में अत्यधिक कार्य किया। समाज में जनतान्त्रिक व्यावसायिक संगठनों के साथ-साथ काम करती हुई राष्ट्रीय श्रेणियों के जनतान्त्रिक सिद्धान्त के द्वारा मजदूरी प्रणाली की समाप्ति और उद्योग-धन्धों में मजदूरों के द्वारा स्वायत्त-शासन की स्थापना ही श्रेणी-समाजवाद का उद्‌देश्य है। इस कथन का तात्त्विक सिद्धान्त है—व्यावसायिक प्रजातन्त्र। इस सिद्धान्त के अनुसार एक मनुष्य दूसरे मनुष्य का सही प्रतिनिधि नहीं हो सकता, तथापि वह उसके सामान्य उद्‌देश्यों के एक समूह को व्यक्त करने के लिए अवश्य प्रतिनिधित्व कर सकता है। इस आधार पर श्रेणी-समाजवादी लहार, कारीगर, सुनार, जुलाहा आदि की अलग-अलग श्रेणियाँ निर्मित कर व्यावसायिक जनतन्त्र की स्थापना करते हैं।

श्रेणी-समाजवादी मार्क्स के इस कथन को मान्यता देते हैं कि राजनीतिक शक्ति आर्थिक शक्ति के पश्चात् ही प्राप्त हो सकती है। इनका विश्वास है कि राजनीतिक क्षेत्र में प्रजातन्त्र सम्भव नहीं है जब तक कि आर्थिक क्षेत्र में प्रजातन्त्र न हो। इसलिए यदि जनतान्त्रिक ढंग से उद्योग संगठित हो जाय तो समाज का जनतान्त्रिक संगठन स्वत: ही स्थापित हो जायेगा। श्रेणी-समाजवादी सत्ता के केन्द्रीकरण को हानिकर मानते हैं। इसलिए वे स्थानीय संस्थाओं के विकास तथा व्यवस्था पर अधिक बल देते हैं।

श्रेणी-समाजवादी अपने अभीष्ट को प्राप्त करने के तरीकों में एकमत नहीं हैं। डॉ. सम्पूर्णानन्द के शब्दों में, "कुछ लोग कहते हैं कि उस अन्तिम अवस्था में वैध उपायों से ही शेष स्वत्व श्रमिकों के हाथ में आ जायेंगे, दूसरे लोगों का विचार है कि अनुकूल स्थिति में क्रान्तिमय उपायों से काम लेना होगा और उनके लिए अभी से तैयारी करनी चाहिए।"[40] कुछ श्रेणी-समाजवादी 'सीधे उपायों' का पक्ष लेते हैं, परन्तु कोल का मत है कि 'शीघ्रता से क्रान्ति लाना हमारा उद्‌देश्य नहीं है। हमारा उद्‌देश्य है—विकासवाद के मार्ग द्वारा उन सब शक्तियों को दृढ़ करना जिससे आनेवाली क्रान्ति गृह-युद्ध न होकर समाज में क्रियाशील वृत्तियों का एक अन्तिम परिणाम व प्राप्त तथ्य-सी मालूम हो।"[41]

समालोचना के लिए मध्यकालीन श्रेणी-व्यवस्था के कार्यान्वयन की असम्भाव्यता, राज्य के कार्यक्षेत्र का संकुचन, व्यावसायिक प्रतिनिधित्व योजना की अव्यावहारिकता, पृथक्-पृथक् श्रेणियों द्वारा स्वशासन की अनभिज्ञता, अधिकांश विषयों पर उनमें मतैक्य न होना आदि तर्क श्रेणी-समाजवाद के विरुद्ध दिये जा सकते हैं। परन्तु इस तथ्य को भी अस्वीकार नहीं किया जा सकता कि श्रेणी-समाजवादियों द्वारा

औद्योगिक कार्यों को प्रभावशाली ढंग से प्रस्तुत करना, समष्टिवाद में बढ़नेवाली नौकरशाही के खतरों के प्रति ध्यान दिलाना, कल-कारखानों एवं उद्योगों के प्रबन्ध में मजदूरों द्वारा भाग लेने की वांछनीयता पर बल देना और उद्योगों तथा राजनीति में व्यावसायिक प्रतिनिधित्व प्रारम्भ करने का मूल्यवान् सुझाव देना समाजवादी कार्यक्रमों के लिए कितना अधिक महत्त्वपूर्ण था।

5. समष्टिवाद—'समष्टिवाद' के मूलभूत आधार 'जर्मन समाजवाद' तथा अंग्रेजी 'फेबियनवाद' हैं। समष्टिवाद को राज्य-समाजवाद तथा लोकतान्त्रिक समाजवाद भी कहते हैं। क्योंकि यह वाद लोकतान्त्रिक ढंग से भूमि तथा उद्योग पर व्यक्तिगत स्वामित्व को नष्ट करके उन्हें राज्य के अधिकार में लाना चाहता है। 'इनसाइक्लोपीडिया ब्रिटेनिका' में इसको परिभाषा देते हुए लिखा गया है कि "यह वह नीति अथवा सिद्धान्त है जो केन्द्रीय प्रजातान्त्रिक सत्ता द्वारा आजकल की अपेक्षा श्रेष्ठतम वितरण तथा उसके अधीन श्रेष्ठतम उत्पादन की व्यवस्था करना चाहता है।"[42]

समष्टिवाद का प्रमुख ध्येय भूमि, खनिज पदार्थ तथा उद्योग-धन्धों में व्यक्तिगत अधिकार को समाप्त कर सम्पूर्ण समाज का स्वामित्व स्थापित करना है, जिससे उत्पादन के साधनों का प्रयोग व्यक्तिगत लाभ के लिए न होकर सामाजिक हित के लिए हो। इस प्रकार समष्टिवाद राज्य के कार्यक्षेत्र में वृद्धि करना चाहता है, किन्तु व्यक्तिगत स्वतन्त्रता को अक्षुण्ण बनाये रखने के लिए विकेन्द्रीकरण और स्थानीय संस्थाओं की स्वायत्तता पर भी बल देता है। समष्टिवाद पूँजीवाद तथा साम्राज्यवाद का विरोध करता है। वह सामाजिक समानता में विश्वास करता है और हर प्रकार के भेदभाव को समाप्त करना चाहता है।

6. अराजकतावाद—'अराजकतावाद' शब्द की व्युत्पत्ति ग्रीक शब्द 'अनार्किया' (Anarchia) से हुई है जिसका अर्थ है—'शासन का अभाव।'[43] अत: अराजकतावाद एक क्रान्तिकारी विचारधारा है जो राज्य तथा राजकीय शासन का उन्मूलन कर उसके स्थान पर एक राज्यहीन तथा वर्गहीन समाज का पुनर्गठन चाहती है। क्रोपोटकिन, बाकुनिन, प्रोंधा, थूरो, टालस्टाय, विलियम गाडविन आदि प्रमुख अराजकतावादी हैं। अराजकतावादी विचारक राज्य की कड़ी भर्त्सना करते हैं। उनके अनुसार राज्य द्वारा स्थापित पुलिस, जेल, न्याय आदि विभाग निर्दोष व्यक्ति को दोषी, चरित्रवान् को चरित्रहीन, ईमानदार को बेईमान बनाकर समाज में शोषण, अन्याय, असमानता, अत्याचार आदि की वृद्धि करते हैं। इसलिए वे अराजकतावादी समाज में सम्प्रभुता, मालिक अथवा राज्य की अनुपस्थिति चाहते हैं। अराजकतावाद राज्य के साथ वैयक्तिक सम्पत्ति का भी उन्मूलन चाहता है। मेरे-तेरे के भाव की समाप्ति ही इसका उद्देश्य है। साम्यवादियों के समान अराजकतावाद ने भी धार्मिक पाखण्डों को मानव

के निर्दयतापूर्वक शोषण का यन्त्र माना। अराजकतावादी प्रतिनिधि सरकार की कठोर आलोचना करते हैं। उनके अनुसार चुनाव तथा प्रतिनिधित्व प्रदर्शनमात्र हैं।

अराजकतावाद संघों में संगठित एक विकेन्द्रित समाज स्थापित करना चाहता है। उसके मतानुसार अराजकतावादी व्यवस्था में राज्य अथवा बल का अभाव होगा, न कि व्यवस्था का अभाव। राज्य का स्थान यहाँ पर ऐच्छिक संघ ले लेंगे जिनका गठन प्रादेशिक अथवा व्यावसायिक आधार पर होगा। इन संघों का विकास सरलता से जटिलता की ओर होगा। और छोटे-से-छोटा संघ भी वह आधार होगा जिस पर सम्पूर्ण व्यवस्था आश्रित होगी। इस प्रकार अराजकतावाद प्रादेशिक एवं व्यावसायिक विकेन्द्रीकरण पर अधिक बल देता है। अराजकतावादियों के मतानुसार राज्य की सेनाएँ बाह्य आक्रमण को रोकने में असमर्थ रही हैं तथा नागरिक सेनाओं से हारी हैं। इसलिए उनके स्थान पर सम्पूर्ण समाज संयुक्त होकर सफलतापूर्वक अराजकतावादी समाज की सुरक्षा करेगा। वे आकस्मिक विशेष कार्यों के लिए अस्थायी समुदायों का गठन करने के पक्ष में हैं।

अराजकतावाद श्रेणी-समाजवादी तथा बहुलवादी विचारधारा से प्रभावित हैं। मानव-स्वभाव की एकांगी धारणा, आदर्श समाज की अयथार्थवादी कल्पना, राज्य की पूर्ण समाप्ति का ध्येय तथा उनके हिंसात्मक ढंग निश्चित ही आलोचना के विषय हैं। परन्तु व्यक्ति की स्वतन्त्रता पर बल, विकेन्द्रीकरण का समर्थन, ऐच्छिक समुदायों के पारस्परिक सहयोग का विचार आदि अराजकतावाद के ऐसे महत्त्वपूर्ण विचार हैं जो आज के विश्व को सुख, समृद्धि और शान्ति दे सकते हैं।

भारत में समाजवाद

वैज्ञानिक समाजवाद का प्रारम्भ काल मार्क्स से होता है, परन्तु यदि समाजवादी भावना की दृष्टि से हम प्राचीन भारत पर दृष्टिपात करें तो मालूम होता है कि लोक-कल्याण की पवित्र भावना हमारे देश में बहुत पुरानी है। ऋग्वेद (10/191/2) में कहा गया है...

"सङ्गच्छध्वं संवदध्वं सं वो मनांसि जायताम्।"[44]

लोकमंगल की कामना का जो रूप हमें उपनिषद् के निम्न मन्त्र में मिलता है, वैसा विश्व के किसी अन्य धार्मिक ग्रन्थों में शायद ही मिले।...

सर्वे भवन्तु सुखिनः सर्वे सन्तु निरामयाः।
सर्वे भद्राणि पश्यन्तु मा कश्चिदुःख भाग्भवेत्।।"[45]

ऐसी ही शुभकामना व्यक्त करते हुए महाकवि कालिदास ने लिखा है—

सर्वस्तरतु दुर्गाणि सर्वो भद्राणि पश्यतु।
सर्वः सर्वभवाप्नोतु सर्वः सर्वत्र नन्दतु।।[46]

राम-राज्य का जो वर्णन 'रामायण' और 'रामचरितमानस' में मिलता है वह उपर्युक्त सर्व-मंगल भावना का ही साकार रूप है। मान्धाता, भरत आदि प्राचीन चक्रवर्ती सम्राटों ने और युधिष्ठिर, परीक्षित आदि परवर्ती सम्राटों ने हर क्षण प्रजा के सुख-दु:ख का ध्यान रखा था। प्राचीन इतिहास में अशोक, चन्द्रगुप्त विक्रमादित्य आदि राजाओं ने तो मानो राजतन्त्र के ढाँचे में समाजवाद ही उतार दिया था। आधुनिक युग में महात्मा गाँधी तथा विनोबा भावे ने इसी सर्व-मंगल की भावना या सर्वोदय के प्रवर्तन का प्रयत्न किया है। इस प्रकार भारत में वैदिक काल से आज तक सर्वोदय या सच्चे समाजवाद की प्रतिष्ठा के लिए सदा ही प्रयत्न होता रहा है।

उपर्युक्त समाजवाद की धारणा अध्यात्म और सत्य पर प्रतिष्ठित है। इस मौलिक समाजवाद में सच्ची आध्यात्मिक चेतना प्राप्त करने के लिए निर्गुण-सगुण की पूजा, निष्काम कर्म, ज्ञान आदि साधन माने गये हैं जिनके सम्यगनुष्ठान से समत्व बुद्धि प्राप्त होती है। इस समाजवाद का लक्ष्य था अनासक्ति और अपरिग्रह। किन्तु जब से भारतीय समाजवाद पर मार्क्स का प्रभाव पड़ा, इसका उद्देश्य जनशक्ति या विधि द्वारा सम्पत्ति की संस्था को समाप्त करने का हो गया। डॉ. लोहिया ने उचित ही लिखा है कि 'समाजवादी आन्दोलन की शुरुआत भारत में और दुनिया में एक अर्थ में तो बहुत पहले हो जाती है। वह अर्थ है अनासक्ति का, मिल्कियत और ऐसी चीजों के प्रति लगाव खत्म करने या कम करने का, मोह घटाने का।...किन्तु जब से समाजवाद के ऊपर कार्ल मार्क्स की छाप पड़ी, तब से एक दूसरा अर्थ ज्यादा सामने आ गया। वह है सम्पत्ति की संस्था को खत्म करने का, सम्पत्ति रहे ही नहीं, चाहे कानून से, चाहे जनशक्ति से।''[47]

इस प्रकार भारत के समाजवाद को दो भागों में बाँट सकते हैं—एक है प्राचीन भारतीय समाजवाद, दूसरा है आधुनिक भारतीय समाजवादी आन्दोलन या डॉक्टर लोहिया के शब्दों में 'असली समाजवादी धारा' जिसका प्रारम्भ सन् 1934 ई. में हुआ। आधुनिक भारतीय समाजवादी आन्दोलन को पुन: चार युगों में बाँट सकते हैं—

प्रथम युग सन् 1934 ई. से सन् 1946 ई. तक का है। समाजवादी मनोवृत्ति के कुछ राजनीतिज्ञों ने समाजवादी समुदायों को बिहार, नासिक, उत्तर प्रदेश और बम्बई प्रान्तों में संगठित किया, जिसके परिणामस्वरूप कांग्रेस समाजवादी दल का निर्माण हुआ। कांग्रेस समाजवादी दल के प्रमुख प्रतिपादक सर्वश्री जयप्रकाश नारायण, राममनोहर लोहिया, अशोक मेहता, आचार्य नरेन्द्रदेव, अच्युत पटवर्धन, एम. आर. मसानी, कमला देवी, पुरुषोत्तम त्रिकमदास, यूसुफ मेहर अली और

गंगाशरण सिन्हा थे। अखिल भारतीय कांग्रेस समाजवादी दल के 15 उद्देश्य थे, जिनमें उत्पादकों को समस्त सत्ता हस्तान्तरित करना, मुख्य उद्योग-धन्धों का समाजीकरण, विदेशी व्यापार पर शासन का पूर्णाधिकार, बिना क्षतिपूर्ति के राजाओं, जमींदारों तथा अन्य शोषकों की समाप्ति, कृषकों में भूमि का पुनर्वितरण, सहकारी और सामूहिक कृषि को प्रोत्साहन, कृषकों एवं श्रमिकों के ऋण को कम करना, स्त्री-पुरुष में समानता आदि प्रमुख थे।[48] किसान सभा, व्यापारी संघ तथा नवयुवक आन्दोलन को इस दल ने राष्ट्रीय संघर्ष की ओर आकृष्ट किया तथा दूसरी ओर कांग्रेस को भी कृषक कार्यक्रम आदि के लिए तैयार किया। इस युग को डॉ. लोहिया ने 'अदरखी जमाना' या 'मिरच गुट' कहकर पुकारा है, क्योंकि इस युग में कांग्रेस समाजवादी दल अपने स्वरूप में अधिक क्रान्तिकारी था और यह दल कांग्रेस के अन्दर एक गर्म दल का कार्य करता था। डॉ. लोहिया के शब्दों में यह "जरा गरमी लानेवाला, कुछ थोड़ा-सा आगे जानेवाला, कुछ ज्यादा तीव्रता से या पैनेपन से काम करनेवाला" गुट था।[49]

समाजवादी आन्दोलन का द्वितीय युग सन् 1947 ई. से सन् 1951 ई. तक का है। सन् 1947 ई. के कानपुर अधिवेशन में 'कांग्रेस समाजवादी दल' कांग्रेस से पृथक् हो गया और इसने सामाजिक स्वतन्त्रता एवं समानता के लिए कार्य प्रारम्भ कर दिया। लाभ रहित कृषि पर से भू-राजस्व की समाप्ति, श्रमिकों के लिए उचित वेतन, मूल्य स्थिरता, अंग्रेजी भाषा का निष्कासन आदि ही इस दल के प्रमुख ध्येय थे। इस हेतु इसने विभिन्न स्थानों पर जन प्रदर्शन किये। यद्यपि इस दल ने इस युग में जनवाणी-दिवस और जन प्रदर्शन की धूम मचा दी, तथापि यह दल समाजवादी आन्दोलन की प्रगति के लिए कोई ठोस और स्थायी कार्य करने में असमर्थ रहा क्योंकि सदस्य बनाने, समिति निर्मित करने, विचार-बैठकें चलाने अथवा अन्य शक्तिवर्द्धक कार्य करने में इसने अधिक रुचि नहीं दिखायी। इसी कारण डॉ. लोहिया ने इस युग को 'उफानवाला' दिखावटी ताकत का' युग कहा है।[50] यह तथ्य ही सन् 1952 ई. में आम चुनाव में इसकी पराजय का कारण था।

समाजवादी आन्दोलन का तृतीय युग सन् 1952 ई. से सन् 1955 ई. तक का है। इस युग को डॉ. लोहिया ने "एक तोड़ और तनाव का युग, आपस में खींचा-तानी या मोड़ युग कहा है।"[51] समाजवादी दल के प्रयास से इस दल में किसान मजदूर प्रजा पार्टी का विलयन हुआ और फलस्वरूप प्रजा समाजवादी दल का जन्म हुआ। इस नवीन दल ने अपनी आस्था शान्तिमय साधनों में व्यक्त की। आर्थिक, सामाजिक और राजनीतिक शोषण से मुक्त जनतान्त्रिक समाज ही इसका ध्येय था। बहुलवादियों की तरह चौखम्भा राज्य का आदर्श इस दल ने रखा। लघु उद्योग-धन्धे और विकेन्द्रीकरण इस दल के प्रमुख लक्ष्य थे। इस युग में इस दल ने कृषकों

और मौलिक अधिकारों को लेकर अनेक संघर्ष किये। सन् 1954 में उत्तर प्रदेश के 13 जिलों में नहर रेट की वृद्धि के विरुद्ध इस दल ने सविनय अवज्ञा की। इधर आवाडी कांग्रेस अधिवेशन (सन् 1954 ई.) की समाजवादी नीति का अशोक मेहता आदि प्रजा समाजवादियों ने स्वागत किया। फलतः दत्त की फूट के कारण डॉ. लोहिया ने हैदराबाद सम्मेलन में 31 दिसम्बर, सन् 1955 ई. को नवीन दल (सोशलिस्ट पार्टी) का निर्माण किया।

समाजवादी आन्दोलन का चतुर्थ युग सन् 1956 ई. से आज तक का है। इस युग में डॉ. लोहिया के निर्देशन में समाजवादी आन्दोलन ने अधिक पुष्ट ढंग से कांग्रेस-विरोधी नीति प्रारम्भ की। इसने संसदीय राजनीति की अपेक्षा संसद् के बाहर की राजनीति को सक्रिय किया। इसने सत्याग्रह, प्रदर्शन आदि को संघर्ष का मुख्य साधन माना और समाजवादी सिद्धान्तों को ठोस रूप दिया। इसी कारण इस युग को डॉ. लोहिया ने 'क्रान्तिकारी युग'[52] कहा है। डॉ. एल. पी. सिन्हा ने भी लिखा है, "The new group took a more pronounced anti-Congress starice and favoured development of the extra-parliamentary path of struggles like Satyagrah, demonstrations etc. in a much more virile form."[53]

इस युग में इसने समाजवादी एकता का भी प्रयास किया जिसके परिणामस्वरूप 29 जनवरी, 1965 ई. में प्रजा समाजवादी दल और समाजवादी दल का विलयन हुआ और एक संयुक्त समाजवादी दल का निर्माण हुआ, परन्तु अंशतः वैयक्तिक और अंशतः सैद्धान्तिक मतभेद के कारण पुनः उसी वर्ष संयुक्त समाजवादी दल से प्रजा समाजवादी दल पृथक् हो गया। अभी सन् 1961 ई. के आम चुनाव के निराशाजनक परिणामों के कारण 9 अगस्त, सन् 1971 ई. को दोनों दलों के विलयन ने समाजवादी दल को जन्म दिया है। यहाँ यह बताने की आवश्यकता नहीं कि यह दल सिद्धान्त में डॉ. लोहिया की नीतियों को स्वीकार करता है। अब देखना है कि यह दल इन नीतियों को कहाँ तक कार्यान्वित कराने में सफल होता है।

आज भारत के अधिकांश दलों की नीतियाँ समाजवादी हैं। इन दलों में से एक भारतीय साम्यवादी दल भी है। भारतीय साम्यवादी दल का विचार है कि भारत साम्यवाद के लिए इस समय परिपक्व नहीं है। अपने सन् 1958 ई. के अमृतसर अधिवेशन से इसकी यह मान्यता रही है कि जनतान्त्रिक साधनों से भारत में समाजवाद की स्थापना सम्भव है। विदेशी एकाधिपत्य से भारतीय साधनों के शोषण की समाप्ति, भूमि जोतनेवालों को भूमि का शीघ्र हस्तान्तरण, एकाधिपत्य में अभाव, सार्वजनिक क्षेत्र का विस्तार, एक दृढ़ कीमत-नीति, करों की अधिक न्यायपूर्ण नीति, श्रमिकों के लिए जीवित पारिश्रमिक, अल्पसंख्यकों के अधिकारों की रक्षा, राष्ट्रीय एकता का विकास, जनतन्त्र का विस्तार तथा उपनिवेशवाद के विरुद्ध

संघर्ष ही इस दल के प्रमुख उद्‌देश्य हैं। विदेशी एकाधिपत्य के सभी उद्योगों के शीघ्र राष्ट्रीयकरण का तो यह दल पक्ष लेता ही है, साथ-साथ भारतीय व्यक्तिगत उद्योग जैसे कोयला खदान, तेल, पेट्रोल आदि को राज्य द्वारा तुरन्त लिये जाने का समर्थन करता है। यह बैंकों के राष्ट्रीयकरण को उचित समझता है तथा भू-राजस्व की समाप्ति के लिए माँग करता है। यह राज्य को अधिक शक्ति देने के पक्ष में है। इस दल का मत है कि शान्ति, तटस्थता तथा उपनिवेशवाद के विरोध पर ही वैदेशिक नीति आधारित होनी चाहिए। इसे डगमगाहट या हिचकिचाहट की समझौतावादी नीति पसन्द नहीं।

भारत का एक अन्य समाजवादी दल भारतीय साम्यवादी दल (मार्क्सवादी) है, जिसके अपने कुछ अधिक क्रान्तिकारी लक्ष्य हैं। इन लक्ष्यों में प्रमुख हैं—बैंकों तथा उद्योगों का राष्ट्रीयकरण, अमेरिकी सहायता का बहिष्कार, विदेशी पूँजी का राष्ट्रीयकरण, सभी नागरिकों को समानाधिकार, अधिवासी क्षेत्रों में सम्भागीय स्वायत्तता, धर्मनिरपेक्ष राज्य की प्रत्याभूति, सभी भाषाओं की समानता, सेकेण्डरी स्तर तक निःशुल्क तथा अनिवार्य शिक्षा, जमींदारों से भूमि छीनना और कृषकों तथा श्रमिकों में उसका वितरण, कृषकों पर के ऋणों को रद्‌द करना, भूमि-कर की समाप्ति, वर्तमान पूँजीवादी तथा सामन्तवादी राज्य के स्थान पर सर्वहारा के नेतृत्व में जनतान्त्रिक राज्य की स्थापना, उपनिवेशवाद तथा साम्राज्यवाद के विरोध पर और स्वतन्त्रता के लिए किये जानेवाले संघर्षों के पक्ष पर आधारित विदेश-नीति आदि।

कांग्रेस दल ने भी आवाडी अधिवेशन (सन् 1954 ई.) में 'समाज का समाजवादी ढाँचा' को अपना लक्ष्य घोषित किया। तद्‌नुकूल भारतीय लोकसभा ने भी 20 दिसम्बर, सन् 1954 ई. को प्रस्ताव पारित किया जिसमें अन्य बातों के साथ कहा गया था कि "हमारी आर्थिक नीति का ध्येय समाजवादी ढाँचों पर समाज का गठन करना है; और इस उद्‌देश्य को प्राप्त करने हेतु देश की आर्थिक गतिविधि और विशेषकर साधारण औद्योगिक विकासगति को अधिक-से-अधिक तीव्र करना होगा।"[54] इस प्रस्ताव को पंचवर्षीय योजना में कार्यान्वित किया गया और तब से निरन्तर कांग्रेस समाजवादी कार्यक्रमों में व्यस्त है। सामन्ती शोषण से कृषकों की मुक्ति, पंचायतों के विकास, सार्वजनिक क्षेत्रों के विकास, निजी क्षेत्र के नियन्त्रण, बैंकों तथा जीवन बीमा नियम के राष्ट्रीयकरण, राजाओं की शैली और विशेषाधिकार की समाप्ति, सहकारिता और सामुदायिक विकास की योजनाओं के विस्तार, कृषि में सहकारिता, गहरी व विस्तृत कृषि कार्यक्रम की योजना तथा हरित क्रान्ति आदि का श्रेय कांग्रेस को ही है। विडम्बना यही है कि उसके लक्ष्य के विपरीत भारत में निरन्तर शक्ति का विकेन्द्रीकरण होता जा रहा है।

भारतीय समाजवाद के लक्ष्यों में से एक लक्ष्य विकेन्द्रीकरण का भी है। हम आज इस लक्ष्य के विपरीत जा रहे हैं। डी. आर. गाडगिल ने उचित ही लिखा था, "...विकेन्द्रीकरण के स्थान पर सत्ता के केन्द्रीकरण में वृद्धि हुई है।"[55] भूतपूर्व शिक्षा मन्त्री डॉ. वी. के. आर. वी. राव ने स्वयं स्वीकार किया है कि "समाजवादी समाज के लिए आयोजन की व्यूह रचना और तकनीकी में मूल तत्त्व का अभाव रहा है।"[56]

इस प्रकार भारतीय पृष्ठभूमि में समाजवाद की समीक्षा करते हुए हम कह सकते हैं कि सामन्ती शोषण का अन्त, तीव्र औद्योगीकरण, सहकारिता का विकास, पंचायती राज्य, बैंकों का राष्ट्रीयकरण, राजाओं के विशेषाधिकारों की समाप्ति और योजना-सम्बन्धी कार्य तो अपने देश में हुए हैं, किन्तु समाजवाद के मूल तत्त्वों की ओर ध्यान नहीं दिया गया है। बेकारी, बढ़ती कीमतें, मुनाफे, गरीबी, जनसंख्या, अन्नाभाव तथा असमानता की समस्याएँ अब भी विद्यमान हैं। इस दुर्भाग्य का प्रमुख कारण यह है कि अपने देश में समाजवाद के रूप और सिद्धान्त को लेकर, अजीब धुँधलापन छाया हुआ है। इसके साथ ही, स्वार्थपरता, प्रशासन में ढीलापन, खींचातानी, जातिवाद, क्षेत्रवाद और पद-लिप्सा-जैसी कुत्सित धारणाएँ अपनी जड़ें जमाये हैं। यदि देश में वास्तविक समाजवाद स्थापित करना है तो पहले समाज के नेताओं को व्यर्थ में बदनाम करने की आवश्यकता नहीं है। समाजवादी बुरे हो सकते हैं, किन्तु समाजवाद नहीं। सबसे प्रधान आवश्यकता शासन में न्यायपूर्ण और जनहित के लिए आवश्यक कार्यप्रणाली और शासन-कुशलता की है। आजकल भी जिन सिद्धान्तों और कार्यक्रमों की आवश्यकता है, डॉ. लोहिया ने अपनी मौलिक दृष्टि उन सब पर डाली है। अब हम डॉ. लोहिया के समाजवादी दर्शन का अध्ययन करेंगे जिसकी प्रथम कड़ी उनकी सामाजिक साधना है और यह ही ग्रन्थ के अगले अभ्यास का विषय है।

सन्दर्भ

1. Encyclopaedia Britannica, p. 756
2. Ramsay Muir : The Socialist Case Examined, p. 3 (अमर नारायण अग्रवाल : समाजवाद की रूपरेखा, पृ. 25 से उद्धृत)
3. Don Griffiths, What is Socialism, p. 61
4. Don Griffiths, What is Socialism, p. 61, (अमर नारायण अग्रवाल : समाजवाद की रूपरेखा, पृ. 22 और 24 उद्धृत)
5. Encyclopaedia of Social Sciences VI, 13-14, p.188
6. Encyclopaedia of Social Sciences, Vol. 13-14, p. 188
7. Encyclopaedia of Social Sciences, Vol. 13-14, Pur-Tra, p. 188

8. डॉ. लोहिया : सरकार के सहयोग और समाजवादी एकता, पृ. 15
9. डॉ. लोहिया, समदृष्टि, पृ. 18
10. डॉ. लोहिया, समदृष्टि, पृ. 60
11. वही, पृ. 1
12. वही, पृ. 60
13. Dr. Lohia : Will to Power, p. 5, 105
14. सोशलिस्ट पार्टी, सिद्धान्त और कार्यक्रम, जनवरी 1956, पृ. 17
15. Dr. Lohia : Guiltymen of India's Partition, p. 87
16. डॉ. लोहिया : समलक्ष्य, समबोध, पृ. 6
17. आचार्य नरेन्द्र देव : राष्ट्रीयता और समाजवाद, पृ. 410
18. कार्ल मार्क्स और एंगेल्स संकलित रचनाएँ, भाग 1, पृ. 67
19. गाँधी जी : हरिजन बन्धु 13-3-47 (सम्पदा, पृ. 322 से उद्धृत)
20. गाँधी जी : हरिजन बन्धु 13-3-47 (सम्पदा, पृ. 322 से उद्धृत)
21. Kelly-Twentieth Century Socialism, p. 237
22. इन्दुमति केलकर : लोहिया : सिद्धान्त और कर्म, पृ. 348
23. Graham : Socialism, New and Old, p. 4. (नं. 1 और 3 अमरनारायण अग्रवाल : समाजवाद की रूपरेखा, पृ. 11 और 13 से उद्धृत)
24. E. De Lave Laye : Socialism of Today, p. XV (अमरनारायण अग्रवाल : समाजवाद की रूपरेखा, पृ. 13 से उद्धृत)
25. ब्ला. ई. लेनिन : संकलित रचनाएँ, खण्ड 3, भाग 1, पृ. 362
26. कार्ल मार्क्स, फ्रेडरिक एंगेल्स : संकलित रचनाएँ, भाग 4, पृ. 69
27. कार्ल मार्क्स, फ्रेडरिक एंगेल्स : संकलित रचनाएँ, भाग 4, पृ. 79
28. जन, मार्च 1968, पृ. 31
29. 11 अप्रैल, 1928 के नेहरू भाषण से
30. कार्ल मार्क्स, फ्रेडरिक एंगेल्स : संकलित रचनाएँ, भाग 1, पृ. 61-62
31. जवाहरलाल नेहरू : विश्व इतिहास की झलक, पृ. 457
32. कार्ल मार्क्स, फ्रेडरिक एंगेल्स : संकलित रचनाएँ, भाग 1, पृ. 52
33. सी. एल. वेपर : राजदर्शन का स्वाध्ययन, पृ. 207
34. कार्ल मार्क्स : राजनैतिक अर्थशास्त्र की आलोचना की भूमिका में
35. कार्ल मार्क्स, फ्रेडरिक एंगेल्स : संकलित रचनाएँ, भाग 2, पृ. 219
36. G. B. Shaw : Reading in Recent Political Philosophy (Edited by M. Spahr), p. 436
37. Pease : History to Fabian Society, p. 269
38. F.W. Coker : Recent Political Thought, p. 105
39. C.M. Joad : Modern Political Theory, p. 63
40. डॉ. सम्पूर्णानन्द : समाजवाद, पृ. 295
41. G.D.H. Cole : Guild Socialism Restated, p. 183, 187, 206

42. Quoted from Modern Pol. Theory (by C.E.M. Joad), p. 54
43. Kropotkin : The Conquest of Bread, p. 9
44. हमारे में संगति, संवाद कौर सहमति हो।''
45. सभी सुखी और नीरोग हों, सभी शुभ का दर्शन करें और किसी को भी दु:ख न हो।
46. सभी संकटों को पार कर लें, सभी मंगल का दर्शन करें, सभी सचेष्ट लाभ करें, सभी सर्वत्र सुखीं हों।
47. डॉ. लोहिया : समाजवादी आन्दोलन का इतिहास, पृ. 1
48. श्री जयप्रकाश नारायण : संघर्ष की ओर (शिव प्रकाश, आगरा), पृ. 108
49. डॉ. लोहिया : समाजवादी आन्दोलन का इतिहास, पृ. 2
50. डॉ. लोहिया : समाजवादी आन्दोलन का इतिहास, पृ. 2
51. डॉ. लोहिया : समाजवादी आन्दोलन का इतिहास, पृ. 2
52. डॉ. लोहिया : समाजवादी आन्दोलन का इतिहास, पृ. 3
53. The Indian Journal of Political Science, Vol. 31, p. 10
54. सम्पदा, जुलाई–अगस्त, 1970, पृ. 331
55. सम्पदा, जुलाई–अगस्त, 1970 (अशोक प्रकाशन मन्दिर, दिल्ली), पृ. 317
56. सम्पदा, जुलाई–अगस्त, 1970 (अशोक प्रकाशन मन्दिर, दिल्ली), पृ. 317

3

डॉ. लोहिया की सामाजिक साधना

डॉ. लोहिया की सामाजिक साधना के अध्ययन के पूर्व यह स्पष्ट कर देना आवश्यक है कि समाजवाद का सामाजिक समता से अत्यन्त घनिष्ठ सम्बन्ध है। समाजवाद मुख्य रूप से न तो सम्पत्ति का सिद्धान्त है और न राज्य का। यह आर्थिक नीतियों से ऊपर एक जीवन-दर्शन है, जीवन के प्रत्येक क्षेत्र में समता एवं सम्पन्नता का सिद्धान्त है। कोई सच्चा समाजवादी केवल आर्थिक सुधारों से ही सन्तुष्ट नहीं होता, वह अपनी एक विशिष्ट शैक्षणिक, नैतिक एवं सौन्दर्यशास्त्रीय नीति का भी प्रतिपादन करता है। जैसा कि आस्कर जास्जी ने लिखा है—

"No true socialist is satisfied with merely economic reforms but advocates also distinct educational, ethical and aesthetic policy."[1]

डॉ. लोहिया इसी कोटि के समाजवादी थे। उन्होंने वर्तमान समाज-व्यवस्था के आर्थिक ही नहीं, अपितु सामाजिक, राजनीतिक एवं धार्मिक पहलुओं पर भी भीषण प्रहार किया है और प्रत्येक पहलू के लिए एक विशिष्ट नीति का प्रतिपादन किया है। उनका कहना था कि, "समाजवाद का अगर एक अंग ले लिया जाता है जैसे वामपन्थी राष्ट्रीयता या जैसे वामपन्थी आर्थिकता, तो समाजवाद खण्डित रह जाता है, अधूरा रह जाता है। समाजवाद के अंग या मतलब कई हैं। मोटी तरह से मैं कुछ गिनाये देता हूँ—वामपन्थी राष्ट्रीयता, उग्रपन्थी आर्थिकता, तीसरे उग्रपन्थी धार्मिकता, चौथे उग्रपन्थी सामाजिकता, पाँचवें उग्रपन्थी राजनीतिकता।"[2] अन्य समताओं की अपेक्षा डॉ. लोहिया ने सामाजिक समता का प्रतिपादन अधिक सशक्त ढंग से किया। सामाजिक विषमताओं में जाति-प्रथा, नर-नारी असमानता, अस्पृश्यता, रंग-भेद नीति और साम्प्रदायिकता आदि ने उनका ध्यान विशेष रूप से आकर्षित किया। अब हम इन्हीं सामाजिक विषमताओं के सन्दर्भ में डॉ. लोहिया की सामाजिक साधना का अध्ययन करेंगे।

जाति-प्रथा का उन्मूलन

भारतवर्ष में जितनी भी सामाजिक विषमताएँ हैं उनमें जाति-प्रथा सर्वाधिक विनाशकारी है। जब तक जाति-प्रथा समूल विनष्ट नहीं की जाती, तब तक समाजवाद सम्भव नहीं, क्योंकि आर्थिक और सामाजिक समता समाजवाद के प्रधान लक्ष्य हैं। "आर्थिक गैर बराबरी और जाति-पाँति, जुड़वाँ राक्षस हैं और अगर एक से लड़ना है तो दूसरे से भी लड़ना जरूरी है।"[3] जाति-प्रथा पिछड़ी और दबी हुई जातियों को आध्यात्मिक समता से वंचित रखती हैं और जितना कि वह उन्हें आध्यात्मिक समता से वंचित रखती हैं, उतना ही वह उन्हें सामाजिक और आर्थिक समता से भी वंचित कर देगी। डॉ. लोहिया की मान्यता थी कि कर्म की प्रतिष्ठा होनी चाहिए, न कि जन्म की। जन्म के आधार पर किसी ब्राह्मण के चरण-स्पर्श का तात्पर्य होता है जाति-प्रथा, गरीबी और दुःख-दर्द को बनाये रखने की प्रत्याभूति। क्योंकि "जिसके हाथ सार्वजनिक रूप से ब्राह्मणों के पैर धो सकते हैं उसके पैर शूद्र और हरिजन को ठोकर भी तो मार सकते हैं।"[4] जहाँ शूद्र हरिजन तथा अन्य गरीब समूहों को ठोकर मारने की स्थित हो, वहाँ समाजवाद की कल्पना निरर्थक है। इस प्रकार समाजवाद स्थापित करने के लिए जितना आवश्यक वर्ग-उन्मूलन है उतना ही जाति-उन्मूलन।

जाति-प्रथा और भारत का पतन—जाति को डॉ. लोहिया ने 'एक जड़ वर्ग' के रूप में परिभाषित किया है, क्योंकि जाति में इतनी जकड़न होती है कि एक जाति का व्यक्ति दूसरी जाति में प्रवेश के लिए असमर्थ बना दिया जाता है। इस जाति-पाश के कारण भारत का समग्र जीवन निष्प्राण हो गया है। भारत का व्यक्ति हिन्दू, मुसलमान, सिख और ईसाई के नाम पर विभाजित है। हिन्दू ब्राह्मण, क्षत्रिय, वैश्य, शूद्र जातियों में विभाजित तो है ही, साथ-साथ इन जातियों में भी उप-जातियाँ हैं। ये समस्त उप-जातियाँ यहाँ तक विभाजित हैं कि वे एक-दूसरे के साथ शादी-विवाह, खान-पान अथवा जन्म सम्बन्ध करना अपना अपमान समझती हैं। डॉ. लोहिया के शब्दों में, "जीवन के बड़े-बड़े तथ्य जन्म, मृत्यु शादी-ब्याह, भोज और अन्य सभी रस्में जाति के चौखटे में ही होती हैं।... ऐसे मौकों पर दूसरी जातियों के लोग किनारे पर रहते हैं, अलग और जैसे वे तमाशबीन हों।"[5] इस प्रकार सम्पूर्ण भारत जातिवाद के चंगुल में पड़ा कराह रहा है।

डॉ. लोहिया के मतानुसार ब्राह्मणी संस्कृति और ब्राह्मणवाद सामन्तवाद और पूँजीवाद का पोषक तथा जनक है।[6] अतः जब तक यहाँ ब्राह्मण और बनियावाद का मूलोच्छेदन नहीं होता है, समाजवाद की कल्पना केवल स्वप्न की वस्तु बनकर रह जायेगी। डॉ. लोहिया के इस विचार में भले ही कटुता का कुछ अंश अधिक हो, किन्तु इस सत्य से मुँह नहीं मोड़ा जा सकता कि भारतीय जनता पर इस प्रथा

को थोपनेवाले उच्च जाति के कुछ ऐसे व्यक्ति रहे, जिन्होंने ऐसी व्यवस्था निर्मित की जिसमें देश के मस्तिष्क का राजा ब्राह्मण और धन का मालिक वैश्य बन बैठा तथा युद्ध एवं सेवाश्रम का उत्तरदायित्व क्रमश: क्षत्रिय एवं शूद्र पर आरोपित हुआ। इसी अफलातून-जैसे कार्य-विभाजन में ऊँच-नीच, छोटे-बड़े शासक-शासित के असमाजवादी भाव आवश्यक परिणाम के रूप में समाविष्ट हुए जो भारत के पतन के लिए प्रधान रूप से उत्तरदायी हैं।

डॉ. लोहिया ने इतिहास के सूक्ष्म अध्ययन द्वारा यह सिद्ध किया है कि भारतवर्ष की 1000 वर्ष की दासता का कारण जाति है, आन्तरिक झगड़े और छल-कपट आदि नहीं।[7] डॉ. लोहिया के विचारानुसार जब भी किसी देश में जाति के बन्धन ढीले होते हैं, तब वह देश-विदेशी आक्रमण के समक्ष नत-मस्तक नहीं होता। भारतवर्ष में जाति के बन्धन सदैव से जकड़े रहे हैं। जाति-प्रथा निम्न जातियों को सामाजिक, आर्थिक, आध्यात्मिक, बौद्धिक, राजनीतिक आदि दृष्टियों से पतित कर देती हैं, जिसके परिणाम-स्वरूप वे सार्वजनिक कार्यों और देश की रक्षा आदि-जैसे महत्त्वपूर्ण समस्याओं के प्रति उदासीन हो जाती हैं। वे सार्वजनिक जीवन से लगभग बहिष्कृत रहती हैं और उनमें से किसी नेतृत्व की सृष्टि नहीं हो पाती। केवल उच्च जाति से ही देश के नेता और कर्णधार बनते हैं। विदेशी आक्रमण के आगे असंगठित समाज घुटने टेक देता है, क्योंकि जाति-प्रथा ''90 प्रतिशत को दर्शक बनाकर छोड़ देती है, वास्तव में देश की दारुण दुर्घटनाओं के निरीह और लगभग पूरे उदासीन दर्शक।''[8]

डॉ. लोहिया का यह कहना पूर्णरूपेण सत्य नहीं है कि केवल जाति-प्रथा ही भारत की दासता का एकमात्र कारण रही है। जाति-प्रथा पराधीनता के अनेक कारणों में से एक कारण हो सकती है, किन्तु एकमात्र कारण यही नहीं है। जाति-प्रथा के अतिरिक्त पारस्परिक कलह, सामन्तवाद और युद्ध-प्रणाली का पिछड़ापन आदि बहुत हद तक उत्तरदायी रहे हैं। भारत का इतिहास इसका साक्षी है कि जब भी विदेशी आक्रान्ता भारत में सफल हुए हैं तो इसका कारण या तो देशी राज्यों द्वारा विदेशी आक्रान्ता को मदद देना रहा है और या फिर आक्रान्ता के पास अधिक आधुनिकतम अस्त्रों का होना रहा है। सिकन्दर के मुकाबले पोरस के अस्त्र और युद्ध-प्रणाली काफी अविकसित थी। यही बात राणा साँगा और बाबर के बीच हुए युद्ध में थी और यही बात भारत के तत्कालीन मुगल शासकों एवं अंग्रेजों के बीच हुए युद्धों में थी।

जाति-उन्मूलन हेतु लोहिया के सुझाव—इतिहास का अवलोकन करने से ज्ञात होता है कि हमारे देश के सन्त और समाज-सुधारक जाति-नप्रथा पर समय-समय पर प्रहार करते रहे हैं। बुद्ध, शंकराचार्य, रामानुजाचार्य, ज्ञानेश्वर, नामदेव,

एकनाथ, तुकाराम, वल्लभाचार्य, चैतन्यदेव, नानक, कबीर, रविदास, गोरा, चोखा, नरसिंह मेहता, सहजानन्द तथा अभी-अभी स्वामी दयानन्द सरस्वती एवं गाँधी जी ने जाति-प्रथा को समाप्त करने के लिए अत्यधिक प्रयास किये। किन्तु डॉ. लोहिया ने जाति-प्रथा पर जितना प्रभावशाली प्रहार किया वैसा शायद ही अन्य किसी ने किया हो। उनकी मान्यता थी कि गरीबी और जाति-प्रथा एक-दूसरे के कीटाणुओं पर पनपती हैं। आधुनिक अर्थतन्त्र के द्वारा समाजवाद तब तक नहीं आ सकता, जब तक कि जाति-प्रथा को समाप्त नहीं किया जाता। डॉ. लोहिया के हृदय में जाति-प्रथा के विरुद्ध सशक्त तूफान उमड़ता रहता था। उन्होंने कहा था कि "परिवर्तन के विरुद्ध और स्थिरता के लिए जाति-प्रथा एक भयंकर शक्ति है।"[9] उन्होंने जाति-प्रथा पर चौतरफा प्रहार किया—धार्मिक, आर्थिक, सामाजिक और राजकीय।

डॉ. लोहिया ने ब्रह्मज्ञान और अद्वैतवाद की तर्कपूर्ण और सार्थक व्याख्या कर यह सिद्ध किया कि जाति-प्रथा समाप्त करना ही सच्चा ब्रह्मज्ञान और अद्वैतवाद है। डॉ. लोहिया ने कठोपनिषद् के मन्त्र 2/2/9 एकस्तथा सर्वभूतान्तरात्मा। रूपंरूपं प्रतिरूपो वभूव।।[10] को ब्रह्मज्ञान का मूलाधार बताते हुए यह सन्देश दिया कि हम सब मूल रूप में एक ही हैं। अपने व्यक्तिगत संकुचित शरीर और मन से हटकर सब के प्रति अपनापन अनुभव करना ही सच्चा ब्रह्मज्ञान है।[11] इसी प्रकार जाति-प्रथा समाप्ति को ही सच्चा अद्वैतवाद मानते हुए उन्होंने कहा, "एक तरफ तो अद्वैत चला रहे हैं कि सब संसार एक है, सब समान हैं, पेड़ समान, गन्ध समान, आदमी समान, देवता समान और दूसरी तरफ, अपने ही अन्दर ब्राह्मण, बनिया, चमार, भंगी, कहार, कापू, माला, मादीगा, न जाने पचास तरह के झगड़े खड़े करके, बँटवारा करके अपने देश को हम छिन्न-भिन्न कर रहे हैं।"[12]

वास्तव में जाति के आधार पर ऊँच-नीच और बड़े-छोटे का द्वैत बहुत ही विडम्बनापूर्ण है और विशेषतः भारत के लिए जहाँ 'वसुधैव कुटुम्बकम्' ही सम्पूर्ण संस्कृति का आधार रहा हो। किन्तु हम निश्चयपूर्वक यह नहीं कह सकते कि जाति-प्रथा के नष्ट होने से सच्चा अद्वैतवाद प्राप्त हो जायेगा, परन्तु इतना अवश्य ही है कि जाति-प्रथा एक अत्यन्त सशक्त विभाजक शक्ति है जिसके उन्मूलन की अत्यन्त आवश्यकता है। जाति-प्रथा का आरम्भ एक अच्छे उद्‌देश्य को लेकर किया गया था किन्तु कालान्तर में यह प्रथा एक बुराई बन गयी। जाति-प्रथा से जातिवाद का जन्म हुआ, उसके विरुद्ध सम्पूर्ण भारत में आवाज उठायी जा रही है। यही जातिवाद समाप्त हो जाय, तो ढीले-ढाले रूप में कार्य-विभाजन की दृष्टि से जाति-प्रथा को जीवित रहने दिया जा सकता है। परन्तु जाति-प्रथा सम्पूर्ण प्रयासों के बाद भी जातिवाद में परिवर्तित हो सकती है। सीजरवाद को समाप्त करने के लिए सीजर का

अन्त करना पड़ा था। इसी प्रकार जातिवाद को नष्ट करने के लिए जाति-प्रथा का अन्त आवश्यक है।

डॉ. लोहिया ने जाति-प्रथा पर आर्थिक दृष्टिकोण से भी प्रहार किया। उन्होंने स्पष्ट किया कि जाति-प्रथा के कारण प्रायः छोटी जातियाँ सार्वजनिक जीवन से बहिष्कृत की जाती हैं, जिससे दासता उत्पन्न होती है और दासता से हर प्रकार का शोषण होता है। इसके अतिरिक्त जाति-प्रथा के कारण छोटी जातियाँ इतनी अधिक गरीब हो गयी हैं कि वे अपनी पूर्ण क्षमता के साथ राष्ट्रीय प्रगति में अपना सहयोग नहीं दे पातीं। डॉ. लोहिया की दृष्टि में पिछड़ी हुई जातियों को आर्थिक दृष्टि से सबल करने और उनमें आत्म-सम्मान जागृत करने के लिए कुछ महत्त्वपूर्ण उपाय किये जा सकते हैं, जैसे 'साढ़े छह एकड़वाली बात, या खेतिहर मजदूर की मजदूरी बढ़ानेवाली बात, या ऊँची-से-ऊँची आमदनी या नीची-से-नीची आमदनी के बीच में एक मर्यादा बाँधनेवाली बात।''[13] डॉ. लोहिया की इस उक्ति के पीछे यही तर्क है कि सामान्यतः छोटी जाति के ही व्यक्ति खेतिहर मजदूर हैं, वहीं भूमिहीन हैं और उन्हीं को आय-मर्यादा की सीमा से कुछ आर्थिक दृष्टि से उन्नत किया जा सकता है।

डॉ. लोहिया का जाति-प्रथा पर तीसरा प्रहार सामाजिक दृष्टिकोण पर आधारित था। उन्होंने कहा था कि जाति-प्रथा भेद-भाव को जन्म देकर समाज को विघटित करती है। जाति-प्रथा से आत्मीयता और सौहार्द की समाप्ति हो जाती है। सहयोग की अनुपस्थिति के कारण सामाजिकता का लोप हो जाता है और राष्ट्रीय विकास अवरुद्ध हो जाता है। सामाजिक दृष्टि से उन्होंने दो उपचारों को रखा—प्रथम सहभोज और द्वितीय अन्तर्जातीय विवाह। सहभोज के सम्बन्ध में उनका विश्वास था कि विभिन्न छोटी-बड़ी जातियों के हजारों व्यक्ति सहभोज में सम्मिलित होकर जाति-नाश हेतु जनपद को प्रभावशाली ढंग से प्रभावित कर सकते हैं और उन्होंने हैदराबाद में ऐसा किया भी था। इन सम्बन्ध में उनका दूसरा सुझाव था—अन्तर्जातीय विवाह। अन्तर्जातीय विवाह का तात्पर्य द्विजों का आपस में विवाह नहीं, अपितु द्विज-अद्विज का विवाह है। डॉ. लोहिया को सेठ-मिसरानी और सेठानी-महाराज से कोई अरुचि नहीं, वे तो इनका विस्तार चाहते थे। उनकी इच्छा थी कि ब्राह्मणी-भग, सेठानी-चमार, अहीरिन-पासी, कहारिन-ब्राह्मण, धोबिन-सेठ-जैसे सम्बन्ध बहुतायत में हों। वे जानते थे कि इस स्वप्न के साकार होने में बहुत विलम्ब है, परन्तु उनका विश्वास था कि इस स्वप्न के साकार होने की क्रिया से ही भारतवर्ष सशक्त हो सकता है। साक्षात्कार-सिद्धान्त के प्रतिपादक होने के नाते वे इन सुझावों को भी तुरन्त कार्य-रूप देने पर बल देते थे। उनका कहना था कि "जिस दिन प्रशासन और फौज में भर्ती के लिए, और बातों के साथ-साथ, शूद्र और द्विज के

बीच विवाह को योग्यता और सहभोज के लिए इनकार करने पर अयोग्यता मानी जायेगी, उस दिन जाति पर सही मानी में हमला शुरू होगा। वह दिन अभी आना है।''[14]

डॉ. लोहिया का अन्तर्जातीय विवाह-सम्बन्धी दृष्टिकोण आलोचना का विषय है। विवाह की सफलता पति-पत्नी के स्वभाव के सामञ्जस्य पर निर्भर करती है। अत: अन्तर्जातीय विवाह करते समय इस तथ्य का ध्यान अवश्य रखा जाना चाहिए। भावावेश में आकर लोग अन्तर्जातीय विवाह कर सकते हैं, किन्तु स्वभाव, पूर्वाग्रह, रूप-रंग आदि में भिन्नता होने के कारण अन्तर्जातीय विवाहों की असफलता काफी हद तक निश्चित है। जाति पर यदि हम ध्यान न भी दें तो वातावरण पर ध्यान देना अत्यन्त आवश्यक है। ठीक यही बात सहभोज के बारे में भी कही जा सकती है। सब जातियों के साथ सम-व्यवहार का यह अर्थ नहीं कि आवश्यक रूप से सभी जातियाँ साथ-साथ खाना खायें ही। यह भी निश्चयात्मक ढंग से नहीं कहा जा सकता कि सहभोज से आवश्यक रूप में समता का भाव पैदा ही हो जायेगा। यही कारण है कि महात्मा गाँधी सहभोज और अन्तर्जातीय विवाह को अनिवार्य नहीं मानते थे। तथापि उपर्युक्त बातों का और मानव की स्वतन्त्रता का ध्यान रखकर जातिवाद से ग्रसित आज के भारत में समता और सम्पन्नता लाने के लिए सहभोज और अन्तर्जातीय विवाह-जैसे क्रान्तिकारी विचारों की अवहेलना नहीं की जानी चाहिए।

डॉ. लोहिया का जाति-प्रथा पर चौथा आक्रमण राजकीय था। उनका कहना था कि जाति-प्रथा के कारण जनता का अधिकांश भाग राजनैतिक कार्य में सक्रिय भाग नहीं ले पाता। अपवादों को छोड़कर निम्नजातियों में से नेतृत्व का सृजन भी नहीं हो पाता है। अपनी दबी हुई स्थिति के कारण वे अपने मताधिकार का भी प्रयोग नहीं कर पाते । उनका न तो सही ढंग से प्रतिनिधित्व हो पाता है और न ही उन्हें किसी प्रकार का राजनैतिक ज्ञान ही। इन समस्त कारणों से उनकी क्षमताएँ विकसित नहीं हो पातीं जिस कारण वे राजनैतिक कार्यों के प्रति उदासीन हो जाते हैं। परिणामस्वरूप राष्ट्र जनता के अधिकांश भाग के सहयोग से वंचित रह जाता है। उनमें राजनैतिक चेतना भरने और राष्ट्र को सशक्त बनाने के लिए डॉ. लोहिया ने प्रत्यक्ष चुनाव, वयस्क मताधिकार और विशेष अवसर के सिद्धान्त की आवश्यकता पर बल दिया।

वयस्क मताधिकार और प्रत्यक्ष चुनाव के सम्बन्ध में डॉ. लोहिया का मत है कि "जैसे-जैसे वह वयस्क मताधिकार चलता रहेगा, चुनाव चलते रहेंगे, वैसे-वैसे जाति का ढीलापन बढ़ता रहेगा।''[15] हम जानते हैं कि उनके मत का मूल्य दूसरों

के मत के समान है और चूँकि इनकी संख्या कम नहीं है इसलिए चुनाव के प्रत्याशियों को उनके महत्त्व को स्वीकार करना होगा। शिक्षा का दिनोंदिन प्रसार होने से आनेवाले समय में उनको वाग्जाल से भ्रमित भी नहीं किया जा सकता।

डॉ. लोहिया का कहना था कि फ्रांस और रूस की राज्य-क्रान्तियों के लिए समान अवसर का सिद्धान्त उसी प्रकार उचित और पर्याप्त हो सकता है जिस प्रकार साम्यवादी घोषणा-पत्र तथा यूरोपियों के लिए समान अवसर का सिद्धान्त क्रान्तिकारी एवं प्रभावपूर्ण है, क्योंकि इन देशों में जाति-प्रथा की समस्या नहीं है। परन्तु जाति-प्रथा से व्यथित भारतीय भूमि के लिए समान अवसर का सिद्धान्त अपर्याप्त है। यहाँ तो विशेष अवसर का सिद्धान्त ही क्रान्तिकारी हो सकता है। वर्तमान शासन द्वारा निम्न जातियों को दिये गये विशेष अवसरों को डॉ. लोहिया केवल कुछ सुविधाएँ मात्र समझते थे। वे योग्यता-अयोग्यता पर विचार किये बिना पिछड़ी जातियों को शासन के उच्च पदों पर, राजनीति में नेतृत्व के पदों पर, सेना के पदों पर तथा व्यापारिक पदों पर आसीन करना चाहते थे।[16] इन विशेष अवसरों के पक्ष में डॉ. लोहिया का तर्क था कि जाति अवसर को अवरुद्ध करती है और अवरुद्ध अवसर योग्यता को अवरुद्ध करता है। अवरुद्ध योग्यता पुनः अवसर को अवरुद्ध करती है। फलतः पिछड़ी जाति कभी उठ नहीं पाती। स्वयं उन्हीं के शब्दों में, "Caste restricts opportunity, restricted opportunity constricts ability, constricted ability further restricts opportunity. Where caste prevails, opportunity and ability are restricted to ever narrowing circles of the people."[17]

डॉ. लोहिया का विशेष अवसर का सिद्धान्त एक उच्च आदर्श एवं न्याय पर आधारित है, परन्तु इसके अक्षरशः पालन से जो समस्याएँ पैदा होंगी, उनकी अनदेखी नहीं की जा सकती। कुछ स्थान इतने महत्त्वपूर्ण होते हैं कि थोड़ी-सी अकुशलता गम्भीर परिणाम को जन्म दे सकती है। एक अयोग्य डाक्टर, एक अकुशल सैनिक अफसर या राजदूत राष्ट्र को किसी भी कीमत पर स्वीकार नहीं होना चाहिए। हमारा विचार है कि एक अयोग्य व्यक्ति को पद, विशेषकर उच्च एवं महत्त्वपूर्ण पद देने में विशेष अवसर के सिद्धान्त का प्रयोग करने की अपेक्षा उस व्यक्ति को उस पद के योग्य बनाने में इस सिद्धान्त का प्रयोग करना चाहिए।

डॉ. लोहिया पिछड़ी जातियों को केवल नेतृत्व के पदों पर ही आसीन नहीं करना चाहते थे, बल्कि उनकी आत्मा को जागृत करना, उन्हें सुसंस्कृत बनाना तथा उनमें अधिकार-भावना भरना चाहते थे। उनकी यह अभिलाषा थी कि द्विज तथा शूद्र अपने दोषों से मुक्त हों। वे पद-दलितों में अधिकार के प्रति चेतना इसलिए लाना चाहते थे क्योंकि उनके मतानुसार कर्त्तव्य की भावना कभी आ नहीं सकती, जब तक

अधिकार की भावना नहीं आयेगी। उन्होंने यह विश्वासपूर्वक कहा कि, "अगर महात्मा गाँधी को आत्मसम्मान न रहा होता, और एक बहुत ऊँचे पैमाने का आत्मसम्मान, तो दक्षिण अफ्रीका में वे कभी भी हिन्दुस्तानियों के अधिकार और कर्त्तव्य की लड़ाई लड़ नहीं सकते थे। उन्होंने कर्त्तव्य-कर्त्तव्य की बहुत रट लगायी थी, लेकिन तब ही जब अपने अधिकार के बारे में वे सचेत हुए।" जो आदमी जानता है कि कहाँ मेरी इज्जत खत्म हो रही है, वही आदमी अपना काम और कर्त्तव्य पूरा कर सकता है।"[18] वे चाहते थे कि पद-दलित समूह गाँधी का रूप धारण कर ले ओर तभी यह समूह जो अभी तक मुर्दा है, प्राणवान् बनेगा।

जाति-प्रथा विनाश हेतु उनकी नीति का सशक्त प्रभाव जन-मानस पर इसलिए पड़ा क्योंकि वे अपनी जातिनाशक नीति के दुष्परिणामों के प्रति सदैव सजग रहे। ऐसे दुष्परिणामों की ओर उन्होंने संकेत किया और उनसे बचे रहने के लिए भारतीय जनता का आह्वान किया। इस प्रकार के दुष्परिणामों में प्रथम तो यह है कि द्विजों में अति शीघ्र ही जातिनाशक कार्यकर्त्ताओं के प्रति द्वेष, घृणा और कटुता का प्रादुर्भाव हो सकता है, द्विज उन्हें पथ-भ्रष्ट कर सकते हैं, चाहे उतनी शीघ्र शूद्र न उठ पावें। द्वितीय, "छोटी जातियों के बीच वृहत्काय, जैसे अहीर और चमार, इस नीति के फल को सैकड़ों छोटी जातियों के बीच बाँटे बिना खुद ही चट कर सकते हैं, जिसका नतीजा होगा कि ब्राह्मण और चमार तो अपनी जगह बदल लेंगे, पर जाति वैसी ही बनी रहेगी।"[19] तृतीय, निम्न जाति के स्वार्थी व्यक्ति जाति-जलन के अस्त्रों का प्रयोग कर ईर्ष्या और वैमनस्य का वातावरण उत्पन्न कर सकते हैं। चतुर्थ, चुनाव का अवसर उच्च एवं निम्नजातियों के बीच अधिक तनावपूर्ण एवं हिंसात्मक हो सकता है। अन्तिम, निम्नस्तरीय व्यक्ति आर्थिक और राजनैतिक समस्याओं को धुँधला बना सकते हैं, या उन्हें पृष्ठभूमि में ढकेल सकते हैं। भारतीय वातावरण को विषाक्त करनेवाली यह कुछ ऐसी कठोर चट्टानें हैं जो जाति-विनाशक के मार्ग में प्रधान रूप से अवरोध का कार्य कर सकती हैं। परन्तु डॉ. लोहिया की सलाह है कि इनके भय से सृजनात्मक एवं उपचारात्मक चमत्कारिक शक्ति के प्रति अन्धा नहीं बनना चाहिए।

भारतीय समाज और समाजवाद के लिए जाति-प्रथा सदैव से एक गम्भीर समस्या रही है। डॉ. लोहिया ने उचित ही लिखा है कि "भारतीय जीवन में जाति सबसे ज्यादा ले-डूबे उपादान है।"[20] इसलिए उन्होंने 'जाति-प्रथा अध्ययन और विनाश संघ', समाजवादी दल तथा अन्य आन्दोलनों के माध्यम द्वारा केवल जाति-भेद के लिए ही नहीं, अपितु जाति नाम की संज्ञा का होम करने के लिए जनता का आह्वान किया। परन्तु दुर्भाग्य का विषय है कि जो सिद्धान्त में उसे नहीं मानते थे, वे भी व्यवहार में उस पर चलते हैं। जाति की सीमा के अन्दर जीवन चलता है और

सुसंस्कृत लोग जाति-प्रथा के विरुद्ध शनैः-शनैः बात करते हैं, जबकि कर्म में उसे नहीं मानना उन्हें सूझता ही नहीं।

नर-नारी समता

भारत कमजोर देश होने के कारण सदियों तक परतन्त्रता की बेड़ियों में जकड़ा रहा है। विदेशियों की फौजी बूटों-तले यहाँ की आध्यात्मिक सभ्यता-संस्कृति रौंदी जाती रही। भाषा जी का यह मत है कि इसके लिए भारत की सामाजिक कुरीतियाँ— नर-नारी असमानता, जाति-प्रथा, साम्प्रदायिकता, रंग-भेद, अस्पृश्यता आदि ही उत्तरदायी हैं। उनका जोर विशेषकर जाति-प्रथा और नर-नारी असमानता पर है।

जाति-प्रथा पर पर्याप्त चर्चा पूर्व में की जा चुकी है। जहाँ तक नारी का प्रश्न है, उसकी शोचनीय स्थिति को विस्मृत नहीं किया जा सकता। डॉ. लोहिया ने ठीक ही कहा है कि "औरत! हिन्दुस्तान की औरत। दुनिया के दुःखी लोगों में सबसे ज्यादा दुःखी, भूखी मुरझायी और बीमार है। हिन्दुस्तान का मर्द भी दुःखी है— पर हिन्दुस्तानी औरत, मर्द के मुकाबिले कई गुना ज्यादा भूखी और बीमार हैं।"[21] नारी के इन सब कष्टों को समाप्त कर, उसमें आत्म-सम्मान जगाकर, उसे शिक्षित और स्वतन्त्र करके ही समाजवादी आन्दोलन अथवा भारत के सर्वांठीण विकास में सक्रिय भाग लेने के योग्य बनाया जा सकता है। समाजवादी आन्दोलन में नारी की सक्रिय हिस्सेदारी अनिवार्य है। डॉ. लोहिया ने नारी के सक्रिय सहयोग के बिना समाजवादी आन्दोलन को एक वधूहीन विवाह कहा है—

"A Socialist movement without the active participation of women is like a wedding without the bride."[22]

प्रत्येक कार्य में सहयोग के लिए अपरिहार्य नारी प्राचीन काल से ही दासता का शिकार रही है। बालिका, युवती, वृद्धा किसी को भी स्वतन्त्र नहीं रखा गया है। इस तथ्य को प्रमाणित करने के लिए अन्य भारतीय ग्रन्थों के अतिरिक्त मनुस्मृति का निम्नलिखित श्लोक ही पर्याप्त है—

बाल्ये पितुर्वशे तिष्ठे पाणिग्राहस्य यौवने।
पुत्राणां भर्तरि प्रेते न भजेत् स्त्री स्वतन्त्रताम् ।।[23]

अर्थात् स्त्री बालकपन में पिता के वश में, तरुणाई में पति के वश में, पति के मृत्यूपरान्त पुत्रों के वश में रहे। निदान यह कि स्वतन्त्र कभी न रहे। आधुनिक युग में भी कुछ सुधार के साथ नारी-दासता का यह दृष्टिकोण विद्यमान है। जिसके प्रति डॉ. लोहिया ने सशक्त विद्रोह किया।

सामान्य व्यक्ति के लिए जो छोटे विषय हैं, वे डॉ. लोहिया के लिए बहुत बड़े एवं महत्त्वपूर्ण तथ्य हैं। साधारण व्यक्ति को नारी के द्वारा भोजन बनाया जाना, धुआँ

से संघर्ष किया जाना बहुत ही सरल एवं स्वाभाविक प्रतीत होता है, किन्तु डॉ. भाषा की दृष्टि में इन्हीं लघु तथ्यों से नारी का उत्थान और पतन जुड़ा हुआ है। इसी कारण उन्होंने नारी के चूल्हे, चकिया और धुआँ आदि की समस्या पर सर्वप्रथम वेदना व्यक्त की कि "नारी की रसोई की गुलामी वीभत्स है और चूल्हे का धुआँ तो भयंकर है। खाना बनाने के लिए उनका वाजबी समय बाँध देना चाहिए और ऐसी चिमनी भी लगानी चाहिए कि जिससे धुआँ बाहर निकल जाये...।।"[24] इसी प्रकार अधिकांश भारतीय नारियों द्वारा सूर्योदय पूर्व अथवा सूर्यास्त पश्चात् शौच-कार्य जाना और दूर से गन्दे पानी को खींच-खींचकर लाना भी उनको असहनीय था। वे समझते थे कि नारी की यह दशा भारत के पतन का द्वार है। वे भाषा ही थे जिन्होंने नारी को उसके ही भोजनालय में उसे भूखा देखा था, उसकी भूख के कारण भी स्पष्ट किये थे कि भारतीय नारी नर, आगन्तुक और बच्चों के पश्चात् ही भोजन करती है। कई घरों में स्त्री के लिए पर्याप्त भोजन बचता ही नहीं। कई गृहों में भारतीय स्त्री पानी पीकर और पेट बाँधकर सो जाती है।[25] इन छोटे-से-छोटे तथ्यों को जीवन के महान् और बहुत बड़े तथ्य समझना वास्तविकता से पूर्ण है और लोहिया के विचारों की यह अपनी ही विशेषता है।

भारतीय संस्कृति में नर-नारी-जन्म में भी असमानता है। नर का जन्म सुखद और नारी का दु:खद समझा जाता है। इसका मुख्य कारण भारत में व्याप्त दहेज-प्रथा है। वधू की योग्यता, शिक्षा, सुन्दरता आदि तो गौण हैं। वधू-विवाह में वर पक्ष दहेज की अधिक मात्रा से ही प्रभावित होता है। जिस प्रकार गाय दूध की मात्रा से नहीं, उसके बछड़ा नीचे होने से क्रेता के लिए मूल्यवान् होती है, उसी प्रकार वधू योग्यता से नहीं, दहेज से ही अच्छे घर में विवाहित होती है। लोहिया ने उचित ही कहा है, "बिना दहेज के लड़की किसी मसरफ की नहीं होती, जैसे बिना बछड़ेवाली गाय।"[26] इसके अतिरिक्त विवाह की निमन्त्रण की सुन्दरता, दी जानेवाली वस्तुओं का मूल्य, कण्ठियों की कीमत तथा अन्य तड़क-भड़क वर-वधू के आत्म-मिलन से अपेक्षाकृत अधिक महत्त्व की समझी जाती है। डॉ. लोहिया ने उचित ही कहा है कि, "उनकी शादियों का वैभव आत्मा के मिलन में नहीं है, जिसे प्राप्त करने का नव-दम्पति प्रयत्न करते हैं, बल्कि बीस लाख की कण्ठियों ओर पचास हजार से भी ज्यादा कीमती साड़ियों में है।"[27] दहेज की इस घृणित प्रथा की भर्त्सना के लिए शक्तिशाली लोकमत तैयार किया जाना चाहिए, और जो युवक इस क्षुद्र तरीके से दहेज लेते हैं, उन्हें समाज से बहिष्कृत किया जाना चाहिए। महात्मा गाँधी ने भी कहा है कि "शादी को सौदा नहीं बनाना चाहिए।"[28]

डॉ. लोहिया बहुपत्नी-प्रथा के भी घोर विरोधी थे। उनका मत था कि यदि पत्नी एक पति रख सकती है तो पति को भी केवल एक ही पत्नी रखने का अधिकार होना

चाहिए। उन्होंने मुस्लिम धर्म की इस स्वतन्त्रता की कटु आलोचना की है जिसके अनुसार एक मुसलमान को चार पत्नी तक रखने का अधिकार दिया गया है, भले ही कुरान में पत्नियों के साथ समव्यवहार का आदेश दिया गया हो। उनका विश्वास था कि जब सर्वगुणसम्पन्न द्रौपदी अपने पाँच पतियों के साथ समव्यवहार न कर सकी तो साधारण मानव के लिए पत्नियों के साथ समव्यवहार कर सकना असम्भव और अस्वाभाविक है। उनका विचार था कि "जो मर्द औरत को भी चार पति करने की इजाजत नहीं देता है, वह जब कहता है किसी भी आधार पर, धर्म हो, कि चार औरतें करने का हक होना चाहिए तो बड़ा गन्दा मर्द है।"[29] हिन्दुओं में भी बहुपत्नी-प्रथा बहुत प्राचीन काल से चली आ रही है। आज विधि द्वारा इस प्रथा का ध्वंस कर दिया गया है, किन्तु अभी इसके ध्वंसावशेष हैं। आज समाज सचेत नहीं है, नारी दबी हुई है, कुछ चालाकी हो जाती है। डॉ. लोहिया नर-नारी के बीच इस सम्बन्ध में समता चाहते थे। 'एक पत्नी एक पति' का सिद्धान्त ही उनके लिए आदर्श था। घर के कार्यों के सम्बन्ध में भी वे समता चाहते थे। उनका कहना था कि अगर औरत की जगह रसोई घर में हो तो आदमी की जगह पालने के पास होना चाहिए।[30]

विवाह, प्रेम, यौन-आचरण आदि विषयों में वे स्वतन्त्रता और समता के पक्षपाती थे। उन्हें समता की चाह थी। उन्हें भारतीय पुरुष के इस विकृत विचार पर बड़ा क्रोध था कि वह अपनी स्त्री को सावित्री की तरह पतिव्रता देखना चाहता है, चाहे वह स्वयं नित्य कई स्त्रियों से मिलता हो, गप्पें लड़ाता हो, प्रेम करता हो और शारीरिक सम्बन्ध रखता हो। "सब भूलकर सिर्फ एक बार अपनी औरत से उम्मीद करता है कि उसके मन, मस्तिष्क, ख्यालों में सिर्फ वही रहे।"[31] उन्होंने हिन्दू संस्कृति की पतिव्रता-सम्बन्धी किंवदन्तियों को पक्षपातपूर्ण बतलाया। इस विचार में सत्यता भी है, क्योंक यदि एक ओर सावित्री ऐसी पतिव्रता की कथा है, जिसमें वह अपने पति को यम से छुड़ाकर लाती है तो दूसरी ओर किसी पत्नीव्रत की भी कथा चाहिए, जिसमें पति अपनी पत्नी को यम से छुड़ाकर लाया हो और उसे जीवित किया हो। यदि समाज का निर्माण समाजवादी ढंग से करना है तो फिर जिस तरह से औरत किसी एक मर्द के साथ जन्म-जन्मान्तर में जुड़ जाती है, उसी तरह से एक ही औरत के साथ एक मर्द का भी जन्म-जन्मान्तर तक जुड़ जाना जरूरी होता है।[32] विवाह और प्रेम करने के लिए यदि नर स्वतन्त्र है तो नारी को वहाँ स्वतन्त्रता होनी चाहिए। लड़की की शादी करना माता-पिता का उत्तरदायित्व नहीं है। उनका कार्य तो उसे अच्छी शिक्षा और अच्छा स्वास्थ्य देने तक ही सीमित रहना चाहिए।

नर-नारी समता का लोहिया का दृष्टिकोण उचित है, किन्तु लड़की को अपना विवाह स्वयं करने की पूर्ण स्वतन्त्रता देना अशिक्षित और अज्ञान भारतीय नारी के

लिए उचित नहीं प्रतीत होता है। माता-पिता को लड़की की अपेक्षा अधिक ज्ञान और विवेक होता है। इसके अतिरिक्त जिस माता-पिता को अपनी पुत्री को स्वस्थ बनाने और शिक्षित करने की चिन्ता होती है उसे उसकी अच्छी शादी करने की भी चिन्ता होना स्वाभाविक होता है। अभी तक का अनुभव इस तथ्य का प्रमाण है कि स्वेच्छा से नवयुवतियों द्वारा की गयी शादियाँ प्राय: असफल रही हैं, क्योंकि वे अपने साथी को चुनने में अक्षम थीं अधिक-से-अधिक यह कहा जा सकता है कि पुत्रियों की शादी करते समय माता-पिता उनकी इच्छा भी जानने का प्रयास करें तो अच्छा है। नारी के स्वतन्त्र विवाह-सम्बन्धी लोहिया के विचार समाज में तभी सफल रूप धारण कर सकते हैं जबकि वर्तमान युवती सुशिक्षित होकर पुरुष के स्तर को प्राप्त कर ले और जीवन तथा जगत् को परखने की आवश्यक योग्यता से विज्ञ हो जावे।

नारी की समस्या पर डॉ. लोहिया खुले हुए और साफ ढंग से सोचनेवाले व्यक्ति थे। वे यौन-सम्बन्धों को मिथ्या सामाजिक रूढ़ियों के बन्धनों में जकड़कर रखने के सख्त विरोधी थे। उनका मत था कि नर और नारी के बीच यौन-आचरण समतापूर्ण स्वतन्त्र एवं स्वाभाविक सम्बन्ध है। इसलिए "यौन-आचरण में केवल दो ही अक्षम्य अपराध हैं, बलात्कार और झूठ बोलना या वायदों को तोड़ना। दूसरे को तकलीफ पहुँचाना या मारना एक और तीसरा जुर्म है जिससे जहाँ तक हो सके बचना चाहिए।"[33] इस सम्बन्ध में डॉ. लोहिया चाहते थे कि लोग सदाचारी हों, किन्तु उनकी मान्यता थी कि जब तक संसार और मनुष्य हैं तब तक बलात्कार और व्यभिचार में से कोई एक निश्चित रहेगा। जिस समाज में व्यभिचार को नर्क समझा जाता है, उसमें बलात्कार का जन्म निश्चित रूप से होता है, जो अधिक नारकीय है। इसलिए बलात्कार से व्यभिचार अच्छा है। उनके विचार में एक वृत की आदर्श अवस्था अवास्तविक है।

डॉ. लोहिया का यह कहना उचित नहीं प्रतीत होता कि एक वृत की अवस्था अवास्तविक है। हमारे भारत में हमेशा से एक वृत का आदर्श व्यावहारिक रूप में सफलता से चला आ रहा है और आज भी ढीले-ढाले रूप में यह विद्यमान है। इससे कुटुम्ब संगठित रहता है और जिसका प्रभाव समाज के संगठन पर अच्छा पड़ता है। डॉ. लोहिया का यह कहना भी सही नहीं है कि बलात्कार और व्यभिचार में से एक अवश्य रहेगा। ऐसे अपराधों की कहीं-कहीं और यदा-कदा छुट-पुट घटनाएँ हो सकती हैं, किन्तु उनसे भयभीत न होकर हमें उनकी रोक-थाम की कोशिश करनी चाहिए और प्राचीन भारत की नर-नारी की शुचिता को समानता के आधार पर बनाये रखने का प्रयत्न करना चाहिए।

डॉ. लोहिया का मत था कि व्यभिचार के कारण नारी की निन्दा की जाती है तो नर की भी उतनी ही अधिक क्यों नहीं होती। डॉ. लोहिया ने लिखा है "मर्द

छिनालों की तो हिन्दुस्तान में निन्दा नहीं होती लेकिन औरत छिनालों की निन्दा हो जाती है। संसार में सभी जगह थोड़ा-बहुत ऐसा है। यह वृत्ति भी छूट जानी चाहिए।''[34] यहाँ पर डॉ. लोहिया का दृष्टिकोण सराहनीय है। व्यभिचार समाज के लिए एक बहुत बुरा अपराध है जिसके करने पर नर और नारी को समान रूप से दण्डित और निन्दित किया जाना चाहिए। दुर्भाग्यवश भारत में परपुरुषगामिनी नारी की निन्दा जितनी अधिक होती है उतनी अधिक परस्त्रीगमन करनेवाले पुरुष की नहीं।

नारी स्वतन्त्रता का प्रतिपादन करते हुए डॉ. लोहिया ने कहा कि आधुनिक पुरुष अपनी स्त्री को एक ओर सजीव, क्रान्तिपूर्ण एवं ज्ञानी चाहता है, दूसरी ओर अधीनस्थ भी। पुरुष की यह परस्पर विरोधी भावनाएँ बहुत ही विडम्बनापूर्ण, काल्पनिक एवं अवास्तविक हैं, क्योंकि परतन्त्रता की स्थिति में ज्ञान, सजीवता एवं तेज का प्रादुर्भाव कैसे हो सकता है? डॉ. लोहिया ने नर के इस प्रकार के मरे हुए मस्तिष्क को जागृत किया और कहा, ''या तो औरत को बनाओ परतन्त्र, तब मोह छोड़ दो औरत को कोई बढ़िया बनाने का। या फिर, बनाओ उसको स्वतन्त्र। तब वह बढ़िया होगी, जिस तरह से मर्द बढ़िया होगा।''[35] फ्रान्स की एक लेखिका सिमोन द बोवार का भी यही विचार है, जिसकी लोहिया ने बहुत प्रशंसा की है। डॉ. लोहिया के उपर्युक्त दृष्टिकोण से स्पष्ट है कि नर-नारी समता के प्रतिपादन में उनका प्रमुख उद्देश्य था नारी को बुद्धिमान, विवेकी, कान्तिपूर्ण और ज्ञानी बनाना।

समाजवाद या समतावाद डॉ. लाहिया के जीवन और विचारों में पूर्णरूपेण घुल-मिल गया है। उनका वाक्यांश ''मैं आधा मर्द और आधा नारी हूँ।'' नारी के प्रति उनके दृष्टिकोण को स्पष्ट करता है।[36] समाजवाद की स्थापना के लिए वे समाज के अर्द्धाङ्ग अथवा अंग्रेजी भाषा में बेहतर अर्द्धाङ्ग को पूर्ण चेतन, सजीव, समर्थ आदि बनाना चाहते थे। वे अर्द्धाङ्ग को घर के अन्दर छुपाकर रखना, दबाकर रखना, तिजोड़ी में बन्द करके रखना। गम्भीर अपराध मानते थे। उनके विचारों में पर्दा-प्रथा नैतिकता, चरित्र और प्रगति के विपरीत है।[37] इस सम्बन्ध में उनका सुझाव था कि लड़कियों की स्वयंसेवक टोलियाँ जगह-जगह नारियों से पर्दा हटाकर इस प्रथा को समाप्त कर सकती हैं।[38]

डॉ. लोहिया नारी को आर्थिक दृष्टि से भी स्वतन्त्र करना चाहते थे। वे नारी को समान कार्य के लिए समान वेतन ही नहीं, अवसर और विधि की समानता ही नहीं, अपितु नारी की प्राकृतिक कमजोरी की क्षतिपूर्ति के लिए विशेष अवसर के पक्षपाती थे। 'प्रथम योग्यता फिर अवसर' उनका सिद्धान्त न था, बल्कि 'प्रथम अवसर और फिर योग्यता' को ही वे उचित समझते थे। इस हेतु उनका तर्क था कि ''शरीर संगठन के मामले में मर्द के मुकाबले में औरत कमजोर है और मालूम होता है कि कुदरती

तौर पर कमजोर है। इसलिए उसे कुछ स्वाभाविक तौर पर ज्यादा स्थान देना ही पड़ेगा।''[39]

डॉ. लोहिया के अनुसार नारी के सक्रिय सहयोग के बिना राजनीति अपूर्ण है। अत: राजनीति में नारी को नर के समान हिस्सा बँटाना चाहिए। वे तलाक के सिद्धान्त को विवाह के क्षेत्र में स्वीकार करते हैं, राजनीति के क्षेत्र में नहीं। अर्थात् राजनीति में नारी को नर के समान सक्रिय भाग लेना चाहिए। उसे राजनीति से तलाक नहीं लेना चाहिए। उन्होंने स्पष्ट कहा था कि "I believe in the law of divorce when man and woman are concerned, but in politics I am somewhat conservative."[40] वे चाणक्य के समान नारी को जासूसी के अधिक योग्य मानते थे। उन्होंने इस हेतु रूस की नटाली नामक बहादुर लड़की का उदाहरण भी दिया है, जिसने द्वितीय विश्वयुद्ध में उक्रेन में विजयी जर्मन सेना के मुख्य शिविर में नौकरानी का काम कर, गुसलखाने के नीचे ट्रान्समीटर लगाकर जर्मन सैनिकों की सभी गतिविधियों का समाचार रूस पहुँचाया और लगभग 60-70 हजार जर्मन सैनिकों और अनेक अफसरों को मौत के घाट उतारने में सहायक हुई। वे भारतीय नारियों को पद्मिनी के समान नहीं बनाना चाहते, जो चित्तौड़ की पराजय के बाद हजारों पटरानियों और बाँदियों के साथ चिता में भस्म हो गयी। डॉ. लोहिया के मत में भारतीय नारी को श्रीमती ब्लेक का अनुगमन करना चाहिए जो अपने पति श्री ब्लेक के साथ हवाई जहाज में उड़ रही थी, परन्तु आकाश ही में ब्लेक की मृत्यु पर उसने वायरलेस सेट के द्वारा हवाई रेडियो से सम्पर्क साधा और उसके निर्देशानुसार जहाज को नीचे उतारा तथा साहसपूर्वक अपने जीवन की रक्षा की।

डॉ. लोहिया ने इन दो नारियों का उदाहरण रखकर एक बहुत ही तर्कयुक्त और रक्षात्मक प्रश्न उठाया, "किसको पसन्द करोगे? ऐसी औरत पसन्द करागे जो आपके प्रति अपना प्रेम, अपनी भक्ति, अपना आदर आपके मरने के बाद आपके शरीर के साथ या शरीर के बिना जलकर दिखाये या ऐसी औरत पसन्द करोगे जो आप ही के साथ-साथ या आपके पीछे-पीछे देश की रक्षा करते हुए खुद अलग से मरे।''[41] स्पष्ट है कि वे नारी को रक्षात्मक कार्यों में भी समर्थ समझते थे। प्लेटो की वह उक्ति लोहिया के विचारों से मेल खाती है, जिसमें उसने कहा था, "Women are naturally fitted for sharing in all the offices of the state." अर्थात् नारियाँ राज्य के सभी कार्यालयों में हिस्सा बँटाने के लिए स्वभावत: योग्य होती हैं। डॉ. लोहिया नारियों को केवल गुड़िया या उपभोग की निर्जीव वस्तु नहीं मानते। वे कहा करते थे कि "नारी को गठरी के समान नहीं बनाना है, परन्तु नारी इतनी शक्तिशाली होनी चाहिए कि वक्त पर पुरुष को गठरी बनाकर अपने साथ ले चले।''[42] स्त्री-पुरुष की समानता को वे दिल से मानते थे। उन्होंने एक बार यह कहा था कि यदि महात्मा

गाँधी जीवित होते तो वे उनसे अनुरोध करते कि वे अपने उद्देश्य को केवल 'रामराज्य' न कहकर 'सीता-रामराज्य'—कहें।[43]

आधुनिक भारत की सामाजिक और सांस्कृतिक परिस्थितियाँ बहुत उलझी हुई हैं। नारी अति शोषण से निर्जीव और निष्प्राण हो चुकी है, वह पुरुषों के पैरों के नीचे कुचली गयी है, परम्परा और सामाजिक बन्धनों ने उसका मुख सिल दिया है। इस प्रकार की उलझनपूर्ण परिस्थिति में जब तक नारी स्वयं अपना आदर्श, उद्देश्य और तरीका, निश्चित न करेगी, नारी का उत्थान सम्भव नहीं। इसलिए लोहिया ने नारी समस्या पर राजनेता के रूप में नहीं, अपितु नवीन पीढ़ी के संरक्षक और मार्गदर्शक की तरह बहुत ही सुसंस्कृत एवं स्पष्ट ढंग से विचार किया और एक बहुत ही दूरगामी और अर्थगर्भित प्रश्न उछाला, किस आदर्श को अपनाना चाहिए? पति-परायण सती सावित्री या ज्ञानी, समझदार, बहादुर, साहसी, हाजिरजवाब द्रौपदी? स्पष्ट ही लोहिया का जोर द्रौपदी पर है, उस द्रौपदी पर जो अत्याचारियों को कभी क्षमा न कर सकी, जो सत्य बात कहने में भीष्म के समक्ष भी संकुचित न हुई, जो निराश पतियों को निरन्तर अपना अधिकार पाने के लिए संघर्ष के लिए प्रेरित करती रही, जो जीवन के किसी भी क्षेत्र में पुरुषों से पीछे नहीं रही। लोहिया को द्रौपदी एक और कारण से भी आकृष्ट करती है, वह है उसका कृष्ण के साथ 'सखा-सखी' का सम्बन्ध। "जितने भी सम्बन्ध हैं, सबका इसमें समावेश है। एक मानी में यह कहना सही होगा, माँ-बेटे, बाप-बेटी, भाई-बहिन, प्रेमी-प्रेमिका, सब सम्बन्धों को अगर किसी तरह जोड़ दो और फिर उसका कोई निचोड़ निकालो, तो सम्भवत: वह सखा-सखीवाला होगा।...वह दिल को, दुनिया को और समाज को बहुत ही एक बनानेवाला सम्बन्ध है।"[44] वास्तव में सखा-सखी का सम्बन्ध नर-नारी के बीच समता, सहृदयता और सामञ्जस्य स्थापित करता है और समाजवाद के लिए मार्ग प्रशस्त करता है।

संक्षेप में, डॉ. लोहिया ने नर-नारी के बीच व्याप्त बहुरूपी असमानताओं को सूक्ष्म दृष्टि से अवलोकन किया, उन पर गम्भीरता से विचार किया और भविष्य के लिए पथ निश्चित किया। शताब्दियों से चली आ रही नर-नारी असमानता को लोहिया ने समाजवाद के मार्ग में बहुत बड़ी बाधा माना। वास्तव में नर-नारी असमानता ही समाज की अन्य असमानताओं का सम्भवत: आधार है और यदि आधार नहीं तो समाज में अन्याय और असमानताओं की जितनी भी चट्टानें हैं, जो समाजवाद की सुखद धारा को अबाध रूप से बहने नहीं देतीं, उनमें से यह चट्टान सबसे बड़ी चट्टान है। इसलिए यदि वास्तव में समाजवाद की स्थापना करनी है तो हिन्दू नर के पक्षपाती "दिमाग को ठोकर मार-मार करके बदलना है। नर-नारी के बीच में बराबरी कायम करना है।"[45]

अस्पृश्यता निवारण

अस्पृश्यता जाति-प्रथा का आवश्यक परिणाम है, क्योंकि जो जाति-प्रथा समाज में न्याय-स्थिरता के लिए निर्मित की गयी थी, उसी से कालान्तर में छोटे-बड़े, ऊँच-नीच की धारणा का प्रादुर्भाव हुआ। शनैः-शनैः यह ऊँच-नीच और छोटे-बड़े की भावना इतनी अधिक गहन हो गयी कि शूद्रों के प्रति घृणा का भाव जन्मा, जिसके परिणामस्वरूप उच्च जातियाँ—ब्राह्मण, क्षत्रिय, वैश्य—शूद्रों से शारीरिक अलगाव रखने लगीं और उन्हें छूना भी पाप समझने लगीं। इस प्रकार छुआछूत की समस्या भारत में उत्पन्न हुई, जिसके समाधान के लिए समय-समय पर प्रयास होते रहे। अस्पृश्यता की इन निशाचरी प्रवृत्ति को स्थूल समाप्त करने के लिए बुद्ध, अशोक, नानक, विवेकानन्द, गाँधी, नेहरू आदि प्रयत्नशील रहे, किन्तु आज भी समाज को इस प्रवृत्ति से मुक्ति प्राप्त नहीं।

डॉ. लोहिया ने इस दिशा में अत्यधिक प्रयास किये। जाति पर उनके कठोर प्रहार से केवल अस्पृश्यता निवारण ही नहीं होता है, अपितु अस्पृश्य अथवा हरिजन से उच्च जातियों के घनिष्ठ सम्बन्ध स्थापित होते हैं। उन्होंने शादी-विवाह, भोज-रस्म, रीति-रिवाज सभी में उच्च जातियों की पृथक्तावादी नीति की कठोर आलोचना की और इस प्रकार के सिद्धान्त और कर्म प्रतिष्ठित किये जिनमें हरिजन, शूद्र तथा उच्च जातियाँ सब-की-सब एक ही गृह के सदस्यों की तरह जीवन व्यतीत करने की प्रेरणा प्राप्त कर सकते हैं। उन्होंने हरिजनों को तो समाज में उच्च स्थान दिया ही है, साथ-ही-साथ पशुओं के लिए भी उचित व्यवहार की प्रेरणा दी। कलकत्ता के चिड़ियाघर में प्रसन्न पशुओं को देखकर उनका हृदय जितना प्रफुल्लित होता था, उतना ही कष्ट कलकत्ता के बाजारों में कछुआ को बोटी-बोटी कटते और तड़पते देखकर होता था। इस प्रकार के दृश्य को देखकर ही उन्होंने कहा था, हिन्दुस्तान का मौजूदा मन बड़ा क्रूर और स्वेच्छाचारी हो गया है।... जानवरों का दोस्त तो मैं हमेशा से रहा हूँ, लेकिन अब और भी ज्यादा।''[46]

डॉ. लोहिया के हृदय में हरिजनों के प्रति अगाध प्रेम, सहानुभूति और श्रद्धा थी। सन् 1957 ई. की बात है : गुमटही में एक हरिजन की मृत्यु हो गयी थी। बाद में उसका पुत्र भी भूख से मर गया था। उसकी विधवा पत्नी और बच्चे मरणासन्न थे। इस घटना ने उनके हृदय को हिला दिया। लखनऊ जेल से जेल मन्त्री को उन्होंने एक पत्र लिखा, जिसमें हरिजनों की दुर्दशा साकार हो उठी, ''ऐसे हजारों बिन-रोटी तड़प रहे हैं और मर रहे हैं। पेट की आग कभी सुबह तो कभी शाम करोड़ों को झुलसा रही है। कहीं कोई माँ अपने बच्चे को ठीक कपड़ा न पहनाते हुए आँसू बहा रही है। कहीं कोई बाप अपने बच्चे को दवा न दे सकने या ठीक पढ़ा न सकने के कारण माथा ठोक रहा है, चाहे मन-ही-मन।''[47]

डॉ. लोहिया ने अस्पृश्यता को हिन्दू-जाति पर एक बहुत बड़ा कलंक माना और उसके निवारणार्थ सत्याग्रह भी किये। "अस्पृश्यता अपराध कानून' के पश्चात् भी विश्वनाथ मन्दिर में हरिजनों को प्रवेश न दिया गया। इस पर उन्होंने हरिजन मन्दिर-प्रवेश आन्दोलन चलाया। आन्दोलनकर्त्ताओं के प्रति बहुत निर्दय व्यवहार किया गया। अन्त में उत्तर प्रदेश शासन को "मन्दिर-प्रवेश-अधिकार घोषणा' विधेयक पारित करना पड़ा और उस पर शीघ्र कार्यान्वयन का आश्वासन देना पड़ा। इस आश्वासन पर टिप्पणी करते हुए डॉ. लोहिया ने हरिजनों के पूजा-पाठ के समान अधिकारों पर बल दिया, "सरकार के इस आश्वासन के बाद यह सम्भव हो जाता है कि बनारस और दूसरी जगह के मन्दिरों में हरिजन-सवर्ण भेद खत्म हो।"[48]

अस्पृश्यता उन्मूलन हेतु डॉ. लोहिया ने कहा कि हरिजनों को स्वाभिमान, निर्भयता, स्वास्थ्य, सफाई तथा शिक्षा की अत्यावश्यकता है। उनके साथ मानवोचित व्यवहार किया जाना आवश्यक है। क्योंकि राष्ट्र के सर्वाङ्गीण उत्थान के लिए हरिजनों का उत्थान अत्यन्त आवश्यक है। हरिजनों का उत्थान करने के लिए उनके साथ ममता का व्यवहार किया जाना चाहिए। इस हेतु हरिजनों के लिए मन्दिर, विद्यालय, कुएँ, तालाब तथा अन्य इसी तरह की सुविधाओं के द्वार खुलने चाहिए। हरिजनों की उन्नति का आधार उनकी आध्यात्मिक और अन्तःकरण की स्वतन्त्रता है। इसलिए पूजा-पाठ, मन्दिर-प्रवेश आदि के समान अधिकार उन्हें प्राप्त होने चाहिए। डॉ. लोहिया का कहना था कि "अगर हरिजनों को मन्दिर में जाने से रोका जाता है तो और कोई भी नहीं जा सकेगा।"[49] डॉ. लोहिया हरिजनों के लिए विशेष अवसर के सिद्धान्त को मानते थे। उनके विचार में औरत, शूद्र, हरिजन, मुसलमान, आदिवासी को साठ प्रतिशत सुरक्षित स्थान होना चाहिए। 'पढ़ना सबको बराबरी का मिले' के सिद्धान्त पर वे सभी विद्यालयों को एक समान कर देना चाहते थे।

जब तक व्यक्ति को अधिकार नहीं दिये जाते, वह कर्त्तव्य को पूर्णरूपेण करने में असमर्थ रहता है। हरिजन आदि पिछड़ी जातियाँ शताब्दियों से पददलित रही हैं। इसलिए उनकी बुद्धि कुण्ठित हो गयी है, उनके दिल भय से भर गये हैं, अशिक्षा और असभ्यता के वे शिकार हो गये हैं। अतः उन्हें अधिकार सौंपकर, उन्हें सुसंस्कृत एवं शिक्षित बनाकर ही, हम उनमें आत्म-जागरण, साहस, कर्त्तव्य, त्याग और विश्वास के बीज बो सकते हैं। केवल तभी उनके मस्तिष्क का परिवर्तन हो सकता है और उनमें महान् राजनीतिज्ञ, पण्डित, सन्त, दार्शनिक आदि पैदा हो सकते हैं, जिससे देश स्वस्थ और सशक्त बन सकता है। डॉ. लोहिया ने उचित ही लिखा है कि "...इनके पुराने संस्कार, परम्परा, परिपाटियों को बदल करके, आदतों को

बदलकर नयी आदतें और नये संस्कार इनमें आयें, इनको नया मौका मिले। इसके अलावा और कोई रास्ता नहीं रह गया है।''[50]

अस्पृश्यता-निवारण एक नकारात्मक शब्द है। इस शब्द से केवल छुआछूत न मानने का ही अर्थ निकलता है। इसका सकारात्मक पहलू है—अस्पृश्यों को अपने भाई के समान खान-पान, शादी-विवाह, भोज तथा अन्य रस्मों में प्रेम के साथ सम्मिलित करना। हरिजनों में अपने को और अपने में हरिजनों को एकाकार कर लेना ही अस्पृश्यता-निवारण का सही सकारात्मक रूप है, जिसको लोहिया ने मन, वचन, कर्म के द्वारा व्यक्त किया था। अन्तर्जातीय विवाह उनके दिल और दिमाग का स्थायी भाव था। इसके अन्तर्गत वे द्विज-अद्विज अथवा ब्राह्मण-भंगिन, चमारिन-सेठ, भंगी-सेठानिन आदि के सम्बन्ध चाहते थे। वे कहा करते थे, ''क्या ब्राह्मण भंगिन से बच्चा पैदा नहीं कर सकता और क्या भंगी ब्राह्मणी से नहीं?''[51] डॉ. लोहिया अन्तरजातीय ही नहीं, अपितु अन्तरराष्ट्रीय विवाह के भी प्रबल समर्थक थे। उन्होंने ''समान प्रसव : जाति' के सूत्र को केवल समझने के लिए नहीं, अपितु स्थायी मानसिक दशा के रूप में अपनाने के लिए विश्व-नागरिकों को जागृत किया।''[52] हरिजन-कल्याण के लिए सहभोज को वे अचूक अस्त्र मानते थे। उनका कहना था कि ''एक पंक्ति में बैठकर और एक हँड़िया का पका हुआ भोजन हो तो इससे कुछ असर पड़ेगा।''[53] उनके मतानुसार शासकीय सेवा के लिए अन्तरजातीय विवाह एक योग्यता और सहभोज को अस्वीकार करना एक अयोग्यता मानी जानी चाहिए। केवल तभी जाति और अस्पृश्यता की समाप्ति सम्भव होगी।

अन्तरराष्ट्रीय जगत् में आज भारत अपमान की दृष्टि से देखा जाता है। इसका प्रधान कारण भारत में व्याप्त अस्पृश्यता की समस्या है। अस्पृश्यता के कारण हरिजन बहिष्कृत, असहाय, उदासीन और पतित हैं। हरिजनों के इस पतन के कारण ही भारत अविकसित है। फलत: अमेरिका और रूस-जैसे विकसित देशों के समक्ष भारत स्वयं हरिजन ऐसा प्रतीत होता है। भारत अन्तरराष्ट्रीय जगत् में उसी प्रकार उपेक्षित है जिस प्रकार अपने देश में हरिजन। इस प्रकार अस्पृश्यता की भावना ही राष्ट्रीय विघटन एवं अवनति तथा अन्तरराष्ट्रीय अपमान एवं उपेक्षा का कारण है। इसलिए यदि राष्ट्रीय विकास एवं एकता लाना है और अन्तरराष्ट्रीय जगत् में सम्मान प्राप्त करना है तो हरिजनों को हर प्रकार से उन्नत करना होगा। डॉ. लोहिया ने इसी तथ्य को स्पष्ट करते हुए लिखा है कि ''आज अन्तरराष्ट्रीय जगत् में हम रूसी और अमेरीकियों के बीच बैठ नहीं सकते।...हम उनकी बिरादरी में भंगी से, भिन्न कुछ नहीं।...अगर वे अपने देश में चमार, भंगी और शूद्र लोगों को बनाये रखेंगे तो दुनिया की पंचायत में वे भी शूद्र बने रहेंगे। अत: विश्व-पंचायत में बराबरी हासिल करने का सपना साकार करने के लिए द्विजों को अपने 22 करोड़ भाइयों को व्यक्तित्ववान्

बनाना आवश्यक है।''[54] इस प्रकार डॉ. लोहिया ने अस्पृश्यता की समस्या को भारत के अन्तरराष्ट्रीय सम्मान के साथ अपूर्व ढंग से जोड़ा। उनके उपर्युक्त वाक्य से यह भी स्पष्ट होता है कि वे राष्ट्रीय और अन्तरराष्ट्रीय स्तर पर समाजवाद स्थापित करने के लिए अस्पृश्यता-निवारण आवश्यक मानते थे।

डॉ. लोहिया हरिजन-उत्थान के लिए राजनीति में उनको नेतृत्व के उच्च पदों पर आसीन करना चाहते थे। उन्होंने हरिजनों में से नेता निकालने के लिए उनके संरक्षण की आवश्यकता अनुभव की। अभी तक गाँधी जी के संरक्षण के कारण ही हरिजनों में से कुछ नेता निकल सके। अब पुन: उन्हें संरक्षण की आवश्यकता है। किन्तु हरिजन-नेताओं को भी कुछ बुराइयों से सजग रहना पड़ेगा। उन्हें कटुता और चापलूसी दोनों ही प्रकार की प्रवृत्तियों से पृथक् रहना चाहिए। अरस्तू और बुद्ध के मध्यम स्वर्णिम मार्ग का उन्हें प्रतीक होना चाहिए। वे केवल अपने वर्ग के ही नेता न हों, बल्कि समग्र राष्ट्र के कर्णधार हों। डॉ. लोहिया ने इस सम्बन्ध में लिखा है, "...मैं चाहता हूँ कि पिछड़ी जातियों में से नेता निकलें जो चापलूस भी न हों और नफरत फैलानेवाले भी न हों और मध्यम तथा स्वाभिमानी मार्ग पर चलकर सारे हिन्दुस्तान और देश के सभी लोगों के नेता बनें।''[55] प्राय: देखा यह जाता है कि जब हरिजनों अथवा शूद्रों में से कोई नेता बन जाता है तो वह उच्च जाति की बुराइयों को स्वयं अपना लेता है। इस वृत्ति से हरिजन नेताओं को बचना चाहिए, तभी वे महात्मा गाँधी के द्वारा चाहे गये आदर्श को पूर्ण कर अपने वर्ग एवं राष्ट्र का उत्थान कर सकेंगे।

रंगभेद-नीति-उन्मूलन

आर्थिक समता का सिद्धान्त समाजवाद का एक सीधा-सादा और मोटा पहलू हैं सच्चे समाजवादी विचारक के सामने ऐसे कई क्षेत्र आते हैं जहाँ वह क्रान्ति की आवश्यकता अनुभव करता है। उसके विचारों में शारीरिक समता का सिद्धान्त कम महत्त्वपूर्ण नहीं होता। किसी व्यक्ति को केवल इसलिए हेय समझना उचित नहीं कि उसका अंग विशेष छोटा या बड़ा है। यही बात रंग के बारे में कही जा सकती है। प्राय: लोग गोरे व्यक्तियों को सुन्दर और काले व्यक्तियों को असुन्दर मानते हैं, परन्तु यह सही विचार नहीं है। डॉ. लोहिया ने इस गलत धारणा का खण्डन करते हुए लिखा है—"The colour of the skin is no criterion of beauty or any other type of superiority, and yet the fair of colour and the beautiful are words of similar mearning not alone in the white lands of Europe but more so in the sultrier climes of Asia or the Americas. On merit, this distortion of aesthetics is inexplicable."[56]

यद्यपि सौन्दर्य के विषय में आधुनिक भारत में भी उपर्युक्त गलत धारणा व्याप्त है। परन्तु प्राचीन भारत का दृष्टिकोण इसके विपरीत और सही था। कालिदास की श्यामा श्यामा होते हुए भी अपने में ढेर-सारा सौन्दर्य समेटे हुए थी। द्रौपदी का रंग भी साँवला बताया जाता है, परन्तु वह अत्यन्त प्रबुद्ध महिला थी। उसकी उपेक्षा का कारण उसका साँवलापन नहीं, बल्कि उसका पाँच पतियों की पत्नी होना था, जिसे पुरुष वर्ग अपने दर्प के कारण अच्छा नहीं समझता। राम और कृष्ण जिन्हें ईश्वर का अवतार माना जाता है, काले या साँवले रंग के थे। गोरी राधा का साँवले कृष्ण के प्रति प्रेम तो सर्वविदित है ही। भारत और मिस्र-जैसे साँवले देशों की अद्वितीय सभ्यताओं से विश्व में कौन परिचित नहीं है? ये महानतम सभ्यताएँ प्राचीन भारतीय दृष्टिकोण को प्रमाणित करती हैं। वास्तव में सौन्दर्य, बुद्धि अथवा विवेक का रंग से कोई सम्बन्ध नहीं। दुर्भाग्य का विषय है कि बाद के भारत ने सुन्दरता और गोरे रंग को पर्यायवाची मानना प्रारम्भ कर दिया।

डॉ. लोहिया के अनुसार त्वचा के रंग को सुन्दरता का मापदण्ड नहीं माना जा सकता। गोरा व्यक्ति भी सुन्दर हो सकता है और काला भी। विश्व की सौन्दर्य प्रतियोगिताओं में अभी तक गोरी स्त्रियों का चयन होता रहा है, परन्तु अब निर्णायकों के दृष्टिकोण में सुधार होना शुरू हुआ है। वे काले रंग की स्त्रियों के सौन्दर्य को भी समझने लगे हैं। वास्तव में सुन्दरता का सम्बन्ध रंग से नहीं होता। सुन्दरता सीने, कमर और कूल्हे की सुडौलता पर निर्भर करती है। अभी हाल ही में एक भारतीय महिला को विश्व-सुन्दरी घोषित किया गया था। डॉ. लोहिया ने असमी और तमिल महिलाओं के सौन्दर्य की भूरि-भरि प्रशंसा की है। लोहिया नीग्रो औरतों के सौन्दर्य के प्रति जागरूक थे। "मेरी राय में जो नीग्रो औरतें मैंने देखी हैं, उनके शरीर के गठन को देखकर उन्हें दुनिया में कहीं भी किसी भी खूबसूरत औरतों की पंक्ति में खड़ा किया जा सकता है।"[57]

क्या कारण है कि गोरे रंग को सुन्दर और काले रंग को असुन्दर माना जाता है? हम जानते हैं कि मान्यता, सिद्धान्त या धारणा की स्थापना शक्तिशाली लोग ही करते हैं और हर सिद्धान्त बनानेवाला व्यक्ति या वर्ग सिद्धान्तों का निर्माण इस प्रकार करता है कि वे उसके हित में हों। सुन्दरता के विषय में व्याप्त धारणा का कारण राजनैतिक रहा है। जिस रंग का राज्य स्थापित हो जाता है, वही रंग दूसरे रंगों की अपेक्षा अच्छा समझा जाने लगता है। "इन रंगों से सुन्दरता का कोई सम्बन्ध नहीं है, बुद्धि या दिमाग का सम्बन्ध है नहीं।"[58] केवल इस कारण से कि 300-400 बरसों से संसार पर गोरे लोगों का राज्य रहा है, इसलिए गोरे लोग ही आज सुन्दर और बुद्धिमान् समझे जाते हैं। यदि अफ्रीका के नाग्रो लोग गोरों की तरह दुनिया में शासन किये होते, तो सौन्दर्य और बुद्धि का प्रतीक काला या साँवला रंग होता। कवि

और निबन्धकार नीग्रो की सुन्दरताओं का यश गाये होते। क्योंकि जैसे-जैसे राजकीय शक्ति बढ़ती है वैसे-वैसे जिनके हाथ में राजकीय शक्ति होती है, उनके स्वरूप, रंग, रूप, रेख इत्यादि का भी सम्मान बढ़ने लगता है। जिनके पास राज्य और सम्पत्ति होती है, उनके रूप, रेख, रंग आदि कवियों, लेखकों और शास्त्रियों के लिए अच्छे बन जाते हैं। डॉ. लोहिया ने उचित ही लिखा है, "Politics influence aesthetics, power also looks beautiful, particularly unequalled power."[59]

इसमें सन्देह नहीं कि काले लोगों के साथ अत्यन्त अपमानजनक व्यवहार होता रहा है। दक्षिण अफ्रीका में गोरे लोगों ने काले लोगों के साथ ऐसा व्यवहार किया जैसा कि पशुओं के साथ भी नहीं किया जाता। ट्रान्सवाल के मौलिक संविधान में एक उपवाक्य था, "There shall be no equality between black and white, either in church or in State."[60] यह तो रही संविधान की बात। व्यवहार में इसका अत्यन्त भ्रष्ट रूप देखने में आया। शायद भारत में हरिजनों के साथ ऐसा घृणित व्यवहार नहीं किया गया। जब महात्मा गाँधी दक्षिण अफ्रीका गये तो काले होने के कारण गोरों ने उनके साथ ऐसा ही व्यवहार किया जैसा कि वे यहाँ पर काले लोगों पर करते थे। अमेरिका में नीग्रो लोगों के साथ भी अत्यन्त अपमानजनक व्यवहार होता रहा है। स्वयं डॉ. लोहिया को काले रंग के कारण अमेरिका के एक होटल में घुसने से मना किया गया। लोहिया के न मानने पर उन्हें गिरफ्तार किया गया और थोड़ी देर बाद उन्हें छोड़ दिया गया। यद्यपि सरकारी प्रतिनिधि ने लोहिया से मौखिक रूप से क्षमा माँगी, किन्तु लोहिया ने कड़े शब्दों में उससे कहा, "मुझसे माफी माँगने से क्या मतलब? माफी तो अमेरिकी राष्ट्रपति को दुनिया के तमाम अश्वेतों से माँगनी चाहिए जिनके प्रति गोरी चमड़ीवाले अन्याय कर रहे हैं।"[61] इन्हीं अन्यायों की ओर इंगित करते हुए डॉ. लोहिया ने लिखा है, "The tyranny of colour is among the great oppressions of the world. All women are oppressed and mankind is the poorer for lack of adequate expression to their talents or gifts. Coloured women, who are more numerous, suffer great opporession. They are reared on a diet of anxiety and inferiority."[62]

इस प्रकार की रंग-निरंकुशता के लिए गोरे व्यक्ति उत्तरदायी हैं, किन्तु उनसे भी अधिक काले व्यक्ति। काले व्यक्ति अपने में हीन भाव रखते हैं। वे विभिन्न कृत्रिम साधनों द्वारा गोरे बनने का प्रयत्न करते हैं। गोरे बनने की उनकी यह प्रवृत्ति संक्रामक रोग की तरह निरन्तर फैलती जाती है और रंग-निरंकुशता को शक्ति प्रदान करती जाती है। डॉ. लोहिया ने इस तथ्य की विवेचना करते हुए लिखा है, "All the world suffers this tyranny of skin's colour, a tyranny made worse because the tyrants do not practise it as much as the slaves, who inflect upon themselves."[63] काले लोगों को इस प्रकार की मनोवृत्ति त्याग देनी चाहिए। अब समय आ गया है कि काले लोगों को जिनका बहुमत है, गोरे लोगों द्वारा बनायी गयी इस गलत और थोथी धारणा का उन्मूलन कर देना चाहिए। इस सिद्धान्तहीन, भ्रष्ट और अमानवीय धारणा के विरुद्ध एक क्रान्ति की आवश्यकता है। वास्तव में समाजवाद की स्थापना के लिए आर्थिक और राजनैतिक क्रान्ति जितनी आवश्यक है उतनी ही रंग-भेद के विरुद्ध क्रान्ति। डॉ. लोहिया ने उचित ही लिखा है, "An aesthetic revolution in the evaluation of beauty and its relation to the colour of the skin will blow the air of freedom and inner peace over all the world almost as much as any political or economic revolution."[64]

साम्प्रदायिकता की समस्या

यद्यपि आज हमारे जीवन में धर्म का अधिक महत्त्व नहीं है, परन्तु इसमें कोई सन्देह नहीं कि धर्म ने विश्व-इतिहास के निर्माण में अत्यन्त महत्त्वपूर्ण भूमिका का निर्वाह किया है। धर्म के मुख्यत: दो पहलू होते हैं—आन्तरिक एवं बाह्य। धर्म का आन्तरिक पहलू समन्वयवादी और मानवतावादी है। यह आदर्श और शाश्वत होता है। जीवन के समस्त आदर्शों और संस्कृतियों के नैतिक मूल्य इसमें समाहित रहते हैं। धर्म के इस पहलू के महत्त्व को स्वीकार करते हुए डॉ. लोहिया ने कहा है कि "मुझे ऐसा लगता है कि धर्म, सम्प्रदाय के अर्थ में मतलब हिन्दू धर्म, इस्लाम धर्म, ईसाई धर्म और फिर हिन्दू धर्म के अन्दर भी वैष्णव धर्म, शैव धर्म वगैरह जो कुछ भी हो, उसका अर्थ सबके लिए व्यापक होना चाहिए, और वह है दरिद्रनारायणवाला जो सब लोगों के हित का हो।"[65] धर्म का बाह्य पहलू एक धर्म-विशेष के रीति-रिवाज, आचार-विचार, पूजा के ढंग तथा उसके बाह्य आचरण के अन्य ढंगों से सम्बन्धित होता है। धर्म का यह पहलू आडम्बरयुक्त, पृथक्तावादी तथा संकुचित होता है। इस पहलू से ही विभिन्न सम्प्रदायों का उदय हुआ है। सम्प्रदाय साम्प्रदायिकता को जन्म देता है। साम्प्रदायिकता उस सीमा तक क्षम्य है जहाँ तक कि वह अपने लोगों की सांस्कृतिक उन्नति में सहायक होती है। साम्प्रदायिकता वहीं दूषित हो जाती है, जहाँ पर वह अपने लोगों के लिए दूसरों की अपेक्षा विशेषाधिकार चाहने लगती है। धर्म के बाह्य पहलू ने बहुधा दूषित साम्प्रदायिकता को ही जन्म दिया है, जो समाज में विघटन, ईर्ष्या, घृणा और पतन का कारण बनती है। सी. सी. काटन ने उचित ही कहा है, "Where true religion has prevented one crime, false religion has afforded a pretext for a thousand."

धर्म के इसी झूठे और बाह्य पहलू के कारण भारतवर्ष में साम्प्रदायिकता की समस्या उत्पन्न हुई। हिन्दू और मुसलमान के बीच वैमनस्य की खाईं बहुत गहरी हो गयी। एक को दूसरे पर विश्वास नहीं रहा। दोनों धर्मों ने अपने जीवन को परस्पर

भय और आशंका की कालकोठरी में बन्द कर लिया। इसी के परिणामस्वरूप देश का विभाजन हुआ। देश-विभाजन के पश्चात् भी अधिक नहीं तो कुछ कम रूप में साम्प्रदायिकता की समस्या रही है और आज भी विद्यमान है। डॉ. लोहिया ने इस प्रकार की विषाक्त स्थिति पर गम्भीर चिन्ता व्यक्त करते हुए लिखा है, "इस वक्त हिन्दुस्तान और पाकिस्तान के लोग तो बँटे हुए हैं, खाली हिन्दुस्तान और पाकिस्तान के हिसाब से नहीं, और भी, हिन्दू-मुसलमान जाति के हिसाब से दिमाग में हम लोगों के कूड़े हैं। आज हिन्दू और मुसलमान दिमाग दोनों के अन्दर कम या ज्यादा कूड़ा भरा हुआ है। दिमाग में भी झाड़ू देनी पड़ती है।"[66]

साम्प्रदायिकता के कारण—भारत में व्याप्त इस साम्प्रदायिक समस्या के कई कारण हैं जिनमें हिन्दू-मुसलमान मन की मिथ्या धारणा प्रमुख है। हिन्दू के मन में एक गलत धारणा है कि मुसलमानों ने उन पर 700-800 वर्ष तक शासन किया और उनके तन-मन-धन को विनष्ट किया। इसी प्रकार मुसलमान भी कुछ थोथे विचारों के शिकार हैं। हिन्दुओं पर निर्बाध शासन की स्मृति उनको पीड़ित करती रहती है। आधुनिक भारत में उनके गिरे हुए दिन उनको हिन्दुओं के प्रति ईर्ष्यालु बनाते रहते हैं। हिन्दू और मुसलमान के इन विद्वेषपूर्ण मनोभावों की विवेचना करते हुए डॉ. लोहिया कहते हैं, "आमतौर से जो भ्रम हिन्दू और मुसलमान दोनों के मन में है, वह यह कि हिन्दू सोचता है कि पिछले 700-800 वर्ष तो मुसलमानों का राज्य रहा, मुसलमानों ने जुल्म किया और अत्याचार किया, और मुसलमान सोचता है, चाहे वह गरीब-से-गरीब क्यों न हो, कि 700-800 वर्ष तक हमारा राज था, अब हमको बुरे दिन देखने पड़ रहे हैं।"[67]

हिन्दू और मुसलमान के बीच मनमुटाव और मिथ्या धारणा का कारण इतिहास की गलत व्याख्या है। डॉ. लोहिया की दृष्टि में इतिहास के गलत लिखे जाने और उसे गलत समझे जाने के बहुत ही भयंकर परिणाम होते हैं। उन्होंने तर्क प्रस्तुत किया, "इतिहास है क्या?—इतिहास है अतीत का बोध और अतीत का बोध भविष्य और वर्तमान का निर्माता। अगर गलत समझते हैं तो गलत ढंग से वर्तमान और भविष्य बनता है।[68] डॉ. लोहिया के विचारानुसार इतिहासकारों ने इतिहास को इतने खराब ढंग से गढ़ा है कि वह हिन्दू और मुसलमान में द्वेष और घृणा का भाव भरता है। इतिहास ने गजनी, गोरी और बाबर-जैसे आक्रमणकारियों और लुटेरों की पंक्ति में रजिया, शेरशाह और जायसी-जैसे देश-रक्षकों को रखकर महान् भूल की है। इस गलत इतिहास ने भारतीय मन पर "हिन्दू बनाम मुसलमान" की दु:खद छाप डाली है।

इतिहास ने कभी-कभी आधा सत्य लिखकर भी पाठकों को सत्य के विपरीत दिशा दी है। डॉ. लोहिया ने 26 अप्रैल, सन् 1966 ई. को लोकसभा में एक

उदाहरण देकर इसको स्पष्ट भी किया था—"मन्दिर टूटे मध्यकालीन युग में। अब उसको इतिहास में लिखा जाता है। अगर सिर्फ इतना ही लिख दिया जाय, कि मुसलमान विजेताओं ने आकर मन्दिर तोड़े तो वह बात सही जरूर है लेकिन अधूरी सही है, सिर्फ एक पहलू है। ऐसा लिखा तो इतिहास एक गुस्सा भर बनकर रह जाता है। लेकिन उसके साथ-साथ यह भी रखा जाय जो आधे सच को पूरा बनाता है कि उस वक्त के हमारे पुरखे कितने नालायक थे कि वह परदेशी आक्रमणकारियों को रोक न पाये, तो किसी हद तक इतिहास पूरा बन जाता है और फिर इतिहास एक दर्द के रूप में हमारे सामने आ जाता है।"[69]

भारतीय भूमि में इस साम्प्रदायिक बीज को पालने का श्रेय अंग्रेजों पर कम नहीं है। 'फोड़ो और राज्य करो' की उनकी नीति ने हिन्दू-मुसलमान को 36 का अंक बनाकर रख दिया। पृथक् निर्वाचन, भेदात्मक और असमान नीति, साम्प्रदायिकतापूर्ण मिथ्या आश्वासन आदि ऐसे अचूक अस्त्रों से ब्रितानी शासन ने हिन्दू-मुसलमानों के संयुक्त जीवन को भेद डाला। हिन्दुस्तान और पाकिस्तान भी 'ब्रितानी साम्राज्य की आखिरी साजिश' का परिणाम है।

डॉ. लोहिया के अनुसार साम्प्रदायिकता का कारण बहुत-कुछ भारत की वर्तमान राजनीति भी है। डॉ. लोहिया का कहना है कि भारतीय राजनीतिज्ञ साधारणत: सभाएँ नहीं करते और न ही सत्य सिद्धान्तों का प्रचार कर साम्प्रदायिकता समाप्त करना चाहते हैं। चुनावों के समय मत और समर्थन की आशा में उन्हें भाषण देना पड़ता है, किन्तु उन भाषणों में भी वे हिन्दू-मुसलमान की असन्तुष्टि के भय से सत्य कहने से कतराते हैं। हिन्दू-मुसलमान में परस्पर जो भी घृणा और द्वेष का भाव है, उसको आधुनिक राजनीतिज्ञ दोनों को सन्तुष्ट करने के लिए ज्यों-का-त्यों छोड़ देते हैं। डॉ. लोहिया के स्वयं के शब्दों में, "हिन्दुस्तान में जितनी भी पार्टियाँ हैं, वे हिन्दू-मुसलमान को बदलने की बात बिलकुल नहीं करती हैं। मन में जो पुराना कूड़ा पड़ा हुआ है जो गलतफहमी है, जो भ्रम है, उन्हीं को तसल्ली दे-दिलाकर वोट ले लेना चाहते हैं। यह है आज हमारे राजनीतिक जीवन की सबसे बड़ी खराबी कि हम लोग वोट के राज में, नेता लोग खास तौर से सच्ची बात कहने से घबड़ा जाते हैं। इनका नतीजा है कि हिन्दू और मुसलमान दोनों का मन खराब रह जाता है, बदल नहीं पाता।"[70]

साम्प्रदायिकता का निवारण—जब तक इस कटु साम्प्रदायिकता का अन्त नही होता समाज में समता, सम्पन्नता और सहयेाग की स्थिति नहीं आ सकती। इसलिए साम्प्रदायिकता समाप्ति के प्रयास निरन्तर और निष्ठा के साथ होने चाहिए। डॉ. लोहिया के मत में मुख्यत: पाँच प्रकार के सुधार इस दिशा में किये जा सकते

हैं—(1) हृदयपरिवर्तन, (2) इतिहास की सही व्याख्या (3) राजनीति में सुधार (4) भाषा-सम्बन्धी उदार नीति (5) धार्मिक प्रयास।

साम्प्रदायिकता समाप्ति हेतु हृदय-परिवर्तन का प्रयास बहुत महत्त्व का होता है। सन् 1946 ई. में हिन्दू-मुसलमान की साम्प्रदायिकता के कारण खून की नदियाँ बहीं। उस समय महात्मा गाँधी, डॉ. लोहिया आदि ने हृदय-परिवर्तन के प्रयास किये। हिन्दू-मुस्लिम एकता और साम्प्रदायिकता के विष का शमन ही डॉ. लोहिया का उस समय प्रमुख कार्यक्रम बना। कलकत्ते में लोहिया ने दल के सदस्यों के साथ 'गण फौज' नामक एक स्वयंसेवक संगठन भी बनाया। काशीपुर में एक राहत केन्द्र भी खोला।[71] यद्यपि उन्हें उस भीषण मारकाट की स्थिति में केवल आंशिक सफलता ही प्राप्त हुई, परन्तु इस तथ्य से मुख नहीं मोड़ा जा सकता कि सामान्य स्थिति में हृदय-परिवर्तन के प्रयत्न बहुत ही प्रभावशाली होते हैं। कबीर, नानक और सूफी सन्तों ने इस दिशा में अधिक कार्य किये हैं। कबीर ने तो 'शीश उतारे भुइँ धरे तापै राखे पैर' का सन्देश देकर आत्म-त्याग तक के लिए हिन्दू-मुसलमान को प्रेरित किया है। डॉ. लोहिया ने भी न्याय, उदारता और दृढ़ता से हिन्दू और मुसलमान मन के खार को ढूँढ़ने, प्रतिदिन खोदकर उखाड़ने और शमन करने की प्रेरणा दी है। उन्होंने कहा था कि हिन्दुस्तान के मुसलमानों को सच्चे दिल से देशभक्त बनाना है 'और उन्हें भक्त बनाने के लिए मन बदलना होगा, दोनों का, हिन्दू का भी और मुसलमान का...।''[72]

डॉ. लोहिया के मतानुसार उनके मन बदलने और उनमें से साम्प्रदायिकता का भाव समाप्त करने के लिए इतिहास का सही ढंग से लिखा और समझा जाना आवश्यक है। डॉ. लोहिया ने इतिहास का सूक्ष्म अवलोकन और विवेचन कर यह स्पष्ट किया कि इतिहास हिन्दू-मुसलमान एकता से पूर्ण है। उसमें कहीं कोई साम्प्रदायिकता नहीं है। इतिहास पर सही दृष्टि रखकर ही हम इस सत्य को समझ सकते हैं कि पिछले 700-800 वर्ष के युद्धों में मुसलमान ने हिन्दू को नहीं, अपितु विदेशी मुसलमान ने देशी मुसलमान को भी मौत के घाट उतारा है। उन्होंने यह सिद्ध किया कि वे युद्ध हिन्दू और मुसलमान के बीच नहीं, अपितु देशी और विदेशी के बीच हुए। 'सिल्यूकस विदेशी और कनिष्क देशी, गजनी विदेशी और शेरशाह देशी, हूण विदेशी और राणा साँगा देशी, बाबर विदेशी बहादुरशाह देशी, इस तरह से हिन्दुस्तान का इतिहास पढ़ना होगा।''[73] विदेशी मुसलमान यदि हम सबके लिए आक्रामक थे तो देशी मुसलमान हम सबके रक्षक। उनके मत में जो मुसलमान गजनी, गोरी और बाबर को आक्रामक नहीं मानता तथा अशोक, तुलसी और कबीर को अपना पूर्वज नहीं मानता, वह इस देश की स्वतन्त्रता की रक्षा नहीं कर सकता।

वह हिन्दू भी जो रजिया, शेरशाह, जायसी, अकबर, रहीम आदि को अपना पुरखा नहीं मानता, वह इस देश की स्वतन्त्रता का अर्थ नहीं समझता।

हिन्दू-मुसलमान को इस तथ्य से पूर्णत: परिचित कराने के लिए डॉ. लोहिया की योजना थी, "कि हरेक बच्चे को सिखाया जाय, हरेक स्कूल में, घर-घर में, क्या हिन्दू क्या मुसलमान बच्ची-बच्चे को कि रजिया, शेरशाह, जायसी वगैरह हम सबके पुरखे हैं, हिन्दू-मुसलमान दोनों के—लेकिन, उसके साथ-साथ मैं चाहता हूँ कि हम में से हर एक आदमी, क्या हिन्दू, क्या मुसलमान, यह कहना सीख जाय कि गजनी, गोरी और बाबर लुटेरे थे और हमलावर थे।"[74] केवल तब ही हिन्दू और मुसलमान विदेशी और आक्रामक के प्रति घृणा तथा देशी और रक्षक के प्रति प्रेम रखकर राष्ट्रीय एकता के सूत्र में बँध सकेंगे और समाजवाद के लिए मार्ग तैयार कर सकेंगे।

डॉ. लोहिया का उपर्युक्त दृष्टिकोण यह स्पष्ट करता है कि इतिहास को सूक्ष्म,सही और मौलिक दृष्टि से देखन में उन्हें कितनी रुचि थी। वास्तव में यदि डॉ. लोहियावाली दृष्टि को इतिहास लिखते और पढ़ते समय अपनाया जाय, तो भारत में हिन्दू और मुसलमान के बीच खाईं पट सकती है और परस्पर द्वेष तथा घृणा का वातावरण समाप्त होकर आपस में प्रेम और सहयोग का वातावरण निर्मित हो सकता है जो कि राष्ट्रीय एकता और धर्म-निरपेक्षता के लिए अत्यन्त महत्त्वपूर्ण होगा। डॉ. लोहिया की इस दृष्टि से यह भी स्पष्ट होता है कि डॉ. लोहिया समस्या के मूल को ढूँढ़ने और उसे विनष्ट करने में अन्य समाज-सुधारकों की अपेक्षा कितने अधिक स्पष्ट, प्रभावशाली एवं सफल थे।

साम्प्रदायिकता का अन्त करने के लिए डॉ. लोहिया आधुनिक राजनीति में भी परिवर्तन चाहते थे। उन्होंने जीवन के प्रत्येक पहलू में 'हिन्दू बनाम मुसलमान' के स्थान पर 'हिन्दू और मुसलमान' का सिद्धान्त स्थापित किया। वे राजनीति को 'हिन्दू बनाम मुसलमान' के परिवेश में देखना सबसे अधिक हानिप्रद मानते थे। उनकी स्पष्टोक्ति थी, "साफ-सी बात है कि मुसलमान-जैसी चीज नहीं रहनी चाहिए राजनीति में। टूट जाना चाहिए। जैसे हिन्दू टूटते हैं अलग-अलग पार्टियों में, वैसे मुसलमानों को भी टूटना चाहिए।"[75] डॉ. लोहिया ने बड़े दु:ख के साथ यह अनुभव किया कि जहाँ तक मसुलमान से बन सका है, वह हमेशा एक टुकड़ी में चला है। आज भी वह लगभग एक साथ जाता है, हमेशा कोई-न-कोई इत्तेहाद बनाता है। इसलिए उन्होंने हिन्दुओं और मुसलमानों को एक जुलूस में लचने, जगह-जगह समता का प्रचार करने और सम्पूर्ण देश में एकता की बिजली दौड़ाने के लिए आह्वान किया। उनके विचार में साम्प्रदायिकता का अन्त केवल उस समय हो सकता है, "जब लोग हिन्दू और मुसलमान की हैसियत से इकट्ठा नहीं होंगे, बल्कि अपनी

नजर से कि हमको कौन-सी राजनीति करनी है।''[76]

साम्प्रदायिकता-समाप्ति के लिए डॉ. लोहिया चाहते थे कि मुसलमानों के भाषा-भय को भी दूर किया जाये। हिन्दी के नाम से मुसलमानों को सन्देह हो सकता है कि शायद उनकी भाषा उर्दू की उपेक्षा की जा रही है। इसके लिए डॉ. लोहिया ने स्पष्ट कहा था, ''उर्दू जबान हिन्दुस्तान की जबान है और उसका वही रुतबा होना चाहिए जो हिन्दुस्तान की किसी जबान का।''[77] डॉ. लोहिया का कहना था कि यदि फिर से देश एक हुआ तो उसकी भाषा चालू भाषा होगी जो कि ''पालि और संस्कृत की औलाद है, लेकिन वह अपभ्रंशवाली, जो जनता में टूट-टाट गयी। अपभ्रंश में तो फारसी के भी शब्द आ जाते हैं, अरबी के भी आ जाते हैं।''[78] डॉ. लोहिया की सबसे बड़ी विशेषता यह है कि जिस प्रकार उनका व्यक्तित्व समन्वयवादी है, उसी प्रकार उनकी भाषा भी।

डॉ. लोहिया का विचार है कि साम्प्रदायिकता समाप्त करने के लिए धर्मान्धता और धार्मिक कट्टरता का भी अन्त करना आवश्यक है। हिन्दू-मुसलमान एकता के लिए धर्म का बाह्य पहलू एक बहुत बड़ी खाईं के रूप में हमारे समक्ष आता है जिसको पाटना चाहिए। इस हेतु महात्मा गाँधी चाहते थे कि हिन्दू और मुसलमान 'ईश्वर अल्ला तेरो नाम' के अद्वैतवादी आदर्श को चरितार्थ करें। हिन्दू-मुसलमान की पूर्ण एकता का उपर्युक्त गाँधीवादी सिद्धान्त डॉ. लोहिया की दृष्टि में आंशिक ढंग से ही व्यावहारिक है। उनका मत था कि हिन्दू चाहे जितना उदार हो जाय, लेकिन राम और कृष्ण को मोहम्मद से कुछ थोड़ा अच्छा समझेगा ही, और मुसलमान चाहे जितना उदार हो जाये, अपने मोहम्मद को राम और कृष्ण से कुछ अधिक आदर देगा। परन्तु ''19-20 से ज्यादा का फर्क न रहे तो दोनों का मन ठीक हो सकता है।''[79]

डॉ. लोहिया ने यदि एक ओर साम्प्रदायिकता-समाप्ति की चर्चा की थी तो दूसरी ओर हिन्दू-पाक एका का भी प्रश्न उठाया था। भारत-विभाजन के वे सशक्त विरोधी थे। इस विभाजन के उत्तरदायी तत्त्वों पर दृष्टि डालते हुए उन्होंने कहा, ''मैं गाँधी जी पर इल्जाम लगानेवालों में नहीं हूँ। देश के बँटवारे के लिए जिस तरह श्री जिन्ना, श्री नेहरू और सरदार पटेल मुख्य रूप से दोषी थे। उस तरह का दोषी मैं उन्हें नहीं मानता, लेकिन दूसरे नम्बर के दोषी वे भी थे। इसे कोई देख सकता है। मुख्य दोषियों में इतिहास की विशाल निर्वैयक्तिक शक्तियाँ, कन्नौज के विघटन के बाद हिन्दु का पतन, हिन्दुस्तान के इस्लाम की अन्धी आत्मघाती कट्टरता, ब्रितानी साम्राज्यवाद की आखिरी साजिश और सबसे अधिक समर्पण और समझौते की वह दीन-भावना जिसे समन्वय और सहिष्णुता कहा जाता है जो मुख्य रूप से जाति-व्यवस्था के कारण है।''[80] उनका विश्वास था कि इतिहास के गुस्से और नफरत ने ही पाकिस्तान

को जन्म दिया। पाकिस्तान का जन्म ही इसलिए हुआ कि भारत का इतिहास विदेशियों ने लिखा और भारतीयों ने उसे अधिक प्रामाणिक माना। भारत-विभाजन का एक मुख्य कारण मुस्लिम लीग भी रही। वास्तविकता यह रही कि जिस प्रकार मुस्लिम लीग के नेता मुसलमानों का उपयोग अपने नेतृत्व के लिए करना चाहते थे, उसी प्रकार प्रगतिशील कहलानेवाले हिन्दू नेता भी मुसलमानों का उपयोग करना चाहते थे। यह उनके राष्ट्रीय हित में भी था और उनके साथ अल्पसंख्यकों की विशेष सुविधा का सिद्धान्त भी था। ईसाई, सिक्ख, बौद्ध, जैन, पारसी आदि के समान मुसलमान भी भारत में केवल अल्पसंख्यक थे। किन्तु बँटवारावादियों ने यह कभी नहीं सोचा कि यदि अन्य धार्मिक अल्पसंख्यक भारत में रह सकते हैं तो मुसलमान क्यों नहीं रह सकते? वास्तव में सामान्य मुसलमान को देश के विभाजन से कोई लाभ नहीं हुआ। वह हिन्दुस्तान के दोनों खण्डों में परेशान है। स्वार्थी और कुटिल राजनीति उसे नकली संघर्ष में लगाती है।

डॉ. लोहिया भारत-विभाजन को जीवनपर्यन्त नकली मानते रहे। सन् 1950 ई. में 'फ्रेगमेण्ट्स ऑफ वर्ल्ड माइण्ड' में डॉ. लोहिया ने स्पष्ट लिखा है, "इन दोनों राज्यों में इतने अधिक तादाद में हिन्दू और मुसलमान बसे हुए हैं कि भारत-पाक रिश्ते को विदेश नीति के स्तर पर समझना बिलकुल असम्भव है। यह कहना कि पाकिस्तान में जो कुछ भी घटे वह पाकिस्तान का अन्दरूनी मामला है और भारत को इस मामले में कोई दखलन्दाजी नहीं करनी है। (और यही बात उतनी ही भारत के साथ लागू है) इन दो भू-खण्डों में स्थित जनसमूह के सम्बन्धों को नकारना होगा..." भारत में स्थित अल्पसंख्यकों के प्रति अगर बुरा व्यवहार होता हो तो पाकिस्तान का वह उतना ही मामला बन जाता है जितना पाकिस्तान में स्थित अल्पसंख्यकों के प्रति बुरा व्यवहार भारत का।"[81] डॉ. लोहिया के इस कथन की सार्थकता पूर्व पाकिस्तान (अब बांगलादेश) से आये शरणार्थियों के माध्यम से सिद्ध हो गयी है।

डॉ. लोहिया ने उपर्युक्त कारणों से हिन्दू-पाक महासंघ की कल्पना की थी। उनके मत में महासंघ की स्थापना के बिना कश्मीर अथवा अन्य समस्याओं का हल निरर्थक होगा। महासंघ की अनुपस्थिति में कोई-न-कोई समस्या सदैव रहेगी। इसलिए महासंघ की स्थापना द्वारा ही प्रत्येक समस्या का हल किया जा सकता है और बेहिचक किया जाना चाहिए।[82] डॉ. लोहिया ने महासंघ की रूपरेखा भी तैयार की थी। इस योजना के अनुसार महासंघ की पाँच इकाइयाँ होंगी—बंगाल, कश्मीर, पख्तूनिस्तान, पाकिस्तान, हिन्दुस्तान। महासंघ में निवास करनेवाले नागरिकों की नागरिकता एक होगी। उसकी विदेशी नीति भी एक होगी। यातायात और सैनिक नीति पर भी किसी सीमा तक महासंघ का अधिकार होगा।[83] हिन्दू और मुसलमान दोनों

में एक जरूर या तो राष्ट्रपति बनेगा या प्रधानमन्त्री, यद्यपि सदैव के लिए ऐसा संविधान में लिखा जाना आवश्यक नहीं है।[84]

महासंघ के निर्माण में कुछ साधन भी डॉ. लोहिया ने सुझाये थे। उनके मत में दोनों देशों की सरकारें इसमें बाधा उत्पन्न करती हैं। इसलिए दोनों देशों की जनता को अपनी-अपनी सरकारें उलटनी चाहिए। दोनों देशों की सरकारों को यूरोप और अमेरिका की महाशक्तियों से समझौते और सहायता भी बन्द करना चाहिए, क्योंकि ये शक्तियाँ ही दोनों देशों को संघर्ष के लिए प्रोत्साहित करती हैं।[85] इस हेतु हिन्दू-मुसलमान को आत्मत्याग के लिए तत्पर रहना चाहिए। डॉ. लोहिया द्वारा बताये गये उपर्युक्त साधन तो उचित हैं किन्तु इन साधनों के लिए भी जब तक ठोस साधन न हों तब तक महासंघ एक कल्पना रहेगा। उन्हें स्वयं भी कभी-कभी इस कल्पना की सार्थकता पर सन्देह होता था, तभी तो वे कहने लगते थे कि कम-से-कम महासंघ निर्माण पर बहस तो चले, महासंघ अस्थायी होगा या कुछ समय में एक संघ बन जायगा अथवा समाप्त हो जायेगा।[86]

सन्दर्भ

1. Encyclopaedia of Social Sciences, Vol. 13-14, p. 188
2. डॉ. लोहिया : भारत में समाजवाद, पृ. 16
3. डॉ. लोहिया : जाति-प्रथा, पृ. 18
4. वही, पृ. 3
5. वही, पृ. 83
6. सितम्बर, 10, सन् 1957 को डॉ. लोहिया द्वारा श्री चन्द्रिका प्रसाद जिज्ञासु को लिखे गये पत्र से
7. 15 दिसम्बर सन् 1959 को लखनऊ में डॉ. लोहिया द्वारा दिये गये भाषण
8. डॉ. लोहिया : जाति-प्रथा, पृ. 84
9. डॉ. लोहिया : जाति-प्रथा, पृ. 87
10. जिस प्रकार एक अग्नि लोक में प्रविष्ट होकर उपाधि भेद से अनेक रूपवाली हो जाती है उसी प्रकार, सर्वव्यापक तत्त्व आकार भेद से अनेक रूपवाला हो गया।
11. डॉ. लोहिया : भाषण 27 मई, 1960 हैदराबाद (आर्य समाज की सभा में)
12. डॉ. लोहिया : धर्म पर एक दृष्टि, पृ. 16
13. डॉ. लोहिया : निराशा के कर्त्तव्य, पृ. 28
14. डॉ. लोहिया : जाति-प्रथा, पृ. 4
15. लोहिया : निराशा के कर्त्तव्य, पृ. 29
16. लोहिया : भाषण, 1959 जुलाई 17, हैदराबाद
17. ऊ. ध्दर्प : ई, ईहर्प्ह एदर्मेतेर, ज. 33
18. 17 जुलाई, 1959 को लोहिया द्वारा हैदराबाद में दिये गये भाषण से।

19. डॉ. लोहिया : जाति-प्रथा, पृ. 103
20. वही पृ. 83
21. रजनीकान्त वर्मा : लोहिया और औरत, पृ. 27
22. ॐ. थ्दर्प : ईं, उेंह्र्प्ह् एदर्मेंतेस्, ज. 350
23. मनुस्मृति—पंचम अध्याय, श्लोक 148
24. डॉ. लोहिया : जाति-प्रथा, पृ. 4
25. डॉ. लोहिया : जाति-प्रथा, पृ. 173
26. वही, पृ. 5
27. डॉ. लोहिया : जाति-प्रथा, पृ. 7
28. यू. एस.. मोहनावि (संकलन और सम्पादनकर्ता)—महात्मा गाँधी का सन्देश, पृ. 106
29. डॉ. लोहिया : जाति-प्रथा, पृ. 174
30. वही, पृ. 137
31. रजनीकान्त वर्मा : लोहिया और औरत, पृ. 21
32. डॉ. लोहिया, जाति-प्रथा, पृ. 160
33. वही, पृ. 7
34. डॉ. लोहिया : सात क्रान्तियाँ, पृ. 50
35. 1962, जून 22 नैनीताल, लोहिया-भाषण, समाजवादी युवजन समाज शिक्षण शिविर
36. जन., मार्च 1968, पृ. 96
37. डॉ. लोहिया : समलक्ष्य, समबोध, पृ. 22
38. वही, पृ. 22
39. डॉ. लोहिया, सात क्रान्तियाँ, पृ. 19
40- ॐ. थ्दर्प : ग्त्त् द इर्दों ह् धूपें ग्गहे, ज. 155
41. डॉ. लोहिया : धर्म पर एक दृष्टि, पृ. 13
42. डॉ. लोहिया : जाति-प्रथा, पृ. 141
43. इन्दुमति केलकर, लोहिया : सिद्धान्त और कर्म, पृ. 18
44. डॉ. लोहिया, जाति-प्रथा, पृ. 163
45. डॉ. लोहिया, जाति-प्रथा, पृ. 165
46. डॉ. लोहिया : वशिष्ठ और वाल्मीकि, पृ. 12
47. जेल मन्त्री को लखनऊ जेल से डॉ. लोहिया का 20-12-57 का पत्र
48. लोहिया : भाषण, सन् 1956 ई., दिसम्बर, 16-19 नागपुर
49. डॉ. लोहिया : जाति-प्रथा, पृ. 24
50. वही, पृ. 113
51. डॉ. लोहिया : जाति-प्रथा पृ. 19
52. डॉ. लोहिया : जाति-प्रथा पृ. 19
53. डॉ. लोहिया : देश-विदेश नीति : कुछ पहलू, पृ. 9
54. डॉ. लोहिया : जाति-प्रथा, पृ. 35
55. हैदराबाद, 4-9-57, चन्दापुरी को डॉ. लोहिया द्वारा लिखे गये पत्र से।
56. Dr. Lohia : Interval During Politics, p.133.

57. डॉ. लोहिया : सात क्रान्तियाँ, पृ. 25
58. वही, पृ. 23
59. Dr. Lohia : Interval During Politics, p. 137.
60. Everyman's Encyclopaedia, Reset Revised edition, Vol. 3 can to cop (fourth edition), p. 638
61. ओंकार शरद : लोहिया, पृ. 283
62. Dr. Lohia : Interval During Politics, p.138-39.
63. Ibid, p. 139.
64. Dr. Lohia : Interval During Politics, p.140
65. डॉ. लोहिया : चर्म पर एक दृष्टि, पृ. 4
66. डॉ. लोहिया : देश गरमाओ, पृ. 79
67. लोहिया-भाषण, 1963, अक्टूबर, 3, हैदराबाद
68. 26 अप्रैल, सन् 1966 ई. को लोकसभा में डॉ. लोहिया द्वारा दिये गये भाषण से
69. 26 अप्रैल, सन् 1966 ई. को लोकसभा में डॉ. लोहिया द्वारा दिये गये भाषण से
70. डॉ. लोहिया : हिन्दू और मुसलमान, पृष्ठ 8
71. ओंकार शरद : लोहिया, पृ. 187
72. डॉ. लोहिया, वशिष्ठ और वाल्मीकि, पृ. 9
73. वही, पृ. 6
74. डॉ. लोहिया, हिन्दू और मुसलमान, पृ. 3
75. लोहिया : भाषण, सन् 1963 ई., अक्टूबर 3, हैदराबाद
76. लोहिया : भाषण, सन् 1963 ई., अक्टूबर 3, हैदराबाद
77. डॉ. लोहिया : भाषा, पृष्ठ 6
78. डॉ. लोहिया : हिंन्दू और मुसलमान, पृष्ठ 7
79. डॉ. लोहिया : भाषण, सन् 1963 ई., हैदराबाद, अक्टूबर, 3
80. 'जन', मार्च, सन् 1968, पृ. 82
81. साप्ताहिक दिनमान, 12 अक्टूबर, सन् 1969, पृ. 32
82. डॉ. लोहिया : भारत, चीन और उत्तरी सीमाएँ, पृ. 324
83. वही, पृ. 324
84. डॉ. लोहिया : आजाद हिन्दुस्तान में नये रुझान, पृ. 9
85. डॉ. लोहिया : समाजवादी चिन्तन, पृ. 91
86. डॉ. लोहिया : देश-विदेश नीति, कुछ पहलू, पृ. 13

4

समाजवादी धरातल पर डॉ. लोहिया का आर्थिक चिन्तन

डॉ. लोहिया के आर्थिक चिन्तन के अध्ययन के पूर्व यह ज्ञात कर लेना आवश्यक है कि समाजवाद में आर्थिक तत्त्व का महत्त्व सर्वाधिक है। वैज्ञानिक समाजवाद के जन्मदाता कार्ल मार्क्स ने आर्थिक तत्त्व को समाज का निर्णायक तत्त्व कहा है। उसके मतानुसार सामाजिक विकास की प्रगति और दिशा, उत्पादन और विनिमय की रीतियों पर निर्भर करती है। अपने जीवन के सामाजिक उत्पादन में मनुष्य ऐसे निश्चित सम्बन्धों में बँधते हैं जो अपरिहार्य एवं उनकी इच्छा से स्वतन्त्र होते हैं। उत्पादन के ये सम्बन्ध उत्पादन को भौतिक शक्तियों के विकास की एक निश्चित अवस्था के अनुरूप होते हैं। इन्हीं उत्पादन सम्बन्धों के योग से समाज की आर्थिक प्रणाली बनती है जो कि वास्तविक आधार होती है जिस पर वैधानिक, सामाजिक और राजनीतिक भित्ति का निर्माण होता है। कार्ल मार्क्स ने अपने सुप्रसिद्ध ग्रन्थ 'अर्थशास्त्र की विवेचना' में लिखा है, "भौतिक जीवन की उत्पादन-पद्धति जीवन की सामान्य सामाजिक, राजनीतिक और बौद्धिक प्रक्रिया को निर्धारित करती है। मनुष्यों की चेतना उनके अस्तित्व को निर्धारित नहीं करती, बल्कि उलटे उनका सामाजिक अस्तित्व उनकी चेतना को निर्धारित करता है।"[1] फ्रेडरिक एंगेल्स ने भी इसी सिद्धान्त का संक्षिप्त वर्णन करते हुए लिखा है, "समस्त सामाजिक परिवर्तनों तथा राजनीतिक क्रान्तियों के अन्तिम कारण न तो मनुष्य के मस्तिष्क में और न उनके चरम सत्य और न्याय-सम्बन्धी विशेष ज्ञान में पाये जाते हैं वरन् वे तो उत्पादन तथा विनिमय प्रणाली में होनेवाले परिवर्तनों में निहित हैं।"[2]

इन आर्थिक तत्त्वों के अतिरिक्त समाज-व्यवस्था पर अनार्थिक कारण भी प्रभाव डालते हैं। यश तथा शक्ति के लिए पिपासा, धार्मिक महत्त्वाकांक्षाएँ, जातीय

पक्षपात, स्त्री-पुरुष का एक-दूसरे के प्रति आकर्षण, वैज्ञानिक उत्सुकता आदि भी सामाजिक स्थिति का निर्माण करते हैं। इतिहास की केवल आर्थिक व्यवस्था ही नहीं है, वरन् एक नैतिक, सौन्दर्यमूलक, राजनीतिक, धार्मिक तथा वैज्ञानिक व्याख्या भी है। किन्तु फिर भी आर्थिक तत्त्व की विशेष महत्ता को ठुकराया नहीं जा सकता। सामाजिक, धार्मिक, राजनैतिक और सांस्कृतिक उथल-पुथल में विश्वास करनेवाले डॉ. लोहिया भी आर्थिक क्रान्ति की प्रधानता और अपरिहार्यता को स्वीकार करते हैं। यद्यपि मार्क्स और एंगेल्स ने आर्थिक तत्त्व पर आवश्यकता से अधिक बल दिया है, तथापि इसमें कोई सन्देह नहीं कि अनार्थिक कारणों से आर्थिक कारण समाज पर अधिक प्रभाव डालते हैं। डॉ. लोहिया ने भी जहाँ सात क्रान्तियों की चर्चा की है वहाँ अमीरी और गरीबी के अन्तर को सभी विषमताओं की जड़ कहा है। उनकी स्पष्ट स्वीकारोक्ति है, "सबसे पहले गरीबी और अमीरी के फर्क से जो अन्याय निकलते हैं उनको लें। यह जड़वाला अन्याय है।"[3] डॉ. लोहिया के आर्थिक दर्शन के निम्नलिखित आधार हैं—(1) वर्ग-उन्मूलन, (2) आय-नीति (3) मूल्य-नीति, (4) अन्न-सेना एवं भू-सेना (5) भूमि का पुनर्वितरण, (6) आर्थिक विकेन्द्रीकरण (7) राष्ट्रीयकरण अथवा समाजीकरण (8) खर्च पर सीमा।

1. वर्ग-उन्मूलन

वर्ग-संघर्ष का सिद्धान्त समाजवाद के दर्शन में अत्यन्त महत्त्वपूर्ण स्थान रखता है। यह मार्क्सवाद का मूल सिद्धान्त है। मार्क्स का विश्वास था कि आर्थिक हितों में भिन्नता के कारण परस्पर विरोधी वर्गों का निर्माण होता है। उत्पादन, विनिमय और वितरण के साधनों पर अधिकार रखनेवाले व्यक्ति शोषक बन बैठते हैं। यह वर्ग साधनविहीन वर्ग का शोषण करता है। इस प्रकार शोषक और शोषित नामक दो वर्ग समाज में जन्म लेते हैं। इन दोनों वर्गों के हित एक-दूसरे के विपरीत होते हैं, जिस कारण दोनों में वर्ग-संघर्ष की स्थिति रहती है। प्रसिद्ध समाजवादी बुखारिन भी मार्क्स की तरह आर्थिक हितों की समानता को वर्ग-निर्माण का कारण बताते हैं। उन्होंने वर्ग की परिभाषा को स्पष्ट करते हुए लिखा है, "वर्ग या सामाजिक वर्ग उन व्यक्तियों का समूह है जो सामाजिक उत्पादन में एक प्रकार का कार्य करते हैं और उत्पादन के क्रम में लगे हुए दूसरे व्यक्तियों के साथ उनका सम्बन्ध भी एक ही-सा होता है। यह एक-सा सम्बन्ध श्रम के साधनों में भी लागू होता है।"[4]

वर्ग-निर्माण के कारण—कार्ल्स मार्क्स और एंगेल्स का मत है कि वर्ग की उत्पत्ति आर्थिक कारणों से हुई। यह विचार एकांगी है। वास्तविकता तो यह है कि वर्ग-निर्माण केवल आर्थिक स्थिति पर ही नहीं, अपितु सामाजिक, धार्मिक, व्यावसायिक और बौद्धिक स्थिति पर निर्भर करता है। डॉ. लोहिया के मत में भी वर्ग-उत्पत्ति का

कारण केवल आर्थिक नहीं, बल्कि सामाजिक और बौद्धिक भी है। वे वर्ग-उत्पत्ति पर अपने विचार व्यक्त करते हुए कहते हैं, "दौलत-बुद्धि, स्थान के हिसाब से समाज में गिरोह बनते हैं, जिन्हें वर्ग कहते हैं।"[5] डॉ. लोहिया के उपर्युक्त कथन में दौलत, बुद्धि और साधन का अर्थ क्रमश: आर्थिक, सांस्कृतिक और सामाजिक भेदभाव से है। मार्क्स की तुलना में डॉ. लोहिया का मत अधिक सत्य है, क्योंकि सम्पत्ति और सामाजिक प्रतिष्ठा हमेशा साथ नहीं चलते। उदाहरणार्थ भारत में ब्राह्मण वर्ग अधिकतर धनी नहीं होता, किन्तु सामाजिक प्रतिष्ठा में उसका स्थान सर्वोच्च होता है। मार्क्स के अनुसार तो ब्राह्मण तृतीय श्रेणी में और वैश्य सम्पत्तिशाली होने से प्रथम श्रेणी में आना चाहिए था।

भारतवर्ष में वर्ग-संघर्ष और उसके आधार—चूँकि प्रत्येक समाज में आर्थिक, सामाजिक और सांस्कृतिक व्यवस्थाएँ भिन्न होती हैं, इसलिए वर्ग-व्यवस्था भी प्रत्येक समाज में भिन्न होती है। अत: सच्चे समाजवादी का प्रथम और ठोस कर्त्तव्य यह है कि वह अपने समाज की वर्ग-व्यवस्था के बुनियादी चरित्र व विशेषताओं का सजग होकर अध्ययन करे। भारतवर्ष में डॉ. लोहिया ने वर्ग-व्यवस्था का गहरा अध्ययन किया और उसे अत्यन्त मौलिक ढंग से रखा। उन्होंने स्पष्ट किया कि एक वर्ग समाज में मुख्य वस्तु है—शोषण। जो शोषण कर सकते हैं, वे अधिक लाभ का अर्जन करते हैं। जो शोषण नहीं कर सकते, उनका शोषण होता है। शोषणकर्त्ताओं का अस्त्र विशेषाधिकार होता है। इनमें से कुछ विशेषाधिकार जन्म से ही प्राप्त हो जाते हैं और कुछ प्राप्त किये जा सकते हैं। विशेषाधिकार एक ऐसा अवसर है जो समाज में बहुत छोटे-से हिस्से को मिलता है। डॉ. लोहिया के अनुसार भारत के बुनियादी किस्म के विशेषाधिकार तीन हैं—जाति, सम्पत्ति और भाषा।

भाषा-सम्बन्धी विशेषाधिकार से डॉ. लोहिया का तात्पर्य अंग्रेजी भाषा के ज्ञान से है। आज धन और प्रतिष्ठा अंग्रेजी से जुड़ी हुई है। करोड़ों लोग यह सोचते हैं कि वे तो अंग्रेजी नहीं जानते, शासन कैसे चलायेंगे। इस प्रकार इस प्रजातान्त्रिक राज्य में करोड़ों लोग हीन भाव से ग्रस्त हो गये हैं। भाषा के आधार पर वर्तमान में ही नहीं, अपितु 1500 वर्षों से शोषक और शोषित वर्ग निरन्तर अस्तित्व में रहे हैं। डॉ. लोहिया ने स्पष्ट किया कि "बुनियादी बात यह है कि गत 1500 सालों से हिन्दुस्तान की संस्कृति में अजीब पूट चली आ रही है। एक तरफ तो कुछ लोगों की सामन्ती भाषा, सामन्ती भूषा, सामन्ती भोजन और सामन्ती भवन रहा है, तो दूसरी तरफ करोड़ों लोगों की लोक-भाषा, लोक-भूषा, लोक-भोजन और लोक-भवन रहे हैं।...उदाहरण के लिए किसी जमाने में संस्कृत सामन्ती भाषा, प्राकृत, अपभ्रंश और पालि लोक-भाषाएँ, अरबी और फारसी सामन्ती भाषा, हिन्दी, उर्दू, तमिल, बंगाली

लोक-भाषाएँ रही हैं। आज अंग्रेजी सामन्ती भाषा है और हिन्दी, हिन्दुस्तानी, तमिल, तेलुगु, मराठी वगैरह लोकभाषाएँ।''[6]

वर्ग-निर्माण का दूसरा कारण जाति-सम्बन्धी विशेषाधिकार है। भारतीय ग्रन्थ इस सत्य के प्रमाण हैं कि जाति (वर्ण) का निर्माण कार्य-विभाजन के लिए किया गया था। उसमें छोटे-बड़े और ऊँच-नीच का कोई भेदभाव नहीं था। सहयोग के आधार पर सामाजिक विकास ही इस विभाजन का लक्ष्य था। किन्तु डॉ. लोहिया की मान्यता इससे बिलकुल भिन्न हैं। उनका मत था कि विश्व के इतिहास में सबल और निर्बल के बीच युद्ध हुए। सबलों ने निर्बलों को पराजित कर उन्हें तबाह कर डाला। किन्तु भारतवर्ष की विशेषता यह रही कि विजयी वर्ग ने पराजित वर्ग को नष्ट न कर केवल उनके अधिकारों को सीमित किया और अपने जीवन का एक अंग उन्हें बना लिया। इस प्रकार "...हारे का नाश करने के बजाय उसकी आमदनी को बाँध रखने के प्रयास से जाति की उत्पत्ति हुई।''[7] विजयी वर्ग द्विज और पराजित वर्ग शूद्र कहलाया। जैसे-जैसे समय बीतता गया द्विज अद्विज को अधिकाधिक व्यक्तित्वहीन बनाता गया। सारा-का-सारा शूद्र समुदाय निर्जीव, व्यक्तित्वहीन और उदास बनता चला गया। जाति पर आधारित वर्ग और विघटन की आधुनिक स्थिति भी दुर्भाग्य का विषय है, जिस पर चिन्ता व्यक्त करते हुए डॉ. लोहिया ने कहा, "जाति देश को तोड़ रही है। वह सन्तुष्टि, ढर्रे और निश्चलता के बहुसंख्यक छोटे-छोटे पोखरे बनाती है, हर एक पोखर को अपने छोटे-से घेरे की भलाई में ही दिलचस्पी रहती है। मूल्यों की एक विषम सीढ़ी ने हर एक जाति को कुछ दूसरी जातियों के ऊपर खड़ा कर दिया है...।''[8]

वर्ग-निर्माण का अन्तिम विशेषाधिकार सम्पत्ति है। वर्ग-निर्माण के इस कारक पर डॉ. लोहिया ने अधिक विस्तार से विचार किया है। वे आर्थिक विषमता को अन्य विषमताओं से अधिक महत्त्व देते थे, क्योंकि वर्ग-उत्पत्ति का मुख्य कारण आर्थिक विषमता ही है। उन्होंने यदि एक ओर आठ आने अथवा रुपया रोज कमानेवाले के परिश्रमी किन्तु कष्टमय जीवन को सहानुभूतिपूर्वक देखा था, तो दूसरी ओर धनिकों के विलासितापूर्ण एवं निष्क्रिय जीवन को घृणास्पद दृष्टि से अवलोकन किया था। उन्होंने इस भयानक आर्थिक अन्तर पर चिन्ता व्यक्त करते हुए कहा था, "सारे संसार में छोटे और बड़े आदमी के बीच अन्तर है, लेकिन भारत में यह अन्तर मारक है। गोरे देशों में चाहे वे पूँजीवादी अथवा साम्यवादी हों, लोगों की आय में दो, पाँच, सात गुने का अन्तर होता है। यह अन्तर भारत में 50, 100, 300 गुने का साधारण तौर पर होता है। परिणाम है कि एक तरफ भोजन और कपड़ा नहीं है और दूसरी तरफ आधुनिकता और शौकीनी का सदा बढ़ता परिहास है।''[9]

डॉ. लोहिया के उपर्युक्त विषमता-सम्बन्धी विचारों को कुछ लोग अवास्तविक अथवा चौंका देनेवाले कह सकते हैं, किन्तु सच्चाई यही है कि भारत आज आर्थिक विषमता से भयंकरतम रूप में पीड़ित है। इस पीड़ा और पीड़ा की चर्चा की वास्तविकता को दीन और दु:खी ही समझ सकते हैं, गद्दी पर आराम करनेवाले निष्क्रिय पूँजीपति नहीं। किन्तु डॉ. लोहिया के इस मत से सहमत होना बहुत कठिन है कि वर्ग-निर्माण के कारक केवल भाषा, जाति और सम्पत्ति ही हैं। वास्तविकता यह है कि इन कारकों के अतिरिक्त धर्म, क्षेत्र, व्यवसाय आदि भी वर्ग-विभाजक तत्त्व हैं।

डॉ. लोहिया द्वारा स्पष्ट किये गये उपर्युक्त तीन विशेषाधिकारों से चार वर्गों का निर्माण होता है...(1) प्रथम श्रेणी (शासक वर्ग), (2) द्वितीय श्रेणी (उच्च मध्यम वर्ग), (3) तृतीय श्रेणी (निम्न मध्यम वर्ग) और (4) चतुर्थ श्रेणी (शुद्ध सर्वहारा वर्ग)।

डॉ. लोहिया के द्वारा बताये गये शासक वर्ग में वे लोग आते हैं जिनको जाति, सम्पत्ति और भाषा के विशेषाधिकार जन्मत: प्राप्त हैं। उन्हीं के शब्दों में, "हिन्दुस्तान के शासक वर्ग को आप समझ लेना। उसमें तीन बाँहें हैं। एक धनी, धनी माने करोड़पति ही नहीं, अच्छे-खासे खाते-पीते मध्यमवर्गीय लोग, दूसरे अंग्रेजी पढ़े-लिखे लोग और तीसरे ऊँची जातिवाले।"[10] डॉ. लोहिया ने शासक वर्ग की विलासिता पर दृष्टि डालते हुए कहा है कि इस वर्ग का व्यक्ति बिना किसी प्रयत्न के समाज का लाभ उठानेवाला होता है। वह सभी भौतिक साधनों से पूर्ण होता है। देश के कानून, योजना और प्रशासन आदि का रुझान इस वर्ग की आवश्यकताओं और मनोकामनाओं को पूर्ण करने की ओर होता है। देश की इस प्रकार की व्यवस्थाओं के कारण, "हिन्दुस्तान के साधारण आदमी में डर बहुत घुस गया है। हर चीज से वह डर गया है। कोई जरा अच्छे कपड़े पहने हुए हैं तो उससे डर, कोई अंग्रेजी बोलता है तो उससे डर, अंग्रेज से डर, गोरे से डर, सबसे डर।"[11] डॉ. लोहिया का उपर्युक्त कथन उनके अपने समय के लिए भले ही सत्य हो, किन्तु अब स्थिति शनै:-शनै: बदल रही है। अब सामान्य जनता को अच्छे कपड़े पहननेवालों, अंग्रेजी भाषा बोलनेवालों अथवा शासकीय कर्मचारियों से उतना भय नहीं रह गया है जितना कि डॉ. लोहिया बतलाते हैं। शासन की नीतियाँ भी शोषकों के प्रति आक्रामक और शोषितों के प्रति सहानुभूतिमय होती जा रही हैं।

द्वितीय श्रेणी अथवा उच्च मध्यम वर्ग में ऐसे व्यक्ति सम्मिलित हैं जिनमें तीन के बजाय दो ही गुण होते हैं—उच्च वर्ण और अंग्रेजी भाषा। उच्च वर्ण और सम्पत्ति, या सम्पत्ति तथा अंग्रेजी। इस मेल का व्यक्ति अपने-आप शासक वर्ग में

नहीं हो जाया करता। उसे इस हद तक प्रयत्न करना पड़ता है जिस हद तक उसमें इन विशेष गुणों का अभाव है। कुछ वर्षों के अनवरत प्रयत्नों से वह निश्चित रूप से तीसरा गुण भी प्राप्त कर शासक वर्ग में आ जाता है। इस वर्ग को उत्थान करने के अपार अवसर प्राप्त होते रहते हैं, क्योंकि शासक अथवा सर्वोच्च वर्ग को इन द्वितीय श्रेणी के शासकों पर निर्भर रहना पड़ता है। परिणामत: सर्वोच्च वर्ग से इस वर्ग का सम्पर्क स्वाभाविक है।

तृतीय श्रेणी अथवा निम्न मध्यम वर्ग में ऐसे व्यक्ति आते हैं जिनमें केवल एक ही गुण होता है—उच्च जाति या अंग्रेजी अथवा सम्पत्ति। इस वर्ग को आगे बढ़ने या उठने की कोई आशा नहीं। इनके प्रयत्न निष्फल होते हैं। जन्म ब्राह्मण कुल में क्यों न हुआ हो, पर यदि धन या अंग्रेजी उसे प्राप्त नहीं है तो उसके लिए गाँव के मन्दिर में पुजारी बनने के अतिरिक्त दूसरा कोई चारा नहीं होता।[12] ऐसा व्यक्ति अपने बेटे-बेटियों को अच्छी शिक्षा नहीं दिला सकता। इसी तरह यदि किसी मेहतर के पास पाँच हजार रुपये हों तो ये रुपये उसे आगे बढ़ाने में कारगर नहीं हो सकते। इन रुपयों को बढ़ाना तो दूर रहा, वह उन्हें रख भी नहीं सकेगा। पटवारी, पुलिस-सिपाही, मजिस्ट्रेट और वकील उससे रुपया हड़प लेंगे।

चतुर्थ श्रेणी अथवा विशुद्ध सर्वहारा वर्ग के पास तीनों गुणों में से कोई एक भी नहीं, न सम्पत्ति, न जाति, न अंग्रेजी। इस वर्ग का व्यक्ति उठने की आशा नहीं कर सकता, प्रयत्न करने की भी नहीं। वह अपने या अपनी सन्तान के लिए आराम और सुविधा की जिन्दगी का सपना भी नहीं देख सकता। जब वह प्रथम बार समाजवाद के बारे में कहीं सुनता है, तो उसे आपकी बातों पर विश्वास ही नहीं होता। इसलिए कानून, योजना और राजनीतिक कार्यक्रम के औचित्य को सर्वहारा वर्ग के उत्थान की कसौटी पर कसा जाना चाहिए। समाजवाद को इस वर्ग का रक्षक, लाभ देनेवाला और जागृत करनेवाला होना चाहिए।

वर्ग-उन्मूलन-सम्बन्धी विचार—संसार के प्रत्येक समाजवादी विचारक ने वर्ग-उन्मूलन की समस्या को अत्यन्त महत्त्वपूर्ण स्थान दिया है। डॉ. लोहिया ने वर्ग-निर्माण के लिए उत्तरदायी तत्त्वों की स्पष्ट व्याख्या की है। यदि इन तत्त्वों एवं आधारों का उन्मूलन कर दिया जाय, तो वर्ग-उन्मूलन के उद्देश्य की आसानी से प्राप्ति हो जायेगी। इसलिए डॉ. लोहिया ने विशेषाधिकार-त्रय—भाषा, जाति, सम्पत्ति की समाप्ति पर भी विचार किया।

भाषा-सम्बन्धी विशेषाधिकार को समाप्त करने के लिए डॉ. लोहिया ने अत्यधिक प्रयत्न किये। उनका विश्वास था कि लोक-भाषा के बिना लोकतन्त्र की स्थापना नहीं हो सकती और न ही अंग्रेजी से अनभिज्ञ पददलित वर्ग उत्थान कर सकते हैं। इसलिए उन्होंने 'अंग्रेजी हटाओ' अभियान पर सर्वाधिक बल दिया।

'अंग्रेजी हटाओ प्रतिज्ञा-पत्र' के शब्द उनकी सांस्कृतिक समानता अथवा सांस्कृतिक वर्ग-उन्मूलन की हार्दिक इच्छा को प्रकट करते हैं, "मैं चाहता हूँ कि अंग्रेजी का सार्वजनिक इस्तेमाल फौरन बन्द हो जाना चाहिए। विधायिकाओं, सरकारी दफ्तरों, अदालतों, दैनिक समाचार-पत्रों और नागपट्टों में अंग्रेजी का इस्तेमाल नहीं होना चाहिए और अंग्रेजी की लाजमी पढ़ाई बन्द होनी चाहिए।"[13] अंग्रेजी के प्रयोग की समाप्ति के लिए न्यायालयों में हुई डॉ. लोहिया की मुठभेड़ सर्वत्र और सभी को ज्ञात है।

जाति-सम्बन्धी ऊँच-नीच की भावना अथवा जाति पर आधारित वर्गों की समाप्ति के लिए डॉ. लोहिया आजीवन प्रयत्नशील रहे। इस सम्बन्ध में श्री चारुचन्द्र त्रिपाठी ने उचित ही लिखा है कि डॉ. लोहिया ने "भारतीय संस्कृति, इतिहास और परम्पराओं की भूमि पर मार्क्स के वर्ग-संघर्ष के सिद्धान्त को वर्ण-संघर्ष में संशोधित किया।"[14] वास्तव में डॉ. लोहिया ने जाति-प्रथा पर गहरा प्रहार करते हुए कहा है कि हिन्दुस्तान में बुर्जुआ वर्ग ने दीन-हीन मानवता के लहराते हुए समुद्र को सोखने के लिए अगस्त्य ऋषि का कार्य किया। उनके मत में निम्न जातियों को सामाजिक, आर्थिक और राजनैतिक ढंग से सशक्त बनाकर जाति पर आधारित वर्गों को विनष्ट किया जा सकता है। बिना जाति-प्रथा का अन्त किये समाजवाद की कल्पना नहीं की जा सकती। उनका मत था, "जो आदमी हिन्दुस्तान की जाति-प्रथा को अपने दिमाग में नहीं रखेगा, जो कि एक वस्तु-स्थिति है, एक खास बात है, और हरेक चीज के लिए वह नींव है, वह कभी भी पूँजीवाद-समाजवाद के चक्कर को समझ ही नहीं पायेगा।"[15]

डॉ. लोहिया के अनुसार समाजवाद की स्थापना के लिए सार्वजनिक क्षेत्र के मन्त्री, जिलाधीश, कमिश्नर आदि के खर्चीले और विलासितापूर्ण जीवन का दमन करना उतना ही अनिवार्य है जितना कि निजी क्षेत्र के सेठों करोड़पतियों के ऐश, आराम और फैशनवाले जीवन का। इस प्रकार आर्थिक विषमता को समाप्त करने के लिए डॉ. लोहिया ने अत्यधिक प्रयास किया। इस हेतु उन्होंने कुछ ठोस नीतियाँ रखी थीं। आय-समता के लिए उन्होंने 1 : 10 का अनुपात निश्चित किया था और इसी प्रकार शोषणरहित मूल्य नीति भी निर्धारित की थी।

इस प्रकार डॉ. लोहिया ने केवल सम्पत्ति पर आधारित वर्गों को ही नहीं, अपितु सांस्कृतिक और सामाजिक तत्त्वों पर आधारित वर्गों की विशद व्याख्या की और उनके उन्मूलन के लिए भी हल निकाले। इसके अतिरिक्त डॉ. लोहिया का ध्यान स्थानीय वर्गों की ओर गया। इस सम्बन्ध में उनका विचार था कि बड़े पूँजीपतियों के शोषण के खिलाफ पर्याप्त काम भले ही न हो, किन्तु शिकायत तो है, लेकिन किसी स्थान-विशेष पर शक्तिशाली और कमजोर के बीच होनेवाले जबरदस्त शोषण के

खिलाफ न तो कोई शोरगुल ही है और न कोई शिकायत ही। भारी किराया लेनेवाले और दुकानदार, महाजन और कर्ज लेनेवाले कारीगर, जमींदार और खेतिहर मजदूर, उपभोक्ता और सरकार तथा व्यापारी, एवं पुलिस और जनता के आपसी शोषणयुक्त सम्बन्धों को खोलकर आम लोगों के सामने रखा जाना चाहिए। इन रिश्तों में सुधार लाने के लिए संगठन बनाकर आन्दोलन चलाये जाने चाहिए। संक्षेप में यह कहा जा सकता है कि डॉ. लोहिया ने समाजवाद के स्थापनार्थ वर्ग-समाप्ति की अपरिहार्यता स्पष्ट की और वर्गविहीनता की स्थिति के लिए विभिन्न प्रयत्नों को क्रियात्मक ढंग से समग्र देश के सम्मुख सशक्त रूप से रखा।

2. आय-नीति

आर्थिक विषमता राष्ट्र के लिए कैन्सर के समान भयानक होती है। इसकी उपस्थिति में राजनैतिक, सांस्कृतिक, साामजिक आदि समताएँ व्यर्थ हो जाती हैं। आय-नीति का आर्थिक समता सुनिश्चित करने में बड़ा हाथ रहता है। यही कारण है कि डॉ. लोहिया के समाजवादी दर्शन में इस नीति को एक विशिष्ट स्थान प्राप्त है। जब किसी देश के लोगों की न्यूनतम और अधिकतम आय में जमीन-आसमान का अन्तर हो तो वहाँ समाजवादी का प्रथम कर्त्तव्य इस अन्तर को उचित और आवश्यक मात्रा में कम करना है। क्योंकि आय-विषमता के परिणामस्वरूप सामाजिक चेतना मृत हो जाती है और शोषित जनसमूह अधिकाधिक शक्तिहीन हो जाता है। डॉ. लोहिया ने उचित ही लिखा है कि 'चरम दारिद्र' की अवस्था में सामाजिक चेतना मर जाती है, या कम-से-कम, क्षीण हो जाती है। समृद्धि और सुख में रहनेवाले व्यक्ति अपने और दरिद्र जनता के बीच निर्ममता की प्राचीरें खड़ी कर लेते हैं। सामाजिक चेतना का पुनर्जागरण तभी सम्भव है जब इन प्राचीरों को ढहाया जाये, और ये प्राचीरें तभी गिर सकती हैं जबकि आमदनियों का परस्पर अन्तर निश्चित सीमा के अन्दर रखा जाय।''[16]

आय-विषमता का विश्लेषण—भारतवर्ष में न्यूनतम और अधिकतम आमदनी में बेडौल अन्तर है। एक ओर तो उच्च पदाधिकारियों को ढेर-सारा वेतन मिलता है, दूसरी ओर ऐसे कर्मचारी विद्यमान हैं जो अपने वेतन से अपने परिवार का पेट भी नहीं भर सकते। एक ओर बड़े-बड़े उद्योगपति और पूँजीपति लक्ष्मी के लाड़ले बनकर मजे से जीवन व्यतीत करते हैं तो दूसरी ओर बेकार और गरीब लोगों की कमी नहीं। केन्द्रीय राज्य के कर्मचारियों के वेतन राज्य के कर्मचारियों के वेतन की अपेक्षा अधिक होता है। यद्यपि दोनों प्रकार के कर्मचारियों को महँगाई एक ही आँख से देखती है, परन्तु उनके महँगाई भत्ते में अन्तर है। स्थायी और अस्थायी कर्मचारियों की मजदूरी में अच्छा-खासा अन्तर होता है। स्थायी कर्मचारियों को अधिक और

अस्थायी कर्मचारियों को बहुत कम मजदूरी प्राप्त होती है। डॉ. लोहिया ने लोकसभा में कहा था कि निम्न वर्ग के लोगों की आय तीन आना प्रति दिन है। यद्यपि सरकार उनके इस कथन से सहमत नहीं हुई, परन्तु उसके अनुसार भी निम्न वर्ग के लोगों की आमदनी साढ़े सात आना प्रतिदिन से अधिक नहीं बतायी गयी।

देश में व्याप्त आय-विषमताओं का विश्लेषण करने में डॉ. लोहिया ने अपनी सूक्ष्म दृष्टि का प्रयोग किया था। ऊँचे-ऊँचे सरकारी पदाधिकारियों की सुविधाओं पर डॉ. लोहिया के दृष्टिकोण से किसी ने भी विचार नहीं किया था। इन लोगों के बँगलों, नौकरों, आवागमन और संचार साधनों पर जो खर्च होता है उसे इन लोगों के वेतन के बगल में रखकर देखना चाहिए। जब ये लोग ड्यूटी पर यात्रा करते हैं तो इनके स्वागत-सत्कार, ठाट-बाट और आराम पर बेहिसाब खर्च होता है। इनमें कोई सन्देह नहीं कि इस सबका भार गरीब जनता को वहन करना पड़ता है। इन लोगों को मिलनेवाली ये सुविधाएँ आय-विषमता को और बढ़ा देती हैं। डॉ. लोहिया ने एक स्थान पर कहा है कि आय और सम्मान की विषमताओं के कारण भारतीय समाज में ऊँच-नीच की लगभग दस लाख श्रेणियाँ बन गयीं।

डॉ. लोहिया के अनुसार भारतवर्ष की वार्षिक राष्ट्रीय आय लगभग डेढ़ खरब होती है। जिसमें से आधा खरब (पचास अरब रुपया) बड़े लोग से लेते हैं जिनकी संख्या 50 लाख है। शेष एक खरब (सौ अरब) रुपया छोटे लोग पाते हैं जिनकी संख्या 44 करोड़ है। इस प्रकार "44 करोड़ छोटे लोग बराबर हैं एक करोड़ बड़े लोगों के। 1 और 44 का औसत फर्क है। यूँ व्यक्तिगत फर्क तो और ज्यादा है— तीस हजार का, दस हजार का, एक हजार का, पचीस हजार का फर्क है।"[17]

डॉ. लोहिया की आय-नीति और उसे प्राप्त करने के उपाय—आय-नीति के सन्दर्भ में डॉ. लोहिया ने ऐसा कभी नहीं कहा कि सब लोगों की आमदनी समान हो। निम्नतम और अधिकतम आय में क्या अनुपात हो, इस विषय में निश्चयपूर्वक कुछ नहीं कहा जा सकता। ऐसा अनुपात निर्धारित करने से पहले देश, काल और परिस्थिति पर ध्यान देना आवश्यक है। उनका कहना था कि "जो देश, काल में सम्भव हो उससे कम को हासिल करने की कोशिश तो अवसरवादिता है और उससे ज्यादा को हासिल करने की कोशिश पागलपन है।"[18] समता का प्राचीन आदर्श आज के समता-आदर्श से जिस प्रकार भिन्न है उसी प्रकार भविष्य का समता-आदर्श आज के समता-आदर्श से भिन्न हो सकता है।

डॉ. लोहिया के अनुसार आधुनिक भारत में न्यूनतम और अधिकतम आय में 1 : 10 अनुपात का सम्भव है। इससे कम अर्थात् बीस गुना, पचास गुना अथवा सौ गुना का अन्तर प्राप्त करने का प्रयास अवसरवादिता है और इससे अधिक अर्थात्

पाँच गुना, तीन गुना और दो गुना अनुपात का प्रयास पागलपन है। सम्पूर्ण समता तो एकदम पागलपन है। डॉ. लोहिया का विचार था कि भविष्य में एक ऐसा समय आ सकता है, जबकि 1 : 10 के अनुपात को 1:3 या 1:2 तक लाया जा सकता है।

डॉ. लोहिया चाहते थे कि केवल सरकारी कर्मचारियों की आय में सम्भव समता लाने से काम नहीं चलेगा। गैरसरकारी लोगों को भी इस अनुशासन में लाना पड़ेगा। उद्योगपतियों, सेठों, वकीलों, राजनीतिज्ञों, किसानों आदि सभी की आय नियन्त्रित करनी होगी। डॉ. लोहिया का कहना था, "यह कभी हो नहीं सकता कि सारे समाज में तो लालच का समुद्र बहता रहे और बीच में सिर्फ सरकारी नौकरों के लिए फर्ज का टापू बना डाला जाये, यह नामुमकिन चीज है। लालच की लहरें लपेटा मारेंगी। अगर किसी तरह से सरकारी नौकरी के लिए कर्त्तव्य का द्वीप बना भी दिया, तो वह टापू लालच के समुद्र में बह जायेगा। रोक लगानी है तो सभी आमदनियों पर, सरकारी नौकरों की, कारखानेवालों की, वकीलों की, राजनीति करनेवालों की।"[19] सम्पत्ति की आमदनी से कार्य की आमदनी बढ़ती है और कार्य की आमदनी से सम्पत्ति की आमदनी। यदि गैरसरकारी लोगों की आय को अनियन्त्रित रखा तो वे सम्पत्ति की आमदनी के साथ-साथ कार्य की भी आमदनी करने लगेंगे। प्रसिद्ध अर्थशास्त्री ए. सी. पीगू ने भी इसी प्रकार विचार व्यक्त किये हैं, "A man with a large property income is enabled by that to invest in a good education for this son. That means that he can provide for him, not only a good income from property, but also a good one from work. Again a man with a good work income is able to buy property and get a second income from that. Any thing that tends to make a man rich in the one sort of income tends to make him rich in the other sort also; and conversely."[20]

डॉ. लोहिया समता के साथ-साथ सम्पन्नता भी चाहते थे। आमदनी के 1 : 10 के अनुपात के साथ-साथ वे आमदनी का उच्च स्तर भी चाहते थे। उनका विश्वास था कि औसत आय किसी राष्ट्र की प्रचुरता का द्योतक है, किन्तु औसत आय की वृद्धि अन्य कारकों के साथ-साथ प्रधान रूप से श्रमिक की क्षमता पर निर्भर करती है। डॉ. लोहिया के मत में श्रमिक अथवा निम्न वर्ग की न्यूनतम आय 3 आने प्रतिदिन है और 3 आने प्रतिदिन पर आधारित जीवन अच्छी तरह परिश्रम कैसे कर सकता है? इधर जाति-प्रथा के कारण जनसंख्या के दूसरे वर्गों की शताब्दियों से हाथ से काम करने की आदत ही नहीं है, संस्कार ही नहीं है। "न मिट्टी खोदने की, न झाड़ू देने की, न बोझ उठाने की, यानी अपना खुद का काम करने की भी उनकी आदत छूट गयी है, दूसरों का काम करना तो छोड़ दो।"[21] इसलिए जब तक तीन आनेवाले वर्ग की आय नहीं बढ़ायी जाती और उसे परिश्रम करने के लिए सक्षम

नहीं बनाया जाता, तब तक औसत आय नहीं बढ़ सकती। 'न्यूनतम आमदनी बुनियादी सवाल है। वह तय करती है कि कुल आमदनी कितनी हो। 3 आना तय करता है कि कुल आमदनी या औसत आमदनी 15 आने से ज्यादा न जाय। 15 आना नहीं तय करता कि वह 3 आना हो।''[22]

डॉ. लोहिया ने न्यूनतम आमदनी में वृद्धि करने के लिए कुछ सुझाव भी दिये। सर्वप्रथम, धनिक वर्ग के खर्च पर सीमा बाँधना चाहिए ताकि उनकी विलासिता पर खर्च होनेवाले पैसे को बचाया जा सके। द्वितीय, उच्च पदाधिकारियों की आय और सुविधाएँ घटानी चाहिए। तृतीय, अनावश्यक कर्मचारियों की छँटनी कर देनी चाहिए अथवा उनके लिए विकल्प रोजगार (जैसे, अन्न, सेना) की व्यवस्था करनी चाहिए। चतुर्थ, विदेशी वस्तुओं का आयात कम कर देश में निर्मित वस्तुओं का ही प्रयोग किया जाना चाहिए, चाहे देशी वस्तुएँ तुलनात्मक ढंग से कुछ घटिया किस्म की ही क्यों न हों। इससे विदेश जानेवाली मुद्रा की बचत होगी और देश-निर्मित वस्तुओं को प्रोत्साहन तथा गुण प्राप्त होंगे।''[23] उनका पाँचवाँ सुझाव था कि करोड़पतियों के कारखानों का राष्ट्रीयकरण अनिवार्यतः होना चाहिए। डॉ. लोहिया के मत में, उपर्युक्त साधनों से पैसा बचाकर तीन आनेवालों में बाँटा न जाय, क्योंकि बाँटने से तीन आना, चार आना अथवा और कुछ हो जायेगा जिसका कोई ठोस परिणाम नहीं होता। इस ''रुपये को पैदावार की आधुनिकीकरण में लगाओ, पूँजी के स्वरूप में लगाओ। इससे नये-नये कारखाने कायम करो।''[24] इन कारखानों से जो आय हो उनको पूँजी की तरह पुनः प्रयोग कर दूसरे कारखाने खोलने, कृषि सुधारने आदि में लगाया जाय। केवल तभी प्रचुरता आयेगी और तीन आनेवालों की आमदनी बढ़ेगी।

3. मूल्य-नीति

आय-नीति के उचित निर्धारण के साथ यदि कीमत (मूल्य) की वर्तमान स्थिति में औचित्यपूर्ण परिवर्तन नहीं होता, तो उचित आय-नीति भी लगभग निष्फल हो जाती है। क्योंकि तुलनात्मक ढंग से अधिक धनी व्यक्ति बाजार का लाभ उठाता है। यह कम कीमत में वस्तुओं को खरीदता है और कुछ समय रोककर क्रय की हुई वस्तुओं को बहुत अधिक मूल्य में विक्रय कर अत्यधिक मुनाफा कमाता है। इसी प्रकार उद्योगपति अपने कारखानों में निर्मित वस्तुओं को लागत दाम से कई गुनी कीमत में बेचकर अधिक और अनुचित लाभ कमाता है। परिणामतः आय की उचित नीति कीमतजनित शोषण के कारण स्थिर नहीं रह पाती, जिस कारण आर्थिक विषमता की पुनः वृद्धि होने लगती है। इसलिए डॉ. लोहिया ने कहा था, ''जिस्मानी अथवा माली बराबरी का अर्थ है कि जिन्दगी की जरूरी चीजों के दाम का रिश्ता आमदनी के साथ जुड़ा हुआ हो।''[25]

मूल्य-वृद्धि और मूल्य-विषमता का विश्लेषण—भारतवर्ष में मूल्य-वृद्धि अत्यधिक हो गयी है। इस कारण खरीदार और उपभोक्ता की किसी प्रकार की कोई रक्षा नहीं। यदि कच्चे माल का उत्पादक अपनी उत्पादित वस्तु के मूल्य और प्रयोग में लानेवाली वस्तुओं के मूल्य में लुट रहा है तो शहरी उपभोक्ता कच्चे माल के मूल्य और इस्तेमाल के सामान दोनों लुट रहा है। कर्मचारी वर्ग भी महँगाई की चक्की में पिसता चला जा रहा है। मूल्यों में जिस गति से वृद्धि होती है, उस गति से महँगाई-भत्ते में वृद्धि नहीं होती। परिणामत: कर्मचारियों के द्वारा महँगाई-भत्ते में और अधिक वृद्धि की माँग की जाती है, जिसे पूरा करने के लिए शासन को नये नोट छापने पड़ते हैं, घाटे के बजट बनाने पड़ते हैं। मुद्रा-प्रसार के कारण वस्तुओं का मूल्य-स्तर और ऊँचा हो जाता है और कर्मचारियों तथा श्रमिकों की वास्तविक आय घट जाती है, जिस कारण वे पुन: महँगाई-भत्ते में वृद्धि की माँग करते हैं। महँगाई-वृद्धि तथा मूल्य-वृद्धि का क्रम इसी प्रकार चलता रहता है।

दो ऋतुओं के बीच मूल्य की विषमता के कारण उत्पादक और विशेषकर छोटे उत्पादक का शोषण होता है। कच्चे और तैयार माल के बीच मूल्यों की गहरी असमानता रहती है। कच्चे माल की अपेक्षा तैयार माल (मशीनों से निर्मित वस्तुओं) की कीमत अधिक रहती है। इससे कच्चे माल के उत्पादक का दोहरा शोषण होता है, क्योंकि पहले तो उसे अपना कच्चा माल कम मूल्य में मशीनों के मालिकों को बेचना पड़ता है और पुन: मशीनों से निर्मित वस्तुओं को अधिकाधिक मूल्य में खरीदना पड़ता है। उदाहरण के लिए गन्ने का कम मूल्य और चीनी का अधिक मूल्य द्रष्टव्य हैं राष्ट्रों के आपसी व्यवहार में भी यही दशा रहती है। खेती या खान का या कच्चा माल बेचनेवाले देशों को कम मूल्य मिलता है और मशीन का माल या मशीन बेचनेवाले देश को अधिक मूल्य मिलता है। लोहिया के मत में मकानों के किराये की कीमत भी विषम है। सरकारी कर्मचारियों को आय के दशांश में मकान किराये पर मिल जाता है चाहे उस मकान का किराया वास्तव में कितना भी अधिक होता हो। दूसरी ओर पूँजीपति गैरसरकारी कर्मचारियों से अपने मकानों का मनमाना किराया लेकर उनका शोषण करते हैं।[26]

डॉ. लोहिया की मूल्य-नीति और उसे स्थिर करने के उपाय—डॉ. लोहिया ने प्रत्येक क्षेत्र में ठोस और शोषणमुक्त मूल्य-नीति निर्धारित की। उनके अनुसार मूल्य में दो फसलों के बीच में एक आने सेर या सोलह प्रतिशत से अधिक का उतार-चढ़ाव नहीं होना चाहिए, जिससे कि किसान को अपने श्रम का सही मूल्य प्राप्त हो और उसे शोषण से बचाया जा सके। कच्चे माल और तैयार माल के बीच मूल्यों की विषमता को कम करने और कच्चे माल के मालिक को शोषण से बचाने के लिए डॉ. लोहिया का कहना था कि तैयार माल का विक्रय-मूल्य लागत व्यय

के ड्योढ़े से अधिक नही होना चाहिए। इस ड्योढ़े मूल्य में सभी कर तथा लाभ सम्मिलित रहने चाहिए। उनके मत में सम्पूर्ण संसार में खेती और कारखाने की चीजों के मूल्यों में सन्तुलन और न्याय स्थापित किया जाना चाहिए : "सन्तुलन हो खेतिहर दाम में और कारखाने के दाम में और वह न सिर्फ राष्ट्रीय पैमाने पर बल्कि अन्तरराष्ट्रीय पैमाने पर भी।"[27] इसी प्रकार के विचार व्यक्त करते हुए डॉ. आर. पी. राव ने कहा था, "We must also see that the rate of profits, which the agricultural producers get, are equal to the rate of profits secured in other occupations where capital of equal proportions invested. Similarly they must be in tune with world prices and also the general prices."[28] मकान-किराये के विषम मूल्यों की समाप्ति हेतु डॉ. लोहिया ने कहा कि औसत आय और मकान किराये के बीच सामञ्जस्यपूर्ण और सन्तुलित सम्बन्ध रहना चाहिए। इसके अतिरिक्त किसी भी व्यक्ति का दो मकानों से अधिक पर स्वामित्व नही होना चाहिए।[29]

उपर्युक्त मूल्य-नीति की स्थापना हेतु डॉ. लोहिया ने कुछ सुझाव भी दिये। प्रथम, देश के विभिन्न समुदायों, संघों और व्यापारिक संगठनों को व्यापक दृष्टि रखना चाहिए। उन्हें "महँगाई-भत्ता वगैरह बढ़ाने के बजाय...चीजों के दाम को स्थिर करने की कोशिश करना चाहिए।"[30] इसके अतिरिक्त मूल्यों को स्थिर करने के लिए मुहल्ले-मुहल्ले और गाँव-गाँव में सभाओं और प्रदर्शनों के द्वारा जनमत का निर्माण करना चाहिए। डॉ. लोहिया की दृष्टि में, इस हेतु घरों में जाकर आमने-सामने पड़ोसियों और मुहल्लेवालों से इस सम्बन्ध की निरन्तर वार्त्ता भी अत्यधिक महत्त्व की है। इस हेतु उन्होंने सरकारी लूट, पूँजीपति और बड़े किसान के अनपेक्षित लाभों पर कुठाराघात करना तथा सामाजिक और आर्थिक क्रान्ति लाना भी अनिवार्य बताया। उन्होंने स्पष्टतः कहा था, "मैं यह मानता हूँ कि इस दाम-नीति को हकीकत बनाने के लिए हमारे आर्थिक और सामाजिक जीवन में क्रान्तिकारी परिवर्तन करने पड़ेंगे और कि सरकारी लूट, पूँजीपति-मुनाफों और बड़े किसानों के हितों पर जमकर हमला करना होगा।"[31]

4. अन्न-सेना एवं भू-सेना

कृषि का पिछड़ापन : कारण और उपाय—आर्थिक क्षेत्र में न्याय और प्रचुरता ही समाजवाद का लक्ष्य है। न्याय की सार्थकता प्रचुरता पर निर्भर करती है और भारत में प्रचुरता उद्योग तथा कृषि पर आधारित है। चूँकि उद्योग के लिए आवश्यक कच्चे माल की पूर्ति कृषि से ही होती है, अतः कृषि-विकास पर ही भारत की आर्थिक सुदृढ़ता अवलम्बित है। दुर्भाग्य यह है कि भारतीय कृषि इतनी अधिक पिछड़ी हुई है कि खाद्यान्न में भी भारत पर्याप्त रूपेण आत्मनिर्भर नहीं है। यद्यपि

हाल में खेती की ओर पूरे देश का ध्यान गया है तथापि देश में अधिकांश लोगों को सन्तुलित और पूर्ण भोजन नहीं मिलता, बहुत-से लोग ऐसे हैं जिन्हें यथेष्ट भोजन नहीं मिलता तथा समय-समय पर भूख से मरनेवालों के भी समाचार आते रहते हैं। कृषि के पिछड़ेपन के कारणों पर डॉ. लोहिया ने दृष्टि डाली और शासन की पंचवर्षीय योजनाओं और उनके कार्यान्वयन को दोषी ठहराया। उन्होंने कहा कि शासन की तकाबी बाँटने की नीति का कार्यान्वयन इस प्रकार होता है कि गरीब किसान तकाबी बाँटने में लगे कर्मचारियों द्वारा अच्छी तरह शोषित कर लिया जाता है। तकावी लेने में उसे विभिन्न प्रकार की कठिनाइयाँ उठानी पड़ती हैं। इसलिए तकावी योजना से कृषकों को भय हो गया है।

डॉ. लोहिया की दृष्टि में सरकार के द्वारा प्रारम्भ की गयी सहकारी कृषि भी असफल हुई है, क्योंकि "वह खेती भी ऐसी है जिसमें कुछ लोगों ने अपने सरकारी असर के द्वारा उसे अपनी आमदनी का कुछ साधन बनाया है। वह कोई ऐसी सहकारी खेती नहीं है जो किसानों वगैरह से चलायी गयी हो।"[32] समय-समय पर शासन द्वारा गरीबों के लिए खोली गयी सस्ते मूल्यों की दूकानें प्रभावशाली व्यक्तियों के लिए लाभ का कारण बनती हैं। इस प्रकार डॉ. लोहिया का विचार है कि शासन के प्रभाव-शून्य कार्यक्रम और अप्रबन्ध ही कृषि के पिछड़ेपन के लिए प्रधान रूप से उत्तरदायी हैं। कृषि के पिछड़ेपन के लिए अपनी विकास-नीति के कार्यान्वयन में सरकार आंशिक ढंग से उत्तरदायी हो सकती है, परन्तु पूर्णरूपेण उसे ही उत्तरदायी नहीं ठहराया जा सकता। योजनाओं में जनता से ही कर्मचारियों की नियुक्ति होती है, वे ही योजनाओं के कार्यान्वयन में भ्रष्टाचार के दोषी हैं। अत: जनता का चरित्र भी दोषी है। प्रशासन का कोई भी स्वरूप सफल नहीं हो सकता, यदि जनता का चरित्र उच्च नहीं है।

डॉ. लोहिया ने भारतीय कृषि के पिछड़ेपन पर केवल चिन्ता ही व्यक्त नहीं की, अपितु उसके निराकरण भी प्रस्तुत किये। इस हेतु उन्होंने कहा था कि "व्यक्तिगत खती, सामूहिक खेती और तीसरी चीज भी, उद्योग भी, जो गाँव के लायक उद्योग हों, जो बनाये जा सकें, इन तीनों के समावेश से चीज होगी।"[33] सामूहिक कृषि, उनकी दृष्टि में, केवल कृषकों द्वारा ही चलायी जानी चाहिए। उसमें किसी भी शर्त पर ऐसे व्यक्ति सम्मिलित न किये जायँ जो हाथ से कृषि न करते हों। चाहे प्रबन्ध भले ही कुछ खराब रहे। उनकी योजना थी कि इस प्रकार का कृषि-कार्यक्रम कुछ व्यापक रूप से चलाया जाना चाहिए और कृषि से उत्पन्न वस्तुओं का वितरण भी परिश्रम के आधार पर निष्पक्ष ढंग से होना चाहिए। उनके कार्यक्रमानुसार कृषि-कार्य को विकास देने के लिए अधिकाधिक भूमि को कृषि योग्य बनाया जाना चाहिए। डॉ. लोहिया ने सन् 1964 ई. में कहा था कि इस समय भारत में 18 करोड़ एकड़ भूमि

परती पड़ी है जिसको सुधार कर खेती की जा सकती है। इस भूमि में लगभग 3-4 करोड़ एकड़ भूमि बहुत कम खर्चे में ही कृषि योग्य बनायी जा सकती है। दो करोड़ से चार करोड़ एकड़ भूमि जल-डूब जमीन है जिसे वैज्ञानिक शोध द्वारा जलमग्नता से छुड़ाया जा सकता है। इसके अतिरिक्त गंगा-जमुना से कटनेवाली जमीन भी लाखों एकड़ है। इस कटती हुई जमीन को बचाने के लिए भी उपाय किये जाने चाहिए।[34]

अन्न एवं भू-सेना की योजना—भूमि को कृषि योग्य बनाने के लिए डॉ. लोहिया ने अन्न एवं भू-सेना की योजना निर्मित की थी। भू-सेना के बारे में उन्होंने कहा था, "जैसे बन्दूकवाली सेना वैसे ही हलवाली सेना। मोटी तरह से सोच लो हलवाली सेना जो नयी जमीन को तोड़े, आबाद करें।"[35] उनकी सलाह में खाद्य-सामग्री के आयात में जो व्यय होता है उसे भू-सेना पर व्यय करना चाहिए। आज के भारत में ऐसी जमीनें गाँव से दूर चक के रूप में यत्र-तत्र पड़ी हुई हैं जिनमें निकट भविष्य में खेती होने की आशा दृष्टिगत नहीं होती। ऐसी भूमि पर वर्तमान कृषि-व्यवस्था को हानि पहुँचाये बिना खेती कर देश का नवनिर्माण किया जा सकता है। भू-सेना की योजना केवल कल्पना-मात्र नहीं है। ब्रिटेन ने द्वितीय विश्वयुद्ध के समय इस प्रकार की योजना द्वारा ही अपनी आर्थिक स्थिति को सुदृढ़ किया था।

डॉ. लोहिया की योजना थी कि भारतीय कृषि-व्यवस्था को सुदृढ़ करने के लिए दस लाख व्यक्तियों की भू-सेना का निर्माण किया जाना चाहिए। इस अन्न-सेना के द्वारा 15 करोड़ एकड़ उपलब्ध परती जमीन में से प्रतिवर्ष एक करोड़ एकड़ भूमि को कृषि योग्य बनाया जा सकता है। भारत में जो भी औजार कृषि करने के लिए बनते हैं, उनके द्वारा भू-सेना सुसज्जित की जानी चाहिए। शासन को चाहिए कि वह सर्वप्रथम कृषि-सम्बन्धी औजारों के निर्माण के लिए लोहा दे, तदुपरान्त दूसरे औजारों के लिए। इसके अतिरिक्त डॉ. लोहिया ने भारत में बनाये जानेवाले लोहे के कृषि-औजारों के स्तर में सुधार की आवश्यकता पर बल दिया। उन्होंने यह भी कहा कि शासन को भू-सेना के सदस्यों के भोजन, वस्त्र और निवास का व्यय वहन करना चाहिए। अन्न-सेना के सैनिकों के लिए सामान्य वेतन भी दिया जाना चाहिए। उनकी योजनानुसार अन्न-सेना की वास्तविक भर्ती का कार्य भारत के विभिन्न राज्यों में निहित होगा। ये राज्य इन स्थानों की पूर्ति, जिला, शहर अथवा ग्राम पंचायतों की सलाह लेकर करेंगे, लेकिन ऐसी भर्ती की दर समय-समय पर केन्द्रीय शासन द्वारा निर्धारित की जायेगी। यह अन्न- सेना पहले परती भूमि को कृषि योग्य बनायेगी और तदुपरान्त उस पर खेती करेगी। अत्यावश्यक होने पर बुलडोजर्स और ट्रैक्टर्स का प्रयोग किया जायेगा।

डॉ. लोहिया का कहना था कि इस प्रकार की योजना के कार्यान्वयन में इस बात का ध्यान रखा जायेगा कि अधिक खर्च न हो, बल्कि उचित सीमा के अन्तर्गत पूँजी को लगाया जाय। प्रति एकड़ 150 रुपये की निर्धारित राशि (पूँजी) के आधार पर एक करोड़ एकड़ भूमि को कृषि योग्य बनाने के लिए 150 करोड़ रुपये व्यय होंगे। इस कार्य को पूरा करने के लिए 10 लाख सैनिकों की एक वर्ष के लिए आवश्यकता है और एक सैनिक पर प्रतिवर्ष 1000 रुपये का खर्च होगा। इस प्रकार एक वर्ष में एक करोड़ एकड़ भूमि को 250 करोड़ रुपये में सैनिकों के खर्च समेत कृषि योग्य बनाया जा सकता है। पुन: प्रति सैनिक प्रतिवर्ष 1000 रुपये के व्यय के हिसाब से कृषि योग्य बनायी गयी भूमि पर खेती करने के लिए एक वर्ष के लिए 10 लाख सैनिक चाहिए जिन पर प्रतिवर्ष 100 करोड़ रुपया खर्च होगा। 50 करोड़ आकस्मिक आवश्यकता अथवा विविध खर्चों के लिए रखा जा सकता है। इस प्रकार प्रथम वर्ष में ढाई सौ करोड़ रुपये का खर्च और दूसरे वर्ष में 150 करोड़ रुपये का खर्च होगा। चूँकि दो वर्ष के अन्त में अन्न-सेना इस खेती के द्वारा लगभग 40 लाख टन अन्न पैदा करेगी, अत: अपना मार्ग प्रशस्त करने में वह स्वयं समर्थ हो जायेगी और सरकार द्वारा किये गये प्रारम्भिक खर्चे का यह उचित प्रतिफल दे सकेगी। अपने लागत खर्चे की उचित वापसी को सरकार विकास की अन्य योजनाओं में लगा सकेगी।

भू-सेना का महत्त्व—डॉ. लोहिया ने अन्न एवं भू-सेना को केवल आर्थिक विकास के लिए ही लाभदायक नहीं माना, बल्कि सामाजिक और सांस्कृतिक क्षेत्र में भी उसके महत्त्वपूर्ण योगदान की ओर संकेत किया। उनके मतानुसार अन्न-सेना 40-50 लाख व्यक्तियों की जीविका का केन्द्र-बिन्दु होगी। इसके द्वारा आर्थिक विषमता तथा वर्ग और जाति के भेद समूल नष्ट होंगे। ग्रामीण व्यक्तियों के लिए यह सेना प्रोत्साहन और प्रेरणा का कार्य करेगी। इस योजना से उत्पादन में तो वृद्धि होगी, ही साथ ही व्यक्तियों के तकनीकी ज्ञान का विकास होगा। यह सेना देश को अधिक सशक्त और सुरक्षित बनाने में महत्त्वपूर्ण भूमिका अदा कर सकेगी। इस प्रकार डॉ. लोहिया ने अन्न सेना एवं भू-सेना को भारत के सर्वाङ्गीण विकास में एक महत्त्वपूर्ण स्थान दिया है।

डॉ. लोहिया की अन्न एवं भू-सेना की योजना बहुत ही वैज्ञानिक और व्यावहारिक है। इस योजना का कार्यान्वयन यदि न्यायप्रियता, कर्मठता और ईमानदारी के साथ किया जाये तो असफलता की कहीं कोई कल्पना नहीं की जा सकती। यह सेना डॉ. लोहिया के मौलिक विचारों का सृजन है। उनकी इस योजना से स्पष्ट होता है कि उनमें आत्मनिर्भरता की भावना कूट-कूटकर भरी थी। उसकी इस योजना से ही नहीं, अपितु उनके समस्त आर्थिक दर्शन से उनका यह विश्वास झलकता है कि

अपने राष्ट्र में उपलब्ध उत्पादन साधनों के द्वारा ही राष्ट्र का आर्थिक विकास किया जा सकता है। वे विदेशी सहायता को पसन्द नहीं करते थे। यू. पी. आई. के हैदराबाद स्थित संवाददाता के प्रश्नों का उत्तर देते हुए डॉ. लोहिया ने 9 सितम्बर, सन् 1958 ई. को कहा था, "विदेशी सहायता के प्रति मैं बहुत आशंकित हूँ। मेरा निश्चित मत है कि विदेशी सहायता चाहे ब्रिटेन, रूस अथवा अमेरिका से मिले, केवल मशीन बनानेवाली बड़ी मशीनों के रूप में मिलनेवाली सहायता को छोड़कर भ्रष्ट, बेकार, आलसी, घूसखोर और खूनी प्रशासन को बढ़ावा देती है।"[36]

अन्न के समुचित वितरण के अस्थायी हल—अन्न एवं भू-सेना अन्न-समस्या का स्थायी हल है। इसके अतिरिक्त अन्न-समस्या अथवा भुखमरी की स्थिति को नियन्त्रित करने के लिए डॉ. लोहिया ने कुछ प्रमुख कार्यक्रम दिये थे, जिनमें 'घेरा डालो आन्दोलन', 'अन्न बाँटों आन्दोलन' आदि प्रमुख हैं। 'घेरा डालो आन्दोलन' में भूखे लोग बड़ी संख्या में सरकारी दफ्तरों, सरकारी गोदामों या अनाज के बड़े व्यापारियों की गोदामों को घेर लेते हैं। यह घेरा वे उस समय तक डाले रहते हैं, जब तक उन्हें अन्न अथवा जेल नहीं मिल जाती। इस आन्दोलन का उद्देश्य 'रोटी दो या जेल दो' ही है। डॉ. लोहिया के संयुक्त समाजवादी दल ने इस प्रकार के घेरे बिहार के डाल्टनगंज तथा उत्तर प्रदेश के बस्ती और देविरया जिले में क्रमशः जून, जुलाई और अगस्त सन् 1958 ई. में डाले जिसके परिणामस्वरूप भूखे लोगों को राशनकार्ड बाँटे गये।[37] डॉ. लोहिया ने इस आन्दोलन की प्रकृति को स्पष्ट करते हुए लिखा था, "घेरा डालो आन्दोलन' चुने हुए लोगों का सत्याग्रह नहीं है, जो कानून तोड़कर जेल जायें। यह भोजन के लिए लोगों का व्यापक जन-आन्दोलन है।"[38]

दूसरे तरह का आन्दोलन 'अन्न बाँटो आन्दोलन' है। इस प्रकार के आन्दोलन में लोग अनाज की गोदामों को घेर लेते हैं और उन पर शान्तिपूर्ण ढंग से कब्जा करके अनाज तौलकर बाँट लेते हैं और उसकी लिखा-पढ़ी करके छोड़ जाते हैं कि उनके पास पैसा या अनाज होने पर वे सवा गुना वापिस कर जायँगे। सीधी और सरगुजा में इस प्रकार के आन्दोलन चलाये गये।[39] तीसरे प्रकार का 'अन्न बाँटो आन्दोलन' ऐसा है, जिसमें पुलिस की मार-पीट अथवा पकड़-धकड़ के कारण घेरा डालनेवालों को शान्तिपूर्वक अनाज बाँटने अथवा सूची आदि बनाने का अवसर नहीं मिलता। इस कारण अनाज जल्दी-जल्दी बाँटने में लिखा-पढ़ी पूर्ण नहीं हो पाती। भूखे लोग बिना लिखा-पढ़ी के आवश्यकतानुसार अपना पेट भरने के लिए अनाज इस भावना के साथ ले लेते हैं कि उनके पास होने पर वापस लौटा देंगे।

इस प्रकार के आन्दोलनों की शासन ने डकैती और लूट की संज्ञा देकर अत्यधिक आलोचना की, किन्तु वास्तविकता यह है कि "भोजन लोगों

का अधिकार है। और भूखे लोगों को भोजन पहुँचाना लूट नहीं कहा जा सकता। अपराध की भावना होने पर ही इसे लूट या डकैती कहा जा सकता है।''[40] आज से 30 वर्ष पहले तो जर्मनी में यह कानून था कि यदि कोई अपनी जरूरत भर को लेता है तो वह अपराधी नहीं है। डॉ. लोहिया ने 'घेरा डालो आन्दोलन' को सबसे अच्छा आन्दोलन कहा है। उनकी दृष्टि में दूसरे और तीसरे प्रकार के आन्दोलन क्रमश; कुछ कम अच्छे हैं, लेकिन तीनों ही आन्दोलन उचित हैं। डॉ. लोहिया ने इन आन्दोलनों की प्रक्रिया को स्पष्ट करते हुए कहा है कि, ''केवल अपनी ओर से कभी हिंसा नहीं होनी चाहिए और न छोटे दूकानदारों और कच्चे आढ़तियों की गोदामों पर कब्जा करना चाहिए। कोशिश करके अनाज का हिसाब भी रखना चाहिए।''[41]

मुफ्त रसोई घर एवं अनाज के व्यापार का समाजीकरण—अन्न-संकट अथवा भुखमरी की परिस्थिति से मुक्ति पाने के लिए उपर्युक्त आन्दोलनों के अतिरिक्त डॉ. लोहिया ने मुफ़्त रसोई घरों का खोलना और अनाज के व्यक्तिगत व्यापार को समाप्त करना आवश्यक माना। उनकी दृष्टि में ये दोनों कार्यक्रम अकाल ऐसी स्थिति में अत्यावश्यक रूप से किये जाने चाहिए। मुफ्त रसोई घरों की चर्चा करते हुए सितम्बर, सन् 1958 के लखनऊ-भाषण में डॉ. लोहिया ने कहा था कि जहाँ कहीं लागों को दो दिन में रोटी मिलती है वहाँ मुफ्त रोटी बँटनी चाहिए। भूख की ज्वाला शान्त करने के लिए कम-से-कम चार आने तक की रोटी, दाल और सब्जी देनी चाहिए। इस तरह भूख से झुलस रहे देश के चार करोड़ लोगों को एक करोड़ प्रतिदिन के व्यय से मृत्यु के मुँह से बचाया जा सकता है। उनके मतानुसार 27 करोड़ रुपये प्रतिदिन व्यय करनेवाली भारतीय सरकार के लिए भूखे लोगों के पेट भरने के पुण्यतम कार्य में एक करोड़ रुपये का व्यय भारस्वरूप न होना चाहिए। इस प्रकार के रसोई घरों के कार्यक्रम की इस आधार पर आलोचना की जा सकती है कि भोजन की नि:शुल्क प्राप्ति के कारण बहुत-से व्यक्ति भोजन करने आ सकते हैं। इस आलोचना के लिए डॉ. लोहिया मनोविज्ञान का सहारा लेते हुए कहते हैं, ''गरीब स्वाभिमानी होता है। जब तक वह लाचार नहीं हो जाता, हाथ फैलाने नहीं आता है।''[42]

भुखमरी को बचाने के लिए डॉ. लोहिया ने अनाज के व्यक्तिगत व्यापार को समाप्त करने की भी सलाह दी थी, क्योंकि व्यक्तिगत व्यापारी अनाज के व्यापार से अत्यधिक लाभ कमाकर भूखे को और अधिक भूखा बना देते हैं। डॉ. लोहिया का विचार था कि अनाज-व्यापार का समाजीकरण कर देने से अनाज की कीमतों में अधिक उतार-चढ़ाव नहीं होगा। इससे उपभोक्ताओं की सुरक्षा होगी और अनाज की कीमत स्थायी होने से किसान को भी लाभ होगा जिससे कृषि का विकास होगा। डॉ. आर. वी. राव भी इसी प्रकार का मत व्यक्त करते हुए कहते हैं, "Any agricultural plan should aim at the stabilization of agricultural prices so that it becomes a profitable business."[43] डॉ. लोहिया अनाज के व्यापार को सरकार द्वारा चलाया जाना भी अनुचित और हानिकर मानते थे। उनकी धारणा थी कि "अनाज में भ्रष्टाचार, घूसखोरी और मुनाफाखोरी बड़े कारखानेदारों, सरकारी अफसरों और राजनीतिक नेताओं के त्रिकोण के परिणामस्वरूप है। अतएव, अन्न-व्यापार और मुफ्त रसोई घर को चलाने के लिए इससे कहीं ज्यादा लोगों की संस्था खड़ी करनी होगी।"[44] इस संस्था को सामान ढोने या तुरन्त कोई वस्तु निर्मित करने के लिए सरकारी यन्त्र और सेना उपलब्ध होना चाहिए।

'घेरा डालो' और "अन्न बाँटो' आन्दोलन तथा मुफ्त रसोई घर और अनाज-व्यापार की सामूहिक संस्था आदि के कार्यक्रम यह सिद्ध करते हैं कि डॉ. लोहिया राजनीति को भोजन से पृथक् नहीं रखना चाहते। उनकी स्पष्टोक्ति थी कि "जो लोग यह कहते हैं कि राजनीति को भोजन से अलग रखो, वे या तो अज्ञानी हैं, या बेईमान। राजनीति का मतलब और पहला काम लोगों का पेट भरना है। जिस राजनीति में लागों का पेट नहीं भरता, वह राजनीति भ्रष्ट, पापी और नीच है।"[45] डॉ. लोहिया के उपर्युक्त कार्यक्रम केवल अन्न के असमान वितरण की समस्या का समाधान करते हैं। ये कार्यक्रम देश में अन्नाभाव की स्थिति में प्रभावशून्य हैं, क्योंकि इन कार्यक्रमों का उद्देश्य अन्न का समान वितरण है, न कि उसका उत्पादन। ये आन्दोलन समान वितरण भी उस सीमा तक चाहते हैं जिस सीमा तक भुखमरी और अनुचित मुनाफाखोरी से लागों की बचत हो सके। अत: ये कार्यक्रम ('घेरा डालो', 'अन्न बाँटो', 'मुफ्त रसोई घर', अनाज-व्यापार की सामूहिक संस्था आदि) देश के भरे-पूरे भण्डार से भूखे लोगों को अस्थायी रूप से पेट पूर्ति कराने के माध्यम मात्र हैं। डॉ. लोहिया के घिराव आन्दोलन के सम्बन्ध में इतना तो कहा जा सकता है कि भले ही आन्दोलन का आरम्भ अहिंसात्मक ढंग से हो, उसकी परिणति हिंसात्मक रूप में बदल जायेगी और प्रशासन के समय नयी समस्या उत्पन्न होगी इसलिए वर्तमान परिस्थितियों में इस प्रकार के आन्दोलनों का पूर्णत: समर्थन नहीं किया जा सकता। किन्तु डॉ. लोहिया की अन्न और भू-सेना देश की केवल अन्न-समस्या का नहीं, अपितु विविध कठिन समस्याओं का एक साथ स्थायी समाधान है। अब प्रश्न केवल यह है कि भारतीय जन डॉ. लोहिया के द्वारा दी गयी अन्न एवं भू-सेना की योजना का कितने प्रभावशाली ढंग से कार्यान्वयन करते हैं।

5. भूमि का पुनर्वितरण

टी. एच. ग्रीन के समान डॉ. लोहिया का भी विश्वास था कि असमानता की जड़ भूमि का असमान वितरण है। बड़े-बड़े सामन्त भूमि के एक बड़े भाग पर

अपना स्वामित्व रखते हैं। वे भूमिहीनों को अपनी जमीन में कार्य करने के लिए लगाते हैं और उनके श्रम का उचित पारिश्रमिक न देकर उनका शोषण करते हैं, बँटाईदारी के नियम के कारण खेत की उपज का एक बहुत बड़ा हिस्सा खेत के मालिक को प्राप्त होता है। डॉ. लोहिया के अनुमान में मालिक को 75 प्रतिशत और खेतिहर किसान को 25 प्रतिशत मिलता है। कभी-कभी उसे उपज का हिस्सा बहुत कम या कभी-कभी नहीं के बराबर मिलता है।[46] डॉ. लोहिया का विचार था कि जमीन-मालिक और बँटाईदार के बीच उपज का उचित वितरण होना चाहिए। उनके मत में 25 प्रतिशत उपज मालिक को और 75 प्रतिशत बँटाईदार को मिलना चाहिए। इस सम्बन्ध में उनकी इच्छा थी, "बँटाईदार को संगठित करके मजबूत करना है। मजबूत करने का अर्थ है कि जब फसल में से गैर मुनासिब हिस्सा लेने मालिक या सरकार आये, तो अड़ जायँ, लेटें, जेल जायँ, मार खायें। मैं तो यही पसन्द करूँगा। लेकिन अगर यह नहीं कर सकते, तो डण्डा लेकर ही खड़े होओ, पर फसल मत जाने दो।"[47] डॉ. लोहिया की जमीन-सम्बन्धी पुनर्वितरण की नीति थी, "कि अधिक-से-अधिक और कम-से-कम जमीन के स्वामित्व में एक और तीन का रिश्ता हो।"[48]

डॉ. लोहिया की सूक्ष्म दृष्टि ने राष्ट्रीय सीमाओं से बद्ध उपर्युक्त जमींदारी व्यवस्था को अन्तरराष्ट्रीय जगत् में भी देखा। राष्ट्र के अन्दर जमींदारी प्रथा को मिटाने के साथ-साथ वे अन्तरराष्ट्रीय जमींदारी को भी समाप्त करना चाहत थे। उनके मतानुसार यह केवल आकस्मिक घटना मात्र है कि किसी राष्ट्र को अधिक जमीन प्राप्त हो गयी और किसी को कम। जमीन का किसी भी राष्ट्र ने कहीं से पट्टा नहीं कराया। कभी किसी जमीन में दूसरी जातियों के ऊपर कब्जा करने का, उनहें प्राय: नष्ट करने का कुछ जातियों को अधिक अवसर मिल गया। अमेरिका में गोरों ने लाल हिन्दुस्तानियों को समाप्त कर उनकी जमीनें हड़प लीं। रूस में जो कोई भी प्रारम्भ में आये, उन लोगों ने वहाँ की जमीन अपने कब्जे में कर ली। अन्तरराष्ट्रीय जमींदारी के अन्याय की व्याख्या करते हुए उन्होंने स्पष्ट किया कि साइबेरिया या आस्ट्रेलिया या कनाडा के बहुत बड़े हिस्से में एक वर्ग मील पर प्राय: एक, कैलीफोर्निया में एक वर्ग मील पर 7 या 8 व्यक्ति और हिन्दुस्तान में लगभग 350 व्यक्ति रहते हैं, और पूर्वी उत्तर प्रदेश या केवल में एक हजार। उनका विचार था कि विश्व के समस्त राष्ट्रों में जमीन का लगभग समान वितरण होना चाहिए।

डॉ. लोहिया का उपर्युक्त विचार उचित प्रतीत होता है कि राष्ट्रों के जमींदार जिस प्रकार आकस्मिक रूप से जमीन के एक बड़े भाग को घेरने में सफल हुए, उसी प्रकार विभिन्न राष्ट्र अपने-अपने क्षेत्रों को भी। किन्तु इस विश्व में कब्जे को करना,

उसे निरन्तर बनाये रखना ही मूलाधार है जिस पर किसी व्यक्ति अथवा राष्ट्र की शक्ति खड़ी होती है और इसीलिए जमींदार राष्ट्रों से यह आशा करना व्यर्थ है कि वे अपने प्रदेश को किसी छोटे जमींदार राष्ट्र को अपने समान जमींदार बनाने के लिए त्याग दें। जमीन का सम्भव समान पुनर्वितरण किसी राज्य-विशेष के अन्तर्गत व्यक्तियों के बीच सम्भव हो भी सकता है, क्योंकि राज्य अपनी सम्प्रभु शक्ति का प्रयोग कर ऐसा करने में सक्षम है। किन्तु अन्तरराष्ट्रीय सम्प्रभुता की अनुपस्थिति में राष्ट्रों के बीच जमीन के समान पुनर्वितरण की आशा करना कल्पनातीत प्रतीत होता है।

6. आर्थिक विकेन्द्रीकरण

सरकार की उच्चस्तरीय संस्थाओं में केन्द्रीय शक्ति का निम्नस्तरीय संस्थाओं में वितरण ही विकेन्द्रीकरण है। यह न्यायिक, विधायिनी या प्रशासनिक आदि क्षेत्रों में शक्ति के बिखराव की एक प्रक्रिया है। इनसाइक्लोपीडिया ऑफ सोशल साइन्सेज में लिखा गया है, "The process of decentralization denotes the transference of authority,l legislative, judicial or administrative, from a higher level of government to a lower."[49] डॉ. लोहिया विकेन्द्रीकरण के प्रबल समर्थक थे। उनका विश्वास था कि न्यायिक, विधायिनी और प्रशासनिक विकेन्द्रीकरण को सार्थक बनाने के लिए आर्थिक विकेन्द्रीकरण अत्यन्त आवश्यक है।

भारत में आर्थिक विकेन्द्रीकरण की आवश्यकता—डॉ. लोहिया का विचार था कि औद्योगिक क्रिया की प्रगति अत्यधिक केन्द्रित होने के कारण राष्ट्रीय योजना की निर्विघ्न क्रियाशीलता में भारी रुकावट पड़ती है। भारत में दीर्घकाल तक उद्यमकर्त्ताओं को उद्योगों की स्थापना के सम्बन्ध में पूर्ण स्वतन्त्रता का परिणाम यह हुआ है कि देश के कुछ मुट्ठीभर व्यक्तियों और शहरों में उद्योग केन्द्रित हो गये हैं। ग्रामीण क्षेत्रों, छोटे कस्बों और अनेक नगरों में कोई उद्योग नहीं है। इसके अतिरिक्त कुछ गिने-गिनाये धनिकों के अधिकार में उद्योग निहित हो गये हैं। श्रमिक, गरीब और साधनहीन जनता शोषण का शिकार है। विशालकाय यन्त्र लालच के परिणाम और शोषण के माध्यम हैं। विशालकाय यन्त्रों द्वारा ही केन्द्रित और ऊँचे स्तर पर चलनेवाला औद्योगीकरण जन्म लेता है। ये विशाल केन्द्रीकृत उद्योग नैतिक पतन, शारीरिक क्षति एवं मानसिक दुर्बलता को उत्पन्न करते हैं। इसलिए डॉ. लोहिया ने कहा था कि छोटी मशीनों पर आधारित उद्योग पद्धति "मुल्क के लिए सामाजिक, सांस्कृतिक और आर्थिक दृष्टि से भी आवश्यक है।"[50]

डॉ. लोहिया के मतानुसार भारत को अन्य देशों का अन्धानुकरण नहीं करना चाहिए। प्रत्येक देश की अपनी पृथक् समस्याएँ होती हैं, जिनका समाधान वह अपनी

परिस्थितियों और साधनों के अनुसार करता है। अन्य देशों से कुछ सीखने के उपरान्त भी हमें अपनी समस्याओं को अपने ही ढंग से हल करना चाहिए। भारत में छोटी मशीनों की उपादेयता निरूपित करते हुए उन्होंने कहा था कि यूरोप और अमेरिका-जैसे धनी देशों के विपरीत भारत में कच्चे माल और मानव शक्ति का बाहुल्य तथा धन का अभाव है। ऐसी स्थिति में राष्ट्रीय विकास के लिए छोटी मशीनें अत्यन्त महत्त्वपूर्ण हैं। इनके द्वारा ही आर्थिक विकेन्द्रीकरण और उत्पादन में वृद्धि की जा सकती है। छोटी मशीनों की कल्पना का विवरण देते हुए डॉ. लोहिया ने कहा था, "मैं उस जमाने का चित्र आँखों के सामने देख रहा हूँ जबकि देश के सभी गाँवों और शहरों में विद्युत्चालित छोटी मशीनों का एक बहुत बड़ा जाल, बुनकर लोगों को काम दिया गया है और देश की सम्पत्ति बढ़ रही है।"[51]

डॉ. लोहिया की छोटी मशीनों की कल्पना—डॉ. लोहिया ने स्वर्णिम मध्यम मार्ग का अनुसरण करते हुए न तो गाँधी के चरखा-जैसे प्राचीन सुस्त उपकरण अपनाये हैं और न ही आधुनिक विशालकाय-यन्त्र। उनका मत था कि गाँधी का अम्बर चरखा नवीन छोटी मशीनों के लिए आधार हो सकता है, किन्तु केवल वही पर्याप्त नहीं। वे चाहते थे कि चरखे-जैसी हाथ की मशीनों का कुछ और अधुनिकीकरण होना चाहिए। उन्हें बिजली, पेट्रोल अथवा तेल आदि से परिचालित होना चाहिए। नवीन छोटी मशीनों के स्वरूप पर विचार व्यक्त करते हुए उन्होंने कहा था—"The small-unit machine run by electricity or oil is the answer. Only a few such machines exist; many more will have to be invented. Technology, which the modern age has kept ever changing will have to make a revolutionary break with the present. The problem will not be solved by going back to earlier machines discarded by modern civilisation, but by inventing new ones with a definite principle and aim."[52]

छोटी मशीनों के निर्माण का निश्चित सिद्धान्त और निश्चित उद्देश्य—डॉ. लोहिया की योजना थी, कि छोटी मशीनों का निर्माण साक्षात्कार सिद्धान्त के आधार पर होना चाहिए। वे भारतीय वैज्ञानिकों को छोटी मशीनें निर्मित करने की ओर उन्मुख करना चाहते थे। उनका विश्वास था कि पिछड़े देशों के स्वर्णिम भविष्य की कुंजी कुशल वैज्ञानिकों के हाथ में है। यदि वे छोटी मशीनों के आविष्कार में अपनी प्रतिभा का प्रयोग करें तो एक ओर आविष्कारों की सूची में उनका नाम लिखा जाने लगेगा और दूसरी ओर राष्ट्रीय विकास भी दिनोंदिन होगा। वे जानते थे कि विदेशी आविश्कारों के सहारे देश की आर्थिक व्यवस्था पुनर्जीवित नहीं की जा सकतीं। इसलिए वे भारतीय वैज्ञानिकों को ही कुशल और सक्षम बनाना चाहते थे। इस हेतु डॉ. लोहिया की योजना थी कि भारतीय छात्रों की विदेशों में शिक्षा की व्यवस्था और

राज्य द्वारा उसका नियन्त्रण होना चाहिए, जिससे कि सार्वजनिक व निजी धन व्यर्थ नष्ट न होने पाये। इससे भी अधिक उन्हें पसन्द था कि विदेशों से शिक्षक, इंजीनियर और फोरमैन शिक्षा देने के लिए भारत आमन्त्रित किये जायें। केवल तभी छोटी मशीनों का निर्माण शीघ्रता से हो सकेगा।

नवीन मशीनों के निर्माण के सम्बन्ध में डॉ. लोहिया की ध्यान देने योग्य दूसरी बात यह है कि इन मशीनों का निर्माण निश्चित उद्देश्य के लिए होगा। अजीब और मनमाने विषय को लेकर शोध करना उनको हेय था। उन्होंने स्पष्ट कहा था, "फिर आजकल की यह रफ्तार बदलनी पड़ेगी कि किसी भी अजीब और मनमाने विषय को लेकर खोज करने दी जाय। इसे छोड़ना पड़ेगा और उसके स्थान पर योजना बनाकर खोज करानी पड़ेगी...।"[53] इन मशीनों के निर्माण का उद्देश्य केवल आर्थिक विकास ही नहीं, अपितु समाज के सामान्य लक्ष्यों की प्राप्ति है। लक्ष्य की ओर संकेत करते हुए डॉ. लोहिया ने कहा था, "This Machine will not only solve the economic problem of the under-developed world, it will alo enable a new exploration and achievements of the general aims of society."[54]

छोटी मशीनों का महत्त्व—उद्योगों का अधिकाधिक मात्रा में सभी वर्गों और सभी क्षेत्रों में वितरण ही आर्थिक विकेन्द्रीकरण है जिसकी प्राप्ति केवल छोटी मशीनों द्वारा ही हो सकती है। ये मशीनें कम पूँजी में निर्मित होने के कारण जनता के अधिकांश भाग को प्राप्त हो सकती हैं। इन मशीनों की प्राप्ति से कुटियाँ, ग्राम, कस्बा और शहर सभी अपने उपलब्ध कच्चे माल और मानव-शक्ति का सदुपयोग करने में समर्थ हो सकते हैं। इन मशीनों की सुलभता पर प्रकाश डालते हुए डॉ. लोहिया ने कहा था, "This Machine shall be available to hamlet and town, as much has to city, it may be maid of all work or as many kinds as possible..."[55] उनका मत था कि यथासम्भव कम लागत के उत्पादन यन्त्र और विशेष आवश्यकतानुसार भारी सामूहिक उत्पादन ही ऐसा सूत्र है जिससे अधिक वास्तविक कुछ भी सम्भव नहीं। कदाचित् इसी आधार पर मानव कांचन-मुक्ति के अधिक-से-अधिक समीप पहुँच सकता है। यह एक ऐसा आधार तो अवश्य ही है जो मानव को एक ओर तो ऐसी आध्यात्मिकता से मुक्त कर देगा जो सदा भौतिकता की चिन्ताओं से त्रस्त रहती है और दूसरी ओर ऐसी भौतिकता से भी उसका पीछा छुड़ायेगा जो निरन्तर आध्यात्मिक बनने की विफल चेष्टा में व्यस्त है।

छोटी मशीनों के औचित्य को सिद्ध करते हुए डॉ. लोहिया ने कहा था कि ये मशीनें भारतीय स्थिति की विशिष्ट आवश्यकता के अनुरूप हैं। इन मशीनों से भारत को बहुत-से लाभ हैं, जिनमें प्रमुख निम्नलिखित हैं—

(1) छोटी मशीनों की व्यवस्था से निर्धन भी अपने कुटीर और लघु उद्योग-धन्धे चला सकता है और भोजन, वस्त्र-जैसे जीवन की आवश्यक आवश्यकताओं की पूर्ति कर सकता है। गरीब का अपर्याप्तता का जीवन पर्याप्तता में परिणत हो सकता है।

(2) बड़ी मशीनें भारत के सामान्य जन के लिए समझ और प्रबन्ध के परे हैं।

(3) बड़ी मशीनों का प्रयोग धनी व्यक्ति अपने हित में कर निर्धन का शोषण करते हैं।

(4) व्यक्ति को छोटी मशीनों द्वारा अपने श्रम का उचित प्रतिफल प्राप्त होता है, क्योंकि श्रमिक के श्रम का शोषण नहीं हो पाता।

(5) इन मशीनों द्वारा समाजवाद का प्रमुख उद्देश्य 'कमेरा आयेगा, लुटेरा जायेगा' पूर्ण होता है।

(5) आर्थिक विकेन्द्रीकरण इन्हीं छोटी मशीनों का परिणाम होता है। आर्थिक विकेन्द्रीकरण से देश के सभी क्षेत्रों और सभी वर्गों का विकास होता है।

(7) कृषि-जगत् में भी आधुनिक छोटी मशीनों का निर्माण अधिकाधिक लाभदायक होगा।

यद्यपि डॉ. लोहिया छोटी मशीनों पर आधारित औद्योगिक व्यवस्था के प्रबल समर्थक थे, तथापि विशिष्ट उद्योगों के लिए अपरिहार्य बड़ी मशीनों के वे विरुद्ध न थे। उनका विचार था कि नदी बाँधने, बिजली उत्पादन, स्टील-निर्माण आदि महत्त्वपूर्ण और अनिवार्य उद्योगों के लिए हमें विदेशों से विशाल मशीनों को मँगाना आवश्यक है।

इस प्रकार हम देखते हैं कि डॉ. लोहिया ने बड़ी और छोटी दोनों ही मशीनों के प्रयोग पर आवश्यकतानुसार बल दिया है। उन्होंने बड़े-बड़े और अनिवार्य उद्योगों में विशाल मशीनों का सहयोग चाहते हुए भी तेल, पेट्रोल, बिजली आदि से परिचालित छोटी मशीनों के विस्तार का सशक्त प्रतिपादन किया है। औद्योगीकरण की उनकी इस नीति से स्पष्ट होता है कि वे जहाँ केन्द्रीकरण आवश्यक हैं वहाँ केन्द्रीकरण, और जहाँ विकेन्द्रीकरण आवश्यक है वहाँ विकेन्द्रीकरण चाहते थे। उनकी छोटी मशीनों की योजना से उनका यह विश्वास झलकता है कि समाजवादी समाज की रचना केवल आर्थिक विकेन्द्रीकरण द्वारा ही हो सकती है और भारतवर्ष में आर्थिक विकेन्द्रीकरण छोटी मशीनों के बिना सम्भव नहीं है, क्योंकि साधनहीन भारतीय जनता को एक ओर शोषक विशाल उद्योगों से मुक्ति चाहिए और दूसरी ओर स्वयं का विकास करने के लिए छोटे-छोटे नियन्त्रित उपकरण चाहिए।

7. राष्ट्रीयकरण अथवा समाजीकरण

मानव के प्रत्येक क्रिया-कलाप में सम्पत्ति महत्त्वपूर्ण भूमिका अदा करती है। सम्पत्ति के स्वामित्व की इच्छा स्वाभाविक रूप से सामान्य मानव में निहित रहती है। जीवन में सम्पत्ति के महत्त्व को हमशा से ही स्वीकार किया जाता रहा है। सम्पत्ति को अच्छाई और बुराई दोनों की जड़ कहा गया है। ऐसा प्रतीत होता है कि इस सम्बन्ध में सामान्य धारणा यह है कि सम्पत्ति अच्छाई की अपेक्षा बुराई को अधिक मात्रा में जन्म देती है। मार्क्सवाद और साम्यवाद तो इस तथ्य को अतिशयोक्तिपूर्ण ढंग से रखते ही हैं, साथ-ही-साथ उपनिषदों ने भी इसे स्वीकार किया है। डॉ. लोहिया का भी मत है, "शायद सभी लोग मानते हैं कि सम्पत्ति है जड़, चाहे अच्छाइयों की भी हो, लेकिन बदमाशियों की तो जरूर है।"[56] इसलिए समाजवादी चिन्तन में यह प्रश्न बहुत महत्त्व का है कि सम्पत्ति का स्वामी कौन हो (व्यक्ति अथवा समाज), और किस सीमा तक हो। आर्थिक व्यवस्था समाज की अन्य व्यवस्थाओं को बहुत हद तक प्रभावित करती हैं। अत: सम्पत्ति पर व्यक्तिगत स्वामित्व की दलील देनेवाले विचारक भी सम्पत्ति का प्रयोग सामाजिक हित में चाहते हैं। सम्पत्ति पर समाज अथवा राष्ट्र के स्वामित्व का तो सीधा उद्देश्य ही समाज-कल्याण है। सम्पत्ति के प्रयोग में ही नहीं, अपितु समस्त जीवन-मूल्यों में व्यक्तिगत स्वार्थ की समाप्ति ही समाजवाद का लक्ष्य है, जिसकी अभिव्यक्ति उपनिषद् के निम्नलिखित श्लोक में द्रष्टव्य है—

ईशावास्यमिदं सर्वं यत्किञ्चिज्जगत्यां जगत्।
तेन त्यक्तेन भुञ्जीथा: मा गृध: कस्यस्विद् धनम्।।"[57]

अर्थात् संसार में जो कुछ है, उसमें ईश्वर का वास है, अत: त्यागपूर्वक भोग करना चाहिए। किसी के धन की इच्छा मत करो। श्लोक की इस कल्याणकारी भावना को विधि का रूप देने के लिए ही समाजवाद सम्पत्ति के राष्ट्रीयकरण अथवा समाजीकरण का सशक्त प्रतिपादन करता है।

डॉ. लोहिया की राष्ट्रीयकरण की नीति—डॉ. लोहिया का विचार था कि व्यक्ति अथवा उसके परिवार के पास केवल उतने उत्पादन के साधन चाहिए जितने से परिवार स्वयं हाथ से कार्य कर अच्छा जीवनयापन कर सकता हो। उनके मत में, श्रम के शोषण पर आधारित समस्त उत्पादन के साधनों का राष्ट्रीयकरण होना चाहिए। खेतिहर मजदूरों के द्वारा करायी जानेवाली कृषि का भी राष्ट्रीयकरण आवश्यक है। वे चाहते थे कि व्यक्ति के पास दो-चार कमरोंवाला और बिना किसी लम्बे-चौड़े बगीचे का केवल एक घर निवास हेतु हो और शेष मकानों का राष्ट्रीयकरण कर दिया जाय। डॉ. लोहिया के ही शब्दों में, "...जिस

किसी कारखाने या खेत में इन्सान और उसका कुटुम्ब किसी दूसरे इन्सान को मजदूर रखे उसका राष्ट्रीयकरण करना आवश्यक है...केवल उतनी ही सम्पत्ति आदमी के पास रहनी चाहिए जो उसके लिए है या जिसकी पैदावार खुद अपने कुटुम्ब में इस्तेमाल कर सके।...जिस मकान में जो रहता है—अकेला एक मकान, बिना किसी लम्बे-चौड़े बगीचे के, दो-चार कमरोंवाला—उसमें वह रहेगा। इनके अलावा जितने भी मकान और कारखाने वगैरह हैं, उनका राष्ट्रीयकरण होना चाहिए।''[58]

डॉ. लोहिया को निजी विभाग पर कोई आस्था नहीं रह गयी थी, उसमें व्याप्त लाभ का लालच और शोषण का साम्राज्य भारत की आर्थिक विषमता का मूल कारण है। अत: व्यक्तिगत सम्पत्ति का उन्मूलन होना चाहिए। उन्होंने स्पष्ट कहा था, "Private Property must of course go, except such as does not occasion employment of one person by another."[59] उन्होंने सम्पत्ति के समाजीकरण अथवा राष्ट्रीयकरण पर अत्यधिक बल दिया था। किन्तु वे इस बहस में नहीं पड़ना चाहते थे कि सम्पत्ति का समाजीकरण किया जाय या राष्ट्रीयकरण।

सम्पत्ति के प्रति मोह की भी समाप्ति अनिवार्य—यद्यपि डॉ. लोहिया सम्पत्ति के राष्ट्रीयकरण के पक्षपाती थे तथापि वे इसे ही पर्याप्त नहीं मानते थे। उनकी दृष्टि में सम्पत्ति की संस्था और सम्पत्ति के मोह दोनों को समाप्त करना पड़ेगा। उनकी मान्यता थी कि सम्पत्ति के प्रति मोह-समाप्ति का भारतीय प्रयास ओर सम्पत्ति की संस्था-समाप्ति का मार्क्सवादी प्रयास एकांगी है। वे ऐसी व्यवस्था लाना चाहते थे जिसमें एक ओर तो सम्पत्ति के मोह का नाश हो और दूसरी ओर सम्पत्ति का राष्ट्रीयकरण हो।

क्षतिपूर्ति नहीं—जिन उत्पादन के साधनों को राष्ट्रीयकृत किया जाता है उनके प्रतिफल के रूप में शासन द्वारा उन साधनों के स्वामियों को सामान्यत: क्षतिपूर्ति की व्यवस्था की जाती है। परन्तु राष्ट्रीयकृत की जानेवाली सम्पत्ति के प्रतिफल में डॉ. लोहिया कोई क्षतिपूर्ति नहीं देना चाहते। इस सम्बन्ध में उन्होंने मुख्यत: दो तर्क दिये हैं। प्रथम तर्क के अनुसार राज्य सम्प्रभु है। अत: उसे क्षतिपूर्ति के बिना व्यक्तिगत सम्पत्ति के राष्ट्रीयकरण का अधिकार है। द्वितीय तर्क यह है कि यदि क्षतिपूर्ति देने के उपरान्त ही व्यक्तिगत सम्पत्ति का राष्ट्रीयकरण किया जाय, तो किसी भी सरकार के लिए यह सम्भव न होगा कि वह अधिकांश उत्पादन के साधनों को राष्ट्रीयकृत कर सके और उसके लिए क्षतिपूर्ति दे सके। वे बिना क्षतिपूर्ति जमींदार से जमीन छीनकर जमीन जोतनेवाले को देना चाहते थे। किन्तु क्षतिपूर्ति के स्थान पर वे

पुनर्निवास क्षतिपूर्ति के सिद्धान्त को स्वीकार करते हैं, जिसका अर्थ है कि राष्ट्रीयकरण के कारण जो व्यक्ति अपनी आजीविका के साधन से वंचित हो जाते हैं उनके लिए विकल्प रोजगार या छोटे धन-अनुदान की व्यवस्था हो।

विकेन्द्रित राष्ट्रीयकरण—यद्यपि भारत के लिए डॉ. लोहिया ने राष्ट्रीयकरण को अनिवार्य माना, तथापि उनकी मान्यता थी कि राष्ट्रीयकरण मात्र ही समाजवाद नहीं है। उनके मत के सामाजिक स्वामित्व और नियन्त्रण भी यथासम्भव विकेन्द्रित होना चाहिए। उन्होंने स्पष्ट कहा था, "Social ownership and control must be decentralized to the maximum extent possible."[60] उनका विश्वास था कि सरकार भी एकाधिकार की असीमित शक्ति पाकर पीड़ादायक और शाषक हो सकती है। उनके मत में जब सरकारी उद्योगों में विलासिता, अपव्यय, कुव्यवस्था और केन्द्रीयकरण की वृत्ति बढ़ जावे तब उसे सरकारी पूँजीवाद कहना चाहिए, जो कि व्यक्तिगत पूँजीवाद से अधिक हानिकर होती है। इस केन्द्रीयकरण का सबसे भयंकर परिणाम यह भी हो सकता है कि सरकार न जाने कब राष्ट्रीयकृत सम्पत्ति को करोड़पतियों के हाथ बेच दे, जैसा कि जापान में एक बार हो चुका है।[61] इसलिए उन्होंने राष्ट्रीयकरण के साथ-साथ विकेन्द्रीकरण की भी व्यवस्था दी है जिसके अनुसार राष्ट्रीयकृत सम्पत्ति का स्वामित्व ग्राम से लेकर केन्द्र तक की विभिन्न राजकीय इकाइयों में निहित होगा। डॉ. लोहिया के ही शब्दों में, "Social owenrship shall be held at various levels corresponding to various structures of the State, from village to the federation."[62]

राष्ट्रीयकृत उद्योगों की व्यवस्था—डॉ. लोहिया राष्ट्रीयकरण के पक्ष में थे, किन्तु राष्ट्रीयकृत उद्योगों के कुप्रबन्ध, उत्साहहीनाता, अक्षमता और अपव्यय के प्रति वे सजग थे। उनका कहना था कि श्रमिकों में उत्साह और श्रम क्षमता बनाये रखने के लिए लाभ का उचित भाग उनको दिया जाना चाहिए। प्रबन्धकों के कुप्रबन्ध और अनुत्तरदायित्व को समाप्त करने के लिए उन पर कड़ा नियन्त्रण रखना चाहिए। फिजूलखर्ची और विलासिता को समाप्त कर उद्योगों को सुदृढ़ करना चाहिए। वे कहा करते थे, "खाली राष्ट्रीयकरण करने से काम नहीं चलता। सम्पत्ति को सामाजिक बना देने से तो काम नहीं चल गया, क्योंकि उस सामाजिक सम्पत्ति पर किस तरह का नियन्त्रण है, कौन लोग हैं, कैसे उसकी आमदनी का बँटवारा करते हैं जो उसमें से साल भर में माल निकलता है उसको किस तरह से बाँटते हैं, इस पर बहुत-कुछ निर्भर करेगा।"[63]

इस प्रकार डॉ. लोहिया ने राष्ट्रीयकृत उद्योगों की सुव्यवस्था, कठिन नियन्त्रण, आय का उचित वितरण, प्रबन्धकों के सरल जीवन आदि पर बल देकर राष्ट्रीयकरण की सार्थकता प्रमाणित की है। इसके अतिरिक्त उन्होंने राष्ट्रीयकरण के सबसे बड़े दोष

केन्द्रीकरण को समाप्त कर इसकी एक बहुत बड़ी बुराई दूर कर दी है। वास्तव में उपर्युक्त तत्त्वों के बिना राष्ट्रीयकरण एक धोखा और कपट के अतिरिक्त कुछ नहीं है। नौकरशाही, फिजूलखर्ची, अनुत्तरदायित्व, उत्साहहीनता, कुप्रबन्ध आदि की उपस्थिति में राष्ट्रीयकृत उद्योग लाभ के स्थान में निश्चयात्मक रूप से हानि-पर-हानि उठाते हैं। वैसे राष्ट्रीयकरण के सभी प्रतिपादक अपनी नीति में उपर्युक्त गुणों का समावेश और दुर्गुणों का निष्कासन रखते हैं, किन्तु देखना यह होता है कि क्या नीति का यथोचित कार्यान्वयन हो रहा है।

8. खर्च पर सीमा

यद्यपि डॉ. लोहिया वैरागी ओर संन्यासी-जैसे त्यागी जीवन को अच्छा नहीं मानते और न ही उन्हें गाँधी तथा विनोबा के आधी धोतीवाले जीवन से कोई लगाव था, तथापि देश, काल की परिस्थिति के अनुकूल आवश्यकताओं के संयम में उनको अचल विश्वास था। उन्हें यह पसन्द नहीं था कि गरीब भारत में कुछ व्यक्ति लाखों रुपया प्रतिदिन व्यय कर मौज उड़ावें और कठोर श्रम करनेवाले अधिकांश व्यक्ति रोटी तक के लिए मुहताज हो। उनकी दृष्टि में असमान खपत के इस आधुनिकीकरण से समाज का विघटन तो होता ही है, साथ-ही-साथ आर्थिक उन्नति अवरुद्ध होती है, क्योंकि विलासिता में व्यय होनेवाला पैसा उत्पादन कार्यों में पूँजी की तरह प्रयुक्त नहीं हो पाता। परिणामस्वरूप न तो उत्पादन में वृद्धि होती है और न ही वस्तुओं के मूल्य घटते हैं, जिससे सामान्य जीवन कठिन होता जा रहा है। इस प्रकार की विषम स्थिति को उत्पन्न करनेवाले विलासी नेताओं पर अत्यधिक रोष प्रकट करते हुए डॉ. लोहिया ने कहा था कि त्याग और कर्त्तव्य के युग ने हमें स्वतन्त्रता प्रदान की थी। इस स्वतन्त्रता को अक्षुण्ण बनाये रखने के लिए और भारतीय कृषि तथा उद्योग विकसित करने के लिए नेताओं को इसी साधनामय मार्ग का अनुसरण करना चाहिए था, "लेकिन यह न करके महात्मा गाँधी के त्याग और तकलीफ के युग को छोड़कर, "भोग के युग पर चले गये और भोग के युग पर जाकर उन्होंने सारे देश को बरबाद कर डाला।"[64]

'खर्च पर सीमा' का प्रस्ताव—उपर्युक्त तथ्यों के आधार पर डॉ. लोहिया ने खर्च पर सीमा का सशक्त प्रतिपादन किया। जून, सन् 1967 ई. में डॉ. लोहिया ने 'खर्च पर सीमा' नामक प्रसिद्ध प्रस्ताव रखा जिसमें उन्होंने 1500 रुपये मासिक व्यय की अधिकतम सीमा निर्धारित करने के लिए लोकसभा को सचेत किया। उन्होंने यह सीमा केवल 20 अथवा 25 वर्ष तक चाही थी, क्योंकि उनके कार्यक्रमों के द्वारा उस समय तक भारत की स्थिति सुदृढ़ हो जायेगी।

डॉ. लोहिया ने स्पष्ट किया कि प्रति व्यक्ति नहीं, अपितु प्रति कुटुम्ब को 1500 रुपये मासिक से अधिक खर्च न करने दिया जाय। इस खर्च की सीमा में वेतन और सुविधाएँ दोनों सम्मिलित हैं। केवल सन्तानादि की प्रेरणा हेतु एक आदमी को 500 या 1000 रुपये महीना दिया जा सकता है, अधिक नहीं। इस प्रकार निर्धारित सीमा के खर्च और सन्तानादि की प्रेरणा हेतु दिये गये धन के अतिरिक्त व्यक्ति अन्य धन को एकत्रित नहीं कर सकते हैं। उन्होंने कहा कि, "इसका साफ मतलब होता है कि आमदनी करके अप्रत्यक्ष रूप से अपने पास रखने की इस प्रस्ताव में कोई गुंजाइश नहीं है।"[65] खर्च पर सीमा लगाने के ढंग पर उनको कोई आपत्ति नहीं थी। यह सीमा स्पष्ट कानून द्वारा, आय-कर द्वारा अथवा किसी अन्य उपाय द्वारा बाँधी जा सकती थी। डॉ. लोहिया के मतानुसार खर्च पर सीमा बाँधने से लगभग 15 अरब रुपया वार्षिक बच सकता था। उनका कहना था कि आज के भारत को जितनी चिन्ता नीचे के नौकरों के बोनस बढ़ाने की होनी चाहिए, उससे ज्यादा चिन्ता ऊपरवालों के खर्चे और सुविधाएँ घटाने की होनी चाहिए। इस प्रस्ताव के समर्थक सर्वश्री मधु लिमये, स. मो. बनर्जी, एस. कड्डप्पन, अटल बिहारी वाजपेयी, पी. राममूर्ति, दिनकर देसाई, तैनेती विश्वनाथन, रवि राय आदि और विरोधी सर्वश्री मोरारजी देसाई, अशोक मेहता, सुशीला नायर, एन. के. सोमानी, अमृत लाल नाहटा, कमलनयन बजाज, रणधीर सिंह, आचार्य कृपलानी आदि थे।

खर्च पर सीमा के आधार—डॉ. लोहिया ने खर्च पर सीमा के प्रस्ताव का निम्नलिखित आधारों पर प्रतिपादन किया—

(1) सर्वप्रथम, डॉ. लोहिया ने खर्च पर सीमा का समर्थन मनोवैज्ञानिक आधार पर किया है। उनकी दृष्टि से मन्त्री, सरकारी पदाधिकारी, सेठ आदि ही विलासी जीवन व्यतीत करने और आर्थिक विषमता फैलाने के कारण हैं। खर्च पर सीमा बँधने से इनको भी आटा-दाल का भाव मालूम होगा और केवल तभी इन्हें ऊँची कीमतों से पिस रहे अपार जन-समूह की चिन्ता होगी अन्यथा नहीं। इस तथ्य को स्पष्ट करते हुए उन्होंने कहा था, "जब बड़े मन्त्रियों के घर में नमक, दाल, हल्दी के दामों की फिक्र होने लग जायेगी, तब जाकर चीजों के दाम गिरेंगे, उससे पहले गिरनेवाले नहीं हैं, तो पहले बड़े लोगों के खर्चे गिराओ।"[66]

(2) द्वितीय, खर्च पर सीमा साम्प्रदायिकता की भावना को समाप्त करने में महत्त्वपूर्ण योगदान देगी। उन्होंने कहा कि बड़े और विलासी लोग ईमानदार नहीं रह गये हैं। स्वतन्त्रता पश्चात् से वर्तमान तक इन्होंने लूट-खसोट मचायी और जो पाया सो उड़ाया है। इस कारण भारत की अर्थव्यवस्था विकासोन्मुख नहीं है और जनता को सम्पूर्ण भारत के विकास में विश्वास नहीं रह गया है। अतः हर व्यक्ति

अथवा समूह भाषा, प्रदेश, जाति, धर्म आदि के आधार पर अपने हिस्से को बढ़ाने के प्रयास में लूट खसोट कर रहा है। खर्च पर सीमा से विघटनात्मक के स्थान में संगठनात्मक शक्तियों का प्रादुर्भाव होगा, क्योंकि बड़ों और धनाढ्यों के सरल जीवन को देखकर नेताओं में तथा राष्ट्र–विकास में जनता को विश्वास पैदा होगा।

(3) डॉ. लोहिया का मत था कि खर्च पर सीमा से तीन आने प्रतिदिन पर जीवन चलानेवालों के प्रति न्याय हो सकेगा जिससे उनकी कार्यक्षमता में वृद्धि होगी और परिणामस्वरूप राष्ट्र के विकास में भी वृद्धि होगी।

(4) उन्होंने कहा कि अधिकांश सरकारी नौकर अनावश्यक अनुत्पादक कार्यों में लगे हैं। इन पर होनेवाला व्यय फिजूलखर्चा है। ये कर्मचारी मन्त्रियों और बड़े सरकारी नौकरों तथा धनाढ्यों की सुविधाओं के स्रोत होने के कारण उनके खर्च में सम्मिलित हैं, जिनका निष्कासन खर्च पर सीमा से अनिवार्यतः हो जायेगा। उनके निकलने से बेमतलब खर्चे में कमी होगी। इसके अतिरिक्त उन्हें अन्य उत्पादन–कार्यों में लगाकर देश का नवनिर्माण किया जा सकता है।

(5) डॉ. लोहिया का तर्क था कि खर्च पर सीमा से देश के कर्णधारों, विधायकों, धनाढ्यों, नौकरों आदि के खर्चे सीमित होंगे। परिणामस्वरूप स्वयं अपने उदाहरण के द्वारा वे अधिकांश जनता को खर्च कम करने और त्याग करने की शिक्षा दे सकेंगे, अन्यथा नहीं। इसके विपरीत यदि वे स्वयं विलासी और खर्चीला जीवन बिताते हैं तो वे दूसरों को किस मुँह से त्याग और देश–निर्माण का पाठ पढ़ा सकेंगे?

(6) डॉ. लोहिया की दृष्टि में सम्पूर्ण कृषि–सिंचाई की व्यवस्था करने के लिए लगभग 40 अरब से एक खरब रुपये तक की आवश्यकता होगी जिसकी पूर्ति 'अभाव की साझेदारी' अथवा 'खर्च पर सीमा' के द्वारा की जा सकती है।

(7) मार्क्स ने सम्पत्ति की संस्था का हल निकाला था। हमारे उपनिषदों ने सम्पत्ति के मोह का हल निकाला था। आज तक किसी व्यक्ति, किसी भी समाज और किसी भी देश ने सम्पत्ति की संस्था और सम्पत्ति के मोह का एक साथ हल नहीं निकाला। किन्तु डॉ. लोहिया ने सम्पत्ति के मोह और सम्पत्ति की संस्था का एक साथ हल निकाला था। उन्होंने राष्ट्रीयकरण द्वारा सम्पत्ति की संस्था का हल और खर्च पर सीमा के द्वारा सम्पत्ति के मोह का हल निकाला था। उनका कहना था, "किसी तरह से हम कोई ऐसा रास्ता निकालें कि सम्पत्ति के मोह और सम्पत्ति की संस्था, इन दोनों का हल निकाल सकें। भोग की इच्छा और भोग की व्यवस्था दोनों का हल निकाल सकें। मैंने यही बात यहाँ पर रखी है कि किसी तरह से भोग की व्यवस्था पर रुकावट लगायी जाय, भोग की इच्छा पर रुकावट लगायी जाये।"[67]

(8) उनका विचार था कि खर्च पर सीमा से पूँजी का निर्माण होगा जिसके परिणामस्वरूप विदेशी सहायता से देश को मुक्ति मिलेगी और देश आत्म-निर्भर हो सकेगा। बहुत-से धनिकों के पास करोड़ों रुपये, बहुत-सा सोना, चाँदी, हीरा आदि बेमतलब जमा है। इनका भी उपयोग पूँजी की तरह ही हो सकेगा, क्योंकि खर्च पर सीमा द्वारा कोई व्यक्ति अनावश्यक माल जमा न रख सकेगा।

'खर्च पर सीमा' प्रस्ताव की समालोचना—उपर्युक्त 'खर्च पर सीमा' प्रस्ताव की निम्नलिखित आलोचनाएँ और प्रत्यालोचनाएँ की जा सकती हैं—

(1) 'खर्च पर सीमा' सिद्धान्त पर सर्वप्रथम आपत्ति यह उठायी जा सकती है कि यह सिद्धान्त मानव-स्वभाव के सर्वथा प्रतिकूल है। धन के इकट्ठा करने और उसका अधिकाधिक रूप में उपभोग करने की इच्छा व्यक्ति में स्वाभाविक रूप से विद्यमान रहती है। खर्च पर सीमा के सिद्धान्त द्वारा डॉ. लोहिया व्यक्ति को स्थितप्रज्ञ, संन्यासी अथवा कामनारहित बनाना चाहते हैं। इस आलोचना में कोई सार नहीं मालूम होता, क्योंकि डॉ. लोहिया, व्यक्ति को न तो पूर्ण योगी बनाना चाहते हैं और न पूर्ण भोगी। खर्च पर सीमा अस्थायी रूप से खींचकर उन्होंने 'मध्यम स्वर्णिम मार्ग' का अनुसरण किया है। गीता के निम्नलिखित श्लोक में भी तो कहा गया है कि कछुए के समान अंग समेट लेनेवाले व्यक्ति की बुद्धि स्थिर रहती है—

यदा संहरते चायं कूर्मोऽङ्गानीव सर्वशः।
इन्द्रियाणीन्द्रियार्थेभ्यस्तस्य प्रज्ञा प्रतिष्ठिता।।"[68]

फिर भी डॉ. लोहिया ने मानव-प्रकृति की चंचलता को देखकर पूर्ण और स्थायी रूप से अंगों के समेटने और संयम बरतने की बात नहीं कही। उन्होंने तो केवल अनुत्पादक खर्चों में कमी करने, अपव्यय को समाप्त करने और अनावश्यक धन इकट्ठा न करने पर बल दिया है, जो मेरे विचार से मानव-स्वभाव के विपरीत नहीं है। व्यक्तिगत सम्पत्ति के समर्थक अरस्तू ने भी सम्पत्ति-प्रयोग पर उचित सीमाएँ लगायी थीं। इसके अतिरिक्त डॉ. लोहिया के इस सीमा-निर्धारण से तीन आने प्रतिदिन पर रहनेवाले अपार जनसमूह की आमदनी और खर्च में वृद्धि होगी और कुछ विलासी लोगों के खर्च पर अंकुश लगेगा। इससे स्पष्ट है कि धन एकत्रित करने और उपभोग करने की मानवीय स्वाभाविक प्रवृत्ति को उचित प्रश्रय मिलेगा न कि विरोध।

(2) 'खर्च पर सीमा' सिद्धान्त की दूसरी आलोचना यह की जा सकती है कि यह सिद्धान्त व्यावहारिक और वैज्ञानिक नहीं है। ग्रीन ने कहा है, "Law can only enjoin or forbid certain actions, it cannot enjoin or forbid motives." अर्थात् कानून किन्हीं निश्चित कार्यों को आरम्भ करा सकता है और रोका भी जा सकता है,

किन्तु वह प्रेरणाओं को न तो पैदा कर सकता है और न ही समाप्त कर सकता है। खर्च की सीमाएँ कानून द्वारा लगाकर भोग की धारणा को समाप्त नहीं किया जा सकता। भोग की इच्छा की उपस्थिति में कानून भोग की क्रियाओं को रोकने में समर्थ होते हुए भी उन्हें समाप्त नहीं कर सकता। क्योंकि व्यक्ति चोरी-छिपे खर्च कर सकते हैं और धन भी छिपा सकते हैं।

उपर्युक्त आलोचना भी उपयुक्त नहीं प्रतीत होती। धारणा के प्रादुर्भाव, विकास और समाप्ति में यद्यपि स्वयं व्यक्ति का संकल्प अधिक महत्त्वपूर्ण होता है, तथापि कानून के योगदान को इस सम्बन्ध में घटाया नहीं जा सकता। यदि सब कार्य व्यक्ति की ईमानदारी पर छोड़ दिये जायँ और कानून को एक क्षण के लिए भी उठा लिया जाय तो तुरन्त ही हाब्स की प्राकतिक दशा में व्यक्ति प्रवेश करेगा। यदि कानून की कोई महत्ता न होती तो भारतीय दण्ड संहिता की भी क्या आवश्यकता थी? खर्च-सीमा के इस प्रस्ताव का समर्थन करते हुए अटल बिहारी वाजपेयी ने कहा था कि यदि सेठ, पूँजीपति नेता और नौकर आदि "...खुद अनुशासन, संयम से नहीं रह सकते, तो राज्य को कानून बनाकर रखना होगा।"[69]

(3) 'खर्च पर सीमा' के प्रस्ताव पर यह भी आपत्ति उठायी जा सकती है कि उपभोग के संयम से उत्पादकों और उद्योगपतियों को प्रोत्साहन नहीं मिलेगा, जिसके परिणामस्वरूप उत्पादन में गिरावट आयेगी और तब बचत, निर्माण और धनवृद्धि के स्रोत सूख जायेंगे और जो थोड़ा-सा धन आज इस देश में बचा है वह भी गायब हो जायगा। इस आलोचना में भी दम नहीं है, क्योंकि हो सकता है कि कुछ लोग मुनाफे के लिए काम करें, परन्तु इससे बड़ी प्रेरणा क्या हो सकती है कि इस देश में फैले अज्ञान, अभाव और बीमारी को दूर करने के लिए काम करें। जिन्हें यह प्रेरणा प्रेरित नहीं करती, उनके लिए कानून का विचार करना होगा। इसके अतिरिक्त विलासी 20 लाख धनिकों की प्रेरणा के जाने से यदि 50 करोड़ श्रमिकों में प्रेरणा-जागृति हो तो क्या बुरा। डॉ. लोहिया ने तो यहाँ तक कहा है कि 20 लाख आदमी अगर खाली पैसा खाकर और खर्च करके ही प्रेरणा पाते हैं तो जितनी जल्दी दुनिया से इनका नामोनिशान मिटे अच्छा है।"[70]

(4) खर्च-सीमा प्रस्ताव की इस आधार पर भी आलोचना की जा सकती है कि इस सीमा के द्वारा भ्रष्टाचार, घूसखोरी और काले धन में वृद्धि होगी, क्योंकि आय-कर अधिकारियों के हाथों में मनचाही व्याख्या और घूसखोरी की सत्ता आ जायगी। वे किसी व्यक्ति के अधिक खर्च को कम और कम खर्च को अधिक लिखकर अपनी जेबें भरने लगेंगे। इधर कुछ घूस देकर सेठ लोग चोंरी-छिपे धन रखने लग सकते हैं। किन्तु यह विश्वासहीन आलोचना भी विश्वसनीय नहीं, क्योंकि कर्मचारियों के भ्रष्टाचार और घूसखोरी की समस्या खर्च-सीमा पर्यवेक्षकों से ही

सम्बन्धित नहीं है। वह तो सामान्य समस्या है जिसका हल प्रशासन के सुधार द्वारा करना चाहिए। यदि कर्मचारियों के भ्रष्टाचार की सम्भावना पर खर्च-सीमांकन उचित नहीं, तो पुलिस, आयकर, विकास खण्ड तथा अन्य सभी विभाग भी क्या समाप्त करना उचित होगा?

(5) 'खर्च पर सीमा' की आलोचना यह भी की गयी है कि इस बात का क्या भरोसा कि खर्च-सीमांकन से बचा धन देश के निर्माण में लग ही जायेगा। यह भी हो सकता है कि खर्च से बचे धन का अपव्यय हो अथवा दुरुपयोग हो अथवा सदुपयोग न हो पावे। मेरी दृष्टि में यह भी उचित आलोचना नहीं, क्योंकि यदि बचे-बचाये सामूहिक रुपये का सदुपयोग इन कानूनी जकड़नों की स्थिति में भी नहीं किया जा सकता, तो फिर अन्य किसी प्रकार की आशा ही किसी पर क्या की जाय।

संक्षेप में हम कह सकते हैं कि उपर्युक्त खर्च-सीमा का प्रस्ताव सामयिक, उचित और संयमित है। यह केवल एक खयाली पुलाव नहीं है, अपितु एक वास्तविकता है, जिसको शीघ्रातिशीघ्र ही अनुभव करना होगा। खर्च पर सीमा का सिद्धान्त उत्पादन में वृद्धि, उपभोग में संयम और वितरण में औचित्य प्रदान करता है, जिसकी आधुनिक अर्थ संकट में अत्यधिक आवश्यकता है।

सन्दर्भ

1. कार्ल मार्क्स, फ्रेडरिक एंगेल्स : संकलित रचनाएँ (चार भागों में) भाग 2, पृ. 9
2. कार्ल मार्क्स, फ्रेडरिक एंगेल्स : संकलित रचनाएँ (चार भागों में), भाग 3, पृ. 90
3. डॉ. लोहिया : सात क्रान्तियाँ, पृ. 2
4. आचार्य नरेन्द्रदेव : राष्ट्रीयता और समाजवाद, पृ. 416
5. डॉ. लोहिया : जाति-प्रथा, पृ. 46
6. डॉ. लोहिया : भाषा, पृ. 46
7. डॉ. लोहिया : जाति-प्रथा, पृ. 41
8. डॉ. लोहिया : भाषा, पृ. 113
9. डॉ. लोहिया : देश गरमाओ, पृ. 5
10. लोहिया : भाषण, 19 जुलाई, सन् 1959, हैदराबाद
11. लोहिया : भाषण, 30 सितम्बर, सन् 1962, हैदराबाद
12. डा. लोहिया : जाति-प्रथा, पृ. 126
13. डॉ. लोहिया : भाषा, पृ. 75-76
14. हिन्दी विश्वकोश, खण्ड 10 (नागरी प्रचारिणी सभा, वाराणसी), पृ. 366
15. डॉ. लोहिया : समाजवाद की अर्थनीति, पृ. 4
16. डॉ. लोहिया : कांचन मुक्ति, पृ. 32

17. डॉ. लोहिया, देश गरमाओ, पृ. 36
18. डॉ. लोहिया : समाजवाद की अर्थनीति, पृ. 25
19. डॉ. लोहिया : सगुण और निर्गुण, पृ. 3
20. A.C. Pigou, Essays in Economics, p. 75-76 (London, Macmillan & Co. Ltd. 1952)
21. डॉ. लोहिया : समाजवाद की अर्थनीति, पृ. 7
22. डॉ. लोहिया : समाजवाद की अर्थनीति, पृ. 11
23. डॉ. लोहिया : निजी और सार्वजनिक क्षेत्र, पृ. 19
24. डॉ. लोहिया : समाजवाद की अर्थनीति, पृ. 12
25. डॉ. लोहिया : क्रान्ति के लिए संगठन, भाग 1, पृ. 185
26. डॉ. लोहिया : समाजवाद की अर्थनीति, पृ. 18
27. डॉ. लोहिया : समाजवाद की अर्थनीति, पृ. 21
28. Dr. R.V. Rao : Current Economic Problems, p. 48, (Kitab Mahal, Allahabad, Bombay, 1919)
29. डॉ. लोहिया : समाजवाद की अर्थनीति, पृ. 21
30. वही, पृ. 35
31. डॉ. लोहिया : भाषा, पृ. 75
32. डॉ. लोहिया : भाषा, पृष्ठ 75
33. डॉ. लोहिया : समाजवाद की अर्थनीति, पृ. 30
34. डॉ. लोहिया : समाजवाद की अर्थनीति, पृ. 36-37
35. डॉ. लोहिया : भाषा, बम्बई, जनवरी 16, सन् 1964 ई.
36. डॉ. लोहिया : अन्न समस्या, पृ. 20
37. डॉ. लोहिया : अन्न समस्या, पृष्ठ 17
38. डॉ. लोहिया : अन्न समस्या, पृष्ठ 14
39. डॉ. लोहिया : अन्न समस्या, पृ. 14
40. डॉ. लोहिया : अन्न-समस्या, पृ. 15
41. डॉ. लोहिया : अन्न समस्या, पृ. 15
42. डॉ. लोहिया : अन्न-समस्या, पृ. 24
43. Dr. R.V. Rao : Current Economic Problem, p. 47 (Kitab Mahal, Allahabad, Bombay, 1949)
44. डॉ. लोहिया : अन्न-समस्या, पृ. 19
45. डॉ. लोहिया : अन्न समस्या, पृ. 12
46. डॉ. लोहिया : क्रान्ति के लिए संगठन (भाग 1), पृ. 209
47. डॉ. लोहिया : अन्न समस्या, पृ. 210
48. डॉ. लोहिया : अन्न समस्या, पृ. 186
49. Encyclopaedia of Social Sciences, Vol. 5-6, p. 43.
50. इन्दुमति केलकर : लोहिया : सिद्धान्त और कर्म, पृ. 196
51. डॉ. लोहिया : अन्न समस्या, पृ. 196
52. Dr. Lohia : Marx, Gandhi and Socialism, p. 326
53. लोहिया-भाषण, रीवा, 26 जनवरी, 1950

54. Dr. Lohia : Marx, Gandhi and Socialism, p. 326
55. Dr. Lohia : Marx, Gandhi and Socialism, p. 326
56. डॉ. लोहिया : समाजवाद की अर्थनीति, पृ. 23
57. ईशावस्योपनिषद का प्रथम मन्त्र
58. डॉ. लोहिया : भारत में समाजवाद, पृ. 22
59. Dr. Lohia : Marx Gandhi and Socialism, p. 326
60. Dr. Lohia : Marx, Gandhi and Socialism., p. 286
61. डॉ. लोहिया : भारत में समाजवाद, पृ. 11
62. Dr. Lohia : Marx, Gandhi and Socialism, p. 480
63. डॉ. लोहिया : समाजवाद की अर्थनीति, पृ. 13
64. डॉ. लोहिया : सुथरी अथवा टूटो, पृ. 19
65. डॉ. लोहिया : खर्च पर बीमा (प्रस्ताव और बहस), पृ. 35
66. डॉ. लोहिया : खर्च पर सीमा (प्रस्ताव और बहस), पृ. 2
67. डॉ. लोहिया : खर्च पर सीमा (प्रस्ताव और बहस), पृ. 13
68. श्रीमद्भगवद्गीता, अध्याय 2, श्लोक 58
69. डॉ. लोहिया : खर्च पर सीमा (प्रस्ताव और बहस), पृ. 21
70. डॉ. लोहिया : खर्च पर सीमा (प्रस्ताव और बहस), पृ. 36

5

डॉ. लोहिया के समाजवादी राज्य का स्वरूप एवं उसका प्रशासनिक ढाँचा

डॉ. लोहिया के समाजवादी राज्य का स्वरूप एवं उसके प्रशासनिक ढाँचे के अध्ययन के पूर्व समाजवादी दर्शन में राजनैतिक तत्त्व के महत्त्व को स्पष्ट कर देना आवश्यक है। समाजवादी चिन्तन में यद्यपि आर्थिक तत्त्व सर्वाधिक प्रभावशाली तत्त्व है, तथापि इसमें सामाजिक, सांस्कृतिक और राजनैतिक तत्त्व भी अपना अलग महत्त्व रखते हैं। समाजवाद एक जीवन-दर्शन है और जीवन में इन सभी तत्त्वों का यथोचित स्थान है। अनार्थिक तत्त्वों में राजनैतिक तत्त्व सर्वाधिक महत्त्व का है। इसके अनुसार ही राज्य का आर्थिक, सामाजिक एवं सांस्कृतिक ढाँचा निर्धारित होता है। भिन्न राजनैतिक व्यवस्थाओं में नागरिकों एवं राज्यों के सम्बन्ध भिन्न प्रकार के होते हैं। प्रजातान्त्रिक राजनैतिक व्यवस्थाओं के अन्तर्गत नागरिकों को अधिक अधिकार एवं स्वतन्त्रताएँ प्राप्त होती हैं, जबकि राजतन्त्र, निरंकुशतन्त्र एवं साम्यवादी शासन-व्यवस्थाओं में अपेक्षाकृत कम। रूस और चीन के उदाहरणों से स्पष्ट होता है कि किस प्रकार केन्द्रीकृत और एकाधिपत्यपूर्ण राजनैतिक व्यवस्था समाजवादी व्यवस्था को भी परतन्त्रतापूर्ण बना देती है। अत: राजनैतिक व्यवस्था कैसी हो? यह प्रश्न समाजवादी चिन्तन में बहुत महत्त्वपूर्ण है। यह प्रश्न ही यह निश्चित करता है कि समाजवादी दर्शन व्यक्ति को कहाँ तक स्वतन्त्र व्यक्तित्व प्रदान करता है।

डॉ. लोहिया एक ऐसे समाज का निर्माण करना चाहते थे जो वर्ग एवं वर्गविहीन हो। उनका मत था कि मार्क्सवादी विचारधारा वर्गों को समाप्त कर वर्णों को जन्म देती है और जहाँ वर्ण जन्म लेते हैं वहाँ राष्ट्र का अध:पतन प्रारम्भ हो जाता है। शासन-व्यवस्था के सम्बन्ध में उनका मत था कि शासन-व्यवस्था चार-स्तरीय (ग्राम, मण्डल, प्रान्त तथा केन्द्र) होने पर ही आर्थिक एवं राजनैतिक शक्तियों का बिखराव होगा, जिसके परिणामस्वरूप जनता में चेतना आयेगी जो कि किसी भी राष्ट्र

के उत्थान की आवश्यक शर्त है। वे व्यक्ति और समाज में कोई विरोध नहीं देखते। उनकी मान्यता थी कि व्यक्ति और समाज अन्योन्याश्रित हैं। शासकीय अन्यायों का दमन करने के लिए डॉ. लोहिया सविनय अवज्ञा आन्दोलन को ही उचित समझते थे। गाँधी के समान उन्हें भी हिंसात्मक उपायों में कोई विश्वास नहीं था। वे धर्मनिरपेक्ष राज्य की स्थापना करना चाहते थे। उन्होंने धर्म के बाह्य पहलू को राजनीति से पृथक् किया, क्योंकि धर्म के साम्प्रदायिक और कट्टर स्वरूप से वे राजनीति को दूर रखना चाहते थे। किन्तु उन्होंने धर्म के आन्तरिक पहलू को राजनीति से मिलाया, क्योंकि वे दीर्घकालीन अच्छाई करनेवाले धार्मिक स्वरूप को राजनीति के लिए अपरिहार्य समझते थे। वे अपने आदर्श राज्य में वाणी को उन्मुक्त और कर्म को नियन्त्रित चाहते थे।

डॉ. लोहिया के राजनैतिक चिन्तन के प्रमुख आधारस्तम्भ निम्नलिखित हैं—

(1) राजनैतिक इतिहास की समाजवादी व्याख्या।

(2) धर्म और राजनीति का सम्बन्ध।

(3) जन-शक्ति का महत्त्व।

(4) चौखम्भा-योजना।

(5) सविनय अवज्ञा का सिद्धान्त (सिविल नाफरमानी)

(6) वाणी स्वतन्त्रता एवं कर्म नियन्त्रण।

(7) व्यक्ति एवं समाज के परस्पर सम्बन्ध।

राजनैतिक इतिहास की समाजवादी व्याख्या—डॉ. लोहिया के अनुसार इतिहास की गति निम्नलिखित तीन सिद्धान्तों से निर्धारित होती है—

(1) देशों का उत्थान-पतन होता है। वैभव, धन का स्थान बदलता रहता है। देश के बाहरी सम्बन्धों में उतार-चढ़ाव होता रहता है।

(2) देश के अन्दर वर्ग-वर्ण का झूला झूलता रहता है।

(3) सभी देश शारीरिक और सांस्कृतिक ढंग से मिलन भी किया करते हैं।[1] इतिहास को गति देनेवाले उपर्युक्त तीनों सिद्धान्त एक-दूसरे से जुड़े हुए हैं, क्योंकि एक-दूसरे के लिए वे कार्य-कारण का कार्य करते हैं। अब हम इनमें से प्रत्येक सिद्धान्त का संक्षिप्त में आलोचनात्मक वर्णन करेंगे।

चक्र-सिद्धान्त अथवा देशों का उत्थान-पतन—डॉ. लोहिया इतिहास के चक्र-सिद्धान्त में विश्वास करते थे। उनके मतानुसार, इतिहास अबाध रूप से चक्रवत् गतिशील रहता है। उनका यह सिद्धान्त अरस्तू के चक्र-सिद्धान्त की याद दिलाता है जिसके अन्तर्गत देशों और सरकारों का चक्र की तरह उत्थान और पतन होता

है। डॉ. लोहिया के मत में इतिहास के चक्र-सिद्धान्त के प्रतिपादकों में स्पेंगलर, टायनबी, नार्थरोप की अपेक्षा सोरोकिन अधिक गहन और अधिक सही है। चक्र-सिद्धान्त के विचारक की तरह आवश्यक रूप से उनकी भी मान्यता थी कि "विश्व के इतिहास को प्राचीन, मध्य और आधुनिक युगों में बाँटना, उनमें एक अबाध या एक-एक कर हुआ उत्थान बताना एक सांस्कृतिक बर्बरता है, जो किसी प्रकार भी दिलचस्प नहीं है।"[2] डॉ. लोहिया का विचार था कि यदि यह सत्य है कि "जो जन्मा है वह मरेगा अवश्य" तो यह भी सच है कि "जो मरता है वह फिर पैदा होगा।" यह सिद्धान्त सभ्यताओं के सम्बन्ध में भी सही है। राष्ट्रों और सभ्यताओं का उत्थान और पतन सदा ही होता रहा है। ब्रिटिश साम्राज्य का उत्थान, कैरो साम्राज्य का पतन, गुप्त साम्राज्य का उत्थान, रोमन साम्राज्य का पतन आदि उदाहरण स्पष्टत: द्रष्टव्य है।

डॉ. लोहिया का विचार था कि 'भक्ति और समृद्धि' हर युग में बराबर एक क्षेत्र से दूसरे में बदलती रही है। कोई भी सदा इतिहास की उच्चतम चोटी पर नहीं बैठ रहा है।"[3] कभी संसार का कोई देश वैभवशाली होता है तो कभी कोई दूसरा। कोई देश हमेशा के लिए न तो वैभव, शक्ति और धनयुक्त होता है और न हमेशा के लिए उनसे रहित। भारत और यूनान की सभ्यताएँ किसी समय सम्पूर्ण अथवा अधिकांश विश्व में छा चुकी हैं। भारत इतिहास की उच्चतम चोटी पर बैठ चुका है। संस्कृत, पालि, प्राकृत का एक और दूसरा रूप और बौद्ध धर्म मंगोलिया से बुडोपेस्ट तक फैला हुआ था। वैभव, धन और स्थापत्य कला की दृष्टि से भी भारत सिरमौर रह चुका है। रोम, चीन और अरब भी उच्चतम श्रेणी में रह चुके हैं। किन्तु शनै:-शनै: इन देशों का पतन हुआ और पश्चिम यूरोप ने इस शिखर को प्राप्त किया तथा यह महाद्वीपों में श्रेष्ठ गिना जाने लगा। ब्रिटिश साम्राज्य का इतना विस्तार हुआ कि उस साम्राज्य में सूर्य ही नहीं डूबता था। अमेरिका भी इस साम्राज्य का उपनिवेश रहा। किन्तु आज स्थिति बदल गयी है। इसका स्थान अमेरिका ने ले लिया है और रूस उसकी प्रतिद्वन्द्विता के जोश में है।

वर्ग और वर्ण का झूला—डॉ. लोहिया के अनुसार जन्मजात वर्गीकरण या धर्म द्वारा उसकी मान्यता वर्णों (जातियों) का आवश्यक गुण नहीं है। वर्ग से वर्ण की मित्रता उस स्थिरता से होती है जो वर्ग सम्बन्धों में आ जाती है, कोई व्यक्ति अपने से ऊँचे वर्ग में नहीं जा सकता और कोई भी वर्ण अपनी सामाजिक स्थिति और आमदनी में ऊपर नहीं उठ सकता। "अस्थिर वर्ण को वर्ग कहते हैं और स्थायी वर्ग वर्ण कहलाते हैं।"[4] डॉ. लोहिया के अनुसार वर्ग समानता की चाह की अभिव्यक्ति है और वर्ण न्याय की चाह की अभिव्यक्ति है। समानता की चाह अधिक स्वाभाविक और बलवती है, जबकि न्याय अपेक्षाकृत कृत्रिम चाह है, लेकिन ये चाहें

शून्य में व्यक्त नहीं की जातीं। ये किसी उठने और गिरनेवाले समाज में प्रकट होती हैं। ऐसे प्रसंग में अनिवार्य ही समानता टूटकर बिखर जाती है और न्याय सड़न में बदल जाता है। समानता से वर्ग और तब टूट-फूट, न्याय से वर्ण और तब सड़न का विपरीत क्रम उत्पन्न होता है। और फिर दुबारा समानता। हर सभ्यता में मनुष्य के जीवन का यही क्रम है। इसलिए डॉ. लोहिया ने लिखा है, "अब तक का समस्त मानवीय इतिहास वर्गों और वर्णों के बीच आन्तरिक बदलाव, वर्गों के जकड़ से वर्ण बनने और वर्णों के ढीले पड़ने से वर्ग बनने का ही इतिहास ही रहा है।"[5]

मार्क्स के विपरीत डॉ. लोहिया का विचार था कि राष्ट्र के अन्दर होनेवाले वर्ग-संघर्ष और राष्ट्रों के बाहरी संघर्ष में घनिष्ठतम सम्बन्ध होता है। राष्ट्रों के आपसी संघर्ष का राष्ट्र के आन्तरिक संघर्ष पर गहरा प्रभाव पड़ता है। जब राष्ट्र उन्नतिशील होता है तब वर्ण-व्यवस्था की अनुपस्थिति और वर्ग-व्यवस्था की उपस्थिति रहती है। आमदनी, शक्ति और स्थिति में भिन्न ये वर्ग अपनी-अपनी आमदनी, शक्ति और स्थिति बढ़ाने के लिए संघर्ष करते रहते हैं। किन्तु कालान्तर में तकनीकी कौशल की चरमसीमा और वर्ग-संघर्ष की तीव्रता अव्यवस्था और पतन का कारण बनती है। क्योंकि ये दोनों स्थितियाँ क्रमशः उत्पादन-अवरोध और हिंसा को जन्म देती हैं। तब वर्ग-संघर्ष की समाप्ति हेतु न्याय के आधार पर स्थिति और आमदनी स्थिर करके वर्णों का निर्माण किया जाता है जो राष्ट्र की अधःपतन की स्थिति का द्योतक है। वर्ण-व्यवस्था की स्थिरता में ऊँच-नीच, छोटे-बड़े, अस्पृश्यता, जलन और ईर्ष्या के कारण गरीबी की सड़न उत्पन्न होती है जिससे उबरने के लिए पुनः प्रयास होते हैं, समृद्धि तथा समानता का प्रयास किया जाता है जिसके परिणामस्वरूप वर्ग निर्मित होने लगते हैं। इस प्रकार वर्ग से छुटकारा पाने पर वर्ण और वर्ण से छुटकारा पाने पर वर्ग देश को सदैव जकड़े रहते हैं। इसी तथ्य को डॉ. लोहिया ने अपने शब्दों में व्यक्त करते हुए लिखा है, "आन्तरिक वर्ण-निर्माण और बाह्य अधःपतन साथ-साथ चलता है, चाहे दोनों के बीच काल का जो भी अन्तर रहे। पूरे समाज का बढ़ता कौशल निश्चित रूप से विभिन्न वर्गों के भीतरी हरकत व उतार-चढ़ाव के साथ जुड़ा हुआ है।"[6]

डॉ. लोहिया का वर्ग और वर्ण के आन्तरिक परिवर्तन का सिद्धान्त सर्वथा मौलिक है, किन्तु इसे केवल उस समय स्वीकार किया जा सकता है, जबकि हम वर्ण को केवल गुण, कर्म और जाति से सम्बद्ध न मानकर उसे आमदनी और स्थिति की निश्चितता से भी सम्बद्ध करें। इसके अतिरिक्त उनके उस सिद्धान्त को स्वीकार करने में बड़ी कठिनाई उत्पन्न होती है जिसमें उन्होंने आन्तरिक वर्ण-निर्माण को बाह्य अधः-पतन के साथ और बढ़ते कौशल को वर्ग के साथ जोड़ा है। क्योंकि इस सिद्धान्त के अनुसार डॉ. लोहिया के द्वारा बताये गये वर्ण जिस समूह (देश) में पाये

जाते हैं, उन्हें हमको अध:पतन की स्थिति में समझना पड़ेगा जबकि वास्तविकता इसके विपरीत है। रूस हर ढंग से सशक्त और उन्नतिशील देश है, किन्तु फिर भी डॉ. लोहिया के अनुसार या तो उसे पतित देश कहा जाय और यदि ऐसा नहीं, तो उसमें वर्ण-व्यवस्था की अनुपस्थिति बतायी जाय। डॉ. लोहिया के सिद्धान्त का पोषण करने के लिए केवल उनका वह कथन रखा जा सकता है जिसमें उन्होंने वर्ण-व्यवस्था और अध:पतन के बीच काल का अन्तर माना है।

डॉ. लोहिया का मत था कि देश-काल की परिस्थिति के अनुसार वर्ग और वर्ण दोनों अपने स्वरूप एवं उद्देश्य में भिन्न होते हैं। असहनीय वर्ग-संघर्ष के विरुद्ध पूर्ण विकसित ढाँचे की सुरक्षा के लिए जर्मनी में राष्ट्रीय सोशलिस्ट आन्दोलन ने अलग-अलग वर्गों की सानुपातिक और निश्चित आमदनी और समाज में उनका निश्चित स्थान निर्धारित किया। यद्यपि इस निर्धारण में कोई शाश्वत और धार्मिक गुण न था, तथापि यह एक वर्ण-आन्दोलन था अथवा वर्ण-निर्माण का ही कार्य था। कृषि और उद्योग को विकसित करने के लिए रूस ने अलग-अलग मजदूरों की स्थिति और आमदनी स्थिर कर दी और इस प्रकार वर्गों को समाप्त करने के प्रयत्न में रूस ने वर्ण-व्यवस्था को जन्म दिया। भारत में वर्ण-व्यवस्था का उद्देश्य सामाजिक न्याय की स्थापना रहा। इस प्रकार विभिन्न देशों में वर्ण-निर्माण के उद्देश्यों में अन्तर होता है। भारत में वर्ण- व्यवस्था का आधार आरम्भ में गुण-कर्म था और कालान्तर में इसका आधार जन्म हो गया। किन्तु वर्णोंवाले अन्य देशों में इसका आधार उनकी निश्चित की गयी आमदनी और स्थिति थी। इसके अतिरिक्त वर्णों की प्रतिष्ठा और आमदनी भी प्रत्येक देश में साथ-साथ नहीं चली। भारत में ब्राह्मण-जैसे उच्च वर्ण की प्रतिष्ठा तो अधिक किन्तु आमदनी कम रही, जबकि अन्य देशों में प्रतिष्ठा और आमदनी विभिन्न वर्णों में स्तर के अनुसार एक साथ जुड़ी रही।

शारीरिक और सांस्कृतिक मिलन—डॉ. लोहिया के चक्र-सिद्धान्त के अनुसार सभी राष्ट्र कभी-न-कभी उच्चतम चोटी पर बठते हैं और उन्नत दिनों में अपनी संस्कृति का विकास और प्रसार करते हैं। इस क्रम के साथ मनुष्य जाति का पारस्परिक सांस्कृतिक और शारीरिक सम्बन्ध होता है। सभी ऐतिहासिक कालों में मनुष्य ने पद्धति, भाषा, व्यवहार की वस्तुओं, उत्पादन के तरीकों, विचारों, धर्मों में एक-दूसरे की समीपता का प्रयत्न किया है।[7] अपने युग में ढाका का मलमल दुनिया में उतनी ही दूर तक फैला जैसे आज अमेरिका का नाइलन। जिस प्रकार मार्क्सवाद से विश्व परिचित है उसी प्रकार गाँधीवाद से। ग्रीक, संस्कृत अथवा अरबी सभी भाषाएँ समय-समय पर फैलीं। इस्लाम, हिन्दू, ईसाई आदि धर्मों के अपने-अपने समय रहे हैं। इस प्रकार तमाम संस्कृतियाँ अपने पश्चिम में या अपने पूर्व में और

दूसरी दिशाओं में फैली हैं, अगणित लोगों को अधीनस्थ किया है, लेकिन सम्पूर्ण संसार को कभी नहीं। अब तक शारीरिक और सांस्कृतिक समीपता की यह प्रक्रिया एक सीमा तक ही सम्भव रही है और इसमें कभी-कभी बिखराव भी आये हैं। डॉ. लोहिया अब इस सीमा और बिखराव को समाप्त कर सम्पूर्ण मानवता की सर्वाङ्गीण समीपता लाना चाहते हैं। उनके ही शब्दों में, "लेकिन अब समय आ गया है कि स्वेच्छित समीपता आये जिसमें एक समूह को दूसरे की पराधीनता न स्वीकारनी पड़े और जिसके द्वारा संसार के सभी लोग समझदारी से नियोजित करके मानव-जाति की एक बहुरंगी मिलावट निर्मित करने में सफलता प्राप्त करें।"[8]

इस प्रकार डॉ. लोहिया ने आशा व्यक्त की कि आज विश्व में ऐसी परिस्थितियाँ मौजूद हैं जिनमें मनुष्य वर्णों की जड़ विषमता, वर्गों की लचीली विषमता, और दोनों ही स्थितियों में निहित अन्याय और शोषण, क्षेत्रीयता और हिंसा के चक्र को तोड़कर एक सम्पूर्ण कौशल और बहुरंगी मिलन की शोषणरहित विश्व-सभ्यता का निर्माण कर सकता है, जो राष्ट्रों के बाह्य संघर्ष से मुक्त हो, जिसमें मनुष्य स्वतन्त्र, समृद्ध और मन से सुखी हो, और अपने सम्पूर्ण व्यक्तित्व का विकास कर सके। इस हेतु उन्होंने अपेक्षा की कि विश्व-मानव-जाति के बिखराव के क्रमों को भुला दे और पुनः संगठन के क्रमों पर अपना ध्यान केन्द्रित करे। इसके लिए मानव की समझदारी और इतिहास की तृतीय चालक शक्ति उनकी दृष्टि में अधिक सहयोगी सिद्ध होगी।

डॉ. लोहिया द्वारा की गयी अपेक्षाओं और आशाओं के अध्ययन से ऐसा प्रतीत होता है कि वे अपने ही द्वारा बताये गये इतिहास-क्रम को बदलना चाहते हैं। यद्यपि इतिहास की चालक-शक्तियाँ, यदि वे वास्तव में इतिहास-चालक हैं, समाप्त नहीं की जा सकतीं, तथापि ज्यादा अच्छा हो कि मानव अपनी समझदारी और इतिहास की तृतीय चालक-शक्ति से शेष दो चालक शक्तियों (वर्ग और वर्ण के झूले और राष्ट्रों के उत्थान-पतन) को समाप्त कर दें। पुनः एक जटिल समस्या आगे आती है कि यदि एक चालक शक्ति शेष दो को समाप्त करने में समर्थ हो सकती हैं तो शेष दो शक्तियाँ तृतीय शक्ति को समाप्त करने में और भी अधिक समर्थ हो सकती है। और तब मानव का भाग्य क्या होगा? मानव की समझदारी तो तभी स्वर्णिम आशा की किरण बन सकती है, जबकि विश्व के अधिकांश व्यक्ति लोहिया हो जायँ। इन सब कठिनाइयों के होते भी यदि हम डॉ. लोहिया के आशावाद पर गर्व करें, तो अच्छा।

धर्म और राजनीति का सम्बन्ध

राज्य तथा धर्म को एक कड़ी में जोड़ने का प्रयास प्रारम्भिक काल से ही हुआ है। पूर्वकाल में राज्य को एक धार्मिक संस्था माना जाता था। जेम्स प्रथम ने राजाओं

को पृथ्वी पर साँस लेती हुई मूर्तियाँ कहा था। प्लेटो और अरस्तू ने राज्य को नैतिकता से घनिष्ठतम रूप से जोड़ा था। हेब्रू लागों में धर्मतन्त्र की धारणा सबसे अधिक विकसित हुई। यहूदी राज्य के औचित्य को धार्मिक आधार पर ही सिद्ध किया गया था। रोमन राज्य की उत्पत्ति तथा अस्तित्व का आधार धर्म ही था। मध्य युग की धर्म-सत्ता और राज्य-सत्ता के द्वन्द्व से कौन परिचित नहीं है? सर्वप्रथम मैकियावेली ने धर्म को राजनीति से अलग किया। हाब्स ने भी धर्म को राजनीति से पृथक् किया। मार्क्स ने धर्म को अफीम की गोली बताकर राजनीति से पूर्णत: विलग किया और धर्म की बड़ी भर्त्सना की। परन्तु काण्ट, हैगेल, बोसान्के, बैडले, ग्रीन, गाँधी आदि आदर्शवादी विचारकों ने राज्य को धर्म और नैतिकता से सम्बद्ध करने का प्रयत्न किया। संक्षेप में, धर्म और राजनीति का क्या सम्बन्ध है? यह प्रश्न बहुत मनोरंजक और बहुत महत्त्वपूर्ण है। विशेषत: विचारणीय यह है कि समाजवाद के मार्ग में धर्म अवरोध है या सहयोग अधिकांश समाजवादियों ने धर्म को हेय दृष्टि से देखा और उसकी कटु निन्दा की है। अब हम डॉ. लोहिया के धर्म और राजनीति-सम्बन्धी विचारों का अध्ययन निम्नलिखित शीर्षकों के अन्तर्गत करेंगे—(1) ईश्वर-सबन्धी विचार (2) धर्म की व्याख्या (3) धर्म निरपेक्ष राज्य (4) धर्म और राजनीति का सम्बन्ध।

ईश्वर-सम्बन्धी विचार—डॉ. लोहिया ईश्वर के अस्तित्व में विश्वास नहीं करते थे। प्राय: विनोद में वे कहा करते थे कि न तो मैंने कभी ईश्वर को देखा है कि और न मुझे कभी उसकी आवश्यकता पड़ी। लोगों के ये कहने पर कि अभी नहीं तो वृद्धावस्था में जब शरीर शिथिल होगा तब उसकी आवश्यकता अनुभव होगी, वे कहते, "अगर परमात्मा है तो सुख में भी उतना ही सक्रिय और जोरदार होना चाहिए जितना दु:ख में। जो सुख में नहीं आ रहा है और दु:ख में आयेगा तो मेरे-जैसा आदमी कह देगा, इसमें क्या बड़ी भारी बात है, कमजोर हो गया तब मेरे दिमाग में घुसा।"[9] उनका मत था कि मन्दिर एक ढकोसला है और उसमें रखी मूर्ति भी नकली है। उनका विचार था कि भगवान् ने मनुष्य को नहीं, अपितु मनुष्य ने भगवान् को बनाया है और उसे एक प्रतीक के रूप में खड़ा कर दिया।[10] यद्यपि वे ईश्वर के अस्तित्व में विश्वास नहीं करते थे, तथापि 'आत्मवत् सर्वभूतेषु' ही उनका आदर्श था। उपनिषद् के तत्त्वज्ञान में उन्हें आनन्द आता था। सब में अपनेपन की प्रतीति ही उनका ब्रह्मज्ञान था।[11] संसार की एकता और समता ही उनका अद्वैत था। प्रत्येक कार्य को ईमानदारी और पवित्रता के साथ करना ही उनके लिए कर्मकाण्ड था। तीर्थों को साफ-सुथरा रखना, नदियों के जल की शुद्धता, अपन को साफ-सुथरा और निष्कपट रखना ही उनकी दृष्टि में तीर्थ-यात्रा थी।

धर्म की व्याख्या—गाँधी जी के समान डॉ. लोहिया ने भी धर्म को दरिद्र नारायण की रोटी में पाया। उनके मत में गिरे हुओं को उठाना, प्यासे को पानी देना, भूखे को रोटी और गृहहीन को निवास-स्थान देना ही सच्चा धर्म है। साम्प्रदायिक धर्मों के वे कटु आलोचक थे। उन्होंने चेतावनी दी कि मानव को हिन्दू, मुस्लिम, ईसाई आदि खास रिवाजों और समूहों में बँधे धर्मों से ऊपर उठकर अपनी दृष्टि को व्यापक बनाना चाहिए और निर्भयता के साथ मानव धर्म के सच्चे उपासक बनना चाहिए।[12] उनके मतानुसार धर्म आन्तरिक और सूक्ष्म है, न कि बाह्य और स्थूल। इसलिए रंगों, रूढ़ियों, रीति-रिवाजों, आचारों, व्यवहारों आदि की बाह्य भिन्नता के कारण द्वेष, मनमुटाव, घृणा और संघर्ष के भाव लाना उचित नहीं है। इस सन्दर्भ में डॉ. लोहिया ने कहा था, "मजहब तो रुहानी चीज है तो रूह की बात है, तो उसको दिमाग में रखो। लेकिन, यहाँ किसी की शक्ल देख लोगे तो यह कह दोगे कि वह कौन है, हिन्दू है या मुसलमान...।"[13]

यद्यपि डॉ. लोहिया आत्मा-परमात्मा के झगड़े में नहीं पड़े, तथापि राम, कृष्ण और शिव के व्यक्तित्व उनके लिए आकर्षण के केन्द्र थे। इन तीनों व्यक्तित्वों की ऐतिहासिकता पर उन्हें सन्देह था, लेकिन उनके आदर्शों और सिद्धान्तों पर नहीं। नीति, धर्म और व्यवहार के नियमों में बँधे होने के कारण राम को उन्होंने मर्यादित व्यक्तित्व बतलाया। कृष्ण समयानुसार प्रत्येक क्षेत्र में चोरी, धोखा, झूठ से भी कार्य निकालने में न हिचके, यद्यपि ये चालें उन्होंने भय, क्रोध, राग से परे होकर चलीं। प्रेम और युद्ध सभी क्षेत्रों में वे बन्धनमुक्त थे। इसलिए डॉ. लोहिया ने कृष्ण को उन्मुक्त व्यक्तित्व बतलाया। डॉ. लोहिया को शिव में सर्वाधिक श्रद्धा थी। उन्होंने शिव को असीमित व्यक्तित्व की संज्ञा दी और स्पष्ट किया कि शिव की असीमितता के कारण ही ब्रह्मा विष्णु उनके सिर और पैर का पता चलाने में असमर्थ रहे। शिव के प्रत्येक कार्य का औचित्य सदैव उनके कृत्य में ही रहा। स्वयं विष पीनेवाले और दूसरों को अमृत देनेवाले वही हैं। गंगा को निकालकर सम्पूर्ण देश का कल्याण करनेवाले त्यागी इंजीनियर भी वही हैं। इस प्रकार डॉ. लोहिया ने राम को मर्यादित, कृष्ण को उन्मुक्त और शिव को असीमित व्यक्तित्व माना और भारत माता से प्रार्थना की, "हे भारत माता, हमें शिव का मस्तिष्क दो, कृष्ण का हृदय दो तथा राम का कार्य दो। हमें असीम मस्तिष्क और उन्मुक्त हृदय के साथ-साथ जीवन की मर्यादा से रचो।"[14]

डॉ. लोहिया के ईश्वर और धर्म-सम्बन्धी विचारों का अध्ययन करने के उपरान्त कोई भी पाठक इस निष्कर्ष पर पहुँच सकता है कि डॉ. लोहिया कहते तो अपने-आपको नास्तिक थे, किन्तु वास्तव में वे आस्तिकों के भी आस्तिक थे। वही ऐसे व्यक्ति थे जिन्होंने आस्तिकों को झूठे कर्मकाण्ड, संकुचित ब्रह्मज्ञान और कृत्रिम

एकत्ववाद से छुटकारा दिलाया। उन्होंने आस्तिकों को समग्र ऐश्वर्य, पुरुषार्थ, यश, सम्पत्ति, ज्ञान और वैराग्य को सच्चे रूप में प्राप्त करने को प्रेरित किया। इन्हीं तत्त्वों के व्यष्टि अथवा समष्टि को 'भंग' कहते हैं जैसा कि विष्णुपुराण (6-5-74) में कहा गया है—

ऐश्वर्यस्य समग्रस्य वीर्यस्य यशसः श्रियषः।
ज्ञान वैराग्ययोश्चैव षण्णां भग इतीरणा।।"[15]

अतः इन छह गुणों से युक्त व्यक्तित्व ही भगवान् है। इसलिए इन छह गुणों को प्राप्त करने की चेष्टा करनेवाला ही सच्चा ईश्वर का भक्त और आस्तिक है। इस अर्थ में डॉ. लोहिया सच्चे आस्तिक थे। उनकी उपर्युक्त राम, कृष्ण और शिव की व्याख्या से स्पष्ट होता है कि उनको राम, कृष्ण और शिव आदि की झूठी उपासना पसन्द न थी। उनकी उत्कण्ठा थी कि वे राम, कृष्ण और शिव के आदर्शों को अपने जीवन में वैज्ञानिक ढंग से ढालें।

धर्म-निरपेक्ष राज्य—धर्म-निरपेक्ष राज्य के सम्बन्ध में डॉ. लोहिया के विचार जानने के पूर्व धर्म-निरपेक्ष राज्य की सही धारणा ज्ञात कर लेना आवश्यक है। धर्म-निरपेक्ष राज्य न धार्मिक होता है, न अधार्मिक और न धर्मविरोधी। ऐसा राज्य धार्मिक कार्यों एवं सिद्धान्तों से सर्वथा पृथक् होता है और धार्मिक मामलों में पूर्णतः तटस्थ होता है। धर्म-निरपेक्ष राज्य में सभी नागरिकों को धार्मिक विश्वास, पूजा की स्वतन्त्रता, आत्मा की स्वतन्त्रता, धार्मिक आचरण की स्वतन्त्रता का पूर्ण अधिकार होता है। डॉ. लोहिया उपर्युक्त सही अर्थ के धर्म-निरपेक्ष राज्य में विश्वास करते थे। धार्मिक मामलों में राज्य की निष्पक्षता और नागरिकों की धर्म-प्रचार-सम्बन्धी स्वतन्त्रता पर बल देते हुए उन्होंने कहा था, "राजनीति एक आश्वासन जरूर दे कि वह आस्तिकता अथवा नास्तिकता के प्रचार में दण्ड का इस्तेमाल नहीं करेगी।"[16]

धर्म-निरपेक्ष राज्य के प्रबल समर्थक होने के कारण ही हिन्दू, मुस्लिम धर्म के नाम पर भारत-विभाजन का उन्होंने अत्यधिक विरोध किया था और विभाजन के पश्चात् भी हिन्दू-पाक दो राष्ट्रों के सिद्धान्त को मान्यता नहीं दी थी। उन्होंने सन् 1946 ई. के हिन्दू-मुस्लिम दंगे में जिस प्रकार जिन्ना के देश-विभाजन के प्रयत्नों का विरोध किया था, उसी प्रकार हिन्दुओं को राजनीति में केवल हिन्दू के नाते व्यवहार करने से बचाया था। "मैं हिन्दी हूँ और बाद में हिन्दू हूँ" जैसे कथनों को भ्रमात्मक बनाते हुए उन्होंने स्पष्ट किया कि प्रथम और बाद जैसा कथन अधूरा है। उन्होंने स्पष्ट कहा था, "राजनीति में हम हिन्दुस्तानी हैं या नहीं, यही सम्भव है,"[17] अन्य कुछ नहीं।

धर्म और राजनीति का सम्बन्ध—डॉ. लोहिया के मतानुसार धर्म मुख्यत: चार कार्य करता है। प्रथम, यह भिन्न धर्मों के बीच झगड़े और कभी-कभी रक्तरंजित झगड़े उत्पन्न करता है। द्वितीय, यह अपने-अपने धर्मानुसार प्रतिष्ठित सम्पत्ति, जाति और नारी-सम्बन्धी व्यवस्थाओं को यथावत् बनाये रखता है, जिसके परिणामस्वरूप शोषण और विषमता को स्थायित्व मिलता है। तृतीय, धर्म अच्छे व्यवहार के लिए नैतिक और सामाजिक प्रशिक्षण देता है। चतुर्थ, अहिंसा, सत्य, दयालुता, न्याय, त्याग आदि के अभ्यास के द्वारा व्यक्ति को संयमित और अनुशासित करने में यह महत्त्वपूर्ण योगदान देता है। डॉ. लोहिया ने धर्म की उपर्युक्त दो पहली प्रकार की अभिव्यक्तियों को हेय और त्याज्य बताया। धर्म की ये अभिव्यक्तियाँ स्वयं राजनैतिक हो जाती हैं और षड्यन्त्रों में धर्मान्धिता को जोड़ती हैं। धर्म का यह रूप व्यक्तियों के लिए वास्तविक रूप में अफीम है। धर्म के अन्तिम दो प्रकार के कार्यों को उन्होंने मानवता के लिए अत्यधिक लाभदायक बतलाया।[18] उन्होंने धर्म के इस प्रकार के रूप को राजनीति से सम्बद्ध किया।

डॉ. लोहिया का मत था कि सच्चा समाजवादी चाहे आस्तिक हो अथवा नास्तिक, धर्म के इस स्वरूप से असम्बद्ध नहीं रह सकता। उसका धर्म का शास्त्रार्थ झगड़ालू नहीं, बल्कि कुछ ढूँढ़ निकालनेवाला होता है। उनकी दृष्टि में धार्मिक और अधार्मिक का कल्पित विरोध समाप्त होना चाहिए।[19] धर्म को अपना झगड़ालूपन एवं वर्तमान व्यवस्था की अपनी रक्षा-वृत्ति त्यागनी चाहिए। इसे सब धर्मों की मौलिक एकता के विचार का पोषण करना चाहिए। केवल तभी इसे समाजवाद अथवा राजनीति से सम्बद्ध किया जा सकता है।[20] इस प्रकार हम दखते हैं कि डॉ. लोहिया द्वारा अपनाया गया धर्म आन्तरिक, सूक्ष्म एवं सच्चा है।

धर्म और राजनीति का सम्बन्ध स्पष्ट करते हुए डॉ. लोहिया ने कहा कि धर्म का कार्य अच्छाई को करना है और राजनीति का कार्य बुराई से लड़ना है। धर्म यदि विधेयात्मक अथवा सकारात्मक है तो राजनीति नकारात्मक। ये धर्म यदि दीर्घकाल है तो राजनीति अल्पकाल। धर्म यदि शान्त है तो राजनीति रुद्र। धर्म और राजनीति एक-दूसरे को पूर्ण बनाते हैं। वे एक ही सिक्के के दो पहलू हैं अथवा एक ही वस्तु के दो स्वरूप हैं। इसलिए उन्होंने धर्म को दीर्घकालीन राजनीति और राजनीति को अल्पकालीन धर्म कहा था।[21] दूसरे शब्दों में, राजनीति बुराई को समाप्त कर, अल्पकाल के लिए जब तक दूसरी बुराई नहीं आती, अच्छाई का मार्ग सुगम करती है और धर्म निरन्तर अच्छाई कर बुराइयों में कमी का मार्ग सुगम करता है।

डॉ. लोहिया के मत में अच्छाई करने और बुराई से लड़ने में अन्तर है। जब अन्तर बढ़ जाता है और एक-दूसरे से सम्पर्क टूट जाता है, तब अच्छे की स्तुति

निर्जीव हो जाती है और बुराई की निन्दा कलहपूर्ण हो जाती है। बिना राजनीति के प्रत्येक धर्म निर्जीव हो जाता है, क्योंकि बुराई से न लड़ने पर उसकी अच्छाई टिक नहीं पाती। इसी प्रकार बिना धर्म के राजनीति झगड़ालू और कलहपूर्ण हो जाती है, क्योंकि अच्छाई न करने पर बुराई से लड़ना केवल कलह का कारण बनता है। महात्मा गाँधी ने उचित ही कहा था कि केवल रचना करनेवाले ही ध्वंस करने की शक्ति रखते हैं। इसलिए डॉ. लोहिया ने कहा था कि धर्म और राजनीति में से यदि एक भी भ्रष्ट हो, तो दोनों ही भ्रष्ट हो जाते हैं। उन्हीं के शब्दों में, "धर्म और राजनीति के अविवेकी मिलन से दोनों भ्रष्ट होते हैं।"[22]

जहाँ तक धर्म के बाह्य, स्थूल अथवा सम्प्रदायिक स्वरूप का प्रश्न है, डॉ. लोहिया ने स्पष्टतः कहा था कि साम्प्रदायिक कट्टरता से बचन के लिए किसी एक राजनीति को किसी एक धर्म से कभी नहीं मिलना चाहिए। साम्प्रदायिक अथवा परम्परागत धर्मों से यदि राजनीति को संयुक्त किया जाता है तो राजनीति में 'दकियानूसी, प्रतिक्रिया, गुलामी और अर्द्धमृत्यु' को बढ़ावा मिलता है। डॉ. लोहिया के शब्दों में, "धर्म और राजनीति को अलग रखने का सबसे बड़ा मतलब यही है कि साम्प्रदायिक मिलन और कट्टरता से बचें। एक और मतलब यह है कि राजनीति को दण्ड और धर्म की व्यवस्थाओं को अलग रखना चाहिए। नहीं तो, दकियानूसी बढ़ सकती है और अत्याचार भी।"[23]

डॉ. लोहिया के उपर्युक्त विचारों से स्पष्ट है कि वे सभी धर्मों की मौलिक एकता पर बल देते थे। वे सभी धर्मों के आदर्श सिद्धान्तों के सच्चे उपासक थे। वे सच्चे धर्म के स्वरूप को राजनीति से सम्बद्ध रखना चाहते थे। धर्म निरपेक्ष राज्य के वे सच्चे समर्थक थे। उनके धर्म-सम्बन्धी विचार बहुत-कुछ महात्मा गाँधी से प्रभावित थे। अन्तर केवल इतना है कि गाँधी जी मानव धर्मानुयायी होने के साथ-साथ एक सर्वव्यापी, सर्वज्ञ और सर्वशक्तिमान् परम शक्ति में विश्वास करते थे और डॉ. लोहिया केवल मानव धर्मानुयायी थे। उनके मत के अनुसार धर्म, नैतिक गुणों का पर्यायवाची मात्र होना चाहिए, इससे अधिक कुछ नहीं। यहाँ इस सन्दर्भ में एक शब्द कहना अनुचित न होगा कि संस्कार, वातावरण, देश-काल के प्रभाव की परिधि से सर्वथा मुक्त रहना डॉ. लोहिया-जैसे ही व्यक्तियों से सम्भव हो सका है।

जन-शक्ति का महत्त्व–प्रजातान्त्रिक समाजवाद के प्रतिनिधि होने के कारण डॉ. लोहिया जन-शक्ति के प्रबल समर्थक थे। उनके विचारों की समता टी. एच. ग्रीन के वाक्य "इच्छा न कि शक्ति राज्य का आधार है" से की जा सकती है। जन-शक्ति की महत्ता में अगाध श्रद्धा होने के कारण ही वे भारतीय स्वतन्त्रता-संग्राम के प्रमुख-सेनानी थे। सन् 1942 के 'भारत छोड़ो' आन्दोलन के वे नायक थे। हैरिस

बफोर्ड भी उन्हें इस आन्दोलन का नायक स्वीकार करते हुए कहते हैं, "He was a hero of the 1942 Quit India Rebellion."[24]

जन-इच्छा की सम्प्रभुता में डॉ. लोहिया को जो विश्वास था, वह उनकी निम्नलिखित सात क्रान्तियों से व्यक्त होता है—

1. नर-नारी की समानता के लिए,
2. चमड़ी रंग पर रची असमानताओं के खिलाफ,
3. जन्मजात और जाति-प्रथा की विषमताओं के खिलाफ,
4. परदेशी गुलामी के खिलाफ और विश्व-लोक-राज्य के लिए,
5. निजी पूँजी की विषमताओं के खिलाफ और योजनाओं द्वारा उत्पादन बढ़ाने के लिए,
6. निजी जीवन में अन्यायी हस्तक्षेप के खिलाफ,
7. अस्त्र-शस्त्र के खिलाफ और सत्याग्रह के लिए।[25]

जन-इच्छा, राज्य और दण्ड—टी. एच. ग्रीन के समान डॉ. लोहिया का भी मत है कि अधिकार-चेतना के द्वारा ही मानव का व्यक्तित्व मुखरित होता है और व्यक्ति में निहित अधिकार राज्य के द्वारा ही अपनी वास्तविकता प्राप्त करते हैं। अत: व्यक्ति के विकास के लिए राज्य का अस्तित्व आवश्यक है और राज्य को बनाये रखने के लिए शक्ति और दण्ड का प्रयोग आवश्यक है। यद्यपि डॉ. लोहिया ऐसा सपना देखना चाहते थे जिसमें दण्ड अथवा शक्ति के बिना ही व्यक्ति अपना सामूहिक जीवन चला सके, तथापि जब तक उनका सपना पूर्ण नहीं होता, वे शक्ति-प्रयोग के पक्ष में थे,[26] किन्तु अपराध के अनुसार ही दण्ड की मात्रा और स्वरूप होना चाहिए और दण्ड-शक्ति का प्रयोग निष्पक्षता से न्याय के लिए विधि के अनुकूल होना चाहिए। इस सम्बन्ध में उनका स्पष्ट कहना था, "प्रश्न केवल इतना ही है कि दण्ड के स्वरूप और मात्रा कैसे हों? दण्ड हमेशा विधि और विधान के अनुसार होना चाहिए, राज्य के वक्ती प्रबन्धकों के गुस्से के अनुसार नहीं।"[27]

डॉ. लोहिया का विचार था कि राज्य को आन्तरिक और बाह्य दोनों मामलों में अपनी शक्ति का प्रयोग सदैव जन-इच्छा को विकास देने के लिए करना चाहिए, न कि उसे दबाने के लिए। उनकी दृष्टि में निरंकुश शक्ति और सेनाएँ जन-शक्ति के समर्थन के बिना अप्रभावी और अर्थहीन होती हैं। उन्होंने अपने एक लेख 'विश्वासघाती जापान या आत्मसन्तुष्ट ब्रिटेन' में स्पष्टत: लिखा था, "सैनिक और असैनिक अड्डे उस समय तक बेकार होते हैं जब तक उनके पीछे समर्थक जन-शक्ति न हो...।"[28] टी. एच. ग्रीन ने भी इसी प्रकार के विचार व्यक्त करते हुए कहा था कि केवल शक्ति नहीं, अपितु विधि के अनुकूल और जनता के अधिकारों के लिए उसका प्रयोग, राज्य को अस्तित्व प्रदान करता है। ग्रीन के शब्दों में, "It is not, however, supreme coercive power, simply as such, but supreme coercive power exercised in a certain way and for certain ends, that makes a state, viz. exercised according to law, written or customary, and for the maintenance of rights."[29]

व्यवस्थापिका, जन-इच्छा के दर्पण के रूप में—दण्ड विधि-विधान के अनुकूल होना चाहिए, किन्तु अब प्रश्न उठता है कि विधि और विधान क्या है? उत्तर स्पष्ट है कि आधुनिक प्रजातन्त्रों में व्यवस्थापिका की इच्छा ही विधान है। अत: विधान किस सीमा तक जन-इच्छा का प्रतीक है, इसका निर्णय हम व्यवस्थापिका की वास्तविक प्रकृति को ज्ञात करके कर सकते हैं। डॉ. लोहिया के उचित मत में वही व्यवस्थापिका जनता की सच्ची प्रतिनिधि सभा है जिसमें वास्तविक रूप से जन-इच्छा व्यक्त होती हो। यदि जनता की इच्छा को उसमें निष्पक्ष और न्यायपूर्ण ढंग से मान्यता न मिल सके तो वह जनता की सच्ची व्यवस्थापिका नहीं है। इस सन्दर्भ में उन्होंने कहा था, "लोकसभा या विधानसभा एक शीशा है, एक आईना है कि जिसमें जनता अपने चेहरे को देख सके। चेहरे पर किस वक्त कैसी सिकुड़ने हैं, कैसी आफतें हैं, कैसी तकलीफ है, कैसे अरमान हैं, क्या सपने हैं, ये सब उस शीशे में देख सकते हैं।"[30] आधुनिक व्यवस्थापिकाओं की उपर्युक्त कसौटी के आधार पर उन्होंने अत्यधिक आलोचना की थी। उनके मत में आधुनिक व्यवस्थापिकाओं के अध्यक्ष इस शीशे को ढककर रखना चाहते हैं, ये उसको गन्दा हो जाने देना चाहते हैं, उसमें धब्बा लगा देना चाहते हैं।

व्यवस्थापिका को जन-इच्छा का सही प्रतीक बनाने के लिए ही डॉ. लोहिया चाहते थे कि राष्ट्रपति चुनाव में पराजित व्यक्ति को राज्य सभा का सदस्य न बनाया करें। उनका मत था कि सम्पूर्ण कार्यों का उद्देश्य जनता की इच्छा को संगठित और अभिव्यक्त करना तथा यथासम्भव राष्ट्रीय जीवन का पुनर्निर्माण होना चाहिए।[31] उनकी दृष्टि में जन-इच्छा का समुचित सन्मान और संगठन ही प्राथमिक महत्त्व का है, इस इच्छा का उद्रेक किस माध्यम से—प्रजातान्त्रिक माध्यम से अथवा क्रान्ति और विद्रोह के माध्यम से अथवा अन्य किसी माध्यम से होता है, गौण है।

उन्होंने खेद व्यक्त किया कि आज के भारत सरकार और राजनैतिक दल दोनों में करोड़ों का एक नेता हो जाता है और अन्य छोटे-छोटे नेताओं का निर्माण भी वह अपने प्रभाव द्वारा करता है। जनता द्वारा अर्जित की हुई शक्ति को वह एक नेता इस ढंग से प्रयोग करता है कि प्रदेश, मण्डल और क्षेत्र के संगठन क्रमश: अपने से उच्चतर संगठन और अन्त में केवल उस एक नेता के मुख की ओर ताकते हैं। इस ढंग से निम्नतर संगठन अपना अस्तित्व उच्चतर संगठन से प्राप्त करने लगते हैं, जबकि जन-इच्छा को प्रभावशाली बनाने और उसे प्रभुत्व देने के लिए होना

चाहिए ठीक इसके विपरीत। वे चाहते थे कि निम्नस्तरीय शक्ति के द्वारा उच्चस्तरीय शक्ति का निर्माण हो। जनता में शक्ति के वास्तविक बिखराव के लिए उन्होंने कहा था, "ताकत जनता से निकलकर ऊर्ध्वगामी बने, ऊपर की तरफ जाये, पानी फूटकर ऊपर की तरफ निकलता है, जनता की ताकत क्षेत्र, जिला, प्रदेश और सारे देश की तरफ जाने के बजाय, हमारे देश में ठीक इसका उलटा होता है।"[32]

आत्म विनिश्चय का सिद्धान्त—डॉ. लोहिया की मान्यता थी कि प्रत्येक राजनैतिक समूह को आत्म विनिश्चय का अधिकार होना चाहिए। तिब्बत के सम्बन्ध में चर्चा करते हुए उन्होंने प्रत्येक समूह की स्थिति निर्धारण करने की मुख्य छह कसौटियाँ निर्धारित की थीं—(1) जमीन का ढलाव, (2) भाषा, (3) लिखावट, (4) धर्म और जिन्दगी का तरीका, (5) प्राचीन इतिहास और सरकारों की आपसी सन्धियाँ, (6) जनता की इच्छा। इन छह कसौटियों में जन-इच्छा को सर्वाधिक महत्त्व देते हुए डॉ. लोहिया ने कहा, "आधुनिक युग में और मेरे जैसा आदमी इस छठे को सबसे बड़ी कसौटी कहेगा। चाहे वे पाँचों जिस तरफ भी जायें, अगर तिब्बत की जनता की इच्छा है किसी एक विशिष्ट संगठन में रहने की, तो उस इच्छा की पूर्ति होनी चाहिए। यही सबसे बड़ी कसौटी है।" उनके मत में भारत-पाक समस्याओं का हल केवल हिन्दू-पाक महासंघ से ही सम्भव है, तथापि इस स्थिति के न आने तक कश्मीरी जनता को कश्मीर के भाग्य का निर्णय करने का अधिकार है।

इस प्रकार जन-शक्ति के पुजारी डॉ. लोहिया का सिद्धान्त था कि सभी देश स्वतन्त्र हैं और उन्हें अपने भविष्य के निर्णय का स्वयं अधिकार है। उनके आदर्श राज्य में जनता की इच्छा को वही स्थान प्राप्त है जो राम के राज्य में था। जैसे भाग्यवादी कहते हैं, 'God will shall be done.' जबकि डॉ. लोहिया कहते हैं, 'People's will shall be done.' जनता को अपने भाग्य के निर्णय का पूर्ण स्वातन्त्र्य प्राप्त होना चाहिए। जहाँ तक सम्पूर्ण देश की एक ईकाई का सम्बन्ध है, इसका शत-प्रतिशत आदर किया जाना चाहिए। परन्तु आशंका इस बात की है, और यह स्पुट या प्रच्छन्न रूप में अपने देश में आज परिलक्षित भी होती है कि यह विचारधारा विघटन की प्रवृत्ति की जन्मदात्री सिद्ध हो सकती है।

चौखम्भा-योजना

महात्मा गाँधी के समान डॉ. लोहिया ने भी आर्थिक और राजनैतिक विकेन्द्रीकरण का सशक्त प्रतिपादन किया है। आर्थिक विकेन्द्रीकरण का विश्लेषण अध्याय 4 में किया जा चुका है। इस अध्याय में केवल राजनैतिक विकेन्द्रीकरण-सम्बन्धी उनके विचारों का अध्ययन किया जा रहा है। डॉ. लोहिया के राजनैतिक विकेन्द्रीकरण-सम्बन्धी विचारों का अध्ययन निम्नलिखित भागों में बाँटकर किया जा सकता है—

(1) आधुनिक संघात्मक व्यवस्था की अपर्याप्तता, (2) चौखम्भा-योजना, (3) प्रशासकीय विकेन्द्रीकरण (4) चौखम्भा-योजना का महत्त्व, (5) चौखम्भा-योजना की सफलता के उपाय, (6) चौखम्भा-योजना की समीक्षा।

आधुनिक संघात्मक व्यवस्था की अपर्याप्तता—राजनैतिक विकेन्द्रीकरण राजनैतिक समता एवं सम्पन्नता का द्योतक है। जिस प्रकार आर्थिक जनतन्त्र के बिना राजनैतिक जनतन्त्र असम्भव है, उसी प्रकार राजनैतिक जनतन्त्र के बिना आर्थिक जनतन्त्र असम्भव है। डॉ. लोहिया का मत है कि राजतन्त्र और कुलीनतन्त्र में राजनैतिक शक्ति क्रमशः एक व्यक्ति और कुछ कुलीनों में केन्द्रित रहती है। आधुनिक प्रजातन्त्रों में भी शनैः-शनैः शक्ति का केन्द्रीकरण कुछ अथवा एक के हाथ में होता देखा जाता है।[33] परिणामतः जनता का अधिकांश भाग एक केन्द्रित शक्ति के हाथ में कठपुतली मात्र रहकर अपंग है, जिससे प्रजातान्त्रिक व्यवस्था नवीन उन्मुक्त सभ्यता के लिए अपर्याप्त प्रतीत होने लगी है। प्रजातन्त्र की इस अर्पाप्तता के कारण ही सर्वहारा वर्ग के अधिनायकत्व का जन्म हुआ।

डॉ. लोहिया की दृष्टि में सर्वहारा वर्ग का अधिनायकत्व और आधुनिक प्रजातन्त्र दोनों ही मानव की आकांक्षाओं को पूर्ण करने में असमर्थ हैं, क्योंकि दोनों ही व्यवस्थाओं में राजनैतिक और धार्मिक शक्ति का केन्द्रीकरण कुछ मुट्ठीभर ऊपरवालों के हाथ में हो जाता है। एक ही व्यक्ति अथवा संस्था में राजनैतिक और आर्थिक शक्तियों का केन्द्रीकरण निरंकुशता की दूसरी परिभाषा है। प्लेटो भी मानता था कि राज्य की राजनीतिक तथा आर्थिक शक्ति का एक ही हाथों में आ जाना किसी भी प्रकार से वांछनीय नहीं है। इसलिए उसने अपने आदर्श राज्य के शासकों को व्यक्तिगत सम्पत्ति के अधिकार से वंचित करते हुए कहा था, "None of them should have any property of his own beyond what is absolutely necessary; neither should they have a private house or store closed against any one who has a mind to enter."[34] इसी प्रकार उसने यदि उत्पादक वर्ग को सम्पत्ति का अधिकार दिया तो उन्हें राजनैतिक अधिकार से वंचित कर दिया।

राजनैतिक केन्द्रीकरण के कारण डॉ. लोहिया के शब्दों में, "दिमाग जकड़ गये हैं। विचारों का स्थान प्रचार ने ले लिया है...आज विचार, शक्ति का गुलाम बन गया है।"[35] केन्द्रीकरण का सबसे बड़ा दुष्परिणाम नौकरशाही है। शासक, सेठ और सरकारी अधिकारियों के त्रिकोण से शोषण ने अपनी जड़ें जमा ली हैं। शासन-व्यवस्था और सामान्य व्यक्ति के बीच अन्तर की एक बड़ी भित्ति निर्मित हो गयी है। इन सब दुष्परिणामों की पृष्ठभूमि में आधुनिक संघात्मक व्यवस्था की भी अपर्याप्तता है। विश्व ने अभी तक केन्द्र और प्रान्त की दो खम्भोंवाली संघात्मक व्यवस्था को ही अपनाया है। किन्तु डॉ. लोहिया के मतानुसार राज्य की सम्पूर्ण

शक्तियों का विभाजन केवल दो अंगों में होना जनतान्त्रिक दृष्टि से एकदम अपर्याप्त है। इस पर भी विश्व के लगभग सभी राज्यों में प्रान्तों (इकाइयों) की शक्तियाँ घटती हुईं और केन्द्र की शक्तियाँ बढ़ती हुई स्पष्टत: दृष्टिगोचर होती हैं। इस प्रकार की केन्द्रित शक्ति केवल केन्द्र की ही समस्याओं को हल कर पाती है और प्रान्तीय, मण्डलीय तथा ग्रामीण समस्याओं का निराकरण प्राय: असम्भव हो जाता है। उन्होंने राजनैतिक शक्ति के बिखराव पर बल देते हुए उचित ही कहा था, "बड़ी राजनीति देश के कूड़े को बुहारती है, छोटी राजनीति मोहल्ले अथवा गाँव के कूड़े को—।"[36] अत: उन्होंने चौखम्भा-योजना देश के सम्मुख रखी।

चौखम्भा-योजना—डॉ. लोहिया के अनुसार सर्वोच्च अधिकार केवल केन्द्र तथा संघबद्ध इकाइयों में ही न रहना चाहिए, इस तोड़कर छोटे-से-छोटे क्षेत्रों में जहाँ नर-नारियों के समूह रहते हैं, बिखरा देना चाहिए। संविधान बनाने की कला में अब अगला कदम चौखम्भा दिशा की ओर होना चाहिए। चौखम्भा-योजना के अन्तर्गत ग्राम, मण्डल, प्रान्त और केन्द्र इन चार समान प्रतिभा और सम्मानवाले खम्भों में शक्ति का बिखराव होगा। यह चौखम्भा राज्य केवल शासन का निरा प्रबन्ध ही नहीं है। इसमें ऐसा न होगा कि संसद् अथवा प्रान्तों की विधान सभाएँ कानून बनायें और ग्राम तथा मण्डल की संस्थाएँ इन कानूनों का केवल पालन करें। यह एक जीवन का ढंग होगा जो मानव जीवन के सभी क्षेत्रों से सम्बन्ध रखेगा जैसे उत्पादन, स्वामित्व, व्यवस्था, योजना, शिक्षा आदि। इस अवस्था में राज्य की सर्वोच्च सत्ता उस प्रकार बिखरी रहेगी कि उसके अन्दर रहनेवाले प्रत्येक समुदाय उस तरह अपना जीवन चला सकेंगे जिस तरह वे चाहें। किन्तु इस प्रकार का बन्धन उनके बीच अवश्य रहेगा जा इकाइयों को एक सूत्र में बाँधे रह सकें। उनमें ये बन्धन आर्थिक, सांस्कृतिक आदि सभी प्रकार के रहेंगे, जिससे कि वे तितर-बितर होकर राष्ट्र को छिन्न-भिन्न न कर पावें। डॉ. लोहिया के शब्दों में, 'चौखम्भा राज्य की कल्पना में स्वावलम्बी गाँव की नहीं, वरन् समझदार और जीवित गाँव की धारणा है। यद्यपि दोनों विचार अनेक स्थानों पर एक-दूसरे से मिल जाते हैं।"[37]

चौखम्भा राज्य में राज्य की सशस्त्र सेना केन्द्र के अधीन, सशस्त्र पुलिस प्रान्त के अधीन और अन्य पुलिस मण्डल तथा ग्राम के अधीन रहेगी। लोहे और इस्पात के उद्योग केन्द्र के नियन्त्रण में, छोटी मशीनोंवाले भावी कपड़े के उद्योग ग्रामों और मण्डलों के नियन्त्रण में रहेंगे। चौखम्भा राज्य में मूल्यों पर नियन्त्रण केन्द्रीय शासन रखेगा जबकि कृषि-ढाँचा और उसमें पूँजी तथा श्रम का अनुपात ग्राम और मण्डल की इच्छा पर निर्भर करेगा। सहकारी समितियाँ, ग्राम तथा कृषि-सुधार, सिंचाई का अधिकांश भाग, बीज, भू-राजस्व वसूली आदि राज्य-नियन्त्रित विषय चौखम्भा राज्य में ग्राम और मण्डल के अधीन किये जायेंगे।[38] डॉ. लोहिया का मत था कि

कर के रूप में केन्द्रीय शासन के पास जो रुपया इकट्ठा होता है उसका एक भाग ग्राम या शहर को, दूसरा भाग मण्डल को, तीसरा भाग प्रान्त को और चौथा भाग केन्द्र को प्राप्त होना चाहिए क्योंकि जब तक जनतान्त्रिक संस्थाओं के पास पैसा न होगा, वे अपने कार्यों का सही ढंग से सम्पादन न कर सकेंगी।[39] राष्ट्रों के बीच समता और विश्व-सभ्यता के लिए डॉ. लोहिया ने बालिग मताधिकार पर चुनी हुई और सीमित अधिकारोंवाली विश्व-सरकार का पाँचवाँ खम्भा भी जोड़ने पर बल दिया था।

प्रशासकीय विकेन्द्रीकरण—चौखम्भा राज्य के अतिरिक्त डॉ. लोहिया ने प्रशासन के केन्द्रीकरण पर बहुत बल दिया था। उनका मत था कि जिलाधीश का पद समाप्त होना चाहिए और पुलिस तथा अन्य सेवा-विभाग ग्राम और मण्डल के प्रतिनिधियों के अधीन किये जाने चाहिए।[40] जिन प्रशासकीय स्तर के प्रशिक्षण और अनुभव से वर्तमान जिलाधीश का प्रशिक्षित किया जाता है, उन्हीं के द्वारा कार्यपालिका अधिकारी को प्रशिक्षित कर मण्डलीय सरकार के सहयोग के लिए प्रदान किया जाना चाहिए। ये कार्यपालिका अधिकारी मण्डलीय सरकार के अधीन कार्य करेंगे। प्रशासकीय विकेन्द्रीकरण के साथ-साथ वे विधायिनी शक्ति का भी विकेन्द्रीकरण चाहते थे। उनकी इच्छा थी कि मण्डलीय एवं अन्य स्थानीय पंचायतों को व्यवस्थापन के अधिकार देने का कार्य प्रारम्भ किया जाना चाहिए, यद्यपि बड़ी सतर्कता के साथ।

हेराल्ड जेम्स लास्की भी विकेन्द्रित व्यवस्था के समर्थक थे। डॉ. लोहिया के समान उनकी भी मान्यता थी कि विधायिनी और प्रशासकीय केन्द्रीकरण व्यक्ति को व्यक्तित्वहीन बना देता है। केन्द्रीकरण को मानव-स्वतन्त्रता के विपरीत बतलाते हुए वे कहते हैं, "The individual in the modern state tends to feel impotent before the vast administrative machine by which he is confronted ... In states of the modern size the mere achievement of equality would be harmful without the maximum decentralization."[41]

डॉ. लोहिया राज्यपाल के पद को समाप्त करना चाहते थे। राज्य और केन्द्र के जो कुछ भी कम-से-कम सम्बन्ध होंगे उनको एक अधिकारी द्वारा व्यवहृत किया जायेगा। उनका विचार था कि साक्ष्य और आपराधिक अधिनियम में इस प्रकार का परिवर्तन होना चाहिए कि जिससे सामान्यजन को भी शीघ्र और सस्ता न्याय दिया जा सके। इसके अतिरिक्त वे वर्तमान कानूनों पर पुनर्विचार करने के लिए एक समिति निर्माण के पक्षधर थे, जिससे कि कानूनों से अप्रजातान्त्रिक तत्त्वों को हटाया जा सके। वे चाहते थे कि दो या तीन राज्यों के लिए एक उच्च न्यायालय और एक लोक सेवा आयोग हो ताकि उच्च न्यायालयों और लोक सेवा आयोगों की संख्या घटायी जा सके और उनके कार्य-क्षेत्र का विस्तार किया जा सके।[42]

चौखम्भा-योजना का महत्त्व—डॉ. लोहिया का मत था कि किसी भी देश का उत्थान वहाँ की जनता की चेतना और राजनैतिक जागृति पर निर्भर करता है। किसी देश के नागरिकों को सुधारे बिना देश का सुधार करना असम्भव होता है और नागरिकों का सुधार तभी सम्भव होता है जबकि स्थानीय स्वशासन का अधिकार देकर उनके ऊपर विभिन्न उत्तरदायित्वों को मढ़ा जाये। इस तथ्य पर बल देते हुए डॉ. लोहिया कहते हैं, "Unless local initiative is aroused fully, by grant of powers and responsibility, these apathetic millions of Asia cannot be roused in to action."[43] डॉ. लोहिया के समान जान स्टुअर्ट मिल भी स्थानीय स्वशासन पर अत्यधिक बल देता था। स्पष्ट है कि नागरिकों में राजनैतिक चेतना बिना विकेन्द्रीकरण के सम्भव नहीं। इसलिए विकेन्द्रीकरण के द्वारा ही नागरिकों को अपना स्थानीय शासन करने और देश-विदेश की समस्याओं को समझने योग्य बनाकर देश का उत्थान किया जा सकता है। डॉ. लोहिया का मत है कि व्यवस्थापन और कार्यपालिका-सम्बन्धी विकेन्द्रीकरण द्वारा ही व्यक्ति को अधिकारों के पूर्ण उपभोग के योग्य बनाया जा सकता है। विकेन्द्रीकरण के द्वारा ही वे अपने भाग्य के सच्चे निर्माता बन सकते हैं। उनकी दृष्टि में पूँजीवाद व्यक्ति को राजनैतिक और सांस्कृतिक स्वतन्त्रता देने का झूठा प्रचार करता है और इसी प्रकार साम्यवाद व्यक्ति को आर्थिक अथवा रोटी की स्वतन्त्रता देने का झूठा दावा करता है। उनका चौखम्भा राज्य व्यक्ति को सांस्कृतिक और राजनैतिक दोनों ही स्वतन्त्रताएँ प्रदान करता है तथा उनका भूमि पुनर्वितरण सिद्धान्त व्यक्ति को आर्थिक स्वतन्त्रता प्रदान करता है। इस तथ्य को स्पष्ट करते हुए उन्होंने लिखा है, "In striving for redivision of land together with the four pillar state, in which sovereignty is exercised at all levels, the socialist combines the need for bread with that for culture and is likely to win the battle for both."[44]

डॉ. लोहिया के मत में चौखम्भा राज्य जनता की अकर्मण्यता समाप्त कर भ्रष्ट व बोझिल व्यवस्था से उसको मुक्त करता है। यह राज्य जनतन्त्र की रूपरेखा में हमदर्दी और बराबरी का रंग भरता है। वे जनतन्त्र को जनता द्वारा जनता के लिए और जनता का शासन मानते थे, किन्तु जनतन्त्र को वास्तविक बनाने के लिए चौखम्भा राज्य को भी वे अत्यावश्यक समझते थे, क्योंकि चौखम्भा राज्य के द्वारा, समुदाय द्वारा समुदाय के लिए समुदाय का शासन स्थापित होता है, जो कि प्रजातन्त्र के लिए आवश्यक है।

चौखम्भा-योजना की सफलता के उपाय—चौखम्भा राज्य की व्यवस्था को प्राप्त करने के लिए डॉ. लोहिया ने छोटी मशीनों पर आधारित उद्योग की व्यवस्था दी। इसके अतिरिक्त भूमि का पुनर्वितरण भी इस दिशा में उन्होंने उपयोगी

माना। चौखम्भा राज्य को साकार करने के लिए उन्होंने 'अंग्रेजी हटाओ' अभियान चलाया। निरक्षरता, रूढ़ि-परम्परा, जाति नर-नारी असमानता आदि सामाजिक बुराइयों को समाप्त करना चौखम्भा राज्य की स्थापना के लिए उन्होंने आवश्यक माना। उनका मत था कि प्रत्येक सामान्य जन को आर्थिक, सामाजिक, सांस्कृतिक, राजनैतिक आदि ढंग से सबल बनाये जाने से ही चौखम्भा राज्य की कल्पना साकार हो सकती है। यही कारण है कि उनका समग्र दर्शन सामान्य जन के सर्वाङ्गीण विकास की ओर उन्मुख है।

चौखम्भा-योजना की समीक्षा—डॉ. लोहिया के चौखम्भा राज्य की कल्पना केन्द्रीकरण और विकेन्द्रीकरण के बीच सन्तुलन स्थापित करती है। इनकी चौखम्भा योजना गाँधीवादी स्वावलम्बी ग्रामों और आधुनिक संघवाद के मध्य का मार्ग है। यह राष्ट्र की एकता और अखण्डता तथा छोटे समुदायों की स्वायत्तता का सुन्दर सम्मिश्रण है। आर्थिक विचारों के समान राजनैतिक विचारों को भी उन्होंने चौखम्भा राज्य और प्रशासकीय विकेन्द्रीकरण द्वारा मूर्त और ठोस रूप देने का प्रयास किया है। उनके राजनैतिक विकेन्द्रीकरण पर गाँधी जी का स्पष्ट प्रभाव देखा जा सकता है। डॉ. लोहिया का राजनैतिक और प्रशासनिक विकेन्द्रीकरण राजकीय, आर्थिक, सांस्कृतिक और सामाजिक प्रगति का द्वार है। ग्राम और नगर के मध्य अधिकारों का समान वितरण ग्रामों और नगरों की समानता का परिचायक है। उन्होंने अधिकारी वर्ग को जनता के प्रतिनिधियों के नियन्त्रण में रखकर सच्चे जनतन्त्र के निर्माण का प्रयत्न किया है। इस प्रकार के नियन्त्रण में यद्यपि एक ओर नौकरशाही की समाप्ति में सहायता मिल सकती है, तथापि दूसरी ओर भ्रष्टाचार और बेईमानी को बढ़ावा मिलने के कम अवसर नहीं, क्योंकि सत्ताधारी दल कर्मचारियों का अनुचित प्रयोग कर सकने में समर्थ हो सकेगा। मेरी दृष्टि में कर्मचारी राजनैतिक दबाव से उन्मुक्त रहकर ही अपना कर्त्तव्य सही ढंग से पालन कर सकते हैं। इसके अतिरिक्त छोटे समुदायों के शासन द्वारा की गयी नियुक्तियाँ पक्षपातपूर्ण हो सकती हैं और उनके प्रत्यक्ष निर्वाचन में भ्रष्टाचार और विघटन की भी अधिक सम्भावना है। अभी तक देखने में यही आया है कि ग्राम-पंचायतों के चुनावों ने प्रत्येक ग्राम-पंचायत को वैमनस्य, कटुता, दलबन्दी आदि से भर दिया है।

इसके विपरीत चौखम्भा-योजना पर सोचने का एक यह भी ढंग हो सकता है कि अभी तक इन छोटे समुदायों को कम अधिकार दिये गये थे। इसलिए उनमें उत्तरदायित्व की भावना उतनी अधिक नहीं थी। अब जब उन्हें अधिकाधिक कार्यपालिका, व्यवस्थापिका और न्यायपालिका-सम्बन्धी अधिकार प्रदान किये जायेंगे, तब उनमें उत्तरदायित्व की भावना आयेगी और तब सम्भवत: वे अपने

वर्तमान दुर्गुणों और भ्रष्टाचारों से छुटकारा पाने में समर्थ हो सकेंगे। डॉ. लोहिया का कहना था, "Give the villages and counties large constitutional powers, and let us see if the people do not do something different. It's worth the experiment. Somehow we must overcome these monstrous evils of centralization."[45]

सविनय अवज्ञा का सिद्धान्त (सिविल नाफरमानी)

सविनय अवज्ञा का सिद्धान्त नवीन नहीं है। डॉ. लोहिया ही इसके जन्मदाता नहीं हैं। डॉ. लोहिया के पूर्व भी कई सत्याग्रहियों ने सविनय अवज्ञा को विश्व के समक्ष अपने कृत्यों द्वारा रखा। यूनानी विद्वान् सुकरात ने झूठी परम्पराओं और धार्मिक पाखण्डों के विरुद्ध वहाँ के नवयुवकों में अनास्था और असहयोग की भावना का बीजारोपण किया। इस कारण एथेन्स के न्यायाधीशों ने सुकरात को मृत्युदण्ड दिया। सुकरात ने सहर्ष जहर के प्याले का आचमन किया, किन्तु सत्य से नही मुकरा। भारत भूमि में प्रह्लाद ने अपने पिता के अन्यायी आदेशों की सविनय अवज्ञा की। प्रह्लाद को तलवार, तीर, त्रिशूल व गदा से मारा गया, पर्वत से नीचे गिराया गया, अग्नि में जलाया गया, वध करने की धमकी दी गयी, किन्तु उसने सत्य-मार्ग को नहीं छोड़ा।[46] मीराँ ने भी अपने पति के द्वारा भेजे गये जहर के प्याले को पिया और अन्य अनेक यातनाएँ सहीं, किन्तु अपने द्वारा चुने गये सत्य मार्ग-भक्ति को नहीं त्यागा।

उपर्युक्त सभी दृष्टान्त सविनय अवज्ञा के ही जीते-जागते उदाहरण हैं। किन्तु इन सविनय अवज्ञा के कृत्यों की प्रमुख दो सीमाएँ द्रष्टव्य हैं। सविनय अवज्ञा के इन प्रयत्नों की प्रथम सीमा यह थी कि ये सब सविनय अवज्ञा के व्यक्तिगत प्रयास थे। इनमें सामूहिक सविनय अवज्ञा का अभाव था। परिणामत: सामाजिक अन्याय के विरोध की शक्ति इनमें नहीं थी। उपर्युक्त दृष्टान्तों में केवल व्यक्तिगत अन्याय का विरोध था जिसका सामाजिक महत्त्व अवज्ञा के दृष्टान्तों की दूसरी सीमा यह है कि उपर्युक्त सविनय अवज्ञा के प्रयत्न केवल बड़े व्यक्तियों और राजकुमारों तक ही सीमित थे। सुकरात, प्रह्लाद, मीराँ आदि सभी बड़े व्यक्तित्व थे। जनसाधारण से इन प्रयासों का कोई सम्बन्ध नहीं था।

इस धरा पर प्रथम बार महात्मा गाँधी ने सत्याग्रह और सविनय अवज्ञा की इन सीमाओं को तोड़ा। उन्होंने व्यक्तिगत सविनय अवज्ञा को सामूहिक बनाया। महात्मा गाँधी ने बड़े व्यक्तित्वों तक ही सीमित इस सविनय अवज्ञा को जनसाधारण तक विस्तृत किया। महात्मा गाँधी के पश्चात् यह सिद्धान्त विनोबा जी के हाथों केवल एकांगी रूप में आया। उन्होंने गाँधी जी के सत्याग्रह के दो पहलुओं, प्रेम और रोष में से केवल प्रेम को ही अपना मार्गदर्शक चुना। इस कारण विनोबा जी का सत्याग्रह

उनके अकथ परिश्रम और महत्त्वपूर्ण कार्यक्रमों के पश्चात् भी प्राय: प्रभावहीन रहा। क्योंकि उनके सत्याग्रह और भू-दान-योजना के चलते हुए भी इस देश में भ्रष्टाचार और अन्याय ने और अधिक गहरी जड़ें जमा ली हैं। निर्धनता और विषमता निरन्तर बढ़ रही हैं। परिणामस्वरूप गाँधी जी का शक्तिशाली और प्रभावपूर्ण सत्याग्रह अपनी सड़न की अवस्था में पहुँच गया। गाँधी जी के कई लाड़ले शिष्यों ने सत्याग्रह करने के स्थान में उसको कुचलना प्रारम्भ कर दिया। ऐसे अवसर पर डॉ. लोहिया ने सत्याग्रह और सविनय अवज्ञा को पुनर्जीवित किया। उन्होंने इसे समता तथा सम्पन्नता-प्राप्ति के लिए प्रमुख अस्त्र के रूप में अपनाया। अब हम निम्नलिखित शीर्षकों के अन्तर्गत डॉ. लोहिया के सिविल नाफरमानी सिद्धान्त का अध्ययन करेंगे—(1) सिविल नाफरमानी की व्याख्या। (2) शाश्वत सिविल नाफरमानी। (3) सिविल नाफरमानी की सर्वव्यापकता। (4) डॉ. लोहिया द्वारा की गयी सिविल नाफरमानी। (5) सिविल नाफरमानी का महत्त्व।

सिविल नाफरमानी की व्याख्या—मानव जब तक इस धरा पर है, तब तक अन्यान्य भी रहेंगे और जब तक अन्याय है तब तक उनका प्रतिकार भी रहेगा। अन्याय के प्रतिकार के दो साधन हैं—एक हिंसात्मक और दूसरा अहिंसात्मक। अन्याय के विरोध का अहिंसात्मक मार्ग ही सत्याग्रह है जिसकी एक प्रमुख शाखा सविनय अवज्ञा है, जिसे डॉ. लोहिया ने "सिविल नाफरमानी' का सिद्धान्त कहा है। सिविल नाफरमानी सिद्धान्त की व्याख्या करते हुए डॉ. लोहिया ने स्पष्ट किया कि सविनय अवज्ञा का अर्थ अन्यायी की इच्छा के समक्ष कमजोरी से झुक जाना नहीं, बल्कि अत्याचारी की इच्छा का अपनी आत्मा की समस्त शक्ति से विरोध करना है। सिविल नाफरमानी करनेवाला व्यक्ति न तो गाय बनकर अन्यायी के अन्याय को सहन करता है और न वह अत्याचार के प्रतिकारार्थ शेर की तरह हिंसक बनता है। सिविल नाफरमानी 'गाय-शेर' के बीच की चीज है। इसका अर्थ "मामूली इन्सान को मामूली वीरता के साथ काम चलाना" है।[47] सविनय अवज्ञा के अतिरिक्त सत्याग्रह के अन्य रूप डॉ. लोहिया को पसन्द न थे।

भूख-हड़ताल, उपवास तथा अनशन आदि के वे कटु आलोचक थे। इन सब रूपों को वे धोखा समझते थे। गाँधी जी के अनशनों पर भी उन्हें शक था। उन्होंने गाँधी जी से कहा भी था,"क्या अनशन से आप मुल्क में धोखा नहीं फैला रहे हैं?" गाँधी जी ने उनके सन्देह को स्वीकार करते हुए और अपनी सत्यता को बताते हुए उत्तर दिया था, "सारे संसार की बेईमानी के कारण मुझे क्यों बेईमान कहते हो?"[48] इस वार्त्ता से यह स्पष्ट है कि डॉ. लोहिया सत्याग्रह को भूख-हड़ताल, अनशन और उपवास आदि के बाह्य आडम्बरों से मुक्ति दिलाना चाहत थे। भले ही गाँधी जी एक

अपवाद हों, लेकिन सामान्य मानव सत्याग्रह के इन बाह्य और आडम्बरयुक्त उपकरणों द्वारा दिखावा मात्र करता है, सत्याग्रह नहीं।

सविनय अवज्ञा सिद्धान्त का विश्लेषण करते हुए डॉ. लोहिया ने कहा कि "सिविल नाफरमानी अथवा अन्याय से शान्तिपूर्वक लड़ना अपने-आप में एक कर्त्तव्य है। कर्त्तव्य में आगा-पीछा या नफा-नुकसान नहीं देखा जाता...।"[49] उपर्युक्त कथन द्वारा उन्होंने गीता के सिद्धान्त 'कर्मण्येवाधिकारस्ते मा फलेषु कदाचन', के साथ सविनय अवज्ञा सिद्धान्त को जोड़कर उसे व्यापक निष्काम बनाया है। कर्त्तव्य के इस निष्काम भाव के सम्बन्ध में गियोर्डानो ब्रूनो का भी कथन है "मैं जूझा हूँ, यही बहुत है, विजय भाग्य के हाथों में है।"[50] डॉ. लोहिया के मतानुसार सविनय अवज्ञा का उद्‌देश्य केवल अन्यायी के हृदय को परिवर्तित करना ही नहीं, अपितु असंख्य जनसमूह का हृदय बदलना भी उसका परम लक्ष्य है। करोड़ों असमर्थ और कमजोर व्यक्तियों को समर्थ बनाना और उनमें अन्याय का विरोध करने के लिए असीम शक्ति भरना भी सविनय अवज्ञा सिद्धान्त का उद्‌देश्य है।

सविनय अवज्ञा सिद्धान्त का सच्चा अनुयायी वही है जो असंख्य कठिन कष्टों को सहन करने के उपरान्त यह कहता है कि "मरेंगे मगर मानेंगे नहीं", "मारो अगर मार सकते हो लेकिन हम तो अपने हक पर अड़े रहेंगे।"[51] डॉ. लोहिया के मत में वह सत्य झूठा होता है जिसमें शक्ति नहीं होती। अत: सच्चा सत्याग्रह वही है जो अपनी शक्ति (सत्य) की प्रतिष्ठापना करके ही दम ले, उसके पूर्व नहीं। यदि अच्छे जीवन के मार्ग में आनेवाली अन्याय और असत्य की बाधाओं के लिए सत्याग्रह एक बाधा नहीं हो सकता, तो वह सत्याग्रह नहीं है। इसी से डॉ. लोहिया ने कहा है, "सिविल नाफरमानी की सबसे बुनियादी बात यह है कि सच्चाई करोड़ों लोगों के अन्दर बैठने के लिए तपस्या और तकलीफ का सहारा ले।"[52]

डॉ. लोहिया ने सत्याग्रह के दो पहलू बतलाये हैं, पहला प्रेम और दूसरा रोष अथवा ओज प्रेम। और रोष का सम्मिश्रण ही सत्याग्रह है। गरीब, अनाथ तथा असमर्थ व्यक्तियों के प्रति प्रेम और अत्याचारियों के प्रति रोष ही सत्याग्रह की पूर्णता है। यदि डॉ. लोहिया के शब्दों में ही कहें तो "क्रान्ति में करुणा का मेल सिविल नाफरमानी (सविनय अवज्ञा) है।"[53] इस आधार पर उन्होंने विनोबा जी के सत्याग्रह की आलोचना की और कहा कि उनका सत्याग्रह एकांगी है। वह गरीबों के प्रति दया और सहानुभूति तो रखता है, किन्तु अन्यायियों के प्रति रोष उसमें नहीं है।[54] अन्याय के प्रति सात्त्विक क्रोध अनिवार्य है। यदि सात्त्विक क्रोध अन्यायी के तामसिक क्रोध

का नाश करता है, तो इसमें हिंसा नहीं, क्योंकि तब तो क्रोध का देवता ही क्रोध को खा जाता है।

डॉ. लोहिया के मतानुसार जिस प्रकार सत्याग्रह प्रेम और रोष का एक साथ योग है उसी प्रकार वह ध्वंसात्मक और रचनात्मक वृत्तियों का भी एक साथ समन्वय है। सच्चा सत्याग्रही यदि एक ओर अन्यायी कुव्यवस्था को ध्वंस करता है तो दूसरी ओर सुव्यवस्था की रचना और संगठनात्मक शक्ति का प्रादुर्भाव करता है।[55] सिविल नाफरमानी तर्क और हथियार का एक साथ योग है। यह सिद्धान्त तर्क के माधुर्य से और हथियार के बल से सुसज्जित है। इस तथ्य को स्पष्ट करते हुए उन्होंने कहा है कि "मानवीय इतिहास के दो दूह हैं : तर्क और हथियार। सिविल नाफरमानी में तर्क और हथियार दोनों का मिश्रण है। इसमें एक ओर तो तर्क का माधुर्य है, दूसरी ओर हथियार का बल भी।"[56] डॉ. लोहिया का विचार था कि दार्शनिक शुभेच्छा और राजनीतिक संघर्ष मानव क्रिया के दो पृथक् भाग हैं, किन्तु इन दोनों भागों में आवागमन अनिवार्यत: होते रहना चाहिए। संघर्ष की राजनीति पर दार्शनिक शुभेच्छा का रंग हमेशा चढ़ते रहना चाहिए। दार्शनिक शुभेच्छा और राजनीतिक संघर्ष के मिलन का सर्वोच्च दृष्टान्त (सिद्धान्त) सविनय अवज्ञा है।

शाश्वत सिविल नाफरमानी—डॉ. लोहिया के मत में सत्याग्रह की सच्ची कसौटी तात्कालिक सफलता नहीं, अपितु करोड़ों का मत परिवर्तन है। इस उद्‌देश्य की प्राप्ति हेतु उन्होंने चिरन्तन सत्याग्रह की कल्पना रखी। इस दृष्टि से वे गाँधी जी से एक पग आगे बढ़े। गाँधी जी के पास सत्याग्रह एक अवसर विशेष पर काम आनेवाला सिद्धान्त था। किन्तु डॉ. लोहिया के हाथों में वह एक शाश्वत सिद्धान्त बन गया। उनका कहना था कि सप्ताह के सातों दिनों में प्रत्येक राजनैतिक दल को कम-से-कम दो-दो दिन सत्याग्रह करना चाहिए। जिस तरह किसी दौड़ में एक दौड़ाक थकता है तो दूसरा आता है और फिर तीसरा आता है, कुछ रिले रेस-जैसी होती है, उसी प्रकार हिन्दुस्तान में सत्याग्रह और सविनय अवज्ञा की रिले रेस होनी चाहिए। केवल तभी अन्यायी शासन, चाहे वह किसी भी दल का हो, समाप्त हो सकेगा। उनकी तीव्र उत्कण्ठा थी कि इस प्रकार के दल का निर्माण होना चाहिए कि जो कभी सत्ता पर न बैठे, बल्कि सत्ताधारियों के अन्यायों का अहिंसात्मक ढंग से सदैव प्रतिकार करे जिससे कि अत्याचारी शासनों को उलटते-पलटते रोटी की तरह सेंककर एक दिन पवित्र बनाया जा सके। इस सन्दर्भ में उनके निम्नलिखित सारगर्भित किन्तु मनोरंजक वाक्य उनकी निश्छल, पवित्र, ईमानदार, सत्याग्रही, आशावादी और शाश्वत श्रमयुक्त राजनीति के परिचायक हैं, "हिन्दुस्तान की सामान्य जनता, मामूली लोग अपने में भरोसा करना शुरू करें कि कल तक तो अंग्रेजी राज था, वह पाजी बन गया, उसको खतम किया। आज कांग्रेसी सरकार है, यह पाजी बन गयी, इसको

खतम करेंगे। कल, मान लें, कम्युनिस्ट सरकार बनेगी, वह पाजी बन जाये तो उसको खतम करेंगे। परसों सोशलिस्ट सरकार बनेगी। मान लो, वह पाजी बनी तो उसको भी खतम करेंगे। जिस तरह तवे के ऊपर रोटी उलटते-पलटते सेंक लेते हैं, उसी तरह से हिन्दुस्तान की सरकार को उलटते-पलटते ईमानदार बनाकर छोड़ेंगे। यह भरोसा हिन्दुस्तान की जनता में अगर आ जाये किसी तरह से तो फिर रंग आ जायेगा। अपनी राजनीति में।''[57] किन्तु इस उलट-पलट के क्रम में उन्होंने हिंसा से पृथक् रहने का उद्घोष किया, क्योंकि इस प्रकार के परिवर्तनात्मक कार्यक्रम की सच्ची कसौटी हिंसात्मक और दमनात्मक नीति के समक्ष अहिंसात्मक बना रहना है। इसके अतिरिक्त डॉ. लोहिया ने स्पष्ट किया कि विधि की सविनय अवज्ञा स्वार्थ हेतु करना जितना अनुचित है, सामूहिक स्वार्थ और परमार्थ के लिए उतना ही उचित। सिविल नाफरमानी सदैव उचित उद्देश्य के लिए और उचित तरीकों द्वारा की जानी चाहिए। अन्यथा उससे कोई लाभ नहीं।[58] वे कितने अहिंसक थे और कितने ईमानदार सरकार के इच्छुक, इसका प्रमाण सन् 1954 ई. में केरल की अपनी ही सरकार से उनका इस्तीफा माँगना है। इतना सब होते हुए भी उनके सम्बन्ध में यह तो कहा जा सकता है कि वे कभी-कभी, जैसा कि उनके उपर्युक्त कथन से स्पष्ट है, अशिष्ट भाषा का प्रयोग कर स्वयं हिंसात्मक वचन प्रयोग करके महसूस होते हैं।

सविनय अवज्ञा की सर्वव्यापकता—डॉ. लोहिया के मतानुसार सविनय अवज्ञा का सिद्धान्त सर्वव्यापक है। यह सिद्धान्त जिस प्रकार राष्ट्रीय अन्याय का विरोध करने के लिए सक्षम है उसी प्रकार अन्तरराष्ट्रीय अन्याय और अत्याचार का भी। चूँकि अन्तरराष्ट्रीय जगत् भी अन्यायों से भरपूर है, इसलिए उनके मत में विश्व स्तर पर सविनय अवज्ञा का अभ्यास होना चाहिए। किन्तु इस हेतु प्रारम्भ राष्ट्रीय अन्यायों के ही विरोध से हो सकता है। उनका यह स्पष्ट मत था कि जब तक कोई देश अपने ही शासन के अन्यायी नियमों और कार्यों की सविनय अवज्ञा करना नहीं सीखता, वह देश कभी भी विदेशी अन्याय का विरोध करने में सक्षम नहीं हो सकता। राष्ट्र की सबसे बड़ी सुरक्षा जनता द्वारा स्वयं की सरकार के विरुद्ध सविनय अवज्ञा का किया जाना है। सत्याग्रह और राष्ट्रीय सुरक्षा को घनिष्ठतम रूप से जोड़ते हुए उन्होंने कहा था, "To the extent that such potential Satyagrah is increase in a nation, to that extent is the nation free. The best defence of freedom is the readines of individuals and of primary units of organizations to resist injustice."[59]

राष्ट्रीय और अन्तरराष्ट्रीय अन्यायों को समाप्त करने के लिए वे सविनय अवज्ञा को एक स्थायी मानसिक दृष्टिकोण का रूप देना चाहते थे। उनकी दृष्टि में सिविल नाफरमानी का अन्तरराष्ट्रीय महत्त्व है। फ्रान्स, अमेरिका और भारत में देशी अन्यायों

के प्रति हो रहे सविनय अवज्ञा से आज या कल संसार के सभी देशों को यह सोचने में सहायता मिलेगी कि सिविल नाफरमानी सशस्त्र विद्रोह की जगह ले सकती है। इसके अतिरिक्त कई विषयों में देशी अन्यायों का प्रतिकर करने से अन्तरराष्ट्रीय अन्यायों की समाप्ति स्वत: हो जाती है। किसी एक देश के सत्याग्रही दूसरे देश पर आक्रमण करने के लिए जा रही अपनी सेनाओं को यदि रोकते हैं तो अन्तरराष्ट्रीय जगत् में स्वत: ही अनाक्रमण की स्थिति बनती है। इस हेतु डॉ. लोहिया की इच्छा थी कि केवल भारत में ही नहीं, अपितु सम्पूर्ण संसार के राष्ट्रों में ऐसे दलों का निर्माण हो जो कभी भी सत्ता में न आवे, बल्कि सत्ताधारियों के द्वारा किये जा रहे अन्यायों के प्रति सविनय अवज्ञा करे। 19 जुलाई, सन् 1951 ई. को अमेरिका में एक वार्त्ता के मध्य उन्होंने कहा था, "I wish a tribe of politician arose all over the world, which would specialize in doing its job without holding offices. A big problem for mankind to day is how to came power."[60]

डॉ. लोहिया द्वारा की गयी सिविल नाफरमानी—डॉ. लोहिया ने सविनय अवज्ञा-सिद्धान्त का केवल सैद्धान्तिक प्रचार ही नहीं किया, अपितु कई सविनय अवज्ञा आन्दोलनों का नेतृत्व किया। गाँधी जी के साथ अंग्रेजी शासन के विरुद्ध उन्होंने सविनय अवज्ञा में तो सक्रिय भाग लिया ही, अपने देशी शासन के विरुद्ध भी अन्यायों का सतत विरोध किया। उन्हीं के सहयोग से 9 अगस्त, सन् 1953 को आजमगढ़ जिले के कृषकों ने शासकीय अभिलेखों की त्रुटिपूर्ण प्रविष्टि के विरोध में सविनय अवज्ञा की।[61] अवैधानिक बेदखली के विरोध में मई, सन् 1951 ई. में मैसूर राज्य के कृषकों ने सत्याग्रह किया, जिसका नेतृत्व डॉ. लोहिया ने ही किया। सन् 1954 में उत्तर प्रदेश में नहर-रेट वृद्धि के विरुद्ध उन्होंने सामूहिक सविनय अवज्ञा की। उन्हीं की प्रेरणा से भूमि-सम्बन्धी विभिन्न माँगों को लेकर सन् 1956 में बिहार के कृषकों ने सिविल नाफरमानी चलायी।[62] सन् 1956 ई. से सन् 1959 ई. तक उन्हीं के निर्देशन में समाजवादी दल ने बारी-बारी से देश के लगभग सभी हिस्सों में सिविल नाफरमानी चलायी। अपने सिद्धान्तों को लेकर सन् 1960 ई. में एक देशव्यापी सविनय अवज्ञा की। सन् 1962 ई. में चीनी आक्रमण के बाद डॉ. लोहिया ने 'देश बचाओ' आन्दोलन चलाया।[63]

सिविल नाफरमानी सिद्धान्त का महत्त्व—सिविल नाफरमानी का महत्त्व स्पष्ट करते हुए डॉ. लोहिया ने कहा कि हिंसात्मक क्रान्ति न तो उचित है और न सम्भव। इसके विपरीत सविनय अवज्ञा उचित भी है और सम्भव भी, क्योंकि डॉ. लोहिया के शब्दों में "इसके लिए चौड़ी छाती के अलावा और किसी हथियार की जरूरत नहीं।"[64] सविनय अवज्ञा को सहयोग और असहयोग का अद्भुत सम्मिश्रण बतलाते हुए उन्होंने कहा कि सविनय अवज्ञा करनेवाला क्रान्तिकारी शुभ

कार्यों में सत्ताधारी को सहयोग प्रदान करता है और अशुभ तथा अन्यायी कार्यों में असहयोग कर उसे पतित होने से बचाता है। इस प्रकार सविनय अवज्ञा में न्याय करने और अन्याय से संघर्ष करने की क्षमता होती है। किन्तु हिंसात्मक आन्दोलन में न्याय करने की क्षमता नहीं और जब तक न्याय करने की शक्ति नहीं, तब तक उसमें अन्याय से संघर्ष करने की भी शक्ति नहीं आ सकती। राष्ट्रीय सुरक्षा की दृष्टि से भी सविनय अवज्ञा लाभकारी है, क्योंकि राष्ट्रीय अन्यायों का विरोध करते-करते जनसाधारण को अन्याय का विरोध करना स्वाभाविक हो जाता है, जिसका प्रयोग वह विदेशी अत्याचारों के प्रति कर देश की रक्षा करता है। इसके विपरीत हिंसात्मक विरोध स्वयं में अन्याय है और देश तथा विदेश दोनों के लिए हानिकर है।

डॉ. लोहिया ने कहा कि अहिंसात्मक क्रान्ति जनसाधारण से कमजोरी हटाकर उनमें शक्ति का संचार करती है। इससे नैतिक पुनरुत्थान भी हाता है। सविनय क्रान्ति नीर-क्षीर विवेक करना सिखाती है। इस दृष्टि से सविनय अवज्ञा, यदि वह वास्तव में न्याय के हेतु है, पृथ्वी पर विवेक की यात्रा है। डॉ. लोहिया ने कहा भी था, "In the act of civil disobedience lies the irresistible impulse of the man without weapons to justice and equality. Civil disobedience is assured reason."[65] वास्तव में सविनय अवज्ञा ही विधि के सम्मान की रक्षा का एकमात्र उपाय है। यह कानून के आधारभूत नियमों और सिद्धान्तों की रक्षा करता है। हिंसात्मक क्रान्ति और सविनय अवज्ञा का कोई मेल नहीं। सविनय अवज्ञा त्याग, तपस्या और वीरता का पाठ भी पढ़ाती है। सत्याग्रह एक ऐसा अस्त्र है जो अकले मनुष्य को बिना सभूह में होते हुए, बिना हथियार की सहायता से बहादुर बनाता है। सिविल नाफरमानी की उपर्युक्त कई उपादेयता के कारण डॉ. लोहिया चाहते थे कि जनता सिविल नाफरमानी के अधिकार को मान्यता मिले।[66]

संक्षेप में डॉ. लोहिया गाँधी जी के पश्चात् सविनय अवज्ञा करनेवाले एकमात्र भारतीय क्रान्तिकारी थे जिन्होंने देशी और विदेशी अन्यायों के विरोध में अपना जीवन उत्सर्ग कर दिया। गाँधी जी के द्वारा प्राप्त इस सत्याग्रह की धरोहर के वे केवल रक्षक ही नहीं बने, बल्कि उसका विस्तार किया। सविनय अवज्ञा का प्रमुख उद्देश्य गाँधी जी के मत में विरोधी अथवा अन्यायी का मत-परिवर्तन था। किन्तु डॉ. लोहिया की दृष्टि में इसका प्रमुख लक्ष्य अन्यायी का हृदय-परिवर्तन नहीं, अपितु साधारण जन-समूह का मत-परिवर्तन है। गाँधी जी समय-समय पर ही सत्याग्रह के पक्ष में थे। किन्तु डॉ. लोहिया निरन्तर सत्याग्रह चाहते थे। डॉ. लोहिया ने सविनय अवज्ञा सिद्धान्त की विशद् व्याख्या की, उसे वैयक्तिक और सामूहिक, राष्ट्रीय और अन्तरराष्ट्रीय, सिद्धान्त और कर्म, कार्य और फल, नकारात्मक और सकारात्मक

आदि सभी दृष्टियों से अवलोकन कर व्यापक बनाया है। उन्होंने सविनय अवज्ञा का सतत प्रयोग कर उसे सैद्धान्तिक और व्यावहारिक स्थायित्व प्रदान किया। भले ही अत्याचार और अन्याय का शक्तिशाली राक्षस इतना भयंकर न हो, परन्तु उससे भिड़ने की डॉ. लोहिया की तीव्र सुधारवादी इच्छा द्रष्टव्य है।

कुछ विचारकों का मत है कि सविनय अवज्ञा या सिविल नाफरमानी का पथ कायरों और बुजदिलों का अस्त्र है। इस विषय को लेकर गाँधी जी की भी बहुत आलोचना की गयी है और इसी प्रकार डॉ. लोहिया के भी इस सिद्धान्त के बहुत आलोचक निकल आयेंगे। पर यह मार्ग फौलादी आत्मावाले और भीष्म दृढ़ निश्चयवाले व्यक्ति या समूह ही अपना सकते हैं। इस पर खोटे सिक्के नहीं चल सकते। इस पर चलना तलवार की धार पर चलना है और इसी कारण यह अस्त्र कमजोरों को कमजोर मालूम पड़ता है। शस्त्र-बल का भय अंग्रेजी दवाओं की तरह बुराई या अन्याय-बीमारी को केवल रोक (चेक) भर सकता है, सविनय अवज्ञा की आयुर्वेदिक बूटी की भाँति समूह नष्ट नहीं कर सकता, हृदय-परिवर्तन नहीं कर सकता। पर एक बात है। यह रास्ता बड़ा ही लम्बा और घिरावदार है और उसमें कच्चे सामान्य आदमियों का धैर्य छूट सकता है। इसलिए इसकी क्रियात्मकता और उपादेयता पर साधारण क्या विद्वानों को भी शक होने लगता है। पर धैर्य, आशावादिता और सहिष्णुता के पुजारी के लिए कुछ भी असम्भव नहीं हो सकता।

वाणी-स्वतन्त्रता और कर्म-नियन्त्रण

साम्यवादी देशों में तो वाणी-स्वातन्त्र्य एक कथा मात्र है ही, आधुनिक प्रजातन्त्रों में भी अनुशासन के नाम पर वाणी-स्वातन्त्र्य पर विभिन्न प्रकार के अवरोध लगाये जाते हैं। यह प्रवृत्ति केवल शासन में ही नहीं, अपितु राजनैतिक दलों के संगठन में भी पायी जाती है। यद्यपि राजनैतिक दल अपने सदस्यों की वाणी-स्वतन्त्रता पर सैद्धान्तिक अवरोध नहीं लगाते, तथापि व्यवहार में उनको वाणी की स्वतन्त्रता नहीं होती। उनके लिए अनुशासन का अर्थ उच्चतर समितियों और व्यक्तियों का आज्ञा-पालन समझा जाता है। उच्चतर समितियों के निर्णयों के सम्बन्ध में स्वतन्त्र विचार व्यक्त करनेवाले व्यक्ति को अनुशासनहीन समझा जाता है और उसे दल की सदस्यता तक से हाथ धोना पड़ता है। यह स्थिति लोकतान्त्रिक देशों के लिए घृणास्पद और लज्जाजनक है। सर्वभक्षी राज्यों के विपरीत लोकतान्त्रिक राज्यों में अनुशासन का अर्थ उच्चतर समितियों अथवा व्यक्तियों का आज्ञा-पालन नहीं होना चाहिए। वास्तव में अनुशासन का अर्थ है समितियों और व्यक्तियों के सीमित अधिकारों को मानना और स्वीकार करना, चाहे वे बड़ हों या छोटे। डॉ. लोहिया का मत है कि जब कोई समिति या व्यक्ति विवेक और औचित्य (संविधान)

द्वारा निर्धारित सीमा-रेखा का अतिक्रमण करे तो उसे यह अधिकार नहीं होना चाहिए कि वह दूसरों से ऐसे निर्णय के विरुद्ध काम न करने की आशा करे। राजनैतिक दलों को यह आशा करने का अधिकार है कि अल्पमत बहुमत के संवैधानिक निर्णयों की अवहेलना नहीं करेगा, चाहे वह उन्हें गलत ही समझता रहे। लेकिन कार्य के ऊपर ही यह प्रतिबन्ध रहना चाहिए, भाषण पर नहीं।[67] डॉ. लोहिया ने इसी दृष्टि से 'वाणी-स्वतन्त्रता और कर्म-नियन्त्रण का सिद्धान्त' दिया।

डॉ. लोहिया का 'वाणी-स्वतन्त्रता और कर्म-नियन्त्रण' का सिद्धान्त

डॉ. लोहिया के सिद्धान्त 'वाणी-स्वतन्त्रता और कर्म-नियन्त्रण' का अर्थ है कि वाणी-स्वतन्त्रता बिलकुल स्वच्छन्द रहे, किन्तु कर्म पूर्ण नियन्त्रित। उनका कहना था, "बोली की तो लम्बी बाँह होनी चाहिए, खूब स्वतन्त्र हो, जो भी बोलो, लेकिन जब कर्म करो तो बँधी हुई, संगठित, अनुशासित मुट्ठी होनी चाहिए।"[68] डॉ. लोहिया के इस सिद्धान्त के अनुसार यदि किसी अन्यायपूर्ण शक्ति के विरोध में वाणी-स्वातन्त्र्य का प्रयोग हो रहा हो तो उस अन्यायी शक्ति को वाणी-स्वातन्त्र्य के प्रयोगकर्त्ता को प्रत्यक्ष अथवा अप्रत्यक्ष रूप से कभी भी दबाना नहीं चाहिए और न ही अपने पक्षकर्त्ता के अनियन्त्रित कार्यों को प्रश्रय देना चाहिए। डॉ. लोहिया के मतानुसार किसी राज्य या दल में अनुशासन, वाणी-अवरोध से नहीं, बल्कि तब आता है जब उसके अंग अपने ऊपर कार्य के सर्वज्ञात सिद्धान्तों की रोक लगाते हैं, विवेकहीन व्यवहार के द्वारा अपनी शक्तियों का अपव्यय नहीं होने देते और स्वतन्त्र मानसिक सम्बन्धों में बँधे प्रगति के पथ पर बढ़ते जाते हैं। वे राजनीतिक संस्थाएँ जो अपने अनुयायियों के भाषण पर अनुशासन की रोक लगाती है और नेतृत्व-वर्ग को मनमाने काम की छूट देती है, उस सेना के समान होती हैं जो नहीं जानती कि उन्हें क्या करना है। डॉ. लोहिया के शब्दों में, "Political institutions which enjoin disciplined speech on their followers and permit arbitrary action to their leadership are like an army without knowledge of what it has to do."[69]

वाणी-स्वतन्त्रता का सशक्त प्रतिपादन करते हुए डॉ. लोहिया ने कहा कि जनतान्त्रिक देशों में प्रत्येक व्यक्ति को पूर्णरूप से भाषण और अभिव्यक्ति की स्वतन्त्रता होनी चाहिए। किसी के प्रति झूठ बोलना, किसी के साथ गाली-गलौज करना अथवा अन्य किसी प्रकार से किसी का अपमान करना निश्चित रूप से अपराध हो सकता है किन्तु सामाजिक और राजकीय मामलों में, सिद्धान्त और कार्यक्रम के मामलों में प्रत्येक व्यक्ति को वाणी की पूर्ण स्वतन्त्रता होनी चाहिए। जनता के इस अधिकार पर विवेकयुक्त और उचित बन्धनों का शासन एवं दल दोनों अनुचित लाभ उठाते हैं। परिणामस्वरूप वास्तविक स्वतन्त्रता का अपहरण होता है। अतः वाणी

की बन्धनमुक्त स्वतन्त्रता होनी चाहिए। डॉ. लोहिया का मत है कि झूठ और सत्य पर बिना विचार किये वाणी की पूर्ण स्वतन्त्रता होनी चाहिए, क्योंकि सत्य-झूठ का विनिश्चय कोई उच्चतर व्यक्ति अथवा समिति नहीं कर सकती, वह तो झूठ और सत्य के संघर्ष से और परस्पर आवागमन से निखरता है। उन्होंने स्पष्टत: कहा था, "मैं कहना चाहता हूँ कि झूठ बोलने का भी अधिकार है क्योंकि झूठ क्या है, सच क्या है, इसका फैसला अगर कोई कार्यकारिणी या सरकार करने बैठ जायेगी तब तो फिर वाणी की स्वतन्त्रता बिलकुल खतम हो जायेगी।"[70]

डॉ. लोहिया के स्वतन्त्रता-सम्बन्धी विचारों की तुलना जॉन स्टुअर्ट मिल से की जा सकती है। मिल ने झक्कियों, सनकियों तक को वाणी-स्वतन्त्रता प्रदान की है। उसका भी डॉ. लोहिया के समान मत है कि व्यक्ति को वाणी की अबाध स्वतन्त्रता मिलनी चाहिए। उसका तर्क था कि व्यक्ति केवल तीन ही प्रकार की बात कह सकता है—सत्य, अर्द्धसत्य और झूठ। उसके मतानुसार व्यक्ति के सत्य और अर्द्धसत्य बोलने पर किसी को कोई आपत्ति नहीं होनी चाहिए, क्योंकि उससे क्रमश: सत्य और अर्द्धसत्य का ज्ञान होता है। इसी प्रकार यदि कोई झूठ बोलता है तो उसे बोलने देना चाहिए, क्योंकि उसके झूठ पर चली बहस से सत्य का ज्ञान होगा। मिल और डॉ. लोहिया ने वाणी-स्वतन्त्रता को दबाना एक जघन्य अपराध माना। जान स्टुअर्ट मिल ने तो वाणी-स्वातन्त्र्य के हनन को मानवता विनाशक और आगे आनेवाली पीढ़ी तक को लूटना बतलाया। मिल ने अपने ग्रन्थ "On liberty' में एक जगह लिखा है, "The peculiar evil of silencing the expression of an opinion is that it is robbing the human race, posterity as well as the existing generation."

डॉ. लोहिया के दर्शन में वाणी-स्वतन्त्रता और कर्म-नियन्त्रण अपृथक् रूप से साथ-साथ चलते हैं। उनके मतानुसार यदि दल का विधानसम्मत निर्णय किसी सदस्य को पसन्द नहीं है तो वाणी के द्वारा उस निर्णय का विरोध करने के लिए वह व्यक्ति स्वतन्त्र है, किन्तु कर्म में उसका वास्तविक पालन करना उसे अनिवार्य है।[71] कर्म-नियन्त्रण के डॉ. लोहिया ने दो प्रकार बतलाये हैं—एक तो सिद्धान्त और विधान वर्जित कामों को न करें, और दूसरा सम्मेलन विधान द्वारा आदेशित कामों को करें।[72] उनके द्वारा बताये गये दोनों कर्म-नियन्त्रणों में एक नकारात्मक है और दूसरा सकारात्मक उनका मत है कि अब तक भारत के सभी राजनैतिक दलों में वाणी-परतन्त्रता और कर्म-स्वच्छन्दता रही है। बड़ी समितियों अथवा बड़े नेताओं के निर्णय के विरुद्ध व्यक्ति मन से विरोध चाहते हुए भी नहीं बोल पाते, किन्तु उनके कर्म निर्णयों के ठीक विपरीत होते हैं और ये दोनों ही तथ्य अनुचित हैं। इसके विपरीत जनतन्त्र में राज्य अथवा राजनैतिक दलों दोनों के सन्दर्भ में वाणी-स्वतन्त्रता और

कर्म-नियन्त्रण होना चाहिए। डॉ. साहब अकसर निम्नलिखित मनोरंजक श्लोक अपने भाषणों में दुहराया करते थे—

वाक् स्वातन्त्र्यम् कर्म नियन्त्रणम् इति जनतान्त्रिक अनुशासनम् ।
विपरीतम् कर्म स्वातन्त्र्यम् वाक् नियन्त्रणम् भारते प्रचलित पन्थः।''[73]

डॉ. लोहिया ने स्पष्ट किया कि 'बुद्धं शरणम् गच्छामि, संघम् शरणम् गच्छामि और बाद में धर्मं शरणम् गच्छामि' का क्रम त्रुटिपूर्ण है। उन्होंने उपर्युक्त सूत्र के क्रम को पूर्णरूपेण परिवर्तित कर दिया और कहा कि व्यक्तियों को सर्वप्रथम धर्म, द्वितीय संघ और अन्त में बुद्ध की शरण में जाना चाहिए।[74] उन्होंने धर्म को सिद्धान्त, संघ को संगठन और बुद्ध को नेता कहा है। उनका कहना था कि जिस प्रकार संगठन के लिए सिद्धान्त आवश्यक है उसी प्रकार सिद्धान्त के लिए संगठन आवश्यक है। उनके मत में भारत में अभी तक संगठन और सिद्धान्त दोनों अपने मार्ग से विचलित रहे हैं। अभी तक ऐसे ही संघ बने कि जिन्होंने धर्म को थोड़ा-बहुत निष्प्राण किया और ऐसा ही धर्म निकाला कि जिसने अपने संगठन की समीक्षा नहीं की। समाजवादियों के समक्ष धर्म और संगठन के समन्वय पर बल देते हुए उन्होंने कहा था कि "धर्म और संघ याने सिद्धान्तों और संगठन की उस परस्पर नीति और मार्ग को आप ढूँढ़ रहे हैं, जिससे ऐसी राजनीति में एक नयी क्रान्ति पैदा हो।''[75]

डॉ. लोहिया ने 'वाणी-स्वतन्त्रता और कर्म-नियन्त्रण' का सिद्धान्त देकर मानवता की वास्तविक सेवा की। आज तक के राजनैतिक इतिहास में यह एक सन्तुलित और अनूठा सिद्धान्त है। इस सिद्धान्त में वैयक्तिक स्वतन्त्रता और सामाजिक हित का सुन्दर समन्वय है। उन्होंने वाणी-स्वतन्त्रता में, प्रेस की स्वतन्त्रता, भाषण की स्वतन्त्रता, निजी भाषा की स्वतन्त्रता आदि क्रियात्मक रूप से प्रदान करने का नारा बुलन्द किया, जबकि अन्य विचारक केवल ढिंढोरा तो स्वतन्त्रता का पीटते रहे, किन्तु वास्तव में उन्मुक्त विचारों को दबाने की व्यवस्था दी। मार्क्सवाद ने मानव को एक पालतू तोता बना दिया और रोटी देकर उसकी मानसिक, सांस्कृतिक, धार्मिक, वैचारिक आदि मानवीय स्वतन्त्रताओं को साम्यवाद के पिंजड़े में बन्दी बना लिया। गाँधी जी ने अवश्य मानव-स्वतन्त्रता की चर्चा की और चरखे तथा कुटीर उद्योग-धन्धे, रोटी के लिए परिश्रम, अस्पृश्यता-उन्मूलन, सत्य, अहिंसा, सर्वोदय आदि क्रियात्मक पहलू देकर मानव-समाज में स्वतन्त्रता-समानता लाने का प्रयास किया, किन्तु शोषक को धराशायी करने की उनकी कोई ठोस योजना न थी। जब तक कि शोषक के विनाश के लिए कोई कानूनी व्यवस्था न दी जाय महात्मा गाँधी के कुटीर उद्योग और चरखा नहीं पनप सकते। फलतः मानव की वाणी-स्वतन्त्रता क्या, हर प्रकार की स्वतन्त्रता वास्तविक रूप में शोषक के अधीन रहेगी। जब तक आर्थिक

विषमता की गहरी खाइयाँ मौजूद हैं, मानव-स्वतन्त्रता कल्पना मात्र है।

मानव-स्वतन्त्रता के सबसे बड़े समर्थक जान स्टुअर्ट मिल ने भी जिस व्यक्तिवाद अथवा 'यद्भाव्यम् नीति' का प्रतिपादन किया था, उसमें स्वतन्त्रता के स्थान में मानव को परतन्त्रता मात्र ही हाथ लगी। इसके अतिरिक्त व्यक्ति के कार्यों को दो भागों स्व-सम्बन्धी और पर-सम्बन्धी में विभाजित कर व्यक्ति की जिस कार्य-सम्बन्धी स्वतन्त्रता का समर्थन मिल ने किया है, वह भी एक कल्पनामात्र है। क्योंकि प्रत्यक्ष अथवा अप्रत्यक्ष रूप से व्यक्ति का प्रत्येक कार्य पर-सम्बन्धी होता है और पर-सम्बन्धी कार्य पर तो शासन के नियन्त्रणों और बन्धनों को स्वयं मिल ने मान्यता दी है। डॉ. लोहिया ही ऐसे विचारक थे जिन्होंने धर्म और संघ, सिद्धान्त और संगठन, वाणी और कर्म, व्यक्ति और समाज, दल और उसके नेता के पारस्परिक सम्बन्धों का ऐसा उचित निर्धारण किया है कि जिसका अवलम्बन ले मानव सामाजिक हित को बनाये रखते हुए सच्ची स्वतन्त्रता को उपभोग कर सकता है।

वाणी-स्वतन्त्रता का वैसे तो हर प्रकार के शासनतन्त्र में महत्त्वपूर्ण स्थान होना चाहिए, पर जहाँ तक प्रजातन्त्र और विशेषकर समाजवादी प्रजातन्त्र का सम्बन्ध है, वाणी की स्वतन्त्रता, प्रेस की स्वतन्त्रता तो उसके प्राण ही हैं। स्वस्थ प्रजातन्त्र की स्थिति और स्थायित्व के लिए इसकी समालोचना की छूट बहुत ही आवश्यक है। कोई भी तन्त्र, शासन, दल या संस्थान इस अंकुश के बिना निरंकुश हो जाता है और मनमानी करने लगता है, जिसका फल अन्त में बड़ा ही भयावह होता है। डॉ. लोहिया ने अपने आदर्श राज्य में उसके नागरिकों को अपने मौलिक अधिकारों के उपयोग का अवसर केवल कागज पर ही नहीं, बल्कि वास्तविक जीवन में करने की प्रस्तावना रखी है। अन्याय, अत्याचार, अहित, चाहे व्यक्ति के प्रति हों, समूह के प्रति हों या देश के प्रति हों, इनके विरुद्ध आवाज उठाने, शासन का ध्यान आकर्षित करने की स्वतन्त्रता सबको ही व्यवहार में होनी चाहिए, जो खेद के साथ कहना पड़ता है कि वर्तमान समय में किसी भी देश में, चाहे जैसी भी शासन-व्यवस्था वहाँ हो, पूर्ण रूप में नहीं है।

व्यक्ति-और समाज दो परस्पर सम्बन्ध

राजनैतिक विचारकों की प्रवृत्ति एक ही सिक्के के दो पहलुओं को अलग-अलग करके देखने की रही है। अभी तक अधिकांश राजनीतिक दर्शन विचारों के द्वन्द्व में पलते रहे हैं। यह केवल डॉ. लोहिया ही थे जिन्होंने विचारों के द्वन्द्व को समाप्त कर सम्यक् दृष्टि पर बल दिया है। पदार्थ और आत्मा, सगुण और निर्गुण, धर्म और राजनीति, व्यक्ति और समाज के बीच द्वन्द्व को समाप्त कर जिस समदृष्टि

से समाज को देखने की पहल डॉ. लोहिया के दर्शन में हुई, केवल वही सन्तुलित दृष्टि पूर्णता की सृष्टि करने में सक्षम है। इस तथ्य के सम्बन्ध में डॉ. लोहिया का कथन है कि "सम्भवत: अल्प मात्र कसौटियों पर अपने अटल विश्वास के कारण ही आधुनिक संसार के भयावह आधार की द्वि-विधाओं और विरोधों को जन्म दिया है, जैसे विषय और प्रवृत्ति, व्यक्ति और समाज, रोटी और संस्कृति आदि-आदि। ऐसे जोड़ों में अन्तर्निहित विरोधाभास एक नकली और अस्वाभाविक विरोधाभास है।"[76]

चिन्तन के इस वैज्ञानिक आधार पर ही डॉ. लोहिया ने समाज के और व्यक्ति के सम्बन्ध पर दृष्टि डाली है। उन्होंने स्पष्ट किया कि व्यक्ति वातावरण से जन्मा है किन्तु वातावरण भी व्यक्ति से जन्मा है और जिस प्रकार का व्यक्ति का विकास समाज द्वारा होता है उसी प्रकार समाज का भी विकास व्यक्ति द्वारा होता है। जिस प्रकार क्षण भूतकाल की कड़ी और भविष्य का आविष्कार है, उसी प्रकार व्यक्ति वातावरण की उत्पत्ति है, किन्तु साथ-ही-साथ वह वातावरण-परिवर्तन का एक क्रान्तिमय साधन भी है। मानव साध्य और साधन दोनों है। साध्य की दृष्टि से वह असीम प्रेम का विकास करता है, तो साधन की दृष्टि से अन्याय के विरोध में वह क्रान्तिकारी क्रोध प्रकट करता है। डॉ. लोहिया के शब्दों में, "The individual is both an end and a means, as an end he is the unfolder of love unto all; as a means, he is the tool of revolutionary anger against tyranny."[77]

सन्दर्भ

1. डॉ. लोहिया : जाति-प्रथा, पृ. 42
2. डॉ. लोहिया : इतिहास-चक्र, पृ. 17
3. डॉ. लोहिया : इतिहास-चक्र, पृ. 51
4. डॉ. लोहिया : इतिहास-चक्र, पृ. 38
5. डॉ. लोहिया : इतिहास-चक्र, पृ. 49
6. डॉ. लोहिया : इतिहास-चक्र, पृ. 42
7. डॉ. लोहिया : इतिहास-चक्र, पृ. 65
8. डॉ. लोहिया : इतिहास-चक्र, पृ. 68
9. डॉ. लोहिया : धर्म पर एक दृष्टि, पृ. 7
10. डॉ. लोहिया : भारत में समाजवाद, पृ. 28
11. डॉ. लोहिया : धर्म पर एक दृष्टि, पृ. 9
12. डॉ. लोहिया : धर्म पर एक दृष्टि, पृ. 4
13. डॉ. लोहिया : आजाद हिन्दुस्तान में नये रुझान, पृ. 11
14. डॉ. लोहिया : राम, कृष्ण और शिव, पृ. 20

15. लोकमान्य बाल गंगाधर तिलक : श्रीमद्भागवत गीता रहस्य अथवा कर्म योग शास्त्र के पृष्ठ 119 से उद्धृत।
16. डॉ. लोहिया : मर्यादित, उन्मुक्त और असीमित व्यक्तित्व और रामायण मेला, पृ. 49
17. इन्दुमति केलकर : लोहिया : सिद्धान्त और कर्म, पृ. 150
18. Dr. Lohia : Marx, Gandhi and Socialism, p. 374-75
19. Dr. Lohia : Marx, Gandhi and Socialism, p. 374-75
20. डॉ. लोहिया : मर्यादित, उन्मुक्त और असीमित व्यक्तित्व और रामायण मेला, पृ. 48
21. डॉ. लोहिया : मर्यादित, उन्मुक्त और असीमित व्यक्तित्व और रामायण मेला, पृ., पृ. 49
22. डॉ. लोहिया : इतिहास-चक्र, पृ. 49
23. डॉ. लोहिया : इतिहास-चक्र, पृ. 49
24. Harris Wofford J.R. — Lohia and America Meet, Front page.
25. डॉ. लोहिया : सात क्रान्तियाँ
26. डॉ. लोहिया : क्रान्ति-प्रथा, पृ. 71-72
27. डॉ. लोहिया : पाकिस्तान में पलटनी शासन, पृ. 12
28. हरिजन, 19 अप्रैल, सन् 1942 के अंक से
29. T.H. Green : Lectures on the principles of political obligation, page 136
30. डॉ. लोहिया : पाकिस्तान में पलटनी शासन, पृ. 12
31. Dr. Lohia : Marx, Gandhi and Socialism, p. 342
32. डॉ. लोहिया : क्रान्ति के लिए संगठन, पृ. 198
33. लोहिया-भाषण, 26 जनवरी, 1950 (स्मारिका चौथा राज्य सम्मेलन सं. शो. पा., म. प्र. 12, 13, 14 दिसम्बर, 1970 के पृष्ठ 13 से)
34. Plato's Republic Translated, by B. Jowett M.A., page 127
35. इन्दुमति केलकर : लोहिया : सिद्धान्त और कर्म, पृ. 217
36. डॉ. लोहिया : समाजवादी चिन्तन, पृ. 101
37. डॉ. लोहिया : भाषण, रीवा, 26 फरवरी, सन् 1950 ई.
38. डॉ. लोहिया : भाषण, रीवा, 26 फरवरी, सन् 1950 ई.
39. डॉ. लोहिया : क्रान्ति के लिए संगठन (भाग 1), पृ. 112
40. डॉ. लोहिया : क्रान्ति के लिए संगठन (भाग 1), पृ. 113
41. H.J. Laski : A Grammar of Politics, page 170-171.
42. Dr. Lohia : Marx, Gandhi and Socialism, p. 410
43. Harris Wofford J. R. : Lohia and America Meet, page 137
44. Dr. Lohia : Marx, Gandhi and Socialism, page 317

45. Harris Wofford : Lohia and America Meet, page 33
46. बाबू मक्खनलाल पंजाबी, सुखसागर (श्रीमद्भागवत का हिन्दी अनुवाद), पृ. 354-355
47. डॉ. लोहिया : नया समाज : नया मन, पृ. 2
48. इन्दुमति केलकर : लोहिया : सिद्धान्त और कर्म, पृ. 414
49. डॉ. लोहिया : सिविल नाफरमानी : सिद्धान्त और अमल, पृ. 7
50. डॉ. राधाकृष्णन : भगवद्गीता, पृ. 125
51. डॉ. लोहिया : सिविल नाफरमानी : सिद्धान्त और अमल, पृ. 8
52. डॉ. लोहिया : सिविल नाफरमानी : सिद्धान्त और अमल, पृ. 11
53. डॉ. लोहिया : इतिहास-चक्र, पृ. 102
54. डॉ. लोहिया : सिविल नाफरमानी : सिद्धान्त और अमल, पृ. 12
55. डॉ. लोहिया : सिविल नाफरमानी : सिद्धान्त और अमल, पृ. 20
56. डॉ. लोहिया : नया समाज, नया मन, पृ. 1
57. डॉ. लोहिया : पाकिस्तान में पलटनी शासन, पृ. 25
58. जन., मार्च, सन् 1968, पृ. 127
59. Dr. Lohia : Marx, Gandhi and Socialism, page 345
60. Harris Wofford J.R. : Lohia and America Meet, page 58
61. इन्दुमति केलकर, लोहिया : सिद्धान्त और कर्म, पृ. 282
62. इन्दुमति केलकर, लोहिया : सिद्धान्त और कर्म, पृ. 282
63. दिनमान, 20 सितम्बर, 1970 ई.
64. डॉ. लोहिया : सच, कर्म, प्रतिकार और चरित्र-निर्माण, आरूान, पृ. 19
65. Dr. Lohia : Marx, Gandhi and Socialism, Preface XXXI.
66. डॉ. लोहिया : सिविल नाफरमानी की व्यापकता, पृ. 15
67. Dr. Lohia Marx, Gandhi and Socialism, p. 483
68. डॉ. लोहिया : समाजवादी आन्दोलन का इतिहास, पृ. 140
69. Dr. Lohia : Marx, Gandhi and Socialism, p. 484
70. डॉ. लोहिया : समाजवादी आन्दोलन का इतिहास, पृ. 139-140
71. डॉ. लोहिया : समाजवादी आन्दोलन का इतिहास, पृ. 141
72. डॉ. लोहिया : समाजवादी चिन्तन, पृ. 100
73. डॉ. लोहिया : समाजवादी चिन्तन, पृ. 100
74. इन्दुमति केलकर, लोहिया, सिद्धान्त और कर्म, पृ. 327
75. डॉ. लोहिया : समाजवादी चिन्तन, पृ. 111-112
76. डॉ. लोहिया : इतिहास-चक्र, पृ. 88
77. Dr. Lohia : Marx, Gandhi and Socialism, p. 375

6

भाषा और डॉ. लोहिया का समाजवाद

समाजवाद का उद्देश्य मानव का सर्वाङ्गीण विकास है जिसकी पूर्णता के लिए सांस्कृतिक और मानसिक विकास अत्यन्त आवश्यक है। मानव को मानसिक और सांस्कृतिक ढंग से विकसित करने के लिए भाषा का सर्वाधिक महत्त्व है। भाषा ही एक ऐसा माध्यम है जिसके द्वारा व्यक्ति व्यक्ति तक पहुँचता है, ज्ञान का आदान-प्रदान होता है और अन्तर्निहित शक्तियों का विकास होता है। मातृभाषा और सर्वज्ञात भाषा के सर्वत्र प्रयोग से ही व्यक्ति का उत्थान होता है और व्यक्ति के उत्थान से राष्ट्र का उत्थान होता है। अपने सुख-दुःख और हृदय के उद्‌गार मातृभाषा में ही अच्छी तरह से व्यक्त होते हैं और मातृभाषा ही व्यक्ति को माँ की तरह पाल-पोष कर आदर्श मानव बनाने में योग देती है। दुर्भाग्य का विषय है कि भारतवर्ष में जनता की भाषा में काम-काज न होकर एक विदेशी और चन्द लोगों की भाषा अंग्रेजी में होता है। अंग्रेजी में इस अनधिकार प्रवेश के परिणामस्वरूप साधारण व्यक्ति शासन, विधान, ज्ञान आदि के क्षेत्र से वंचित रहने के कारण निर्भय और क्रियाशील जीवन व्यतीत नहीं कर पाता, न ही अंग्रेजी से विज्ञ कार्यकर्त्ताओं से अपनापन अनुभव कर सकने में समर्थ है। ऐसी स्थिति में शासक और शासित एक-दूसरे के लिए अपरिचित बने रहते हैं और साथ ही देशवासियों के प्रति आत्मीय सम्बन्ध खो बैठते हैं। अतः यह एक वास्तविकता है कि अंग्रेजी के हटाये बिना जनतान्त्रिक समाजवादी संस्थाएँ भारत में उत्पन्न होना असम्भव है। डॉ. लोहिया ने उचित ही कहा है "अंग्रेजी को हटाये बिना समाजवाद, जनतन्त्र और ईमानदारी के पहले कदम भी असम्भव है। 40 करोड़ हिन्दुस्तानियों के लिए तीस लाख लोगों की अंग्रेजी एक गुप्त विद्या है जैसे टोना-टोटका या भूत झाड़ने के मन्त्र इत्यादि। गुप्त विद्याओं से किसी भी देश का नाश हुआ करता है।"[1] यह किंचित् सन्तोष का विषय है कि अब इस ओर कुछ परिवर्तन हो रहा है।

डॉ. लोहिया का मत है कि माध्यम के रूप में अंग्रेजी के प्रयोग से आर्थिक विकास अवरुद्ध होता है और भिक्षा के क्षेत्र में शोध एवं ज्ञानार्जन बहुत कम होता है। प्रशासन की अक्षमता, विषमता और भ्रष्टाचार में भी अंग्रेजी का बहुत-कुछ हाथ है।[2] मातृभाषा को त्यागकर विदेशी भाषा अंग्रेजी का सत्कार राष्ट्रीय स्वाभिमान के विरुद्ध है। जनतान्त्रिक भाषा से राष्ट्रीय सुरक्षा भी जुड़ी हुई है। सेना के प्रत्येक बड़े और छोटे पदाधिकारी की भाषा एक ही होनी चाहिए। सैनिकों और सामान्य जनता को उसकी भाषा देकर ही राष्ट्रीय सुरक्षा के लिए सक्षम और स्वाभिमानी बनाया जा सकता है।[3] डॉ. लोहिया ने स्पष्टतः कहा है, "हिन्दी, और अंग्रेजी किसी की मातृभाषा भिन्न हो तो उसका, इस्तेमाल किये बिना हिन्दुस्तान के लोगों में कभी प्रतिष्ठा, व्यक्तित्व और आत्म-सम्मान के गुण नहीं आ सकते।"[4] परन्तु दुर्भाग्य यह है कि अपने देश में विदेशी भाषा प्रगति की और अपनी भाषाएँ प्रतिक्रियावाद की प्रतीक समझी जाती हैं। अंग्रेजी के विज्ञ व्यक्ति ही उच्च पदाधिकारी होते हैं और वे अपने सम्बन्धियों को नौकरियाँ दिलाकर विभिन्न कार्यालयों पर अपना अंग्रेजी प्रभुत्व बनाये रहते हैं। इन सबकी भाषा सामान्य जन की समझ के परे होती है। कानून और संविधान अंग्रेजी में होने के कारण जनता के लिए निष्प्रयोजनीय रहते हैं। न्याय और राजनैतिक चेतना उनके लिए विदेशी हो जाती है! मजदूरों की तरफ से उनके पेट के सवाल ऐसी भाषा में लिखे जाते हैं, जिसे वे खुद नहीं समझते। देशी भाषा का प्रयोग नहीं होता है। फलस्वरूप मजदूरों के अन्दर से नेता नहीं निकल सकते। जड़ ही कट गयी। जमीन ही नहीं, जिस पर खड़े होकर मजदूर खुद नेता बनें।[5]

ऐसी विषम स्थिति में निश्चित ही अंग्रेजी दासता की प्रतीक हैं। सांस्कृतिक एवं मानसिक विकास की प्रतीक मातृभाषा की अनुपस्थिति में आर्थिक समृद्धि अर्थहीन ही नहीं, असम्भव भी होती है। क्योंकि सांस्कृतिक और आर्थिक समृद्धि, संस्कृति और रोटी अथवा मन और पेट एक ही सिक्के के दो पहलू हैं। एक के बिना दूसरे का अस्तित्व सम्भव नहीं। डॉ. लोहिया का मत है, "दिमाग और पेट अलग-अलग चीजें नहीं हैं, एक ही चीज के दो हिस्से हैं। एक के बिना दूसरे का सन्तोष होना मुश्किल है।"[6] अंग्रेजी देश के दिमाग और पेट दोनों के लिए हानिप्रद है। अंग्रेजी केवल विदेशी भाषा ही नहीं, अपितु भारतीय प्रसंग में यह एक सामन्ती भाषा है जिसकी प्रधानता में भारतीय जनतन्त्र कभी भी फल-फूल नहीं सकता।

सामन्ती भाषा और लोक-भाषा—डॉ. लोहिया के मतानुसार भारत देश के सन्दर्भ में सामन्ती भाषा केवल अंग्रेजी में ही प्रतिबिम्बित नहीं, उसकी परम्परा अति प्राचीन है। भारत के 1500 वर्ष पूर्व के इतिहास-अवलोकन से ज्ञात होता है कि यहाँ अनेक सामन्ती भाषाएँ और लोक-भाषाएँ बनती-बिगड़ती रहीं तथा अपने-अपने अस्तित्व की प्रतिष्ठा के परिणामस्वरूप एक-दूसरे से संघर्ष करती रहीं। भाषा के साथ एक ओर सामन्ती भूषा, सामन्ती भोजन और सामन्ती भवन रहा है, तो दूसरी ओर लोक-भूषा, लोक-भोजन और लोक-भवन रहा है। डेढ़ हजार वर्ष पहले संस्कृत सामन्ती भाषा थी तथा प्राकृत, अपभ्रंश और पालि लोक-भाषाएँ। 800 या 700 वर्ष पूर्व अरबी सामन्ती भाषा थी तथा 200 वर्ष पूर्व फारसी सामन्ती भाषा थी और हिन्दी, उर्दू, तमिल, बंगाली लोक-भाषाएँ थीं। अब अंग्रेजी सामन्ती भाषा है और हिन्दी, हिन्दुस्तानी, तमिल, तेलुगु, मराठी आदि लोक-भाषाएँ हैं। डॉ. लोहिया को संस्कृत के प्रति अगाध आस्था थी। वे इस भाषा को देशी और अधिकांश भाषाओं की जननी स्वीकार करते थे, तथापि अँग्रजी समाप्त करके जो व्यक्ति हिन्दी और अन्य क्षेत्रीय भाषाओं के स्थान पर संस्कृत लाना चाहते थे, उन्हें वे सामन्ती समझते थे। क्योंकि 40 करोड़ व्यक्तियों की भाषा हिन्दी की तुलना में संस्कृत तो पाँच लाख लोगों की ही भाषा है।[7] संस्कृत से अंग्रेजी अधिक हानिकारक है, क्योंकि यह सामन्ती होने के साथ-साथ विदेशी भाषा भी है। डॉ. लोहिया की मान्यता थी कि अंग्रेजी विश्व-भाषा नहीं है। संसार की तीन अरब से अधिक जनसंख्या में तीस या पैंतीस करोड़ व्यक्ति ही इस भाषा को सामान्य रूप में जानते हैं। संस्कृत, पालि, अरबी, यूनानी भाषाएँ भी अपने समय में अंग्रेजी के समान उन्नत और विस्तृत थीं, किन्तु जिस प्रकार ये भाषाएँ विश्व-भाषाएँ बन सकीं उसी प्रकार अंग्रेजी भी विश्व-भाषा न बन सकेगी।

डॉ. लोहिया को भारत में अंग्रेजी की प्रतिष्ठा देखकर अत्यन्त आश्चर्य और दुःख होता था। उनका कहना था कि विश्व में कोई भी सभ्य अथवा असभ्य देश ऐसा नहीं जिसकी व्यवस्थापिकाओं, न्यायालयों, प्रयोगशालाओं, उद्योगों, रेलवे और तार आदि आदि सभी विभागों में विदेशी और सामन्ती भाषा अंग्रेजी का प्रयोग होता हो और जिससे 99 प्रतिशत व्यक्ति अनभिज्ञ हों। भारत की तरह सार्वजनिक कार्यों में यदि अंग्रेजी को किसी देश ने अपनाया भी है तो केवल उस स्थिति में जबकि उसकी स्वयं की भाषाएँ प्रायः लुप्त हो गयी हों।[8] डॉ. लोहिया का मत है कि अंग्रेजी भाषा के द्वारा नहीं, बल्कि जनता, विशेष रूप से निम्न मध्यम वर्ग, और किसानों की लम्बी लड़ाई के द्वारा ही भारत को स्वतन्त्रता प्राप्त हुई। इन आजादी के संघर्षों ने राष्ट्रीय विषयों में हिन्दी का तथा प्रान्तीय विषयों में अपनी-अपनी प्रान्तीय भाषाओं का प्रयोग किया। भारतीय जनता में स्वतन्त्रता की भावना और उसके लिए आन्दोलनों

का सूत्रपात केवल महात्मा गाँधी ने ही नहीं, अपितु क्षेत्रीय मातृभाषाओं और हिन्दी ने किया।[9]

डॉ. लोहिया की मान्यता है कि अंग्रेजियत और सामन्ती प्रभाव के कारण आज अंग्रेजी के साथ धन, प्रतिष्ठा, सत्ता और विलासिता बँधी हुई है। यह स्थिति भारतीय अपार जन-समूह के लिए एक शाप से अधिक कुछ नहीं है। भारत अंग्रेजी भाषा के कारण गणित, इंजीनियरिंग, विज्ञान, नक्षत्र-ज्ञान आदि को सीमित कर रहा है, जबकि चीन, जापान और रूस आदि देश अपनी निजी भाषाओं के द्वारा प्रत्येक क्षेत्र में ज्ञान का प्रसार कर रहे हैं। भाषा-भेद के कारण देश की राजनीति वर्ग राजनीति का गन्दा रूप धारण कर लेती है, जिसको समाप्त करना समाजवादियों का प्रथम उद्देश्य है। डॉ. लोहिया अंग्रेजी को समाप्त करना चाहते थे किन्तु उसके स्थान पर हिन्दी ही प्रतिष्ठित हो, ऐसा उनका आग्रह न था। वे बहुधा कहा करते थे कि भाषा की समस्या को 'हिन्दी बनाम अंग्रेजी' के सन्दर्भ में नहीं, अपितु 'देशी भाषाएँ बनाम अंग्रेजी' के सन्दर्भ में देखना चाहिए।

भारतीय भाषाएँ बनाम अंग्रेजी—डॉ. लोहिया सोचा करते थे कि समस्या हिन्दी की प्रतिष्ठा की नहीं, अंग्रेजी की समाप्ति की है। अंग्रेजी का द्वन्द्व केवल हिन्दी भाषा से ही नहीं, अपितु बंगाली, मराठी, तेलुगु, उर्दू आदि सभी देशी भाषाओं से है। अंग्रेजी अंग्रेजी के कारण केवल हिन्दी का ही नहीं, अपितु उपर्युक्त सभी देशी भाषाओं का विकास अवरुद्ध होता है। हिन्दी स्वयं अंग्रेजी का स्थान नहीं चाहती और न ही वह अन्य देशी भाषाओं का विरोध करती है। इसलिए दक्षिण भारत के कुछ स्वार्थी तत्त्वों की अंग्रेजी के प्रति आस्था और हिन्दी के प्रति कटुता उचित नहीं है।[10] महान् मराठा, महान् बंगाली हिन्दी को मातृभाषा की तरह अपनाता है। किन्तु क्षुद्र तट-देशी, क्षुद्र बंगाली, क्षुद्र मराठा, हिन्दी को ठुकराता है। शिवाजी के दरबार में हिन्दी का प्रयोग होता था। नेताजी बोस तक ने हिन्दी का प्रयोग किया। जायसी और गाँधी का हिन्दी-प्रेम सर्वविदित है ही।[11] इसके अतिरिक्त हिन्दी और अन्य हिन्दुस्तानी भाषाओं में कोई खास अन्तर नहीं है। डॉ. लोहिया ने यह सिद्ध किया है कि तमिल सहित सभी भारतीय भाषाओं की लिपियाँ नागरी लिपि का ही परिवर्तित रूप हैं।[12] और ये सभी हिन्दुस्तानी भाषाएँ अंग्रेजी की तुलना में अधिक समृद्ध हैं।

डॉ. लोहिया का मत था कि हिन्दी, तेलुगु, उर्दू, मराठी, गुजराती, बंगाली आदि देशी भाषाओं को गरीब और असमृद्ध भाषा कहना उचित नहीं। अंग्रेजी में लगभग दो या ढाई लाख शब्द हैं जबकि हिन्दुस्तान की भाषाओं में लगभग छह लाख शब्द हैं। यद्यपि ये छह लाख शब्द अपेक्षाकृत मँजे हुए नहीं हैं तथापि डॉ. लोहिया की

दृष्टि में, इन शब्दों का दैनिक प्रयोग प्रत्येक कार्य में तुरन्त आरम्भ होना चाहिए, क्योंकि शब्द बर्तनों की तरह प्रयोग के द्वारा ही चमकीले और आकर्षक बनते हैं अन्यथा उनमें जंग लग जाती है। न्यायालयों में विधि और बहस के मँजने के साथ भाषा और उसके शब्द भी मँजते हैं। आरोग्य शास्त्रों में ओषधि के घुटने-पिसने के साथ शब्द घुटते-पिसते हैं। इसी प्रकार प्रत्येक क्षेत्र में भाषा के प्रयोग से ही भाषा सुधरती और विकसित होती है। डॉ. लोहिया ने कहा है, "शुद्ध तर्क में भी किसी की भाषा के शब्द, उसका व्यवहार, उसके मतलब तभी मँजा करते हैं जब वे सब अपने-अपने अलग जिन्दगी के दायरों में इस्तेमाल होते रहते हैं। इस्तेमाल हुआ नहीं और शब्द माँज दिया, कहीं किसी और जगह पर बैठकर यह बिलकुल नामुमकिन बात है।[13] वास्तव में यह तो इतिहास को उलटा करना है। इसलिए उनका मत था कि यदि हिन्दुस्तानी भाषाओं का प्रत्येक क्षेत्र में अविलम्ब प्रयोग प्रारम्भ नहीं किया जाता, तो अंग्रेजी अधिक समृद्ध तथा विकसित होगी और हिन्दुस्तानी भाषाएँ गर्त में गिरती चली जायेंगी।

यह अपने में एक प्रामाणिक तथ्य है कि सभी प्रभावोत्पादक साहित्य और दर्शन मातृभाषाओं में ही जन्में हैं। भारतीय व्यक्ति अंग्रेजी के साथ नहीं, अपितु तेलुगु, हिन्दी, उर्दू, बंगाली, मराठी आदि के साथ अधिक प्रेम से खेल सकता है, उनमें नये-नये ढर्रे, नये-नये ढाँचे बना सकता है, वह उनमें जीवन का संचार कर सकता है और रंग ला सकता है। डॉ. लोहिया ने लिखा है, "बच्चा अपनी माँ के साथ जितनी अच्छी तरह से खेल सकता है दूसरे की माँ के साथ उतनी अच्छी तरह से नहीं खेल सकता है।"[14] भारत की प्रादेशिक भाषाओं के महत्त्व को स्पष्ट करते हुए उन्होंने कहा कि हिन्दुस्तानी भाषाओं में सुन्दर और आकर्षक ढंग से व्यक्त किये गये भाव अंग्रेजी अथवा अन्य विदेशी भाषाओं में उतने स्वाभाविक और मर्मस्पर्शी ढंग से कभी भी व्यक्त नहीं किये जा सकते। "गद्दी पर बैठने के पहले त्यागी और गद्दी पर बठने के बाद भोगी।" तथा "राधा की छटा और द्रौपदी की घटा कृष्ण के ऊपर हमेशा छायी रहती थी" जैसे दो वाक्य उदाहरणस्वरूप प्रस्तुत कर डॉ. लोहिया ने ललकारा कि "त्यागी और भोगी" तथा "राधा की छटा और द्रौपदी की घटा" के लिए इसी तरह के एक-एक शब्द क्या उतनी ही आकर्षक ढंग से अंग्रेजी भाषा में प्रयोग किये जा सकते हैं?[15]

डॉ. लोहिया इस बात को अत्यन्त हेय समझते थे कि हिन्दुस्तानी भाषा में लिखी जानेवाली पुस्तकों में आवश्यक रूप से उद्धरण अंग्रेजी भाषा में दिये जायँ। उनके मतानुसार लेनिन की किसी रूसी भाषा में लिखी गयी पुस्तक का अनुवादित रूप यदि अंग्रेजी भाषा में भी प्राप्त हो तो अंग्रेजी भाषा की अपेक्षा रूसी भाषा में उद्धरण देना अधिक श्रेयस्कर है। अंग्रेजी से अनभिज्ञ दास्तोवस्की के किसी रूसी उपन्यास का

अंग्रेजी में उद्धरण उसी प्रकार अनुचित है जिस प्रकार कि अंग्रेजी से अनभिज्ञ कार्ल मार्क्स की जर्मन रचना का उद्धरण अंग्रेजी अनुवादित उसकी पुस्तक से दिया जाना। इस प्रकार की वृत्ति को डॉ. लोहिया ने "असभ्यता, नीरसता और बेवकूफी" कहा और रूसी, जर्मन अथवा अन्य भाषाओं का सीधे-सीधे हिन्दुस्तानी भाषा में अनुवाद करने को प्रेरित किया।[16] उनकी दृष्टि में यह कहना बहुत गलत है कि अंग्रेजी भाषा के अभाव में बहुमुखी ज्ञान असम्भव है। उन्होंने अपने प्राध्यापक वर्नर जोम्बार्ट नामक महान् जर्मन अर्थशास्त्री का उदाहरण रखा जो कि अंग्रेजी का अ ब स द भी नहीं जानते थे। डॉ. लोहिया ने भारत के समक्ष चीन, रूस और जापान आदि देशों का उदाहरण रखा, जिन्होंने अपने-अपने देशों के विद्वानों को विदेशों में ज्ञानार्जन के लिए भेजा और फिर उस ज्ञान को भाषाविदों द्वारा भाषा-कठिनाइयों के बावजूद भी अपनी-अपनी अविकसित मातृभाषाओं में परिवर्तित करवाया और अपना विकास किया। परिणाम भी विश्व के समक्ष है कि ये अविकसित राष्ट्र आज शीघ्र विकसित होनेवाले राष्ट्रों में अग्रगण्य हैं।

वर्तमान भारत में अंग्रेजी रानी का साम्राज्य डॉ. लोहिया को असह्य था। आन्ध्र प्रदेश में मील के पत्थरों में अंग्रेजी और तेलुगु भाषा को साथ देखकर उन्हें आश्चर्य और दुःख का अनुभव होता था। वे इन पत्थरों को हिन्दी और तेलुगु अथवा केवल तेलुगु में ही चाहते थे। इसी प्रकार 'मनी आर्डर-फार्म' पर हिन्दी और अंग्रेजी का एक साथ स्थान उनको पसन्द न था, क्योंकि इससे हिन्दी और अन्य देशी भाषाओं के बीच मन-मुटाव उत्पन्न होता है और अंग्रेजी को अनुचित प्रश्रय मिलता है। वे चाहते थे कि अंग्रेजी के स्थान पर हिन्दी और क्षेत्रानुसार एक देशी भाषा का प्रयोग किया जाये। देशी भाषाओं को लड़ानेवाली नीति से बचाने के लिए उन्होंने भारतीय जनता का आरून किया। डॉ. लोहिया की दृष्टि में तेलुगु, मराठी, बंगाली, गुजराती, हिन्दी आदि के बीच तुलनात्मक सुन्दरता और आकर्षक के विनिश्चय की बहस विनाशकारी है। उनका कहना था कि यदि हिन्दीभाषी वास्तव में बड़े हैं तो उन्हें हिन्दी की छोटी बहनें—तेलुगु, बगला, मराठी आदि की सुन्दरता स्वीकार करने में हिचक नहीं होनी चाहिए जिससे कि 'देशी भाषाएँ बनाम अंग्रेजी' विषय को अंग्रेजी प्रेमी 'हिन्दी भाषा बनाम अंग्रेजी' का रूप न दे सकें।

डॉ. लोहिया का मत था कि अंग्रेजी की समाप्ति अवधि और शर्तें बाँधने से नहीं हो सकती। अंग्रेजी शनैः-शनैः नहीं, अपितु तत्काल एक झटके में ही इस देश के सार्वजनिक जीवन से बहिष्कृत की जा सकती है। अंग्रेजी भाषा का बहिष्कार देशी भाषाओं की समृद्धि तक रोकना अस्वाभाविक, असम्भव और कुतर्कपूर्ण है, क्योंकि समृद्धि सापेक्ष होती है। जब तक हिन्दुस्तानी भाषाएँ समृद्ध होंगी तब

तक अंग्रेजी और समृद्ध हो जायेगी। परिणामस्वरूप हिन्दुस्तानी भाषाओं को असमृद्धि से मुक्ति कदापि नहीं मिलेगी और अंग्रेजी का बहिर्गमन इस आधार पर असम्भव होगा। अंग्रेजी को हटाये जाने के लिए समय की सीमा भी प्रभावी न होगी। संविधान में सन् 1965 ई. तक अंग्रेजी हटाने जाने की सीमा डॉ. लोहिया की भविष्यवाणी के अनुसार गलत निकली। जन-जागरण से ही अंग्रेजी जायेगी जैसे कि अंग्रेज गये थे।

डॉ. लोहिया की भाषा-नीति—डॉ. लोहिया अंग्रेजी-समाप्ति के समर्थक थे। उन्होंने सामान्य और विशेष व्यक्तियों के बालकों को अंग्रेजी पढ़ाये जाने का निषेध किया था। वे चाहते थे कि सभी प्राथमिक विद्यालयों से अंग्रेजी अनिवार्यत: हटा दी जाय और यह प्राथमिक शिक्षा पूर्णत: नगरपालिकाओं और जिला बोर्डों के अधीन कर दी जाय, जिससे विदेशी ढंग के अपव्ययी विद्यालय बन्द हों।[17] इस विचार के पीछे डॉ. लोहिया का तर्क था कि यदि अंग्रेजी बड़े लोगों के बालकों के विद्यालयों में चलती रहती है तो साधारण व्यक्तियों के बच्चे बड़े लोगों के बच्चों के समक्ष प्रतियोगिता में नहीं ठहर पाते और "जनता के दिमाग पर हथौड़े की तरह असर पड़ता है कि बड़े लोग तो अपने बच्चों को अंग्रेजी पढ़ा लेते हैं और हमारे बच्चे नहीं पढ़ पाते हैं।"[18] डॉ. लोहिया ने शासन की 'अंग्रेजी हटाओ' नीति की कटु आलोचना की। उन्होंने कहा कि शासन एक ओर तो हिन्दी के सार्वजनिक प्रयोग का प्रचार करता है और दूसरी ओर सिक्के, बहीखाते, तार आदि कार्य अंग्रेजी में करता है। इस हिन्दी-प्रचार-नीति के द्वारा अन्य देशी भाषाओं में हिन्दी के प्रति कटुता का भाव उत्पन्न होता है और अंग्रेजी-प्रयोग के कारण हिन्दी तथा अन्य देशी भाषाओं का विकास अवरुद्ध होता है।[19]

उपर्युक्त कारणों से डॉ. लोहिया ने विद्यार्थियों और विशेष रूप से असफल विद्यार्थियों, उनके पालकों और भारतीय जनता को सभाओं, जुलूसों तथा सविनय अवज्ञा द्वारा अंग्रेजी का बहिष्कार करने के लिए आवाहन किया।[20] इस हेतु उन्होंने स्वयंसेवकों की समितियों के गठन पर बल दिया। उनके मत में, इन समितियों का कार्य स्थान-स्थान पर अंग्रेजी के नामपटों को मिटाकर लोक-भाषा के प्रचलन का एक मानसिक वातावरण निर्मित करना है। उनका कहना था कि अंग्रेजी की लिखावट का जवाब उसको मिटावट से देना चाहिए। अंग्रेजी हटाने और देशी भाषाओं की प्रतिष्ठा के लिए अंग्रेजी दैनिक पत्रों का पढ़ना बन्द होना चाहिए क्योंकि ये अंग्रेजी पत्र, हिन्दी पत्रों को ग्रसित किये हुए हैं। इस ध्वंसात्मक पहलू के अतिरिक्त अपनी भाषाओं के उत्थान के लिए रचनात्मक कार्य कर भाषा के संकुचित क्षेत्र को व्यापक बनाना चाहिए, क्योंकि अपनी भाषाओं की कमजोरियाँ भी अंग्रेजी हटाने के मार्ग में बाधक हैं।

भारतीय भाषाओं की संकुचित मनोवृत्ति पर भी डॉ. लोहिया को गहरा दु:ख था। उनका मत था कि हिन्दी, तेलुगु, मराठी, बँगला आदि सभी भारतीय भाषाओं के अतिवाद ने अंग्रेजी को बढ़ावा दिया है। किसी व्यक्ति की वाणी और व्यक्तित्व की प्रशंसा के लिए अमृतवाणी और अवतारी पुरुष-जैसे विशेषण भारतीय भाषाओं में शीघ्र लगा दिये जाते हैं। इन भाषाओं में हर वाणी अमृत वाणी है, हर सन्देश अमर सन्देश है, हर पुरुष महापुरुष है। किसी यथार्थ स्थिति को अतिशयोक्ति में व्यक्त करने की पण्डिताऊ और परम्परागत चारण शैली अब भी भारतीय भाषाओं में प्रचलित है। परिणामत: वास्तविकता के स्थान पर हास्य का प्रादुर्भाव होता है। इस प्रकार की शैली निन्दा के लिए भी इन भाषाओं में प्रयुक्त होती है। ऐसी शैली से तर्क, विश्लेषण और सत्य दूर भागते हैं। भाषाओं में इस कारण अब सन्तुलन नहीं रह गया है। डॉ. लोहिया के मत में सभी भारतीय भाषाओं को झूठी पाखण्डता ने घेर रखा है।

उपर्युक्त बुराइयों के कारण एक ओर तो भारतीय भाषाओं का विकास अवरुद्ध है और दूसरी ओर इनके सार्वजनिक जीवन के प्रयोग से लोगों को जनेऊ, चोटीधारी, पिछड़ी और पुरानी आडम्बरयुक्त संस्कृति के आगमन का भय रहता है। परिणाम यह होता है कि लोग अंग्रेजी से ही चिपके रहना चाहते हैं। उक्त सन्दर्भ में डॉ. लोहिया ने स्पष्ट कहा था कि "...मैं अपनी, तेलुगु व हिन्दी और उर्दू में यह जो झूठी शुचिता, झूठा चरित्र, झूठी सफाई, झूठी सच्चाई है, इन सब चीजों को जगह नहीं देता। हिन्दी का आकार-प्रकार, पेट और मन, तेलुगु का पेट और मन इतना लम्बा-चौड़ा, बड़ा, विशाल, व्यापक होना चाहिए कि उसके अन्दर पतिव्रता और पत्नीव्रता और दिलफेंकी और ऐयाशी और इश्कबाजी सबको जगह रहनी चाहिए। भाषा एक माध्यम है। भाषा कोई ऐसा माध्यम नहीं है कि किसी एक ही चीज का उसको माध्यम बनाकर उसे सिकोड़ डाले। उसके अन्दर से जो सच और झूठ है, सच्चे दिल से और झूठे दिल से जो चीज है, वह अपनी भाषा के माध्यम से अलग निकल पड़े।"[21]

डॉ. लोहिया ने अंग्रेजी के निष्कासन हेतु उपर्युक्त दोषों को निकाल फेंकने का मार्ग प्रशस्त किया। उन्होंने अंग्रेजी रानी के बहिर्गमन पर उसके प्रतिस्थानापन्न के विषय में भाषा-नीति के विभिन्न विकल्पों पर भी प्रकाश डाला, जिनमें से एक विकल्प बहुभाषी केन्द्र था। इस विकल्प के अन्तर्गत केन्द्र के सार्वजनिक कार्यों में सभी देशी भाषाओं का प्रयोग होगा। द्वितीय विकल्प के अनुसार अहिन्दीभाषियों की सुरक्षा के साथ केन्द्र में हिन्दी भाषा का प्रयोग होगा। अहिन्दीभाषियों को हिन्दी सीखने के लिए दस वर्ष तक नौकरी की सुरक्षा रहेगी और हिन्दीभाषियों को दस वर्ष तक सेना के अतिरिक्त किसी भी प्रकार की नौकरी न मिलेगी। किन्तु अहिन्दीभाषियों को हिन्दी

का अध्ययन अच्छी तरह करना होगा और हिन्दी में ही परीक्षा देनी होगी। इस सम्बन्ध में डॉ. लोहिया की धारणा थी कि "हिन्दी इलाकेवालों की छाती चौड़ी होनी चाहिए। उन्हें देश की एकता तथा हिन्दी को देश की भाषा बनाने के लिए कुछ देना भी सीखना चाहिए।"[22] तृतीय विकल्प में दो भाषी केन्द्र होगा, जिसमें मध्यदेश के लिए हिन्दी और तट देश के लिए अंग्रेजी की व्याख्या होगी।[23] चतुर्थ विकल्प में हिन्दी का केन्द्र में कोई स्थान न होगा बशर्ते कि अहिन्दीभाषी क्षेत्र तेलुगु, बँगला आदि भाषाओं में से एक को केन्द्र की भाषा बनाने पर सहमत हों।[24] एक अन्य विकल्प के अनुसार केन्द्र की भाषा हिन्दी हो, किन्तु जनसंख्या के अनुपात से प्रत्येक राज्य को हमेशा के लिए नौकरियों की संख्या बाँध दी जाये। इस व्यवस्था को डॉ. लोहिया उसी समय चाहते थे जबकि अहिन्दीभाषी दस वर्ष की नौकरी-सुरक्षा-शर्त अस्वीकार करें। यद्यपि डॉ. लोहिया जानते थे कि इस नीति के द्वारा जाति, क्षेत्रीयता आदि के विनाशकारी तत्त्व फैल सकते हैं, तथापि भाषा-संघर्ष की स्थिति में अंग्रेजी बहिर्गमन के लिए उन्हें यह नीति स्वीकार थी।[25]

यद्यपि उपर्युक्त सभी विकल्प अंग्रेजी हटाने के लिए डॉ. लोहिया को स्वीकार थे, तथापि उनकी भाषा-सम्बन्धी उचित और सही नीति यह थी कि केन्द्रीय सरकार की भाषा हिन्दी हो। हिन्दी की प्रतिष्ठा के बाद ठीक दस वर्ष तक केन्द्रीय शासन की 'गजटेड सेवाएँ' अहिन्दीभाषियों के लिए सुरक्षित हों। केन्द्र का राज्यों के साथ व्यवहार हिन्दी में हो और अहिन्दीभाषी हिन्दी न जान लेने तक केन्द्र के साथ अपनी भाषा में व्यवहार करें। स्नातक कक्षाओं तक का अध्ययन अपनी-अपनी प्रादेशिक भाषाओं में हो और स्नातकोत्तर अध्ययन हिन्दी में हों। मण्डल (जिलों) तक के न्यायालय अपनी-अपनी मातृभाषा में न्यायिक कार्यवाही करने के लिए स्वतन्त्र हों, किन्तु उच्च तथा सर्वोच्च न्यायालयों में न्यायिक कार्यवाही हिन्दी भाषा में हो। यद्यपि लोक-सभा में हिन्दी भाषा में ही भाषण दिये जायें, किन्तु हिन्दी से अपरिचित सदस्य अपनी मातृभाषा में भाषण देने के लिए स्वतन्त्र हों।

डॉ. लोहिया का मत था कि यदि उपर्युक्त सही भाषा-नीति को कोई राज्य स्वीकार नहीं करता तो उसे अपनी मातृभाषा में कार्य करने की स्वतन्त्रता होनी चाहिए। डॉ. लोहिया का विश्वास था कि अपनी-अपनी मातृभाषाओं में कार्य करने की अस्थायी हठधर्मी, अन्ततोगत्वा हिन्दी के प्रति प्रेम में परिवर्तित होगी। इसलिए उनकी सलाह थी कि राष्ट्रीय हित की दृष्टि से भाषा-आन्दोलन का उद्देश्य 'अंग्रेजी हटाना' होना चाहिए, न कि हिन्दी प्रतिष्ठित करना।[26] उनका पूर्ण विश्वास था कि उपर्युक्त नीति के द्वारा अन्त में हिन्दी ही भारत की सार्वजनिक प्रयोग की भाषा होगी, किन्तु राष्ट्रभाषा हिन्दी का क्या स्वरूप हो, इस पर ही उन्होंने प्रकाश डाला।

हिन्दी का स्वरूप—हिन्दी भाषा के मूल को स्पष्ट करते हुए डॉ. लोहिया ने कहा कि डेढ़ दो हजार वर्ष पूर्व, दूर दक्षिण की 'इक्ष्वाकु' अथवा 'शक' राजधानियों में सर्व भारतीय भाषा का प्रयोग होता था। यही स्थिति बंगाल और महाराष्ट्र में भी थी। जिस प्रकार प्रत्येक युग में संस्कृत और पालि की तरह कोई-न-कोई सर्वमान्य अपभ्रंश रहा, उसी प्रकार हिन्दी भी उपर्युक्त भारतीय परम्परा की भाषा है। अत: व्यापक दृष्टिकोण से हिन्दी को सर्वमान्य अपभ्रंश अथवा प्राकृत मानना चाहिए। डॉ. लोहिया के शब्दों में, "यही उसका उद्‌गम है। यही उसका चरित्र है। यही उसकी तकदीर के कुछ पहलू और करवटें हैं।"[27] यह भाषा छावनियों में चली। दक्किनी के रूप में दक्षिण की छावनियों में चली। आज हिन्दी के रूप के प्रश्न पर मतैक्य नहीं है। कोई चाहता है संस्कृतनिष्ठ तो कोई अरबीनिष्ठ, कोई चालू तो कोई गड़बड़झालावाली तट देशी प्रयोग से लदी। हिन्दी की प्रतिभा यही है कि उसे इतने रूप हैं। कोई-न-कोई रूप अपने-आप सर्वमान्य होता रहता है। डॉ. लोहिया का मत था कि यदि फिर से यह देश एक हुआ तो इसकी भाषा वही होगी, जो डॉ. लोहिया बोला करते थे। अपभ्रंश से निकली हुई चालू भाषा ही डॉ. लोहिया की भाषा थी। हिन्दी की परिभाषा देते हुए उन्होंने कहा था, "कि यह पालि और संस्कृत की औलाद है लेकिन वह अपभ्रंशवाली, जो जनता में टूट-टाट गयी। अपभ्रंश में तो फारसी के भी शब्द आ जाते हैं, अरबी के भी आ जाते हैं।...जो चालू भाषा है, ताकतबर भाषा है, उसमें लोग अपने ईमान और जान का एक ठोस भाषा में इस्तेमाल करते हैं। उसी से देश को बनाना है।"[28]

डॉ. लोहिया के मतानुसार हिन्दी सटीक, रंगीन, पारिभाषिक, ठेठ, सशक्त और रोचक होनी चाहिए। किसी भाषा में कितनी पुस्तकें हैं, यह एक गौण प्रश्न है। उनका मत था कि अंग्रेजी हटाने के सन्दर्भ में हिन्दी-पुस्तकों के अभाव की चर्चा करना मूर्खतापूर्ण और बदमाशी है। इस अभाव को महाविद्यालयों के प्राध्यापकों को ग्रीष्मकालीन अवकाश में एक-एक पुस्तक का हिन्दी अनुवाद अनिवार्य बनाकर पूरा किया जा सकता है। इन अनुवादित पुस्तकों में सटीकता और रंगीनी तथा सुनिश्चित अर्प का अभाव रह सकता है, किन्तु अभावों की पूर्ति पारिभाषिक शब्दों और शब्द-कोश के बढ़ने से नहीं हो सकती। डॉ. लोहिया की दृष्टि में इन्हें "दूर करने का एकमात्र उपाय है कि भाषारूपी रथ को सब सामान ढोने के लिए फौरन इस्तेमाल करना शुरू किया जाये और सब तरह की बुद्धियाँ सब क्षेत्रों में खिलें।"[29]

भाषा को सँवारने-सुधारने का काम जितना भाषाशास्त्री या शब्दकोश निर्माता करते हैं, उससे ज्यादा वकील, राजपुरुष, अध्यापक, लेखक, वक्ता, वैज्ञानिक इत्यादि भाषा प्रयोग द्वारा किया करते हैं। इनके प्रयोग से भाषा सुधरती है, न कि सुधर जाने के बाद ये लोग इसको प्रयोग करने बैठते हैं। डॉ. लोहिया के शब्दों में,

'डुबडुबाने और छपछपाने पर ही तैरना आता है। प्रयोग के बाद ही भाषा समृद्ध होती है। विधायकों, न्यायालयों, विज्ञान मशीनशालाओं, धन्धों, रण-केन्द्रों इत्यादि में जब हिन्दी डुबडुबायेगी, छपछपायेगी तभी समृद्ध बनेगी, उसके पहले हरगिज नहीं।[30] हिन्दी या हिन्दुस्तान की किसी भी भाषा का प्रश्न वस्तुनिष्ठ है ही नहीं। साहित्य, विश्लेषण और वस्तुनिष्ठ तर्क से इस प्रश्न का कोई सम्बन्ध नहीं। यह केवल विशुद्ध राजनीतिक संकल्प और इच्छा का प्रश्न है। यदि अंग्रेजी हटाने और हिन्दी अथवा अन्य हिन्दुस्तानी भाषाएँ लाने की इच्छा बलवती हो जाये, तो मूक-वाचाल हो जायें, सब बोलने लगें और सब-कुछ बोला जा सके।

डॉ. लोहिया का विचार था कि हिन्दी को पवित्र बनाये रखने के लिए प्रयत्नशील व्यक्ति ही हिन्दी की प्रगति में बाधक है। ये व्यक्ति हिन्दी का पल्ला जनेऊ और चोटीधारियों के साथ जोड़ देते हैं। वे अंग्रेजी के घोर विरोधी थे, किन्तु उतने ही जनेऊ, चोटी के भी। वे चाहते थे कि यदि नवीन विश्व के नेतृत्व हिन्दी को समर्थ बनाता है तो उसे सभी भाषाओं से सीखने, अपने को बदलने और सब ओर से अपने को धनी बनाने के लिए तैयार रखना चाहिए। हिन्दी की प्रतिष्ठा के लिए हिन्दीभाषियों को अंग्रेजी छोड़ने के साथ-साथ पुरानी दुनिया को भी छोड़ना चाहिए। उनका मत था कि भाषा मिला भी सकती है और अलग भी कर सकती है। इतिहास के अलग-अलग कालों में भाषा ने अलग-अलग कार्य किये हैं। वर्तमान में भाषा को मिलन का कार्य करना चाहिए। हिन्दी को चाहिए कि वह तेलुगु, तमिल, मराठी, बँगला आदि देशी भाषाओं को अपने में समाहित कर अपना क्षेत्र व्यापक बनाये। इस सामञ्जस्यवादी सिद्धान्त का विश्लेषण करते हुए उन्होंने कहा, "मैं एक सिद्धान्त और जोड़ देना चाहूँगा कि हिन्दी, तमिल और अन्य हिन्दुस्तानी भाषाएँ मिश्रण करें। जनसाधारण समय बीतने पर विदेशी शब्दों को अपनी भाषा के योग्य बना लेंगे अथवा उन्हें छोड़ देंगे। हिन्दी को तेलुगु, तमिल, मराठी, बँगला और अन्य भाषाओं से मिश्रण करना चाहिए।"[31]

डॉ. लोहिया का मत था कि विचार-अभिव्यक्ति हेतु यदि देशी भाषाओं से कोई शब्द न मिले तो उस अवसर पर सफाई की झंझट में पड़कर घण्टों कोई अपना शब्द ढूँढ़ते रहना उचित नहीं। जिस भाषा को वक्ता स्वयं जानता हो और उसको सुननेवाला थोड़ा-बहुत समझ सकता हो उस भाषा के शब्दों का प्रयोग यदा-कदा बेहिचक करना चाहिए। 'हाइड्रोजन' शब्द के लिए यद्यपि हिन्दी में 'उद्जन बम' शब्द है तथापि 'हाइड्रोजन' शब्द का प्रयोग किया जा सकता है, यदि सामान्य व्यक्ति उसे समझता है। इसी प्रकार 'आक्सीजन' शब्द का भी प्रयोग किया जा सकता है। इन विदेशी शब्दों के प्रयोग अपनी भाषा में करते रहने से शनैः-शनैः ये शब्द अपनी भाषा के बन सकते हैं।

डॉ. लोहिया का मत था कि विदेशी भाषाओं के शब्दों को तोड़ना-मरोड़ना, घिसना-पीटना देहाती और बेपढ़े लोगों को अधिक आता है अपेक्षाकृत पढ़े लोगों के। हिन्दुस्तान की भाषाओं की ध्वनि और उनके शब्दों के स्वरूप के अनुसार देहाती और बेपढ़े लोग विदेशी भाषा के शब्दों को तोड़-मरोड़ देते हैं। डॉ. लोहिया देहातियों द्वारा प्रयुक्त 'लाट-फारम', 'सिंगल', 'लालटेन', 'गजिस्टर', 'टिक्कस' और 'टीशन' आदि शब्दों को शुद्ध हिन्दी शब्द समझते थे, जो कि क्रमशः 'प्लेटफार्म', 'सिगनल', 'लैनटर्न', 'मजिस्ट्रेट', 'टिकिट' और 'स्टेशन' शब्दों से बनाये गये हैं। वे सर्वत्र रुचिपूर्वक देहातियों द्वारा बनाये गये उपर्युक्त शब्दों का ही प्रयोग करते थे। वे कहा करते थे कि दूसरी भाषाओं के शब्दों को आत्मसात् करने की शक्ति देकर बेपढ़े लोग नयी भाषा के स्रष्टा होते हैं और पढ़े लोग माँजनेवाले। काश! सभी वर्ग मिलकर हिन्दी का विकास करें।

उर्दू और डॉ. लोहिया—उर्दू के सम्बन्ध में विचार व्यक्त करते हुए डॉ. लोहिया ने कहा कि उर्दू भाषा भी हिन्दुस्तान की भाषा है और इसकी वही प्रतिष्ठा होनी चाहिए जो हिन्दी की है। उर्दू भाषा की मधुरता, सादगी और गहराई की वे बहुत प्रशंसा करते थे। उनकी दृष्टि में हिन्दी और उर्दू पार्वती और सती की तरह एक हैं। किन्तु फिर भी जब तक हिन्दी और उर्दू एक नहीं हो जातीं तब तक अरबी लिपि में "लिखी उर्दू को सरकारी तौर पर इलाकाई जबान का स्थान मिलना चाहिए।"[32] डॉ. लोहिया ने आशा व्यक्त की कि शीघ्र ही वह समय आयेगा जब हिन्दी और उर्दू में कोई अन्तर न रहेगा। उनकी इच्छा थी कि शीघ्र ही उर्दू की सब बड़ी पुस्तकें नागरी लिपि में छप जानी चाहिए, किन्तु उर्दू के विकास के लिए उन्होंने फारसी और अरबी के विकास की आवश्यकता अनुभव नहीं की।

समीक्षा—डॉ. लोहिया के भाषा-सम्बन्धी विचारों से स्पष्ट होता है कि वे भाषा और समाजवाद को घनिष्ठतम रूप से सम्बन्धित समझते थे। वे ही ऐसे समाजवादी थे जिन्होंने समाज को अर्थ की संकीर्णता से मुक्ति दिलाकर विशुद्ध सांस्कृतिक और मानसिक वातावरण में विचरण करने का सुअवसर दिया। मन-पेट, रोटी-संस्कृति, विषय-प्रवृत्ति के अन्योन्याश्रित सम्बन्धों को सुस्पष्ट करने का श्रेय डॉ. लोहिया को ही है। अर्थ के क्षेत्र में होनेवाले मार्क्सवादी वर्ग-संघर्ष को उन्होंने भाषा के क्षेत्र में भी देखा। उन्होंने बताया कि भारत में 1500 वर्ष से सामन्ती भाषा और लोक-भाषा के बीच निरन्तर संघर्ष चला आ रहा है। आज अंग्रेजी सामन्ती-भाषा और भारतीय भाषाएँ अपने शुद्ध रूप में लोक-भाषाएँ हैं। डॉ. लोहिया का भाषा-सम्बन्धी यह

संघर्ष मार्क्स के स्वामी–दास, सामन्त–कृषक, और पूँजीपति–श्रमिक के बीच आर्थिक संघर्ष की याद दिलाता है।

डॉ. लोहिया ने दक्षिण भारत में हिन्दी के प्रति व्याप्त कटुता को यह यथार्थ स्थिति स्पष्ट करके समाप्त किया कि वर्तमान सामन्ती भाषा अंग्रेजी का द्वन्द्व केवल हिन्दी से नहीं, अपितु समस्त भारतीय भाषाओं से है। उन्होंने सप्रमाण कहा कि कभी किसी देश ने विदेशी भाषा के द्वारा अपना उत्थान नहीं किया। अंग्रेजी से होनेवाली तन, मन, धन की भारी क्षति को उन्होंने समस्त जनता के सम्मुख रखा और बताया कि अंग्रेजी के रहते भारत में जनतान्त्रिक समाजवादी व्यवस्था असम्भव है। उन्होंने अंग्रेजी बहिर्गमन के पश्चात् देश की भाषा–नीति के लिए कई ईमानदार समझौतावादी एवं सर्वकल्याणकारी विकल्प दिये, जिनमें हिन्दी को राष्ट्रभाषा के रूप में प्रतीक्षित करने के लिए हिन्दीभाषियों को कुछ त्याग करने का आह्वान किया।

बहुभाषी केन्द्र की स्थापना–सम्बन्धी उनके विकल्प से यद्यपि किसी साधारण बुद्धि को देश के बिखराव और फूटन की झलक दृष्टिगोचर हो सकती है, तथापि वास्तविकता इस सन्देह से कोसो दूर है। उनका यह विकल्प अंग्रेजी निष्कासन, सामयिक व्यवस्था, मातृभाषा–प्रेम और अन्ततोगत्वा राष्ट्रभाषा हिन्दी होने में विश्वास से सना हुआ था। उन्होंने सिद्ध किया कि समस्त भारतीय लिपियाँ नागरी लिपि के ही परिवर्तित रूप हैं। हिन्वी और भारतीय भाषाएँ एक–दूसरे की पूरक हैं, विरोधी नहीं। इस प्रकार उन्होंने हिन्दी और अन्य हिन्दुस्तानी भाषाओं के बीच चले आ रहे द्वन्द्व को समाप्त कर सामञ्जस्य और सहयोग का वातावरण निर्मित करने का प्रयास किया।

डॉ. लोहिया ने अपभ्रंश से निकली हुई चालू भाषा को ही हिन्दू भाषा माना। उन्होंने हिन्दी भाषा को सटीक, रंगीन, पारिभाषिक, सशक्त, ठेठ और रोचक बनाने का प्रतिपादन कर उसे सजीवता प्रदान करने का प्रयास किया। उन्होंने झूठी सच्चाई, झूठी सफाई, झूठी शुचिता और आडम्बरयुक्त पाण्डित्य से हिन्दी को छुटकारा दिलाया। हिन्दी भाषा से उन्होंने आग्रह किया कि वह समस्त भारतीय भाषाओं के रोचक, प्रचलित और सामान्य जन की समझ में आनेवाले शब्दों को पचावे। साधारण जनता में प्रयोग होनेवाले अंग्रेजी के परिवर्तित शब्दों को हिन्दी भाषा में स्थान देकर उन्होंने हिन्दी भाषा को व्यापक एवं उदारवादी बनाने का प्रयास किया।

उर्दू और हिन्दी भाषा की एकता पर बल देकर डॉ. लोहिया ने हिन्दी और मुसलमान की एकता मजबूत की है। अपनी भाषा की समृद्धि और विकास के लिए प्रत्येक वर्ग में चेतना होती है। इस भावना को डॉ. लोहिया ने समझा और उर्दू को उचित स्थान देकर मुसलमानों के मन की आशंका को दूर किया। इस एकता के अपने प्रयास में उन्होंने हिन्दी और हिन्दुस्तान की आत्मा को भी समझा और उसे व्यापक

बनाने का प्रयास किया। वे ही तो थे जो भविष्य में हिन्दी और उर्दू की लिपियों की एकता के लिए आशान्वित थे। यही प्रमुख कारण था कि वे हिन्दी के पेट को इतना अधिक व्यापक बनाना चाहते थे कि जिससे उर्दू, अंग्रेजी तथा अन्य समस्त भारतीय भाषाएँ समा जायें। वे हिन्दी को सच्ची जनतान्त्रिक भाषा बनाना चाहते थे।

भाषा-सम्बन्धी उनका दृष्टिकोण केवल सिद्धान्त का ही विषय नहीं, उसका अपना व्यावहारिक महत्त्व है उनके द्वारा प्रचारित भाषा का अवलम्बन करने से भावात्मक एकता अति शीघ्र उत्पन्न हो सकती है, क्योंकि उस भाषा में भारत के सभी वर्ग अपनी-अपनी भाषाओं के सुग्राह्य रूप के दर्शन करते हैं। उदाहरण के लिए स्वयं डॉ. लोहिया द्वारा प्रयुक्त भाषा रखी जा सकती है। उनके द्वारा प्रयुक्त भाषा से परिचित व्यक्ति निष्पक्ष रूप से कह सकता है कि वे सिद्धान्त और कर्म में एक थे। उनकी भाषा में अंग्रेजी, उर्दू, हिन्दी तथा अन्य देशी भाषाओं के सुग्राह्य, चालू और रोचक शब्दों के अतिरिक्त और कुछ नहीं। उनकी भाषा में कहीं कोई कृत्रिमता नहीं। उनकी भाषा उनके दिल और दिमाग की अभिव्यक्ति है। वह बतलाती है कि डॉ. लोहिया कितने जन-प्रेमी, समाजवादी, एकत्ववादी और सुग्राह्य थे। वास्तव में उन्होंने हिन्दी भाषा के रथ को इतना सशक्त बना दिया कि वह ऊँच-नीच सुख-दुःख, छोटे-बड़े, पवित्र और अपवित्र, सत्यता-असत्यता के भावों को बिना भेदभाव के ढो सकता है। हिन्दी भाषा को सन्तुलित और सर्वग्राही बनाने का श्रेय डॉ. लोहिया को ही है।

लोहिया की भाषा-सम्बन्धी नीति बहुत उदारवादी है। अंग्रेजी-निष्कासन की उनकी प्रबल उत्कण्ठा को यद्यपि सामान्य जन कट्टर, प्रतिक्रियावादी और संकुचित कहकर उपहास कर सकते हैं, किन्तु सत्यता इसक विपरीत है। अपनी मातृभाषा से प्रेम करने का अर्थ दूसरे की मातृभाषा से घृणा करना लगाया जाना सर्वथा अनुचित है और यदि ऐसा नहीं, तो अंग्रेज सर्वाधिक कट्टर, प्रतिक्रियावादी और संकुचित दृष्टिकोणवाले थे। डॉ. लोहिया को अंग्रेजी के प्रति घृणा नहीं, अपितु हिन्दी तथा समस्त भारतीय भाषाओं के प्रति अगाध प्रेम था। स्वयं उन्होंने कहा है, "राज्य की भाषाओं और हिन्दी का समर्थन करते हुए इस बात का ध्यान रखना चाहिए कि दिमाग भाषा से जकड़ न जाय। बहुत-से लोग खासकर मध्यम वर्ग के, समझते हैं कि एक भाषा से प्रेम करने का अर्थ है, दूसरी भाषा को नष्ट करना। यह बड़ा ही विवेकहीन और आत्मनाशी विचार है।"[33]

संक्षेप में यह कहा जा सकता है कि सामाजिक विचारों के आदान-प्रदान का एकमात्र साधन सांस्कृतिक भाषा है। सांस्कृतिक भाषा में देश की भावात्मक एकता निवास करती है और भावात्मक एकता स्थापित होने पर ही समाजवादी विचारधारा पल्लवित, पुष्पित और फलित हो सकती है। लगभग 16 भाषाएँ बोले जानेवाले इस

भारतवर्ष में हिन्दी ही इस कार्य को कर सकने में समर्थ है। डॉ. लोहिया ने उक्त तथ्य को समझा और उन्होंने ऐसा विचार किया कि जब तक भारत की एक सर्वसम्मत भाषा नहीं होगी तब तक उसकी समाजवादी विचारधारा भारतीय जीवन के सन्दर्भ में निष्प्रयोजनीय है। उनकी दृष्टि हिन्दी भाषा पर पड़ी। उन्होंने एक सच्चे भाषा वैज्ञानिक की दृष्टि से इस भाषा का अध्ययन किया। विचार-मन्थन के पश्चात् उन्होंने हिन्दी भाषा का एक सरल, सुलझा हुआ लोकप्रिय रूप प्रस्तुत किया। भाषा का यह विधान निश्चित रूप में डॉ. लोहिया की समाजवादी विचारधारा को एकरूपता की गति प्रदान कर सकता है। अस्तु;

सन्दर्भ

1. डॉ. लोहिया : भाषा, पृष्ठ 7
2. डॉ. लोहिया : देश-विदेश नीति : कुछ पहल, पृ. 114
3. डॉ. लोहिया : भारत चीन और उत्तरी सीमाएँ, पृ. 357
4. डॉ. लोहिया : समाजवादी पोथी, 2, 133 लेखकों के कुछ उत्तर, पृ. 44
5. डॉ. लोहिया : भाषा, पृ. 29
6. डॉ. लोहिया : भाषा, पृ. 18
7. डॉ. लोहिया : पाकिस्तानी में पलटनी शासन, पृ. 20
8. डॉ. लोहिया : भाषा, पृ. 147
9. डॉ. लोहिया : भाषा, पृ. 159
10. डॉ. लोहिया : भाषा, पृ. 18
11. डॉ. लोहिया : भाषा (पृष्ठ भूमिका 8), page VIII
12. Dr. Lohia : Interval During Politics, page 112
13. डॉ. लोहिया : भाषा, पृ. 54
14. डॉ. लोहिया : भाषण, हैदराबाद, 19 जुलाई, सन् 1959 ई.
15. डॉ. लोहिया : भाषण, हैदराबाद, 19 जुलाई, सन् 1959 ई.
16. डॉ. लोहिया : भाषण, हैदराबाद, 19 जुलाई, सन् 1959 ई.
17. डॉ. लोहिया : समाजवादी चिन्तन, पृ. 96
18. डॉ. लोहिया : समलक्ष्य, समबोध, पृ. 20
19. डॉ. लोहिया : धर्म पर एक दृष्टि, पृ. 17
20. डॉ. लोहिया : खोज, वर्णमाला, विषमता, एकता, पृ. 17
21. डॉ. लोहिया : समलक्ष्य, समत्रोध, पृ. 23
22. डॉ. लोहिया : भाषा, पृ. 21
23. डॉ. लोहिया : समलक्ष्य, समबोध, पृ. 18

24. डॉ. लोहिया : हिन्दू और मुसलमान, पृ. 7
25. डॉ. लोहिया : निजी और सार्वजनिक क्षेत्र, पृ. 26-27
26. डॉ. लोहिया : भाषा, पृ. 23
27. डॉ. लोहिया : भाषा, पृ. 8 (भूमिका)
28. डॉ. लोहिया : हिन्दू और मुसलमान, पृ. 7
29. डॉ. लोहिया, भाषा, पृ. 7 (भूमिका)
30. डॉ. लोहिया : भाषा, पृ. 10, (भूमिका)
31. डॉ. लोहिया : समाजवादी पोथी 2, 133 लेखकों के कुछ उत्तर, पृ. 45
32. डॉ. लोहिया : भाषा, पृ. 6
33. डॉ. लोहिया : समाजवादी पोथी, 2, 133 लेखकों के कुछ उत्तर, पृ. 44

7

मौलिक अधिकार और डॉ. लोहिया

मौलिक अधिकार पर डॉ. लोहिया के विचार और आचार को समझने के पूर्व हमें मौलिक अधिकार के तात्पर्य और महत्त्व को समझना पड़ेगा, अन्यान्य विचारकों के मतों को भी दृष्टि में रखना होगा। जब से मानवीय चेतना प्रबुद्ध हुई, वह 'कोऽहम्'-जैसे गूढ़तम प्रश्न पर विचार करती चली आयी, यथा मति सन्तोष और संशोधन करती रही। सुकरात ने भी 'Know thyself' जैसा उपदेश दिया और उससे भी पूर्व उपनिषद् में भी 'कोऽहम्' के प्रश्न को 'तत्त्वमसि' के द्वारा समाहित किया गया। किन्तु अपने-आपको जानने और अपना विकास करने के लिए अपने में अन्तर्निहित शक्तियों का विकास करना होता है जिसके लिए मानव को कुछ ऐसी अनिवार्य अनुकूलताओं की आवश्यकता होती है जिनके बिना उसका सम्पूर्ण विकास अवगुण्ठित हो जाता है। इसी सत्य को निरूपित करते हुए प्रो. एच. जे. लास्की ने कहा है कि मौलिक अधिकार सामाजिक जीवन की वे परिस्थितियाँ हैं जिनके बिना साधारणतः कोई मनुष्य अपना विकास नहीं कर सकता : "Rights, infact, are those conditions of social life without which no man can seek, in general, to be himself at this best."[1] मौलिक अधिकारों को प्रतिभूत करने का उद्देश्य मानव को परिवर्तनशील राजनैतिक प्रतिवादों से मुक्त तथा विधान मण्डलीय बहुमत एवं शासन-कर्मचारियों के हस्तक्षेप से बाहर रखना है ताकि वे वैधानिक सिद्धान्तों के रूप में न्यायालयों द्वारा प्रयुक्त हों।

मानव के 'मूल' पर मार्क्स और लोहिया—अब प्रश्न उठता है कि कौन-सा समाज अथवा विचारक किन-किन परिस्थितियों और सुविधाओं को मानव-विकास के लिए मौलिक मानता है। स्पष्ट है कि 'मूल' और 'मौलिक'-जैसे गम्भीर शब्दों की व्याख्या पर ही विचारकों की मौलिक अधिकार-सम्बन्धी धारणा आधारित होगी। मार्क्स मानव का मूल पेट में मानता है, जबकि लोहिया मानव को केवल 'पेटू पशु' मानने से साफ इनकार करते हैं। वे मानव का 'मूल' हृदय और उसके भी ऊपर

मस्तिष्क में मानते हैं जिसे आज का शरीर विज्ञान प्रमाणित करता है और यही उपनिषद् भी मानता है। विज्ञान बताता है कि गर्भ में बीज सर्वप्रथम सिर या मस्तिष्क के रूप में ही व्यक्त होता है फिर इस बीज से हाथ, पाँव आदि अंकुर की शाखाओं की तरह फूटते हैं। इसी रहस्य को गीता में 'ऊर्ध्वमूलमघ: शाखम्' कहा है—इस जीव का मूल ऊपर है, शाखाएँ नीचे हैं।

मार्क्स और डॉ. लोहिया के इस गहरे अन्तर का कारण दोनों के समाज और संस्कृति के विरासत का अन्तराल है। विचारों और व्यक्तित्व के निर्माण में सांस्कृतिक सम्पदा के गुरुत्व का अनिवार्य योग होता है। कितना ही क्रान्तिकारी पुरुष क्यों न हो, वह अपने ऐतिहासिक गौरव को नकार नहीं सकता। मिट्टी की महक तो फूल में होती ही है, भले ही उसका सिर आकाश में सुदूर घुस जाये। लोहिया उस राम की धरती का फूल है जो सरजू और गंगा से सिंचित है। वह उस माता का लाल है जिसने उपनिषद् के स्वरों में मानव को केवल 'अन्नमय' मानने से इनकार किया था। इसके विपरीत भौतिकवादी पाश्चात्य धरती के विचारक मार्क्स ने सम्पूर्ण मानव-जाति के इतिहास को ही पेट के लिए शिकार की संघर्षमयी कहानी साबित करने का प्रयत्न किया। मार्क्स का यह प्रयास विश्व के समस्त महामानवों के व्यक्तित्व और कृतित्व के द्वारा ही नहीं, अपितु स्वयं उसके अपने भी महान् जीवन के द्वारा निरस्त हो जाता है। कौन कह सकता है कि मार्क्स ने अपना जीवन पेट भरने के लिए खतम किया। विश्व के सभी महापुरुषों ने परार्थ और परमार्थ के लिए ही अपना जीवन उत्सर्ग किया है और इसी हेतु उन्होंने मौलिक अधिकारों पर भी बल दिया। इसी श्रृंखला की एक कड़ी डॉ. लोहिया है जो मानव के मूल अधिकारों के लिए आजीवन संघर्षरत रहे।

मौलिक अधिकारों के लिए डॉ. लोहिया के संघर्ष का अध्ययन करने के पूर्व यह ज्ञात कर लेना आवश्यक है कि वे नागरिकों को कौन-कौन-से अधिकार प्रदान करना चाहते थे। इस सन्दर्भ में अद्यावधि लोकतान्त्रिक देशों में सामान्यत: और सिद्धान्तत: स्वीकृत मौलिक अधिकारों को, जिन्हें लोहिया ने भी अनुमोदित किया है, अनुशासित किया है, हम छोड़ देंगे, क्योंकि वे लोहिया की अपनी देन नहीं हैं, अपितु मात्र स्वीकृति हैं। हम यहाँ लोहिया की उन मान्यताओं की चर्चा करेंगे जो उनकी मौलिक अधिकारों को मौलिक देन है। इन अधिकारों को हम निम्नलिखित ढंग से रख सकते हैं।

बौद्धिक स्वातन्त्र्य का अधिकार—'ज्ञानं हि तेषामधिको विशेष:' का पक्ष लेते हुए वे मानते थे कि मानव पशु से अधिक विकसित प्राणी है। उसकी प्रकृति में स्वतन्त्रता है। उनकी बौद्धिक स्वातन्त्र्य-सम्बन्धी धारणा तिलक की उस उक्ति से

मेल खाती है जिसमें उन्होंने कहा था कि स्वतन्त्रता मानव का जन्मसिद्ध अधिकार है। लोहिया की बौद्धिक स्वतन्त्रता-सम्बन्धी धारणा ग्रीन के उस विचार से भी पुष्ट होती है जिसमें उसने माना है कि मानव चेतना में स्वतन्त्रता अन्तर्निहित रहती है और स्वतन्त्रता में अधिकार निहित रहते हैं, जिस हेतु राज्य की आवश्यकता पड़ती है। टी. एच. ग्रीन ने स्पष्टत: लिखा है कि राज्य अधिकारों को जन्म नहीं देता, ये तो मानव-प्रकृति में पहले से ही विद्यमान रहते हैं, राज्य तो केवल इन अधिकारों को वास्तविकता प्रदान करता है। "Thus the state....does not create rights, but it gives fuller reality to rights already existing."[2]

डॉ. लोहिया का विश्वास है कि जब तक मानव के 'मूल' का ज्ञान प्राप्त नहीं किया जा सकता, तब तक क्रान्ति पूर्ण नहीं हो सकती। आखिर जल तो अपना तल पाने पर ही प्रशान्त होता है। मानव का तल क्या है? उसका लक्ष्य क्या है? इसका उत्तर प्राचीन भारतीय शब्द 'मोक्ष' जिसका राजनैतिक सन्दर्भ में अनुवाद होता है—स्वराज्य और जिसकी व्यावहारिक व्याख्या होगी—विकास के लिए आचार और विचार का सम्पूर्ण स्वातन्त्र्य इस सन्दर्भ स्वातन्त्र्य का ही एक सर्वाधिक महत्त्वपूर्ण अंग बौद्धिक स्वातन्त्र्य है। बौद्धिक स्वातन्त्र्य का अर्थ है, पठन-पाठन, लेखन और अभिव्यक्ति का स्वातन्त्र्य यह स्वातन्त्र्य वह अधिकार है जो प्रत्येक व्यक्ति को मानव के सम्पूर्ण विकास में बाधक तत्त्वों को हटाने का और साधक तत्त्वों को जुटाने का अधिकार प्रदान करता है। साम्यवादी देशों में कला और साहित्य अथवा अभिव्यक्ति-स्वातन्त्र्य पर अत्यधिक अंकुश रहते हैं। आधुनिक युग में जनतान्त्रिक देशों में भी नैतिकता और सार्वजनिक स्वास्थ्य आदि के बन्धन कला, साहित्य एवं अभिव्यक्ति पर आरोपित किये जाते हैं। डॉ. लोहिया इस सम्बन्ध में पूर्ण स्वतन्त्रता चाहते थे। उन्होंने अश्लील साहित्य तक को प्रकाशन की स्वतन्त्रता दी थी। उनका स्पष्ट कहना था कि इतना तो मैं साफ कह देना चाहता हूँ कि समाजवादी हिन्दुस्तान में किसी भी व्यक्ति की साहित्य या कला की अभिव्यक्ति किसी भी हालत में अपराध नहीं रहेगी और जिसे अश्लील वगैरह कहते हैं, उसके बारे में भी यही कहना चाहता हूँ"[3] व्यक्तिगत दृष्टि से वे कला को पूर्ण निर्बन्ध रखना ही पसन्द करते थे, किन्तु वे समाजवादी समाज में एक ऐसी परिस्थिति की सम्भावना की कल्पना करते थे, जब कलाकार से लोकमंगल के दायित्व के निर्वाह का निवेदन किया जा सकता है।

बौद्धिक स्वातन्त्र्य के आधार पर ही डॉ. लोहिया समाजवादी व्यवस्था की कटु आलोचना करते थे। वे इस व्यवस्था को साम्राज्यवादी कहते थे क्योंकि इस व्यवस्था में मानव को मौलिक अधिकारों से वंचित रखा जाता है, उसे मूक, मूढ़ और अनपढ़

समझा जाता है, मानो उसकी आवश्यकताएँ पशुवत् केवल 'आहार, निद्रा, भय और मैथुन' की सुरक्षा स्वरूप अन्न, आवास, दण्ड और काम ही है। इस व्यवस्था में मनुष्य को बौद्धिक विचारशील प्राणी न मानकर केवल 'पेटू प्राणी' ही माना जाता है। इसलिए डॉ. लोहिया साम्यवादी विचार को सम्पूर्ण मानव-जाति का 'पतन' निरूपित करते हुए उसके विरोध में आरून करते हैं, "It must be unbearable to sensitive mind and indeed represents a deterioration for the whole of mankind."[4] अध्याय 5 के उपशीर्षक 'वाणी स्वतन्त्रता एवं 'कर्म-नियन्त्रण' में डॉ. लोहिया के बौद्धिक स्वातन्त्र्य-सम्बन्धी विचारों पर पर्याप्त चर्चा की जा चुकी है। इसलिए यहाँ पुनरुक्ति परिहार्य है।

सविनय अवज्ञा का अधिकार—डॉ. लोहिया अहिंसा और बौद्धिक स्वातन्त्र्य दोनों में विश्वास रखते थे। अत: वे चाहते थे कि मानव को अत्याचारी और अन्यायी कानूनों की शान्तिमय और अहिंसात्मक अवज्ञा का अधिकार होना चाहिए।[5] टी. एच. ग्रीन के समान उनकी भी मान्यता है कि शासन-जैसी संस्था का लक्ष्य व्यक्ति के विकास में बाधक समस्त तत्त्वों को दूर करके उन समस्त आनुकूलताओं को पैदा करना, उन्हें पोषित करना है जिनसे मानव का सहज और पूर्ण विकास हो। वे मानते हैं कि कदाचित् ये संस्थाएँ ही विकास में बाधक बन सकती हैं। जो शोषण एक पूँजीपति करता है, वही शोषण एक गुट, राजनैतिक दल अथवा शासन भी कर सकता है। रक्षक भक्षक बन सकता है। जब ऐसा हो तब जनता को यह अधिकार है कि वह उसे उखाड़ फेंके। किन्तु महात्मा गाँधी और टी. एच. ग्रीन के समान लोहिया साधन की शुद्धि, अहिंसा और सविनय अवज्ञा द्वारा ही ऐसा करना चाहते थे, न कि मार्क्स के हिंसात्मक तरीकों द्वारा।

अंग्रेजों के विरुद्ध गाँधी क्यों उठे? लोहिया का स्पष्ट मत है कि गाँधी जी जाति-विद्वेषी नहीं थे, न ही वे राष्ट्रवादी थे। अंग्रेज स्वयं जातिवादी और राष्ट्रवादी थे। अत: उनका शासन भी जन-शोषक था और इसलिए उसको हटाना जनता का मौलिक अधिकार था। और यदि यही शोषण कांग्रेस या अन्य दल करता है तो जनता को उसकी व्यवस्था के विरुद्ध सविनय अवज्ञा का मौलिक अधिकार है।

प्राणदण्ड और आत्महत्या—डॉ. लोहिया का मत था कि व्यक्ति को आत्महत्या का अधिकार मिलना चाहिए। किन्तु प्राणदण्ड सर्वथा अविहित हो। अपराधी के उच्छेदन से अपराध उन्मूलित नहीं हो सकता। अपराधी का वध गाँधीवाद के भी विपरीत है। प्राणदण्ड मानव की सम्भावनीय महत्ता की हत्या है। सचमुच में यह कितनी विचित्र बात है कि एक अपराध के लिए व्यक्ति स्वयं को तो दण्डित नहीं कर सकता, किन्तु शासन दण्डित करे। जब व्यक्ति स्वयं अपने

अपराध का अनुभव कर रहा है, उसे मान रहा है और तदर्थ 'स्वयं दण्डित होना चाहता है, तब इस आत्मस्वीकृति और आत्मदण्ड को तो शासन दण्ड्य माने और जब व्यक्ति अपने को निरपराधी कहे तब शासन उसे अपराधी कहकर दण्डित करे। यह न्याय का भयंकर और जघन्य उपहास है। अतएव लोहिया ने आत्महत्या को अदण्ड्य और प्राणदण्ड को अवैध कहा है।[6] यदि कोई सामाजिक आधार को लेकर आत्महत्या के अधिकार को विहित करना नहीं चाहता तो उसके लिए यह प्रतितर्क होगा कि ऐसे आत्मग्लानि और अन्तर-उत्पीड़न से अभिभूत प्राणियों को बलात् जीवित रखकर समाज क्यों सिर-दर्द मोल लेना चाहता है। ऐसे अर्द्धविक्षिप्त व्यक्ति अपने परिवार, पास-पड़ोस के वातावरण को विषाक्त कर देते हैं। ये व्यक्ति समाज को कुछ देने के बजाय समाज के ऊपर एक अभिशप्त भार होते हैं और इस भार से जितनी ही जल्दी समाज मुक्त हो जाय, समाज का ही नहीं, उन व्यक्तियों का भी कल्याण है, किन्तु मानवीयता के आधार पर समाज स्वयं उन्हें न खतम करे। लेकिन यदि वह स्वयं खतम होना चाहता है, तो समाज उन्हें मौन और सघन्यवाद स्वीकृति दे।

जहाँ तक प्राणदण्ड न देने के सम्बन्ध में लोहिया के कथन का प्रश्न है वह तो सर्वथा मानवतावादी दृष्टिकोण है, साथ-ही-साथ समाज के लिए भी लाभदायक है। एक तो मानव अथवा शासन की मानवता इसी में है कि हत्या अथवा अन्य जघन्य अपराध करनेवाले के साथ भी मानवोचित व्यवहार करे। लोहिया ने उचित ही कहा है, चाहे जिन्दगी भर जेल में डाल रखो, पर फाँसी न हो, क्योंकि गला घोंटकर मार डालना इन्सानियत की बात नहीं है।.....हम कैसे जानवर हैं जो आदमी को गला घोंटकर मार डालते है।[7] जिसने हत्या अथवा अन्य जघन्य अपराध किया है, यह आवश्यक नहीं कि उसकी प्रवृत्ति अपराध करने की ही है। अच्छा-से-अच्छा व्यक्ति भी कदाचित् परिस्थितिवश बड़ा-से-बड़ा अपराध कर सकता है। इसके विपरीत यह भी हो सकता है कि कोई व्यक्ति अपराध करने की प्रवृत्ति में ही आ गया हो, तो भी उसको मृत्युदण्ड देकर समाज केवल नकारात्मक लाभ ही उठाता है। इससे अधिक अच्छा तो यह है कि उसे जेल में रखा जाय, शिक्षा देकर उसकी प्रवृत्तियों को सँभाला जाय और उससे कार्य लेकर समाज को लाभ पहुँचाया जाय। इससे उस व्यक्ति और समाज दोनों को लाभ होगा। अत: लोहिया का कहना सामाजिक दृष्टिकोण से भी उचित ही प्रतीत होता है।

व्यक्तिगत जीवन की स्वतन्त्रता—डॉ. लोहिया किसी के व्यक्तिगत जीवन में कोई भी दखल पसन्द नहीं करते। उनका कहना था, "हर व्यक्ति को एक हद तक अपने जीवन को अपने मन के मुताबिक चलाने का अधिकार होना चाहिए।[8] वह

घर में कैसे रहे, किससे, कब शादी करे, किस राजनीतिक दल में रहे आदि प्रश्न विशुद्ध व्यक्तिगत हैं, जिनमें किसी भी शासन अथवा दल को हस्तक्षेप करने का अधिकार नहीं होना चाहिए। नर-नारी के सम्बन्धों के सन्दर्भ में तो डॉ. लोहिया ने यहाँ तक कहा है कि यदि एक मर्द अथवा औरत शादी करके सात-आठ बच्चे पैदा करते हैं तो वे उनसे ज्यादा खराब हैं जो बिना शादी किये हुए एक भी नहीं या एक बच्चा पैदा करते हैं।[9] इस कथन के पीछे उनका उद्देश्य व्यक्तिगत स्वतन्त्रता को बनाये रखना तो था ही, साथ-साथ नर-नारी शुचिता को परम्परावादी दृष्टिकोण से हटाना और उसे बुद्धि, वीरता, संयम, साहस, निच्छलता, स्पष्टता से जोड़ना था। उनका यह दृष्टिकोण भारतीय संस्कृति के विरुद्ध है। बहुत प्राचीन काल से चली आ रही नर-नारी सम्बन्धों की पवित्रता पर भी यह कुठाराघात करता है। हाँ, जहाँ तक व्यक्ति के गुणों की प्रशंसा का प्रश्न है अथवा व्यक्तिगत आजादी का प्रश्न है, वह अवश्य उस सीमा तक दी जा सकती है जिस सीमा तक किसी दूसरे व्यक्ति के ऐसे अधिकार में हस्तक्षेप न करती हो।

इसी प्रकार डॉ. लोहिया दहेज देकर की गयी अच्छी शादी से उस लड़की को अच्छा समझते हैं जो बिना दहेज दिये और बिना शादी किये आत्मसम्मान के साथ स्वतन्त्र रूप से रहती है, भले ही गन्दा समाज उसे छिनाल कहे।[10] भले ही डॉ. लोहिया के विचारों से सामाजिक जीवन में अस्थायी अव्यवस्था फैलाने की आशंका हो, किन्तु व्यक्तिगत स्वतन्त्रता के दृष्टिकोण से और दहेज-जैसी बोझिल सामाजिक कुरीति से मुक्ति पाने की दृष्टि से उचित प्रतीत होते हैं। कुछ भी हो, इतना तो स्पष्ट है कि वे मानव के व्यक्तिगत जीवन की स्वतन्त्रता में अगाध आस्था रखते थे, उसमें हस्तक्षेप उन्हें बरदाश्त नहीं था, वह चाहे कानून का हो अथवा सामाजिक कुरीतियों का। उन्होंने साफ कहा था, "जीवन के ऐसे कुछ दायरे होने चाहिए कि जिनमें राज्य का, सरकार का, संगठन का, गिरोह का दखल न हो। जिस तरह हमारी जमीन की बेदखलियाँ हो जाती हैं उसी तरह सरकार और राजनीतिक पार्टियाँ हमारे जीवन में बेदखली कर डालती हैं।"[11]

सरकारी नौकरी और आजादी—चूँकि समाजवाद में सार्वजनिक क्षेत्र के विस्तार से शासकीय कर्मचारियों की संख्या में वृद्धि होती है, अत: अधिकांश जनसंख्या शासकीय कर्मचारी बन जाती है। यदि उसको राजनैतिक कार्यों में भाग लेने, संगठन बनाने, उनमें सक्रिय कार्य करने का अधिकार नहीं दिया जायेगा, तो अधिकांश जनता पराधीनता की जंजीरों में जकड़ जायेगी। उसके मुँह सिल जायेंगे जो मानवता के विपरीत है। परिणामस्वरूप ऐसी स्थिति में समाजवाद पराधीनता का ही पर्याय हो जायेगा। इसके अतिरिक्त वाणी और अभिव्यक्ति स्वतान्त्र्य के अभाव में सार्वजनिक क्षेत्र के कर्मचारी स्वार्थी, अनुत्तरदायी और भ्रष्ट हो जाते हैं, जबकि

उन्मुक्त कर्मचारी अधिक ईमानदार और उत्तरदायी होते हैं। इसीलिए डॉ. लोहिया सैनिकों को छोड़कर समस्त सार्वजनिक कर्मचारियों के राजनैतिक स्वातन्त्र्य के पक्षधर थे। सुनने का अधिकार तो वे सैनिकों तक को देते हैं। इतना ही नहीं, वे उन्हें आर्थिक एवं पेशे विषयक शिकायत करने का भी अधिकार देते है।[12]

श्रमिक और आजादी—डॉ. लोहिया का विश्वास है कि अधिकार की भावना आने से ही कर्त्तव्य की भावना आती है। महात्मा गाँधी के विपरीत उनकी मान्यता थी कि "कर्त्तव्य की भावना कभी आ नहीं सकती, जब तक अधिकार की भावना नहीं आयेगी।[13] वे कहते थे कि अधिकार और स्वतन्त्रता मिलने पर मनुष्य की चेतना उदात होती है, उसमें स्वाभिमान जागता है, वह अपने को महान् समझता है और फिर महान् कर्म करता है। चेतना को उदात्त करने के लिए, मानव को न केवल काम करने का अधिकार चाहिए, अपितु आराम करने की आजादी भी चाहिए, उसे शिक्षा और संगठन का, विरोध करने का भी अधिकार चाहिए। स्वतन्त्रता और विकास में समानुपातिक सम्बन्ध है। लोहिया का मत था कि यह मान्यता न केवल देश के सन्दर्भ में, अपितु व्यक्ति के सम्बन्ध में उतनी ही यथार्थ है। इसलिए उन्होंने मजदूरों को उद्योग की व्यवस्था में अधिकार और 'पिकेटिंग' का अधिकार भी दिलाया।[14] मनुष्य की कल्पना उन्होंने गीता के 'ब्रह्मार्पणं ब्रह्महविः ब्रह्माग्नौ ब्रह्मणाहुतम्' जैसी की। वही मनुष्य उद्योग का व्यवस्थापक भी है और 'पिकेटियर' भी है। सामाजिक विकास करने के माध्यम के रूप में मनुष्य साधन है और विकसित समाज के अंग के रूप में वह साध्य है। वह सब-कुछ है, जैसी विकास की परिस्थिति का तकाजा हो।

धार्मिक स्वतन्त्रता का अधिकार—डॉ. लोहिया के सिद्धान्त और कर्म में मानव की प्रतिष्ठा बोलती है। वे चाहते थे कि राजनीतिक, धार्मिक, सामाजिक, आर्थिक आदि जीवन के समस्त पहलुओं में मानव के साथ मानवोचित व्यवहार हो। इसीलिए धर्म पर आधारित सम्प्रदायों के वे कठोर विरोधी थे। डॉ. लोहिया को नागरिकों की पूजा और अन्तःकरण की स्वतन्त्रता में अगाध आस्था थी। उनका मत था कि मन्दिर-मसजिद आदि धार्मिक संस्थानों में व्यक्ति को बेरोक-टोक जाने का पूर्ण अधिकार है। उनकी दृष्टि से धार्मिक हस्तक्षेप हेय और दयनीय है। उनका स्पष्ट कहना था, "मैं समझता हूँ मसजिद मन्दिर अपने रखो। कोई भी उसमें दखल देने जाये तो मुझ-जैसा समाजवादी कहेगा कि उस दखल देनेवाले को हम रोकेंगे और ताकत से रोकेंगे।[15] यद्यपि वे स्वयं ईश्वर अथवा मन्दिर, मसजिद में विश्वास नहीं करते थे, तथापि ईश्वर पर विश्वास करनेवाले और मन्दिर, मसजिद जानेवाले व्यक्तियों से उन्हें कोई घृणा न थी। इस सम्बन्ध में उन्हें प्रत्येक के अपने

मुक्त मार्ग पसन्द थे। राजनैतिक और सामाजिक व्यवस्था के पुनरुद्धार को बाधा न पहुँचाना ही केवल इस मुक्ति-मार्ग की एक शर्त थी।[16] वे धर्मनिरपेक्ष राज्य में आस्था रखते थे।

सम्पत्ति का अधिकार—डॉ. लोहिया सम्पत्ति के अधिकार को व्यक्ति का मौलिक अधिकार नहीं मानते। उनकी मान्यता थी कि व्यक्ति के विकास के लिए ही व्यक्ति को सम्पत्ति का अधिकार दिया गया था, किन्तु यदि यह अधिकार व्यक्ति का रक्षक बनने के स्थान में भक्षक बन जाये तो इसे सीमित किया जाना चाहिए। वे चाहते थे कि श्रम के शोषण पर आधारित समस्त उत्पादन के साधनों का राष्ट्रीयकरण होना चाहिए। उनका स्पष्ट कहना था कि सच्चा और नवीन समाजवाद ऐसा होगा जो "एक तरफ तो कायदे-कानून ऐसे बनायेगा कि जिसमें सम्पत्ति लोगों की व्यक्तिगत न हो और दूसरी तरफ इस तरह के समाज के ढाँचे को बनायेगा, नाटक, किस्से या खेल-कूद या दर्शन या किताबें या उपन्यास ऐसे चलायेगा और बचपन से ही ऐसी शिक्षा देगा कि सम्पत्ति का मोह आदमी को न हो।[17]

कहीं-कहीं लोहिया के विचार सिद्धान्तत: सही लगते हुए भी व्यवहारत: स्पष्ट नहीं हो पाते। लगता है जैसे वे 'वदतो व्याघात' कर रहे हैं। एक ओर वे चौखम्भा-योजना द्वारा राज्य-शक्ति के विक्रेन्द्रीकरण की बात करते हैं तो दूसरी ओर सम्पत्ति को नागरिक का मौलिक अधिकार नहीं मानते। अर्थ का मौलिक अधिकार सत्ता को देकर नागरिकों के बौद्धिक स्वातन्त्र्य को केवल मौखिक स्वातन्त्र्य में परिणत कर देते हैं। उनकी इस व्यवस्था में तो जनता केवल नामत: शासन करेगी, अर्थत: शासन तो सत्तासीन दल करेगा। अर्थ पर मौलिक अधिकार समाप्त होने से जनता की अधिक उत्पादन की प्रेरणा भी समाप्त हो जाती है। उपर्युक्त आपत्तियों के होने के बावजूद भी वर्तमान मानव की शोषण-वृत्ति को देखते हुए उन्होंने जो व्यवस्था दी है, वह व्यक्ति को सम्भव स्वतन्त्रता प्रदान करती है। आखिर व्यक्ति की शोषक प्रवृत्ति को समाप्त करने के लिए सत्ता को अपेक्षाकृत अधिक आर्थिक अधिकार तो देने ही पड़ेंगे। फिर लोहिया के समक्ष केवल व्यक्तिगत स्वतन्त्रता की ही समस्या नहीं थी, उन्हें तो समता का भी ध्यान रखना था।

समता का अधिकार—एक अच्छे समाजवादी होने के नाते स्वाभाविक रूप से डॉ. लोहिया सर्वाङ्गीण और सर्वक्षेत्रीय समता में विश्वास करते थे। उन्होंने नर-नारी समता, जाति-उन्मूलन, रंग-भेद और अस्पृश्यता समाप्ति के लिए जो सिद्धान्त और कर्म दिये हैं, उनसे स्पष्ट है कि वे सच्चे समाजवादी थे। उन्होंने समता के चार पहलू बतलाये थे। वैधानिक आर्थिक, राजनैतिक और आध्यात्मिक। वैधानिक समता के अन्तर्गत के विधि के समक्ष समानता चाहते थे तो राजनैतिक समता के अन्तर्गत

वे भेद-भावरहित मताधिकार की पहल करते थे। राष्ट्र के अन्दर व्यक्तियों की आर्थिक समानता और विश्व में समस्त राष्ट्रों की आर्थिक समानता ही उनकी आर्थिक समता का लक्ष्य था। इसी प्रकार आध्यात्मिक समता से उनका तात्पर्य यह था कि विरोधी स्थितियों सुख-दु:ख, हानि-लाभ, जय-पराजय में तो व्यक्ति सम रहे ही, साथ-ही-साथ समस्त व्यक्तियों के साथ समता का भी भाव रखे। यही उनकी सर्वाङ्गीण समता की कल्पना थी। उन्होंने स्पष्ट कहा था, "Equality must therefore, be grasped in all its four meanings."[18]

भले ही डॉ. लोहिया की ये समताएँ आज कल्पना मात्र प्रतीत होती हों, किन्तु विषमता की खाइयाँ पाटने के लिए उन्होंने जो प्रयास किये, वे भुलाये नहीं जा सकते। उनसे तो प्रेरणा प्राप्त करने की आवश्यकता है। सर्वाङ्गीण समता के लिए उनके हृदय में जो भाव थे, उनको निश्चयात्मक रूप से उनके निम्नलिखित वाक्य से जाना जा सकता है "Men will do mad things if their hunger for equality is not appeased."[19] वे जिस प्रकार एक राष्ट्र के अन्दर सभी मानवों को समान अधिकार चाहते थे, उसी प्रकार अन्तरराष्ट्रीय स्तर पर भी सभी राष्ट्रों की समानता पर बल देते थे। विभिन्न राष्ट्रों के बीच व्याप्त समस्त विषमताओं को समाप्त कर वे जनतन्त्र और मानव अधिकारों पर आधारित समस्त राष्ट्रों की स्वतन्त्रता और एकता की पुनर्प्राप्ति चाहते थे। इस हेतु वे विश्व के 2/3 हिस्से के छोटे राज्यों की सम्प्रभुताओं पर नहीं अपितु 1/3 हिस्से के बड़े राज्यों की सम्प्रभुताओं पर अंकुश चाहते थे।[20]

समता पर बल तो मार्क्स ने भी दिया था, किन्तु वह केवल आर्थिक समता पर ही केन्द्रित रहा। स्वतन्त्रता को तो उसने समता की बलिवेदी पर न्यौछावर ही कर दिया था। इसके विपरीत लोहिया ने अपना ध्यान केवल समता पर ही केन्द्रित नहीं रखा, अपितु मानव-स्वातन्त्र्य और उसके अधिकारों पर भी उनका ध्यान गया। मानव-स्वातन्त्र्य और उसके अधिकारों को उन्होंने समता की बुनियाद बतलाया। यही कारण है कि समता लाने के लिए मानव-अधिकारों के निर्विघ्न उपयोग में वे बाधा नहीं डालना चाहते। उन्होंने स्पष्टत: कहा था, "In addition the, enjoyment of human rights which are the basis of all equality should not be interrupted."[21]

उन्होंने उपर्युक्त मौलिक अधिकारों का केवल एक सैद्धान्तिक विवेचन ही प्रस्तुत नहीं किया, अपितु उनको वास्तविकता बनाने के लिए वे आजीवन संघर्षरत रहे।

मौलिक अधिकार और डॉ. लोहिया का संघर्ष—डॉ. लोहिया की राजनीति सत्ता-निरपेक्ष और सेवा-सापेक्ष थी। यही कारण था कि उन्होंने न केवल विदेशी विधि विधानों के विरुद्ध संघर्ष किया, अपितु स्वदेशी शासन के खिलाफ भी वे निरन्तर जूझते रहे। गाँधी तो केवल विदेशियों के विरुद्ध लड़े, लेकिन लोहिया स्वदेशी शासन

के अन्यायों के विरुद्ध भी आजीवन संघर्ष करते रहे। गाँधी जी ने विदेशी अन्यायी शासन के विरुद्ध सत्याग्रह किया। डॉ. लोहिया ने उनका साथ दिया, लेकिन स्वतन्त्रता के बाद उन्होंने अकेले और कतिपय सहयोगियों के दम पर 'एकला चलो रे' के आदर्श पर अन्याय से युद्ध किया। उनके जीवन का लक्ष्य जनता को मौलिक अधिकार दिलाना था, नर को नारायण रूप में प्रतिष्ठित कराना था। यही सत्ता-निरपेक्षता और जन-सेवा सापेक्षता ही कारण थी कि अपने ही दल के केरलीय शासन से उन्होंने त्याग-पत्र माँगा। उनका यह कृत्य उनके उस सिद्धान्त के अनुकूल था जिसमें उन्होंने कहा था, "हिन्दुस्तान की राजनीति में तब सफाई और भलाई आयेगी जबकिसी पार्टी के खराब काम, सरकार के खराब काम की निन्दा दूसरी पार्टी के लोग ही न करें, बल्कि उस पार्टी के लोग करें। यह आज नहीं हो रहा है।"[22] यदि वे चाहते तो स्वतन्त्रता के पश्चात् ही सत्ता से समझौता कर लेते और जीवन के शेषांश को आधुनिक मन्त्रियों की तरह विलासिता में व्यतीत करते, लेकिन वे तो गाँधी, सुकरात और थोरो आदि की तरह केवल बलिदान की ज्योति-ज्वाला को जलाये रखने के लिए आये थे ताकि उस ज्वाला में प्रह्लाद तो अमर हो जाय और होलिका मर जाय।

उनका स्पष्ट कहना था, "एक ऐसी पार्टी बनाओ जो संकल्प कर ले और घोषणा कर दे कि हमको गद्दी पर कभी नहीं बैठना है, लेकिन जो भी लोग या पार्टी गद्दी पर बैठे, उनको अन्याय के अवसर पर टँगड़ी मारना है, ऐसा संकल्प करो, ऐसी घोषणा करो, ऐसी पार्टी बनाओ, तो सचमुच देश का और संसार का महान् कल्याण होगा।"[23] उन्होंने यदि कभी सत्ता की योजना बनायी थी तो केवल अपने सिद्धान्तों को और न्याय को प्रतिष्ठित करने के लिए। उनका विश्वास था कि सत्य के साथ शक्ति न होने पर वह निर्जीव हो जाता है। सामाजिक, आर्थिक, राजनैतिक विषमताओं को समाप्त करने के लिए उन्होंने इसीलिए प्रयास किया था जिससे कि नागरिक अपने मौलिक अधिकारों का वास्तविक प्रयोग कर सकें। उनका विचार था कि जनतान्त्रिक व्यवस्था में नेता के अधिकार सीमित होने चाहिए और उसके कृत्य राम-जैसी मर्यादा और विधान में बँधे होने चाहिए।[24] अमर्यादित और निरंकुश अत्याचारी शासनों से नागरिक को मुक्ति दिलाने हेतु उनके कुछ और संघर्षों को रखा जा सकता है।

गोवा-नागरिकों के मौलिक अधिकार और डॉ. लोहिया—500 वर्ष से चले आ रहे पुर्तगाली निरंकुश शासन के कारण नागरिक स्वातन्त्र्य की पूर्ण आहुति हो गयी थी। सभाएँ आयोजित करने के लिए उन्हें तीन दिन पूर्व राज्यपाल की स्वीकृति प्राप्त करनी होती थी। समाचार-पत्रों को प्रकाशन के पूर्व शासन को

दिखलाना पड़ता था। विज्ञापन-प्रकाशन, निमन्त्रण-पत्रिका, विवाह-निमन्त्रण पत्रिका आदि भी जाँच के पूर्व नहीं छप सकते थे। लेखन, मुद्रण की स्वतन्त्रता पर भी कड़े प्रतिबन्ध लगाये गये थे। 15 जून, सन् 1946 ई. को लोहिया जी वहाँ गये और 18 जून को मड़गाँव में एक सभा का आयोजन किया। ज्यों ही लोहिया जी भाषण के लिए खड़े हुए, प्रशासक मिराण्डा अपनी रिवाल्वर पर हाथ रखे हुए उनके पास आया। उन्होंने उसका हाथ पकड़कर उसे धैर्य रखने की सलाह देते हुए कड़े शब्दों में कहा, "धीरज रखो, देखते नहीं, कितनी भीड़ हो गयी। खून खराबी होगी तो शान्ति रहेगी क्या?"[25] उनके इस कृत्य ने वहाँ की जनता को अपनी आजादी के लिए सत्याग्रह हेतु तैयार किया।

डॉ. लोहिया को गिरफ्तार किया गया। विरोध में जनता ने खलबली मचा दी, जुलूस निकाले। परिणामस्वरूप पुर्तगाली शासन ने लोहिया को अतिथि के रूप में भाषण की स्वतन्त्रता के साथ सम्पूर्ण गोवा भ्रमण करने के लिए आमन्त्रित किया, किन्तु केवल स्वयं के लिए उन्होंने उस आमन्त्रण को ठुकरा दिया। अन्त में पुलिस अधीक्षक ने सूचना प्रसारित की कि "आम सभा या भाषण के लिए इजाजत लेने की जरूरत नहीं। मामलतदार कचहरी में इत्तला देना काफी होगा। गवर्नर ने आपको यह सन्देश भेजा है।"[26] डॉ. लोहिया के इस कृत्य की प्रशंसा करते हुए गोवा के गवर्नर को गाँधी जी ने एक पत्र में लिखा था, "डॉ. लोहिया की राजनीति शायद मुझसे कुछ भिन्न हो सकती है, लेकिन उन्होंने गोवा में जाकर उधर की कलंकमय जगह पर अपनी उँगली रखी है और इसी कारण मैं उनकी तारीफ करता हूँ।...उन्होंने जो मशाल प्रज्वलित की है उसे गोवा के नागरिक अगर बुझ जाने देंगे तो उनके लिए बहुत बड़ा खतरा होगा। आप और गोवा के नागरिक दोनों को ही डॉ. लोहिया को बधाई देनी चाहिए कि उन्होंने यह मशाल जलायी।[27] डॉ. लोहिया वहाँ के नागरिकों के मौलिक अधिकारों की रक्षा हेतु कई बार वहाँ गये, किन्तु प्रत्येक बार वहाँ की सरकार उन्हें भारत की सीमा पर छोड़ जाती। तब उन्होंने सीमावर्ती स्थानों से ही नागरिक-स्वतन्त्रता के प्रयास अपने भाषणों और सत्याग्रहों द्वारा जारी रखे।

नेपाल के नागरिकों के मौलिक अधिकार और डॉ. लोहिया—केवल गोवा में ही नहीं, अपितु नेपाल में भी डॉ. लोहिया ने जनता के मौलिक अधिकारों की रक्षा हेतु वहाँ की कांग्रेस का साथ दिया जो नेपाल के राणाओं की निरंकुश तानाशाही के विरुद्ध संघर्ष कर रही थी। नेपाल की कांग्रेस ने वाणी-स्वतन्त्रता और अन्य जनतान्त्रिक अधिकारों के लिए आन्दोलन चलाया था। डॉ. लोहिया ने जनवरी, सन् 1947 ई. में कांग्रेस स्थापित की प्रेरणा दी थी और पत्रकारों से

वार्त्ता करते हुए उन्होंने कहा था कि "नेपाल का विचार-नियन्त्रण जाना चाहिए और लोगों को विचार और वाणी की स्वतन्त्रता मिलनी चाहिए।"[28] इस हेतु 25 मई, सन् 1949 ई. को दिल्ली में उन्होंने एक सभा की, जुलूस निकाला और नेपाली दूतावास के समक्ष जन-प्रदर्शन किया। शासन ने अश्रु गैस बरसायी। इस सम्बन्ध में उन्होंने जेल भोगी, अनेक कष्ट उठाये जिनका विस्तृत वर्णन यहाँ आवश्यक प्रतीत नहीं होता।

नहर-रेट-वृद्धि के विरुद्ध आन्दोलन—जैसा स्पष्ट किया जा चुका है, डॉ. लोहिया का लक्ष्य अन्याय से संघर्ष करना था। चाहे जो भी अन्याय करे। अन्याय का उनका विरोध इतना तीव्र और आक्रामक था कि वे कभी-कभी अन्यायी के लिए अशिष्ट शब्दों का प्रयोग कर दिया करते थे। चूँकि भारतीय शासन के कर्णधार पण्डित जवाहरलाल नेहरू थे, इसलिए प्रत्यक्ष अथवा अप्रत्यक्ष ढंग से स्वातन्त्र्योत्तर काल से अपनी अन्तिम श्वास तक वे अन्याय के प्रति अपना रोष सक्रिय रूप से प्रकट करते रहे। आज भी प्रबुद्ध वर्ग में यह एक जीवित प्रश्न बना हुआ है कि डॉ. लोहिया को नेहरू से क्या कोई व्यक्तिगत द्वेष था। निष्पक्ष भाव से यह कहा जा सकता है कि वे नेहरू के नहीं, अपितु अकुशल और विलासी शासन के विरुद्ध थे। यदि नेहरू के ही वे विरुद्ध होते, तो गोवा, नेपाल अथवा अमेरिका आदि में न्याय हेतु जो उन्होंने संघर्ष किया, तो वहाँ कौन-से नेहरू थे? जिस गोली-काण्ड के लिए वे नरेश से लड़ते थे, उसी के लिए वे अपने दल अथवा अन्य दलों से भी। जहाँ भी गरीबों को सताया जाता, वहीं डॉ. लोहिया अपनी पूरी ताकत से विद्रोह कर उठते थे। इसका ही एक उदाहरण है—उत्तर प्रदेश में नहर-रेट-वृद्धि का विरोध।

यह सर्वज्ञात है कि सन् 1954 ई. में उत्तर प्रदेश शासन ने 12 जिलों में नहर-रेट दुगना से लेकर सात गुना तक बढ़ा दिया था। बढ़ा हुआ नहर-रेट कृषक देने में असमर्थ थे। डॉ. लोहिया ने उपर्युक्त के विरुद्ध सशक्त आन्दोलन छेड़ा। 15 मई, सन् 1954 ई. में 'आबपाशी मत देना' का नारा लगाकर उन्होंने एक व्यापक सत्याग्रह प्रारम्भ कर दिया—जिसमें हजारों की संख्या में सत्याग्रही जेल गये। डॉ. लोहिया को भी 1932 के स्पेशल पावर्स एक्ट की धारा 3 के अन्तर्गत गिरफ्तार किया गया। उक्त धारा के अनुसार जो कोई जवाब द्वारा या लिखित शब्दों से या निशानों से या दृश्य वर्णन से या 'उलटे' प्रोत्साहित करेगा तो यह गुनाह होगा। डॉ. लोहिया ने इस धारा को असंवैधानिक निरूपित करते हुए 7 जुलाई, सन् 1944 ई. को इलाहाबाद उच्च न्यायालय के प्रमुख न्यायाधीश को पत्र लिखा जिसमें उन्होंने अन्य बातों के साथ-साथ यह भी लिखा, "आजाद मुल्क में किसी को भी भाषंण देने के कारण गिरफ्तार करना खतरनाक है। जिस भाषण में हिंसा का

आरूान नहीं वहाँ सरकार का गुनाह ज्यादा गहरा होता है। उत्तर प्रदेश का स्पेशल पावर्स एक्ट जुल्म है और यह भारतीय संविधान की धारा 19 के विसंगत है।'' 26 जुलाई, सन् 1954 ई. को न्यायाधीश श्री चतुर्वेदी और श्री देसाई के डिवीजन बेञ्च के समक्ष अपने मुकदमें की पैरवी करते समय उन्होंने कहा कि शब्द 'उलटे' का केवल एक अर्थ के सिवाय अन्य कुछ अर्थ नहीं होता और वह यह कि विद्युत् यन्त्र द्वारा सम्भाषण। अदृश्य सम्भाषण कानून की कक्षा में नहीं आता। इस कानून के अनुसार तो गाँधी जी का ऊपर उठाया हाथ भी, जो गाँधी जी की हमेशा आदत थी, प्रतिबन्धक हो सकता है। यह कानून व्यक्ति के भाषण-स्वातन्त्र्य को अवरुद्ध करता है।

12 अगस्त को न्यायाधीश देसाई ने फैसला दिया कि नहर-रेट न चुकाना नार्दर्न- इण्डिया कैनेल एण्ड सड्रेनेज एक्ट के या अन्य किसी कानून के अनुसार गुनाह नहीं है और उत्तर प्रदेश स्पेशल पावर्स एक्ट निःसन्देह रूप से भाषण-स्वातन्त्र्य के अधिकार पर हमला करता है।[29] न्यायाधीश चतुर्वेदी का निर्णय ठीक इसके विपरीत था। अत: लोहिया का मुकदमा अब एक तीसरे न्यायमूर्ति श्री अग्रवाल के समक्ष गया, जहाँ पर उन्होंने सुकरात, थोरो और गाँधी जी के उदाहरण दिये और कहा कि इन महान् पुरुषों ने सदैव कानून की प्रतिष्ठा के लिए अन्यायी कानूनों को तोड़ा है। सुकरात शायद पहला व्यक्ति था जिसने कहा था यदि कानून प्रगतिशील और सुव्यवस्थित समाज की बुनियाद बने हैं, तो उनके आशय का पालन करना चाहिए। डॉ. लोहिया ने आगे कहा है कि अमेरिका में हेनरी डेविड ने कर न चुकाने का प्रचार करते हुए स्पष्ट किया था कि यदि जनतन्त्र बहुमत पर निर्भर रहेगा तो बहुसंख्यक जनता केवल ऐसी कल्पनाओं को स्वीकार करेगी जिन्होंने अपना अर्थ खो दिया है। थोरो ने यह भी कहा था कि हिमायती 999 लोगों के मुकाबले में एक शरीफ आदमी हो सकता है। लोहिया ने गाँधी जी का भी उदाहरण रखा जिन्होंने कहा था कि कर न चुकाने का जनता का सबसे पुराना सहज और जन्मसिद्ध अधिकार है। जनता ऐसा केवल विदेशी शासन में नहीं, अपितु स्वदेशी शसन में भी कर सकती है। गाँधी जी ने केवल दो शर्तें लगायी थीं—पहली, कर असहनीय हो गये हों, दूसरी, स्थिति को सुलझाने के अन्य सभी मार्ग असफल हो चुके हों।

न्यायमूर्ति अग्रवाल और डॉ. लोहिया—न्यायमूर्ति श्री अग्रवाल का निर्णय लोहिया के पक्ष में गया। लोहिया जी कितने सत्यनिष्ठ, जन-सेवी और स्वतन्त्रता प्रेमी थे, यह न्यायाधीश श्री अग्रवाल के निर्णय से स्पष्ट होता है। किसी महापुरुष या उसके सिद्धान्तों का मूल्यांकन करते समय स्वाभाविक है कि दलगत, राष्ट्रगत, जातिगत,

साहित्यिक, भावुकतागत कुछ-न-कुछ अतिशयोक्ति हो जाय, लेकिन कटघरे में खड़े अपराधीवत् व्यक्ति को, जब एक न्यायमूर्ति स्वयं, जिसे विश्व पूर्ण निष्पक्ष और नितान्त नि:संग मानता है, 'सम्पूर्ण निष्ठा के सम्पूर्ण सत्यनिष्ठ लोग'[30] कहकर उस कैदी की सुकरात से उपमित करे और उसकी महिमा की रक्षा में गाँधी को याद करे, तो मैं समझता हूँ कि इससे बड़ा प्रमाण विश्व में अब दूसरा हो नहीं सकता। विश्व में विरले ही होंगे जिनकी स्तुति कटघरे में की गयी हो। भागवत में लिखा है कि कृष्ण जब जन्म कारागार में थे तब ब्रह्मादि देवताओं ने उनकी स्तुति की थी, लेकिन यह लोहिया तो इस माने में कृष्ण से भी अधिक हो गये, क्योंकि ब्रह्मादि तो डरकर भी स्तुति कर सकते हैं, किन्तु न्यायमूर्ति अग्रवाल ने अपनी पूर्ण मुक्त और निर्भीक आत्मा से लोहिया की उपर्युक्त स्तुति की है।

वस्तुत: लोहिया की यह स्तुति लोहिया व्यक्ति की नहीं, अपितु लोहिया-सिद्धान्त की थी, उस मौलिक अधिकार की थी जिसे स्वदेशी शासन देना नहीं चाहता था और 1932 स्पेशल पावर्स एक्ट धारा 3 की चट्टान पर उस नवजात अधिकार को विनष्ट करना चाहता था। न्यायमूर्ति अग्रवाल ने स्पष्टत: कहा था कि उपर्युक्त स्पेशल पावर्स एक्ट जिसके अनुसार डॉ. लोहिया को कारागार दिया गया था, भारतीय संविधान के विपरीत था। इतना ही नहीं, न्यायमूर्ति अग्रवाल ने आगे बढ़कर यह भी उद्घोषित किया कि उपर्युक्त एक्ट के प्रतिबन्ध सार्वजनिक सुव्यवस्था के हित-विरोधी थे।'[31] उन्होंने अपने निर्णय में स्पष्टत: कहा था, "जनतन्त्र में कोई भी जिम्मेदार व्यक्ति या पार्टी कानून तोड़ने को बेकार प्रोत्साहन नहीं देगी। लेकिन ऐसे प्रसंगों का अनुमान किया जा सकता है कि जहाँ सर्वोच्च निष्ठा के सम्पूर्ण सत्यनिष्ठ लोग जनता को अन्याय कानून शान्ति से तोड़ने की सलाह देकर उनको खुद तोड़ना अपना नेकनियत फर्ज मानेंगे।"[32]

न्यायमूर्ति अग्रवाल ने अपने निर्णय की पुष्टि में सुकरात, थोरो और गाँधी के उदाहरण प्रस्तुत कर मानो परोक्षतया यह भी स्पष्ट किया कि सुकरात आदि युग-पुरुषों को दण्डित करनेवाले, शासनों का उपहास करनेवाले नेहरू शासन, जिसने जनता के उसी मौलिक अधिकार के लिए अंग्रेजों की यातनाएँ सहीं, आज अपने ही सहयोगी को सुकरात आदि की तरह दण्डित करने में हिचकिचा नहीं रहा है। अतएव न्यायमूर्ति अग्रवाल को लोहिया के सिद्धान्तों के समर्थन के लिए सिद्धान्त-वाक्यों के रूप में महात्मा गाँधी को ही बुलाकर खड़ा करना पड़ा। गाँधी जी ने अक्टूबर, सन् 1918 ई. की हण्टर कमेटी के समक्ष एक लिखित निवेदन में कानून भंजक प्राकृत पुरुष और सिविल नाफरमानी करनेवाले महापुरुष के अन्तर को स्पष्ट किया था और इस प्रकार प्रथम को दण्ड और द्वितीय को प्रशंसनीय निरूपित किया था।[33]

इसलिए न्यायमूर्ति अग्रवाल ने सिविल नाफरमानी के अधिकार को संरक्षण देते हुए कहा, "मेरी दृष्टि से हमारा संविधान, हरेक भारतीय नागरिक का सिविल नाफरमानी के प्रचार का हक संरक्षित करता है, धारा 19 के पद 2 में उल्लिखित नियमों को छोड़कर।[34] उन्होंने न केवल लोहिया को सुकरात और गाँधी के सम स्तर पर बिठाया, अपितु शासन को अपराधी ठहराकर उस पर 50 रु. उलटे खर्च भरने का दण्ड दिया।[35]

क्रिमिनल ला (अमेण्डमेण्ट) 1932 की धारा 7 और डॉ. लोहिया—ऊपर उद्धृत स्पेशल पावर्स एक्ट की तरह डॉ. लोहिया क्रिमिनल ला (अमेण्डमेण्ट) 1932 की धारा 7 को भी अवैध कहते थे। इस धारा का शीर्षक है "रोजी या व्यापार को नुकसान पहुँचाने के लिए छेड़छाड़।" इस धारा के अन्तर्गत विघ्न, हिंसा का प्रयोग या धमकी" जिससे किसी आदमी की रोजी या रोजगार को नुकसान पहुँचता है, सजा दी जा सकती है।[36] इसके अन्तर्गत डॉ. लोहिया को 2 नवम्बर, सन् 1957 ई. को गिरफ्तार किया गया, क्योंकि उसी दिन लखनऊ में बिक्री-कर के दफ्तर के अहाते में खड़े लोहिया ने दफ्तर में डाक देने आये डाकिये से कह दिया था, "आप इस गन्दे बिक्री-कर दफ्तर में मत जाओ, इसमें होनेवाले काम से खाने-पीने की चीजों के दाम बढ़ते हैं।"[37] लोहिया जी ने मुकदमें की पैरवी में कहा कि उन्होंने उपर्युक्त कानून में उल्लिखित अपराधों में कोई नहीं किया। उन्होंने डाकिये के कार्य में न हस्तक्षेप किया था, न धमकी दी थी, न रुकावट डाली थी और न हिंसा ही की थी। डाकिये ने अपने बयान में स्वयं बताया था कि वह दफ्तर में गया और उसने डाक बाँटी। लोहिया जी ने कहा कि उन्होंने तो अपने विचार मात्र डाकिये से बतलाये थे।

लोहिया जी की मान्यता थी कि हर व्यक्ति दूसरे व्यक्ति को अपना ज्ञान दे सकता है, उसे समझा सकता है, अपनी आस्थाओं और विश्वासों का प्रचार कर सकता है, अवश्य ही यह सब कुछ अहिंसक ढंग से होना चाहिए। विचारों के प्रचार का अधिकार मानव का सहज सांस्कृतिक अधिकार है—वे विचार चाहे राजनैतिक हों, धार्मिक हो आर्थिक हों, सामाजिक हों कैसे भी हों। सुकरात, गाँधी, थोरो आदि ने इसी अधिकार का प्रयोग कर युग-परिवर्तन किया था, मानव-जाति का विकास किया था। लोहिया का तो यहाँ तक कहना है कि उस विचार को भले ही तत्कालीन शासन और जनता भी गलत समझे, फिर भी उस गलत विचार के प्रचार का अधिकार मिलना चाहिए, क्योंकि सम्भव है भविष्य में उस विचारक को लोग ईसा, सुकरात आदि नामों से जानें। संस्कृत के महान् नाटककार भवभूति ने यही यथार्थ इस प्रकार प्रस्तुत किया है—

"उत्पत्स्यते हि मम कोऽपि समानधर्मा।
कालो ह्ययं निरवधिर्विपुला च पृथ्वी।।"[38]

अर्थात् समय अनन्त है और पृथ्वी असीम है। अत: यदि आज और यहाँ मेरा मूल्यांकन नहीं होता तो कभी-न-कभी और कहीं-न-कहीं मेरे महत्त्व को मूल्य मिलेगा। इस कथन के अनुसार भी आज का आलोच्य कल का अवतार हो सकता है, आज कटघरे में खड़ा पुरुष कल मुक्तिदाता कहा जा सकता है। मुजीब प्रत्यक्ष प्रमाण हैं। सत्य पर केवल सत्ता या समूह का एकाधिकार नहीं होता। सत्य तो दुर्योधन की राजलक्ष्मी को लात मारकर गरीब विदुर और वनचर पाण्डव का सेवक हो सकता है और सत्तासीन कंस का विनाशक भी हो सकता है।

सत्य सर्वत्र रहता है। उसके निर्णय का एकमात्र अधिकार समूह सत्ता या पैसा को नहीं हो सकता। इतिहास साक्षी है कि प्राय: सत्ता आदि के मद से अन्धों ने सत्य की हत्या की है। अमेरिका का सातवाँ बेड़ा और संयुक्त राष्ट्र को महासभा में दिसम्बर, सन् 1971 ई. को भारत-पाक युद्ध के प्रश्न पर 104 मत इसके प्रत्यक्ष प्रमाण है। अत: लोहिया जी स्पष्ट कहते हैं कि विचार-प्रचार का स्वातन्त्र्य मानव-विकास का सहज और अनिवार्य अधिकार है, मौलिक शर्त है और सत्य पर किसी दल, शासन अथवा देश-विशेष का एकाधिपत्य नहीं।

मैं यहाँ पर लोहिया की स्तुति करने नहीं बैठा और न ही उनके सिद्धान्तों अथवा कर्मों को गिराने अथवा उठाने के लिए प्रयत्नशील हूँ। उनको कहाँ असफलता मिली और कहाँ सफलता? यह भी प्रमुख प्रश्न नहीं है। विचारणीय और प्रशंसनीय तो उनके कृत्य हैं जो सदैव मानवाधिकारों के लिए संघर्षरत रहे। भारत में शायद ही कोई ऐसा व्यक्ति हो जो डॉ. लोहिया की सिद्धान्तनिष्ठ कर्त्तव्यनिष्ठ, त्यागमय, कष्टमय और संघर्षमय राजनीति पर सन्देह करता हो। उनकी आजीवन विस्फोटक और साधनामय राजनीति का लक्ष्य व्यक्ति को उसके मौलिक अधिकार प्रदान कराना था।

सन्दर्भ

1. H.J. Laski : A Grammar of Politics, p. 91
2. T.H. Green— Lectures on the Principles of Political obligation, p. 138
3. डॉ. लोहिया : समाजवादी आन्दोलन की इतिहास, पृ. 124
4. Dr. Lohia : Marx, Gandhi and Socialism, p. 468
5. डॉ. लोहिया : सिविल नाफरमानी की व्यापकता, पृ. 15
6. डॉ. लोहिया : सात क्रान्तियाँ, पृ. 28
7. ओंकार शरद : लोहिया, पृष्ठ 290

8. डॉ. लोहिया : सात क्रान्तियाँ, पृष्ठ 29
9. डॉ. लोहिया : सात क्रान्तियाँ, पृष्ठ 30
10. डॉ. लोहिया : सात क्रान्तियाँ, पृष्ठ 30
11. डॉ. लोहिया : सात क्रान्तियाँ, पृष्ठ 28
12. डॉ. लोहिया : भारत, चीन और उत्तरी सीमाएँ, पृष्ठ 372
13. डॉ. लोहिया : जाति-प्रथा, पृष्ठ 112
14. सोशलिस्ट पार्टी : सिद्धान्त और कर्म (जनवरी, 1956), पृष्ठ 43
15. डॉ. लोहिया : आजाद हिन्दुस्तान में नये रुझान, पृष्ठ 11
16. Dr. Lohia : Marx, Gandhi and Socialism, page 173
17. डॉ. लोहिया : समाजवाद की अर्थनीति, पृष्ठ 24
18. Dr. Lohia : Marx, Gandhi and Socialism, page 241
19. Dr. Lohia : Marx, Gandhi and Socialism, page 286
20. Dr. Lohia : Marx, Gandhi and Socialism, page 285
21. Dr. Lohia : Marx, Gandhi and Socialism, page 286
22. डॉ. लोहिया : जाति-प्रथा, पृष्ठ 105
23. डॉ. लोहिया : सरकार से सहयोग और समाजवादी एकता, पृष्ठ 15
24. डॉ. लोहिया : मर्यादित उन्मुक्त और असीमित व्यक्तित्व, पृष्ठ 4
25. ओंकार शरद : लोहिया, पृष्ठ 164
26. इन्दुमति केलकर : लोहिया, सिद्धान्त और कर्म, पृष्ठ 125 से 140 (सम्पूर्ण हिस्सा)
27. महात्मा गाँधी, हरिजन 11 अगस्त, सन् 1946 ई.
28. इन्दुमति केलकर : लोहिया : सिद्धान्त और कर्म, पृष्ठ 125
29. इन्दुमति केलकर : लोहिया : सिद्धान्त और कर्म, पृष्ठ 300
30. इन्दुमति केलकर : लोहिया : सिद्धान्त और कर्म, पृष्ठ 301
31. इन्दुमति केलकर : लोहिया : सिद्धान्त और कर्म, पृष्ठ 301
32. इन्दुमति केलकर : लोहिया : सिद्धान्त और कर्म, पृष्ठ 301
33. इन्दुमति केलकर : लोहिया : सिद्धान्त और कर्म, पृष्ठ 302
34. इन्दुमति केलकर : लोहिया : सिद्धान्त और कर्म, पृष्ठ 302
35. इन्दुमति केलकर : लोहिया : सिद्धान्त और कर्म, पृष्ठ 302
36. कांग्रेसी राज में न्याय और मजिस्टरी, पृष्ठ 12
37. इन्दुमति केलकर : लोहिया : सिद्धान्त और कर्म, पृष्ठ 378
38. नाटककार भवभूति : मालतीमाधवम्, भाग-1, श्लोक 2

8

विश्व की समाजवादी विचारधारा को डॉ. लोहिया की देन

डॉ. लोहिया एक विश्व-नागरिक थे। अत: उनके दर्शन का विश्वव्यापी होना स्वाभाविक ही था। उनका दर्शन राष्ट्रीय सीमाओं में बँधा नहीं है। उसका चरित्र अन्तरराष्ट्रीय हैं। उनके दर्शन की इस विशेषता का कारण उनका शम्यक और व्यापक दृष्टिकोण है। उनकी मान्यता थी कि राष्ट्रीय और अन्तरराष्ट्रीय व्यवस्थाएँ अन्योन्याश्रित होती हैं, वे एक-दूसरे को प्रभावित ही नहीं करतीं, बल्कि एक-दूसरे की पूरक भी होती हैं। इस आधार पर वे कहा करते थे कि यदि अन्तरराष्ट्रीय स्तर पर अन्याय और अत्याचार का अन्धकार व्याप्त रहता है, तो किसी भी हालत में राष्ट्रीय स्तर पर न्याय और सुव्यवस्था का प्रकाश नहीं लाया जा सकता। इसी प्रकार यदि राष्ट्रीय स्तर पर न्याय और सुव्यवस्था का प्रकाश नहीं लाया जा सकता। इसी प्रकार यदि राष्ट्रीय स्तर पर विलासिता, भ्रष्टाचार और अन्याय का अन्धकार छाया रहता है, तो कभी भी अन्तरराष्ट्रीय स्तर पर समता, सम्पन्नता और स्वतन्त्रता आदि का प्रकाश नहीं आ सकता। किसी प्रकार यदि एक ही स्तर पर सुव्यवस्था स्थापित कर भी दी जाय, तो वह कभी भी ठहर नहीं सकती। विश्व में व्याप्त अन्धकार की स्थिति में राष्ट्र का प्रकाश उसी प्रकार नहीं ठहर सकता, जिस प्रकार राष्ट्रों के आन्तरिक अन्धकार में विश्व-प्रकाश। दुर्भाग्यवश अभी तक विश्व में एक साथ राष्ट्रीय और अन्तरराष्ट्रीय स्तर पर कल्याणकारी व्यवस्था का प्रकाश नहीं हुआ। एक ओर अन्धकार रहा है तो दूसरी ओर प्रकाश। डॉ. लोहिया की दृष्टि में एक ओर प्रकाश और दूसरी ओर अन्धकार की यह विशेषता ही इतिहास के चक्र की चालक और दु:खद निराशा का कारण रही है।[1]

विश्व के राजनीतिज्ञ और एकांगी प्रयास—डॉ. लोहिया का मत है कि इस दु:खद निराशा की पृष्ठभूमि में विश्व के राजनीतिज्ञ ही रहे हैं। साधारणत: समस्त

संसार के राजनीतिक जो राष्ट्रीय स्तर पर प्रभावशाली हैं। अन्तरराष्ट्रीय स्तर पर 'दुष्ट' हैं और साथ-ही-साथ जो अन्तरराष्ट्रीय क्षेत्र में अच्छे हैं, राष्ट्रीय क्षेत्र में अयोग्य हैं। वह केवल संकुचित राष्ट्रीयता की पराकाष्ठाओं में ही सत्य नहीं है, बल्कि समस्त वर्तमान राजनीति में यह गुण अपने मूल रूप में पाप की तरह है। अन्तरराष्ट्रीय चेतना के विकास के प्रति राष्ट्रीय राजनीति का आधार ही उदासीन है। आधुनिक मानव के विचार और कर्म में राष्ट्रीय 'आजादी' और 'रोटी' का पोषण इस प्रकार नियोजित हुआ है कि वह समस्त संसार की शान्ति व रोटी के विरुद्ध है। डॉ. लोहिया इस प्रकार की राजनीतिक मनोवृत्ति में परिवर्तन लाना चाहते हैं। वे ऐसी राजनीति का प्रतिपादन करते हैं जो राष्ट्रीय और अन्तरराष्ट्रीय स्तर के समस्त अन्यायों के विरोध में एक साथ संघर्ष करे। उन्होंने स्पष्टत: कहा था, "What happened nationally must also be striven for internationally.[2]

राष्ट्र, विश्व और डॉ. लोहिया—डॉ. लोहिया का उपर्युक्त दृष्टिकोण उनके आन्तरिक और बाह्य जीवन की एकरूपता का द्योतक है। वे जो कुछ अपने अन्तस्तल में सोचते थे, उसी के अनुसार वे अपने बाह्य जीवन में भी आचरण करते थे। इसी प्रकार वे जिन अन्याओं के लिए स्वदेशी सरकार से लड़ते थे, उन्हीं अन्यायों के लिए वे विश्व-स्तर पर भी जूझने से नहीं चूकते। यदि एक ओर उनको हम भारत में व्याप्त जाति-प्रथा से जूझने देखते हैं, तो दूसरी ओर अन्तरराष्ट्रीय जाति-प्रथा भी उनकी दृष्टि से ओझल नहीं होती। भारत की जमींदारी-प्रथा को यदि उन्होंने राष्ट्रीय स्वतन्त्रता और समता के लिए एक भयंकर अवरोध माना, तो दूसरी ओर अन्तरराष्ट्रीय जमींदारी-प्रथा को भी विश्व-शान्ति के मार्ग में एक बहुत बड़ी बाधा माना। राष्ट्र के पूँजीपतियों के खिलाफ यदि वे निरन्तर संघर्ष करते रहे तो दूसरी ओर विश्व के पूँजीपति राष्ट्रों के लिए भी वे शंकर का त्रिनेत्र थे। यदि एक ओर उन्हें राष्ट्रीय हित का ध्यान था तो दूसरी ओर अन्तरराष्ट्रीय न्याय की भी वे अवहेलना नहीं कर सके। समता, सम्पन्नता, स्वतन्त्रता, भ्रातृत्व आदि के उनके नारे केवल राष्ट्र के लिए ही नहीं, अपितु सम्पूर्ण विश्व के लिए है।

अन्तरराष्ट्रीय जगत् में वे जिन सिद्धान्तों को प्रतिष्ठित करना चाहते थे, उनमें से प्रमुख निम्नलिखित हैं—

1. विश्व-समाजवाद का नवदर्शन
2. संयुक्तराष्ट्र संघ के पुनर्गठन का नवीन आधार
3. अन्तरराष्ट्रीय जाति-प्रथा के उन्मूलन का प्रयास
4. विश्व-विकास समिति की पहल
5. विश्व-सरकार का स्वप्न
6. अन्तरराष्ट्रीयतावाद

7. नि:शस्त्रीकरण का सशक्त प्रतिपादन
8. साक्षात्कार का सिद्धान्त

विश्व-समाजवाद का नवदर्शन

विश्व के अभी तक के समाजवादी आन्दोलनों को डॉ. लोहिया ने राष्ट्रीय बन्धनों में जकड़ा हुआ पाया। उनके विचार से प्रारम्भ में समाजवाद का विकास अन्तरराष्ट्रीय विचार के रूप में हुआ। किन्तु प्रथम विश्वयुद्ध में कुछ के अलावा संसार के समस्त समाजवादी दलों ने अपनी-अपनी पूँजीवादी सरकारों के प्रति विद्रोह करने के स्थान में उनके साथ सहयोग किया। फलस्वरूप समाजवाद की अन्तरराष्ट्रीयता बिखर गयी। डॉ. लोहिया की दृष्टि में यूरोप के समाजवादी दलों की आस्था अन्तरराष्ट्रीयता की अपेक्षा राष्ट्रीयता में अधिक रही है। समाजवाद की बुनियादी कमजोरी पर प्रकाश डालते हुए उन्होंने बताया कि यूरोप का समाजवाद बहस और आँकड़ों तक ही सीमित है। उसमें किन्हीं बढ़े आदर्शों का उत्साह नहीं है। इसके विपरीत एशिया का समाजवाद आदर्शवादी और उत्साही है, किन्तु उसमें ठोसपन का अभाव है। पूँजीवाद और साम्यवाद का अपना निश्चित पथ है, किन्तु समाजवाद का कोई निश्चित पथ नहीं। अत: समाजवाद या तो साम्यवाद का एक अंग बन जाता है या पूँजीवाद का : डॉ. लोहिया एक ऐसे समाजवाद की रचना करना चाहते थे जो साम्यवाद अथवा पूँजीवाद के चंगुल से दूर रहकर अपना एक स्वतन्त्र और सुदृढ़ मार्ग निश्चित करे।

समाजवाद को एक सुदृढ़ और स्वतन्त्र मार्ग प्रदान करने के लिए उन्होंने कुछ सुनिश्चित सिद्धान्तों की आवश्यकता अनुभव की। उनका विश्वास था कि सुदृढ़ और न्यायपूर्ण सिद्धान्तों की नींव पर ही विश्व-समाजवाद का कल्याणकारी भवन खड़ा हो सकता है। वे जानते थे कि सिद्धान्तहीन होकर किसी शक्ति के पीछे लगना अनुचित ही नहीं, अपितु हानिकार है। उनका सिद्धान्त था कि सिद्धान्त ही शक्ति के स्रोत होते हैं। नीति से शक्ति आती है, शक्ति से नीति नहीं। इसलिए जो व्यक्ति अथवा राष्ट्र अपने सिद्धान्तों को त्यागकर किन्हीं शक्तिशाली व्यक्तियों अथवा राष्ट्रो की चापलूसी या भक्ति में रत रहता है, वह लोहिया को किंचित् भी पसन्द नहीं। अतएव एशिया महाद्वीप को पूँजीवादी अथवा साम्यवादी शक्तियों के पीछे न दौड़ने की चेतावनी देते हुए वे कहते हैं 'It must give up the vain desire to acquire policy after strength, for strength flows out of policy."[3]

डॉ. लोहिया चाहते थे कि विचार अथवा सिद्धान्त इतने निष्पक्ष और कल्याणकारी हों कि जिनसे शक्ति अपने-आप फूटकर निकल पड़े। विचारों की आधुनिक पतित स्थिति पर उनको गम्भीर चिन्ता थी। वे कहा करते थे कि आधुनिक युग के मस्तिष्क

में जकड़न आ गयी है। सम्पूर्ण इतिहास में विचारों के द्वन्द्व का कभी भी इतना पतन नहीं हुआ जितना आधुनिक युग में—आज विचार सृजन के स्थान में प्रचार मात्र करते हैं विचारों का कार्य शक्ति को एकत्रित करने तक ही सीमित हो गया है। फलस्वरूप बजाय इसके कि शक्ति विचार की सेवा करे, विचार स्वयं शक्ति की सेवा में रत हो गया है।[4] शक्ति विचारों की स्वामिनी हो गयी है।

पूँजीवाद और साम्यवाद की अपर्याप्तता—आज का भ्रमित विश्व दो महान् शक्तियों की पूजा में व्यस्त है। ये दो शक्तियाँ हैं—साम्यवाद और पूँजीवाद। ये दोनों व्यवस्थाएँ राजनीतिक और आर्थिक केन्द्रीकरण की प्रतीक हैं। दोनों ही विचार सामूहिक प्रगति का आकर्षक आदर्श प्रस्तुत कर शक्ति-संचय में लगे हुए हैं। परन्तु दुनिया के वास्तविक प्रश्नों को हल करने की शक्ति दोनों में ही नहीं है। वे केवल डॉ. लोहिया ही थे जिन्होंने सर्वप्रथम साम्यवाद को तो अपर्याप्त बताया ही, साथ-ही-साथ आधुनिक प्रजातन्त्रों को भी पूँजीवाद की संज्ञा देकर अपूर्ण सिद्ध किया। अपने क्रान्तिकारी और मौलिक विचार व्यक्त करते हुए उन्होंने कहा, "पूँजीवादी और साम्यवादी, दोनों ही व्यवस्थाओं में जन-संस्कृति स्थूल और रुढ़िग्रस्त होती जाती है, और जन-जीवन को एक भद्दापन घेर लेता है।[5] इस आधार पर पूँजीवाद और साम्यवाद दोनों को यूरोपीय सभ्यता की भिन्न शाखाएँ बताकर समाजवाद के एक नये अन्तरराष्ट्रीय दृष्टिकोण का प्रतिपादन किया। इस सिद्धान्त का मूल द्वितीय महायुद्ध में लिखे गये डॉ. लोहिया के लेख 'विश्वासघाती जापान या आत्म सन्तुष्ट ब्रिटेन' में मिलता है। इसमें उन्होंने लिखा था, "मैं तोजो को उतना ही बुरा मानता हूँ, जितना हिटलर या चर्चिल को, क्योंकि यह बुरा हत्याकाण्ड अगर इनमें से किसी एक ही विजय से ही समाप्त होगा तो आज से ज्यादा अच्छी दुनिया बनाने की उम्मीदें मिट्टी में मिल जायेंगी।"[6]

डॉ. लोहिया का मत था कि पूँजीवादी और साम्यवादी मुदों ने विश्व को कोई भी वास्तविक उपलब्धि प्रदान नहीं की। पूँजीवादी गुट की जनतान्त्रिक और शान्तिमय परिवर्तन में आस्था उसी प्रकार कृत्रिम है जिस प्रकार जीवन का समान स्तर बनाये रखने और निर्धनता मिटाने का साम्यवादी दावा। साम्यवादी और पूँजीवादी दोनों गुट क्रमश: रोटी और संस्कृति अथवा पेट और मन अथवा आर्थिक लक्ष्य और सामान्य लक्ष्य के झूठे प्रतीक हैं। ये दोनों सभ्यताएँ एकांगी हैं और अपने एकांगी स्वरूप में भी वास्तविक नहीं हैं। यदि ये दोनों शक्तिशाली गुट अपने एकांगी स्वरूप में भी वास्तविक होते तो विश्व में न तो निर्धनता और भुखमरी रहती और न ही हिंसा का घृणास्पद साम्राज्य। डॉ. लोहिया ने स्पष्ट किया कि 'सारे मानवों को पेट भर अन्न', 'मन की आजादी की प्यास' और 'युद्धबन्दी' के तीन प्रमुख प्रश्नों का जवाब न सोवियत गुट दे सकता है और न अमेरिका गुट।[7]

'तीसरा खेमा' (तृतीय सभ्यता) अथवा नवीन दर्शन—उपर्युक्त एकांगी सभ्यताओं से भिन्न एक तृतीय सभ्यता के सृजन का श्रेय डॉ. लोहिया को है। उन्होंने एक ऐसे समाजवादी दर्शन का प्रतिपादन किया जिसका आधार राष्ट्रीय और अन्तरराष्ट्रीय क्षेत्रों में समता, सम्पन्नता तथा 'वसुधैव कुटुम्बकम्' होगा[8] और जो साम्यवादी तथा पूँजीवादी गुटों के आपसी हानिकारक द्वन्द्व को समाप्त करेगा। विश्व-समाजवाद का नवीन दर्शन 'अधिकतम कौशल' की जगह 'सम्पूर्ण कौशल' की सभ्यता को जन्म देगा जिसमें राष्ट्रीय सीमाओं के अन्दर निरन्तर जीवन-स्तर न बढ़कर सभी राष्ट्रों में एक अच्छा जीवन-स्तर उत्पन्न होगा। यह नयी सभ्यता समस्त संसार में लगभग समान उत्पादन द्वारा मानव-जाति की समीपता, वर्ग तथा वर्ण और क्षेत्रीय विषमता का अन्त करने का प्रयत्न करेगी। इसकी तकनीकी और प्रशासकीय व्यवस्था इस आवश्यकता के अनुकूल होगी और विकेन्द्रित समुदायों की आपसी महत्ता के आधार पर तथा एक मानवता की एकता द्वारा लोग अपना शासन स्वयं चला सकेंगे। मनुष्य समूह में और व्यक्तिगत रूप में अन्याय के विरुद्ध सविनय अवज्ञा का प्रयोग कर सकेगा। इस समाजवादी विश्व-व्यवस्था में राष्ट्रों के अन्दर ही नहीं, अपितु राष्ट्रों के बीच सम्भव समता होगी। यह समता भौतिक सहानुभूतिगत और आध्यात्मिक होगी।[9] इस सभ्यता के अन्तर्गत विश्व-सरकार, विश्व-नागरिकता, मानव-अधिकारों की मान्यता, जनतान्त्रिक प्रतिनिधित्व, श्रम की प्रतिष्ठा और मानव-व्यक्तित्व के प्रति सम्मान आदि सुलभ होंगे।

इस नवीन सभ्यता में स्वतन्त्र और अधीन के सम्बन्ध नहीं होंगे। इसमें अन्योन्याश्रित सम्बन्धों का साम्राज्य होगा। कोई राष्ट्र किसी से बड़ा या छोटा न समझा जायगा। वे समानता के आधार पर अन्योन्याश्रित होंगे। इसी प्रकार इसमें न तो मार्क्सवाद की तरह आत्मा पदार्थ के अधीन होगी और न ही गाँधीवाद की तरह पदार्थ आत्मा के अधीन। दोनों एक-दूसरे को प्रभावित करते हुए एक-दूसरे से सहयोग करेंगे। वे अन्योन्याश्रित होंगे। आत्मा और पदार्थ-जैसा सम्बन्ध ही आर्थिक लक्ष्य और साधारण लक्ष्य, राष्ट्रीयता और अन्तरराष्ट्रीयता, क्रान्ति और करुणा, विचार और शक्ति, धर्म और राजनीति आदि के मध्य भी होगा। यहाँ कहीं कोई द्वन्द्व नहीं। सर्वत्र सन्तुलन और सामञ्जस्य की इसमें धूम होगी।

डॉ. लोहिया की उपर्युक्त योजना अपने में एक अपूर्व और स्वर्गिक आदर्श है। किन्तु किसी दर्शन की समीक्षा करते समय हम केवल उसके साध्य और लक्ष्य से ही सन्तुष्ट नहीं हो सकते। कमरे में बैठे-बैठे कोई भी प्रबुद्ध प्राणी किसी सुगन्धित फूलों के बगीचे की कल्पना कर सकता है। हमें देखना यह होता है कि उस सुन्दर बाग को एक वास्तविकता बनाने के लिए क्या किसी सुन्दर भूमि का भी सृजन किया गया है? इस कसौटी पर डॉ. लोहिया के नवीन दर्शन को जब हम कसते हैं, तब

हमें मालूम होता है कि उनके दर्शन का अनुगमन करने पर निश्चित ही वह लक्ष्य प्राप्त किया जा सकता है। उनके दर्शन में व्यक्ति ही साध्य और साधन माना गया है। वही समाज को परिवर्तित करता है और समाज से स्वयं में भी परिवर्तन लाता है। डॉ. लोहिया ने व्यक्ति को गरिमा, दायित्व, अधिकार-चेतना से भर दिया है। इसके लिए शिक्षा, रचनात्मक कार्य आदि की व्यवस्थाएँ साधन के रूप में दे दी है। उन्होंने यदि व्यक्ति के मन को सँभाला है तो दूसरी तरफ उसके पेट के लिए भी योजनाएँ प्रस्तुत की हैं। उसके लिए जिन आध्यात्मिक और भौतिक व्यवस्थाओं की आवश्यकता होगी, वे सब उन्होंने प्रस्तुत की हैं। अन्याय के विरोध में संघर्ष करने के लिए संगठन के सिद्धान्तों और व्यवहारों को भी उन्होंने प्रदान किया है। उन्होंने साफ कहा है कि जब कोई राज्य दूसरे राज्य पर अन्याय कर रहा हो, तो वहाँ की जनता को स्वयं अपनी ही अन्यायी सरकार के विरुद्ध क्रान्ति कर देना चाहिए। चूँकि विश्व के राजनीतिज्ञ और विशेषत: सत्ताधारी राजनीतिक आधुनिक विश्व की अव्यवस्था का कारण है इसलिए डॉ. लोहिया विश्व की समस्त सरकारों के विरुद्ध हैं। 16 जुलाई, सन् 1951 ई. को अमेरिका में एक वार्त्ता के दौरान उन्होंने स्पष्टत: कहा था, "I am disrespectful of all Governments and heads of Governments and the like."[10] डॉ. लोहिया द्वारा दिये गये इन सब सिद्धान्तों और प्रोत्साहनों के होते हुए भी चंचल प्रकृति के सामान्य मानव से यह आशा की जा सकती कि वह इस प्रकार की सम्पूर्ण कौशल की सभ्यता प्राप्त करने के लिए प्रयत्नशील हो सकता है।

यही कारण है कि डॉ. लोहिया के मतानुसार इस विश्व-सामाजवाद के नवदर्शन के सच्चे वाहक केवल यही व्यक्ति हो सकते हैं जो विश्व में किसी भी व्यक्ति अथवा राष्ट्र के प्रति किसी प्रकार का भेदभाव नहीं रखते। उनकी मान्यता थी कि किसी भी प्रकार से किसी के प्रति द्वैत-भाव रखनेवाला कभी भी सच्चा समाजवादी नहीं हो सकता। यूरोप और अमेरिका के समाजवादी दलों की राष्ट्रीय सीमाओं में बँधी संकुचित प्रवृत्ति की भर्त्सना करते हुए और विश्वव्यापी बहुरंगी समता तथा सच्चे समाजवादी की प्रकृति का विश्लेषण करते हुए उन्होंने कहा था, "No one is a socialist unless he is equally free and frank and friendly with socialists of all lands and skins."[11]

तटस्थता और 'तृतीय खेमे' में अन्तर—सामान्यत: डॉ. लोहिया के इस तृतीय खेमे में साधारण बुद्धि को 'तटस्थ गुट' का भ्रम हो सकता है, किन्तु वास्तविकता कुछ और ही है। डॉ. लोहिया ने अपने खेमे में सक्रियता, ठोसपन, निर्भीकता और सम्पूर्ण कौशलवाले दर्शन का रंग भर दिया है, जो कि तटस्थ राज्यों की निष्क्रियता, खोखली सिद्धान्तप्रियत्ता, भयातुरता और राष्ट्रहितवादी दर्शन से भिन्न

है। भारत की तटस्थता में भी डॉ. लोहिया आदर्श और व्यवहार दोनों का अभाव पाते हैं। इसे वे अमेरिका और रूस से स्वतन्त्र भी नहीं समझते। उन्होंने इसे कृति-शून्यता के कारण नकारात्मक नीति कहा है। इसी प्रकार अन्य तटस्थ राज्य, उनकी दृष्टि में, सिद्धान्त में वे चाहे जैसे हों, व्यवहार में अमेरिका अथवा रूस के झूले में झूलते रहते हैं। डॉ. लोहिया के तृतीय खेमे की नीति दोनों गुटों से अलग रहने की है, किन्तु उसका अर्थ पीछे हटना नहीं, बल्कि शक्तिपूर्ण संयुक्त राष्ट्रों के संघ का निर्माण करना है।

तटस्थ गुट और 'तृतीय खेमे' में सबसे बड़ा अन्तर यह है कि तृतीय खेमा नवीन समाजवादी दर्शन पर आधारित होगा, जबकि तटस्थ राज्य राष्ट्रीय सुरक्षा की दृष्टि से किसी दर्शन-विशेष के कारण नहीं, अपितु केवल गुट निरपेक्षता-नीति के कारण गुटों से दूर रहते हैं। अतः तटस्थ गुट अस्थायी हैं, जबकि तृतीय खेमा निःस्वार्थ ढंग से अन्तरराष्ट्रीय समता के व्यावहारिक दर्शन पर आधारित होने के कारण स्थायी है। यह एक ऐसी विश्व-व्यवस्था है जिसके आकर्षण में फँसकर साम्यवादी और पूँजीवादी गुट अपने द्वन्द्व भूल सम्भवतः उसी में समाहित हो सकते हैं।

समीक्षा—जीवन एक सशक्त सामञ्जस्य है और इसलिए सशक्त सामञ्जस्यपूर्ण दर्शन ही इसका आधार हो सकता है। डॉ. लोहिया का नवीन समाजादी दर्शन विभिन्न विरोधी तत्त्वों का मौलिकतायुक्त सामञ्जस्य है। उनका नवीन समाजवादी दर्शन एक ऐसी विश्व-व्यवस्था का सृजन करता है, जिसमें पेट और मन, आर्थिक लक्ष्य और सामान्य लक्ष्य, सापेक्षता और निरपेक्षता, सिद्धान्त और व्यवहार, विचार और शक्ति, आत्मा और पदार्थ, क्रान्ति और करुणा, राष्ट्रीयता और अन्तरराष्ट्रीयता, व्यक्ति और विश्व आदि परस्पर विरोधी समझे जानेवाले तत्त्व अपने द्वन्द्व को भूलकर मानव-विकास के लिए एक-दूसरे से सहयोग करते हैं। डॉ. लोहिया के विचार तो आशावादी और उचित हैं, किन्तु कठिनाई यह है कि अभावों, दुर्गुणों और मत-भिन्नता से आक्रान्त मानव किस प्रकार इस सभ्यता को प्राप्त करने हेतु संयमित तथा संगठित हो सकते हैं? काश! सब मानव लोहिया होते।

संयुक्त राष्ट्र संघ के पुनर्गठन का नवीन आधार

संयुक्त राष्ट्र संघ के दोष—डॉ. लोहिया संयुक्त राष्ट्र संघ का पुनर्गठन चाहते थे, क्योंकि उनकी दृष्टि में यह संस्था विश्व-शान्ति के लिए अपर्याप्त है। इस संस्था के मुख्य दोष सार्वभौमिकता का अभाव, सुरक्षा परिषद् की स्थायी सदस्यता, निषेधाधिकार और असमानता है। उनका मत था कि शासनों के चरित्र के आधार पर सदस्यता का निषेध दलबन्दी और षड्यन्त्रों को जन्म देता है। सुरक्षा परिषद् की

स्थायी सदस्यता और निषेधाधिकार के द्वारा अन्तरराष्ट्रीय वर्ण-व्यवस्था को वैधानिक अभिव्यक्ति प्रदान की गयी है। स्थायी सदस्यों को विशेषाधिकार प्राप्त ब्राह्मण और अन्य सदस्यों को अछूत-जैसा उपेक्षित बना दिया गया है। इसके अतिरिक्त विश्व की 1/3 (एक-तिहाई) आबादीवाले यूरोप को संयुक्त राष्ट्र संघ की सर्वोच्च कार्यपालिका में तीन-चौथाई मत दिया जाना और महासभा में अधिक-से-अधिक मत दिया जाना विषमता का आश्चर्यजनक प्रतीक है।[12] उपर्युक्त दोषों के कारण डॉ. लोहिया के मत में, मानव-जाति की सामूहिक अन्तरात्मा का मन्दिर बनने के स्थान में संयुक्त राष्ट्र संघ षड्यन्त्रों का अखाड़ा बन गया है। इस प्रकार का संयुक्त राष्ट्र संघ रोग में अवरोध भले ही उत्पन्न कर दे, किन्तु उसे समाप्त न कर सकेगा, क्योंकि इसके निर्णय शक्ति और गुट के आधार पर लिये जाते हैं। वह समस्त राष्ट्रों को एक अन्तरराष्ट्रीय सम्प्रभुता के अधीन नहीं ला सकता क्योंकि यह विभिन्न राष्ट्रों की आर्थिक और सैनिक शक्तियों के असन्तुलन को समाप्त करने में असमर्थ है।[13]

संयुक्त राष्ट्र संघ में दी गयी सामूहिक सुरक्षा-व्यवस्था की आलोचना करते हुए डॉ. लोहिया ने कहा कि पूर्णत: निरपेक्ष दृष्टि से सामूहिक सुरक्षा एक ऐसा आदर्श है जिसके सम्बन्ध में कोई विवाद नहीं हो सकता। किन्तु यह आदर्श केवल विशिष्ट रीति से बने हुए और निश्चित कार्यकारी अधिकारोंवाले एक अन्तरराष्ट्रीय संगठन द्वारा ही ठोस स्वरूप पा सकता है। संयुक्त राष्ट्र संघ में संयुक्त रूप से आक्रमणकारी को दबाने के प्रस्तावों पर राष्ट्रों की स्वीकृति और व्यवहार में विपरीत दिशा सामूहिक सुरक्षा के खोखलेपन को स्पष्ट करती है। डॉ. लोहिया की दृष्टि में, यह पाखण्ड, संकटों और क्रोधावेशों को विकसित करके अन्तरराष्ट्रीयता में बाधा डालता है। केवल वहीं संयुक्त राष्ट्र संघ सामूहिक सुरक्षा प्रदान कर सकता है जो समस्त राष्ट्रों की अन्तरात्मा का भण्डार-गृह होने के कारण उन्हें स्वीकार्य हो और जिसको इस दिशा में महत्त्वपूर्ण कदम उठाने का पूर्ण अधिकार प्राप्त हो। जब तक ऐसा संगठन नहीं बनता और सामूहिक सुरक्षा की शान्तिपूर्ण व्यवस्था का निर्माण नहीं होता, मनुष्य जाति को आपसी सुरक्षा के लिए क्षेत्रीय सन्धियाँ करने की स्वतन्त्रता होनी चाहिए, यद्यपि ऐसी सन्धियों में दूसरे महाद्वीपों के दूरवर्ती देशों को सम्मिलित नहीं करना चाहिए।

पुनर्गठन की योजना—डॉ. लोहिया संयुक्त राष्ट्र संघ का इस प्रकार से पुनर्गठन चाहते थे कि प्रत्येक उस राष्ट्र को सदस्यता का अधिकार हो जो कि अपने मामलों को नियन्त्रित करने के लिए एक सरकार रखता हो। उनकी दृष्टि में सुरक्षा परिषद् की स्थायी सदस्यता और निषेधाधिकार को समाप्त कर विश्व को ऊँच और नीच, ब्राह्मण और शूद्र में विभाजित होने से बचाने का प्रयास करना चाहिए। डॉ.

लोहिया के शब्दों में, 'The united nations must be revised in three specific directions so as to end restrictive membership, permanent seats on the security council and the right of veto."[14] उनकी इच्छा थी कि संयुक्त राष्ट्र संघ का गठन इस प्रकार का हो कि वह मानव-जाति के दिल और दिमाग को स्वीकार्य हो। वे चाहते थे कि संयुक्त राष्ट्र संघ का पुनर्गठन भविष्य की विश्व-सरकार के लिए एक अच्छी पृष्ठभूमि तैयार करे और राष्ट्रों के मध्य आर्थिक और सैनिक विषमताओं को समाप्त करे।

समीक्षा—डॉ. लोहिया ने संयुक्त राष्ट्र संघ के पुनर्गठन के जो आधार बतलाये हैं, वे बहुत ही स्वर्गिक हैं। किन्तु उन्हें, कम-से-कम विश्व की वर्तमान परिस्थितियों में, व्यावहारिक रूप देने का प्रयत्न प्लेटो के काल्पनिक आदर्श राज्य को धरती पर उतारने के समान अशक्त प्रतीत होता है। आज के अपर्याप्त अधिकारवाले संयुक्त राष्ट्र संघ के आदेशों का राष्ट्र यदि पालन नहीं कर सकते हैं तो उनसे यह आशा कैसे की जा सकती है कि वे एक पर्याप्त शक्तिशाली विश्वव्यापी संघ का निर्माण कर सकेंगे। सुरक्षा परिषद् की स्थायी सदस्यता और निषेधाधिकार की समाप्ति का प्रतिपादन कर डॉ. लोहिया ने अन्तरराष्ट्रीय समता का स्वर्णिम आदर्श विश्व के समक्ष रखा है, किन्तु उनका यह विचार बालू में से तेल निकालने के समान है। क्योंकि डॉ. लोहिया-जैसी सद्बुद्धि रूस और अमेरिका में आना असम्भवप्राय है। इस बात की आशा करना व्यर्थ है कि वे अपनी-अपनी निषेधाधिकार और स्थायी सदस्यता की विशेष स्थिति छोड़कर छोटे-छोटे राष्ट्रों के बहुमत से अपने को जकड़कर बाँध लेंगे। यदि गौतम बुद्ध, ईसा, गाँधी आदि होते तो शायद व्यक्तिगत रूप से ऐसा कर भी लेते, किन्तु अपने-अपने क्षेत्र की अपार जनता के प्रति उत्तरदायी नेतागणों से तो इस प्रकार की कल्पना भी नहीं की जा सकती कि वे स्वयं ही अपनी जनता के लिए एक बन्धन डाल लेंगे, भले ही इस बन्धन में सच्चे मोक्ष की कल्पना निहित हो।

अन्तरराष्ट्रीय जाति-प्रथा के उन्मूलन का प्रयास

डॉ. लोहिया का मत है कि संयुक्त राष्ट्र संघ की सुरक्षा परिषद् में पाँच बड़े राष्ट्रों को स्थायी सदस्यता और निषेधाधिकार देकर अन्तरराष्ट्रीय जाति-प्रथा को वैधानिक मान्यता दी गयी है। इसके अतिरिक्त विश्व के विभिन्न राष्ट्रों में जाति और धर्म के नाम से हो रहे अन्यायों को उन्होंने अपनी सूक्ष्मदृष्टि से देखा और उन्हें समाप्त करने का प्रयत्न किया। एशिया की राजनीति में जाति और धर्म के कुप्रभाव की चर्चा करते हुए उन्होंने कहा कि एशिया की सर्वप्रथम कमजोरी राजनीति में धर्म, जाति, भाषा या वंश की हस्ती मान्य करना है। इण्डोनेशिया में मुसलमानों की कट्टरता को उन्होंने राजकीय दलों द्वारा प्रकट होते देखा। पश्चिम एशिया को भी उन्होंने धार्मिक

कट्टरता से जर्जर बतलाया और उससे सम्यक् दृष्टि और विवेक-बुद्धि से कार्य करने का आग्रह किया।

नीग्रो और लोहिया—जुलाई, सन् 1951 की अपनी अमेरिका यात्रा में दक्षिणी गोरों से उन्होंने जाति-भेद की बात की। इस हेतु उन्होंने नीग्रो लोगों को अफ्रीका की ओर ध्यान देने और जेल जाने का सन्देश दिया। 19 जुलाई, सन् 1951 ई. को हॉवर्ड विश्वविद्यालय में सायंकाल भाषण देते हुए उन्होंने राष्ट्रीय और अन्तरराष्ट्रीय जाति-प्रथा के प्रति अपनी घृणा व्यक्त की और नीग्रो लोगों को जाति-भेद नीति समाप्त करने के लिए सविनय अवज्ञा आन्दोलन छेड़ने को प्रोत्साहित किया। उन्होंने कहा कि नीग्रो को जाति-भेद उन्मूलन करते समय अपनी अल्प संख्या के कारण शक्तिहीनता अनुभव नहीं करनी चाहिए क्योंकि किसी अच्छे कार्य को साहस से करने पर अन्य व्यक्ति भी सहयोग प्रदान करना प्रारम्भ कर देते हैं, जिसके परिणामस्वरूप अल्पसंख्यक समुदाय भी बहुसंख्यक में परिवर्तित हो जाता है। उन्होंने कहा यदि वे अमेरिकावासी होते तो नीग्रो लोगों और उनसे भी अधिक गोरों के स्वास्थ्य के लिए सविनय अवज्ञा करते। जाति के समस्त रूपों को समाप्ति के लिए तन, मन, धन को भी त्याग करने का आरून करते हुए उन्होंने कहा, "In any case to the destruction of the Caste system in all its forms, we must dedicate our lives."[15]

जाति-रंग-भेद की समाप्ति और मानव की एकता—डॉ. लोहिया ने अपने इस अमेरिकी भाषण में स्पष्ट किया कि कहीं कोई अन्तर नहीं है—मिपोली में ओठ मोटे होते है, पेरिस में पतले। बर्लिन में चमड़ी सफेद होती है, और नेशविले में काली। लेकिन अन्दर दिल सबका एक-सा होता है। भाषण के बाद वे विश्वविद्यालय के अध्यक्ष डॉ. जानसन से मिले और उससे आग्रह किया कि जाति-भेद के विरुद्ध के सविनय अवज्ञा करने और जेल जाने का कार्यक्रम बनाये। किन्तु डॉ. जानसन ने उदास होकर बताया, "नहीं, हमारी हालत हिन्दुस्तान-जैसी नहीं है, हमारी संख्या बहुत-कम है। केवल एक करोड़ के अन्दर।[16] फिर भी उन्हें प्रोत्साहित करते हुए डॉ. लोहिया ने कहा कि उन्हें संख्या का ध्यान न रखकर अपने लक्ष्य के लिए संघर्ष करते रहना चाहिए। डॉ. लोहिया ने जाति-प्रथा को एक मानसिक रोग बतलाया, किन्तु साथ-ही-साथ यह आशा भी प्रकट की कि राष्ट्रीय और अन्तरराष्ट्रीय स्तर पर इसको शीघ्र निकाल फेंका जायेगा, क्योंकि मानव का मस्तिष्क इस रोग पर विजय प्राप्त करने के लिए पर्याप्त रूप से स्वस्थ और सक्षम है।

समीक्षा—अन्तरराष्ट्रीय जाति-प्रथा को समाप्त करने के लिए डॉ. लोहिया ने जो प्रयत्न किये, वे अत्यन्त सराहनीय हैं। इस सम्बन्ध में उनकी विशेषता यह थी

कि वे जाति-प्रथा को केवल जन्म पर ही आधारित नहीं मानते। उनकी दृष्टि में "दौलत, स्थान और बुद्धि आदि पर आधारित सम्बन्धों में जब जकड़न आ जाती है तब जाति का सृजन होता है।" इसी आधार पर वे सुरक्षा परिषद् में पाँच राष्ट्रों के निषेधाधिकार में, नीग्रो और गोरों के सम्बन्धों में, एशिया के धर्म और जाति पर आधारित राजनैतिक दलों में तथा धनी और निर्धन राष्ट्रों के सम्बन्धों में जातीयता को देख सके। जाति-समाप्ति का प्रयास करनेवाले अन्य विचारक अपने संकुचित दृष्टिकोण के कारण इस समस्या को अन्तरराष्ट्रीय जगत् में बिलकुल ही पहचान न सके। इस तथ्य की ओर संकेत करते हुए डॉ. लोहिया ने लिखा है कि "वास्तव में मानव-मस्तिष्क एक पेचीदा यन्त्र है कि आन्तरिक वर्ण-व्यवस्था के विरुद्ध न्याय के लिए अपनी सारी शक्ति लगाकर भी अन्तरराष्ट्रीय वर्ण-व्यवस्था के अन्याय को बिलकुल देख और समझ ही न पाये।[17] जाति के सम्बन्ध में डॉ. लोहिया का दृष्टिकोण भले ही जन्म पर आधारित भारतीय जाति-प्रथा से मेल न खाता हो, लेकिन समाजशास्त्रीय दृष्टि से तो उचित है, क्योंकि इस शास्त्र में भी डॉ. लोहिया की तरह जाति को 'जड़ वर्ग' की संज्ञा दी गयी है और यदि उनकी जाति की परिभाषा वैज्ञानिक और सत्य है, तो यह कहना भी एक भयंकर भूल होगी कि वे किसी अनुपस्थित शत्रु से लड़ रहे थे।

विश्व-विकास समिति की पहल

कर्ज और सहयोग नीति से हानियाँ—डॉ. लोहिया ने विश्व-शान्ति और सम्पूर्ण कौशल की नवीन सभ्यता की प्राप्ति हेतु एक विश्व-विकास संस्था की स्थापना को अनिवार्य बतलाया। उनकी दृष्टि में आधुनिक विश्व रूस और अमेरिका की दो महान् शक्तियों में विभाजित हैं और ये शक्तियाँ अपने-अपने पक्ष को प्रबल बनाये रखने के लिए पतित और निर्धन राष्ट्रो को सहयोग देती हैं। इस आर्थिक सहयोग का परिणाम यह होता है कि सहायता प्राप्त करनेवाले राष्ट्रों में हीनभाव और सहयोग देनेवाले की राष्ट्रों में अहंभाव का प्रादुर्भाववाले चापलूसी में स्वाभाविक तौर से रत रहना पड़ता है तथा उनकी सही अथवा गलत नीतियों का समर्थन करना पड़ता है। विदेशी सहायता लेने और देनेवाले दोनों राष्ट्रों को भ्रष्ट करती है। कर्जनीति और विदेशी सहायता की इस द्विगुणित बुराई को व्यक्त करते हुए डॉ. लोहिया ने कहा है, "Foreign aid, as at present administered, tends to corrupt the giver as well as the taker. The giver condescends and tends to cominate while the receiver learns the cunning of threats and cajolings."[18]

इस प्रकार की विदेशी सहायता से विश्व में उचित तकनीकी और उत्पादन में समानता नहीं आ सकती। इससे तो पूँजीवादी विचार सुदृढ़ होते हैं। इसके अतिरिक्त

विदेशी सहायता करनेवाले राष्ट्र के अन्दर भ्रष्टाचार, बेकारी, आलस्य, घूसखोरी और खूनी प्रशासन बढ़ता है। इतना ही नहीं, कर्जनीति और सहयोग-नीति से गुटबन्दी और गुटबन्दी से विश्वयुद्ध की सम्भावनाओं को बल प्राप्त होता है।[19] कर्जनीति का एक दोष यह भी है कि कर्ज देनेवाले राष्ट्र अपने ही हितों की सुरक्षा के लिए कर्ज देते है, दूसरे राष्ट्रों के विकास के लिए नहीं। 29 जुलाई, सन् 1951 ई. को सेनफ्रान्सिस्को (अमेरिका) में भाषण देते हुए डॉ. लोहिया ने कहा था कि अमेरिका का धन एशिया में एशिया को बचाने के लिए नहीं, अपितु अमेरिका को बचाने के लिए जाता है और ठीक यही बात प्रत्येक राष्ट्र पर लागू होती है।

कर्जनीति की समाप्ति और विश्व-विकास संस्था की योजनाएँ—उपर्युक्त कारणों से डॉ. लोहिया ने कर्जनीति और विदेशी सहायता की अनुचित ठहराया और उसकी समाप्ति का प्रतिपादन किया। दूसरे देशों को कर्ज देनेवाले राज्यों से उन्होंने कहा "If you want to give foreign aid, think of the world as a single family..."[20] सम्पूर्ण विश्व के राष्ट्रों को एक परिवार के भाइयों की तरह एक-दूसरे को सहयोग देने के लिए उन्होंने विश्व-विकास संस्था के निर्माण का आदर्श रखा। इस विश्व-विकास संस्था को प्रत्येक राष्ट्र अपनी क्षमता के अनुसार चन्दा देगा और आवश्यकतानुसार सहयोग ले सकेगा।

विश्व-विकास संस्था का महत्त्व—विश्व-विकास संस्था के महत्त्व पर प्रकाश डालते हुए डॉ. लोहिया ने स्पष्ट किया कि विश्व-विकास संस्था ही ऐसी संस्था है जो आन्तरिक समीपता की भावना को समस्त विश्व के मंच तक ले जा सकती है और राष्ट्रीय सीमा के अन्दर जीवन-स्तर बढ़ाने की भावना को परिवर्तित करके सम्पूर्ण संसार के लिए उन्नत जीवन-स्तर का सन्देश दे सकती है। केवल यही संस्था ऐसी है जो सभ्यताओं के उत्थान-पतन और युद्ध को रोककर एक कभी न गिरनेवाली विश्व-सभ्यता ला सकती है, जिसमें लेने और देनेवाले दोनों राष्ट्रों का भला हो सकेगा और वर्ग तथा वर्ण-व्यवस्थाहीन सम और सम्पन्न समाज में मानव चिरानन्द का अनुभव करेगा।[21]

विश्व-विकास संस्था के मार्ग की समस्याएँ और उनका हल—विश्व-विकास संस्था के निर्माण में आनेवाली बाधाओं पर दृष्टि डालते हुए डॉ. लोहिया ने कहा कि राष्ट्र अपनी सेनाओं को सुदृढ़ करने के लिए अपनी सुविधाओं को भी सीमित कर कष्ट उठा लेते हैं, किन्तु दूसरे राष्ट्रों की समृद्धि के लिए कष्ट नहीं उठा सकते। ऐसे राष्ट्र इस वास्तविक सत्य को नहीं समझ पाते कि उनकी सैनिक तैयारी प्रदर्शन योग्य ढाल है और निर्धन राष्ट्रों को दी गयी नि:स्वार्थ और निष्कपट सहायता उनकी स्वयं की अदृश्य सुरक्षा है। इन कुप्रवृत्तियों के बावजूद डॉ. लोहिया ने आशा व्यक्त की कि विश्व-विकास संस्था के निर्माण हेतु मानव में मानवीय समझदारी

जागृत होगी। उनका मत था कि जब तक इस संस्था का निर्माण नहीं होता तब तक अन्तरराष्ट्रीय समाजवाद ऐसी आदर्श योजनाओं को कार्यान्वित करने का प्रयत्न करेगा जो कि व्यापारिक संघो, सहकारी समितियों, कृषक संगठनों तथा अन्य सब इच्छुक व्यक्तियों द्वारा एकत्रित संयुक्त पूँजी पर अवलम्बित होगी। उदारवादी, शान्तिवादी और धार्मिक संगठन भी इस आरम्भण में हाथ बँटाकर सम्मिलित हो सकते हैं। इसके अतिरिक्त डॉ. लोहिया का मत था कि विदेशों में स्थित समस्त ऐसी पूँजी पर से स्वामित्वाधिकारी राष्ट्र का स्वामित्वाधिकार समाप्त होना चाहिए जिस पर कि पूँजी से अधिक लाभ अथवा ब्याज प्राप्त हो चुका हो। ऐसी पूँजी पर उसी देश का स्वामित्व होना चाहिए जिसमें कि वह स्थित है। इस सन्दर्भ में उन्होंने उपनिवेशवाद और दूसरे राष्ट्र में सेनाओं के रहने को अनुचित बतलाया।[22]

समीक्षा—विदेशी सहायता अथवा कर्जनीति-उन्मूलन-सम्बन्धी डॉ. लोहिया का विचार राष्ट्रों में स्वावलम्बन और स्वाभिमान का भाव भरता है। उनका यह विचार भी उचित है कि राष्ट्र अपने हितों को ध्यान में रखकर अन्य राष्ट्रों को सहायता देते हैं। किन्तु उनका यह कहना गलत है कि इससे सहायता पानेवाले राष्ट्र का हित नहीं होता, और यदि हित नहीं होता तो इसमें सहयोग प्राप्त करनेवाले राष्ट्र की अकुशलता का दोष है, न कि सहयोग देनेवाले राष्ट्र का। सहयोग देनेवाला राष्ट्र तो उसी समय दोषी ठहराया जा सकता है जबकि वह अनुचित लाभ उठाये। अब यह सहयोग प्राप्त करनेवाले राष्ट्र का कर्त्तव्य है कि वह इस सम्बन्ध में सचेत रहे।

हो सकता है कि विदेशी सहयोग और कर्जनीति के कारण गुटबन्दी और युद्ध को आंशिक प्रश्रय मिलता हो, किन्तु क्या विदेशी सहयोग और कर्जनीति के अतिरिक्त अन्य ऐसे अनार्थिक कारण नहीं हैं जिनमें गुटबन्दी और युद्ध की सम्भावना बढ़े। आधुनिक युग में यदि विदेशी सहयोग की व्यवस्था बन्द हो जाय तो विकासशील राष्ट्रों का विकास भी कम-से-कम आंशिक रूप में आबद्ध हो सकता है। जहाँ तक डॉ. लोहिया की विश्व-विकास समिति की योजना का प्रश्न है, यह निःसन्देह सराहनीय है। इस योजना में कोई दोष नहीं प्रतीत होता सिवाय इसके कि उसे सम्भव किस तरीके से बनाया जाये। विश्व-विकास समिति की स्थापना तक डॉ. लोहिया ने विभिन्न संघों द्वारा विभिन्न राष्ट्रों के सहयोग के लिए जिस संयुक्त पूँजी के निर्माण की योजना दी है, मतैक्य के अभाव में उसकी सम्भाव्यता पर भी सन्देह होता है।

विश्व-सरकार का स्वप्न

विश्व-सरकार की स्थापना के आन्दोलन के डॉ. लोहिया प्रमुख समर्थक थे। सन् 1949 ई. में विश्व-सरकार के विश्व-आन्दोलन का अधिवेशन स्टॉकहोम में

हुआ, जिसमें विश्व-सरकार आन्दोलन की भारतीय शाखा के प्रतिनिधि के रूप में डॉ. लोहिया ने भाग लिया। वहाँ भाषण देते हुए उन्होंने कहा कि साम्यवाद और पूँजीवाद विश्व में हर प्रकार के केन्द्रीकरण को जन्म दे रहे हैं जिसको हटाने के लिए एक विश्व-सरकार की आवश्यकता है। विश्व-सरकार की स्थापना के लिए उन्होंने राष्ट्रों में मतैक्य लाने की आवश्यकता पर बल दिया।

विश्व-सरकार की स्थापना के साधन—विश्व-सरकार के स्थापनार्थ डॉ. लोहिया ने कहा कि स्वतन्त्र और औपनिवेशिक राष्ट्रों के बीच उत्पादन की विषमता समाप्त होनी चाहिए और प्रत्येक राष्ट्र के श्रमिकों को समान वेतन प्राप्त होना चाहिए। प्रत्येक राष्ट्र में जनता के लिए समान रोजगार की व्यवस्था होनी चाहिए। विश्व के हिस्सों में पहले समानता और तब समृद्धि आनी चाहिए।[23] डॉ. लोहिया के मत में, इन समस्त उद्देश्यों की पूर्ति अन्तरराष्ट्रीय सत्याग्रह द्वारा हो सकती है। इस हेतु 26 जुलाई, सन् 1951 ई. को अमेरिका के अपने अन्तिम भाषण में उन्होंने गाँधी जी की तरह विश्वस्तरीय रचनात्मक सेवा और अन्याय के प्रतिकार हेतु जनता का आह्वान किया। उन्होंने कहा कि जिस प्रकार फ्रान्स की संसद् ने फ्रान्स के राजा से संविधान निर्माण की अपनी जिद्द को स्वीकार करवा लिया था, उसी प्रकार भिन्न राष्ट्रों की जनता अपने-अपने राजाओं (वर्तमान राष्ट्रीय सरकारों) के विरुद्ध असहयोग कर विश्व-सरकार की स्थापना हेतु उन्हें तैयार कर सकती है।[24]

विश्व-सरकार का स्वरूप—डॉ. लोहिया के मतानुसार सम्पूर्ण विश्व-व्यवस्था ग्राम, मण्डल, प्रान्त, राष्ट्र और विश्व-जैसे पाँच खम्भों पर आधारित होगी। इस पाँचों इकाइयों के अपने-अपने क्षेत्र में निश्चित अधिकार होंगे। विश्व-सरकार की संसद् में दो सदन होंगे। निम्न सदन के सदस्यों का चुनाव सीधे वयस्क मतदाताओं द्वारा जनसंख्या के आधार पर होगा और उच्च सदन में प्रत्येक छोटे-बड़े राज्य को समान प्रतिनिधित्व प्राप्त होगा। विश्व-संसद् वर्ग और वर्णहीन होगी तथा उसमें मानवीय निर्णय मानव-जाति की जागृति के लिए होंगे। प्रत्येक राष्ट्र के प्रतिरक्षा व्यय का कुछ हिस्सा विश्व-सरकार को देकर उसकी एक सेना खड़ी की जायेगी और अन्ततोगत्वा राष्ट्रीय सेनाओं पर अन्तरराष्ट्रीय नियन्त्रण स्थापित किया जायेगा।[25] डॉ. लोहिया ने कहा कि विश्व-सरकार के प्रांगण में गुणों के आधार पर विवाद निपटाये जायेंगे, न कि सैन्य अथवा अन्य प्रकार की शक्ति के आधार पर। मानव-जाति के निर्णयों को कोई एक देश भंग न कर सकेगा। इस अन्तरराष्ट्रीय संगठन में भय और युद्ध की धमकियों की अनुपस्थिति होगी। यह संगठन मानव-जाति की अन्तरात्मा का भण्डारगृह होगा।

समीक्षा—डॉ. लोहिया की विश्व-सरकार की कल्पना एक अप्राप्य आदर्श स्त्री प्रतीत होती है, क्योंकि विश्व में यदि एक ओर संगठन की प्रवृत्ति दिखलायी पड़ती है तो दूसरी ओर बिखराव की प्रवृत्ति उससे भी अधिक। आज तो छोटे-से

घर के भाई आपस में मिलकर नहीं रह पाते, तो हम यह आशा किस प्रकार करें कि आज के सम्प्रभुतासम्पन्न विशाल राज्य अपनी सर्वोच्च सत्ता और अहं का त्याग कर विश्व-व्यवस्था में सम्मिलित हो जायेंगे। फिर भी इतनी स्वर्णिम अवस्था के प्रयत्न में मानव यदि न चुके, तो बहुत ही अच्छा हो।

अन्तरराष्ट्रीयतावाद

अन्तरराष्ट्रीयतावाद वह भावना है जो व्यक्ति को अपने राष्ट्र के साथ-साथ अन्य राष्ट्र से प्रेम करना सिखाती है। अन्तरराष्ट्रीयता विश्व के राष्ट्रों के बीच शान्तिपूर्ण सहयोग की वृद्धि करती है। इसका मूल तत्त्व मानवता और बिम्बबन्धुत्व की भावना है। अन्तरराष्ट्रीयतावाद के उपर्युक्त तत्त्वों के आधार पर स्पष्ट होता है कि डॉ. लोहिया केवल सैद्धान्तिक दृष्टि से ही नहीं, अपितु व्यावहारिक रूप से भी अन्तरराष्ट्रीयतावादी थे ...उन्होंने सम्पूर्ण संसार में अन्तरराष्ट्रीयता की अभिवृद्धि और नवीन विश्व के सृजन हेतु चार सूत्री योजना प्रस्तुत की—1. एक देश में दूसरे देश की जो पूँजी लगी है उसको जब्त करना 2. सभी लोगों को संसार में कहीं भी जाने और बसने का अधिकार 3. विश्व के सभी राष्ट्रों की राजनैतिक स्वतन्त्रता 4. विश्व-नागरिकता।[26] इसके अतिरिक्त डॉ. लोहिया ने राष्ट्रों की सर्वाङ्गीण समानता पर बहुत बल दिया। उन्होंने अन्तरराष्ट्रीय जाति-प्रथा-उन्मूलन का अत्यधिक प्रयास किया और विश्व-सरकार का प्रबल समर्थन किया।

डॉ. लोहिया की राजनीति और अन्तरराष्ट्रीयतावाद—डॉ. लोहिया को किसी राष्ट्र-विशेष से घृणा नहीं थी। वे अन्तरराष्ट्रीय अन्यायों का प्रबल विरोध करके एक साथ एवं सम्पन्न विश्व का निर्माण करना चाहते थे, जिनमें कोई किसी का शोषण नहीं करेगा अपितु सब एक-दूसरे का सहयोग करेंगे। उनकी इस भावना का प्रमाण द्वितीय विश्व-युद्ध के समय की निम्नलिखित घटना है—11 मई, सन् 1940 ई. को दोस्तपुर (सुलतानपुर) में समस्त राष्ट्रों की स्वतन्त्रताओं के सम्बन्ध में उन्होंने एक भाषण दिया जिसके परिणामस्वरूप अंग्रेजों ने उन्हें गिरफ्तार किया और उन पर मुकदमा चलाया। उस समय अपने मुकदमें की बहस करते हुए डॉ. लोहिया ने कहा था कि "...आखिर में मुझे इतना ही कहना है कि किसी भी राष्ट्र के खिलाफ मेरे मन में कोई कटुता नहीं है...मुझे अफसोस है कि अंग्रेजों को आज भी दुनिया के राष्ट्रों को गुलाम करनेवाली पद्धति का बोझ अपने कन्धे पर उठाना पड़ता है।[27]

उनका सम्पूर्ण दर्शन मानवतावाद और विश्व-बन्धुत्व की भावना से परिपूर्ण है। अन्तरराष्ट्रीय विचारधारा के रूप में प्रारम्भ होनेवाला विश्व-समाजवाद प्रथम विश्व-युद्ध में जब राष्ट्रीय हो गया तब उनको अत्यन्त दु:ख हुआ और उन्होंने इसे पुन:

अन्तरर्राष्ट्रीय बनाने के लिए भरसक प्रयत्न किये। इस हेतु उन्होंने विश्व के अधिकांश देशों में भ्रमण किया और वहाँ के राष्ट्रीय चरित्र के समाजवादी दलों की निर्भीकतापूर्वक कटु आलोचना की, उन्हें अन्तरराष्ट्रीयतावाद के उपर्युक्त ठोस सिद्धान्त दिये और उन पर चलने के लिए उन्हें प्रोत्साहित किया।

अन्तरराष्ट्रीयतावाद का सकारात्मक स्वरूप और डॉ. लोहिया—संकुचित राष्ट्रीय राजनीति के त्याग के लिए और अन्तरराष्ट्रीयता के विकास के लिए डॉ. लोहिया ने सम्पूर्ण राष्ट्रों को प्रोत्साहित किया। वर्तमान की अन्तरराष्ट्रीयता-विरोधी राष्ट्रीय राजनीति की आलोचना करते हुए उन्होंने कहा कि "अन्तरराष्ट्रीय चेतना के विकास के प्रति राष्ट्रीय राजनीति का आधार ही उदासीन है। आधुनिक मानव के विचार और कर्म में राष्ट्रीय आजादी और रोटी का पोषण इस प्रकार नियोजित हुआ है कि वह समस्त संसार की शान्ति व रोटी के विरुद्ध हैं।"[28] डॉ. लोहिया गाँधी के अन्तरराष्ट्रीयतावाद से प्रभावित थे। उसे उन्होंने 'उन्मुक्त अन्तरराष्ट्रीयतावाद' कहा और उसी धारा को आगे बढ़ाने का प्रयास किया। वे चाहते थे कि विश्व से उपनिवेशवाद, साम्राज्यवाद और हर प्रकार की दासता का अन्त हो। इस हेतु, उनकी दृष्टि में, अन्तरराष्ट्रीयतावाद को नित्य नये और अहिंसक संघर्ष उत्पन्न करने चाहिए। वे नकारात्मक अन्तरराष्ट्रीयतावाद को अपर्याप्त और अधूरा मानते थे। उनके मत में, अन्तरराष्ट्रीयतावाद को मानवतावाद की प्रतिष्ठा हेतु सकारात्मक, सुनिश्चित और सम्यक् होना चाहिए। उनका स्पष्ट मत था, "मानवतावाद को निश्चित रूप दिये बिना असली अन्तरराष्ट्रीयतावाद पैदा होना असम्भव है। इन्सानियत की कल्पना से जनता को असीम त्याग की प्रेरणा मिले इतनी उसकी शकल सम्यक् होनी चाहिए।"[29]

समीक्षा—अन्तरराष्ट्रीयतावाद के उपासक डॉ. लोहिया ने स्पष्ट किया कि यह धारणा अन्तरराष्ट्रीय घृणा, शोषण और अन्याय की अनुपस्थिति के प्रयास में ही निहित नहीं, अपितु अन्तरराष्ट्रीय भ्रातृत्व, प्रेम, सहनुभूति की उपस्थिति के प्रयत्नों में साकार होती है। ऐसा कहकर उन्होने अन्तरराष्ट्रीयतावाद को नकारात्मक से सकारात्मक बना दिया। उन्होंने विश्व-सरकार, विश्व-विकास-समिति, संयुक्त राष्ट्र संघ के पुनर्गठन, निशस्त्रीकरण आदि की सुनिश्चित धारणाएँ देकर और उन्हें साक्षात्कार सिद्धान्त पर आधारित कर अन्तरराष्ट्रीयतावाद को निश्चित, ठोस और शीघ्र प्राप्त होनेवाला विचार बना दिया। अब यह देखना है कि मानव-जाति इन विचारों को कहाँ तक अनुगमन करती है।

नि:शस्त्रीकरण का सशक्त प्रतिपादन

डॉ. लोहिया विश्व-शान्ति और नि:शस्त्रीकरण के अनन्य उपासक थे। उनका विश्वास था कि शस्त्रास्त्रों के नाश हुए बिना विश्व-शान्ति की स्थापना सम्भव नहीं।

द्वितीय विश्व-युद्ध के समय, 'शस्त्रों का नाश हो' नामक लेख लिखकर शस्त्रों और उनके घातक परिणामों की ओर जनता का ध्यान आकर्षित किया और युद्धरत राष्ट्रों की भर्त्सना की।[30] 29 अप्रैल, सन् 1942 ई. को वर्धा में उन्होंने गाँधी के समक्ष प्रस्ताव रखा कि ब्रिटिश सरकार से माँग करें कि हिन्दुस्तान के सभी शहर 'बिना पुलिस या फौज के शहर' घोषित किये जायें। तदनुकूल गाँधी जी ने वाइसराय को पत्र लिखा कि "अहिंसानिष्ठ सोशलिस्ट डॉ. लोहिया ने भारतीय शहरों को बिना पुलिस या फौज के शहर घोषित करने की कल्पना निकाली है।"[31]

नि:शस्त्रीकरण एक व्यावहारिक आदर्श—अपने देश में ही नहीं, अपितु संसार के अधिकांश देशों में भ्रमण करके डॉ. लोहिया ने नि:शस्त्रीकरण के पक्ष को प्रबल किया। गाँधी और थोरो के अहिंसावादी सिद्धान्तों को व्यावहारिक रूप देने के लिए उन्होंने अमेरिकावासियों का आह्वान किया और कहा—"Is Gandhi only a luxury in the modern world? Is Thoreau only meant for an idle hour, to read and to revere, but not to affect our daily lives? So far, the Gandhis and Thoreaus have not entered the mainstream of life."[32] अमेरिकावासियों के द्वारा यह पूछे जाने पर कि किस प्रकार से वे अहिंसा की शिक्षा प्राप्त कर सकते हैं, डॉ. लोहिया ने कहा कि अहिंसा घोषणा-पत्रों, भाषणों और प्रस्तावों से नहीं, अपितु अभ्यास से आती है।

अणुबम और गाँधी पर डॉ. लोहिया के विचार—डॉ. लोहिया के मत में बीसवीं शताब्दी के दो मौलिक आविष्कार हैं—गाँधी और अणुबम या उद्जन बम आदि। गाँधी जी न्याय और अन्याय-प्रतिकार के प्रतीक हैं। अणुबम अन्याय और उसके प्रतिकार के भी प्रतीक हैं। उनकी प्रकृति अन्याय के प्रतिकार की अपेक्षा अन्याय करने की अधिक है। इसलिए डॉ. लोहिया ने इन विनाशकारी हथियारों के विनाश की पहल की और कहा, "....महात्मा गाँधी और अणुबम, दोनों एक-दूसरे के विपरीत सिद्धान्त हैं। मैं अणुबम का पुजारी नहीं हूँ। मैं हथियारों को बहुत बुरा समझता हूँ। मैं हथियारों से घृणा करता हूँ, अणुबम से भी मैं घृणा करता हूँ। मैं चाहता हूँ कि दुनिया ऐसी हो कि जिसमें ये सब खतम हो जायें।"[33] वे केवल अणुबम आदि को नहीं, अपितु परम्परागत हथियारों को भी समाप्त करना चाहते थे। उनके मतानुसार जब परम्परागत हथियार भी समाप्त हो जायेंगे, तभी अन्यायों का पूर्णरूपेण विनाश होगा। इस कथन के पीछे उनका तर्क था कि यदि परम्परागत हथियार शेष रह गये, तो विशाल और उन्नत देश इन हथियारों को वृद्धि कर अणुबम के समान ही शक्ति संचय कर लेंगे।[34]

आधुनिक अस्त्र और सर्वनाश :—डॉ. लोहिया की दृष्टि से सन् 1945 ई. के हथियार निकम्मे हो गये हैं, क्योंकि अब इतने विनाशकारी हथियार निर्मित हो गये

हैं कि वे प्रयोगकर्त्ता के लिए विजय के स्थान में मृत्युदायक हो गये हैं। विरोधी महान् राष्ट्र यदि एक-दूसरे पर उनका प्रयोग कर दें तो स्वयं और विश्व तक को समाप्त कर देंगे। अत: इन भयंकर हथियारों से हथियार के दोनों उद्देश्य-अन्याय का प्रतिकार और अन्याय का सृजन-विफल हो गये हैं। उनके प्रयोग का अर्थ अब केवल एक ही है—सर्वनाश। वे अब मानव-जाति के शंकर के लिए भस्मासुर हो गये हैं। इन्हें यदि समाप्त नहीं किया जाता तो निश्चित ही ये मानव-जाति का विनाश कर देंगे। डॉ. लोहिया ने इस सम्बन्ध में भविष्यवाणी की है कि बीसवीं सदी के अन्त तक या तो विश्व रहेगा या हथियार। यदि विश्व का विनाश होता है तो केवल कुछ लँगड़े-लूले और कुछ ग्राम निवासी ही रह जायेंगे। उन्होंने कहा कि शस्त्रास्त्रों के निर्माण से विश्व का तन, मन, धन व्यर्थ जा रहा है और विश्व में भय-आशंका की स्थिति उत्पन्न हो रही है।[35] उनकी सलाह थी कि हथियारों के निर्माण में व्यय होनेवाला विश्व का प्रतिवर्ष लगभग आठ खरब रुपया रचनात्मक कार्यों में लगाया जाना चाहिए।

डॉ. लोहिया की दृष्टि में अच्छे कार्यों को सम्पन्न करने के लिए भी हथियारों का प्रयोग नहीं करना चाहिए। हथियार शक्ति को केन्द्रीकृत करते हैं। ये मानव के दिल को कमजोर बनाते हैं। इनके प्रयोग से मनुष्य इनका दास हो जाता है। यही कारण है कि महान् व्यक्तियों ने सदैव हथियारों को घृणा की दृष्टि से देखा है। कठोरता और पशुता जनता और शासन दोनों के लिए त्याज्य हैं। इसलिए इस प्रकार का विश्व-मस्तिष्क निर्मित करना चाहिए जो हिंसा से घृणा करे, किन्तु अन्याय का अहिंसात्मक प्रतिकार करना सीखे। इस सत्य की ओर संकेत करते हुए उन्होंने कहा, "Callousness and brutality, whether on the part of the government or the people, must go. Instead must awake a world mind which holds violence in contempt and revulsion, but which also kows how to resist injustice non- violently."[36]

नि:शस्त्रीकरण के उपाय—नि:शस्त्रीकरण के उपायों पर प्रकाश डालते हुए डॉ. लोहिया ने कहा कि सच्चा और सफल नि:शस्त्रीकरण तभी हो सकता है जबकि विश्व में समानता स्थापित हो। मानव-समाज के विकसित एक-तिहाई और अविकसित दो तिहाई भागों की उत्पादन-शक्ति में विशाल असमानता गम्भीर आर्थिक असन्तुलन उत्पन्न करती है जिससे विभिन्न प्रकार के संघर्ष उत्पन्न होते हैं और सम्पन्न भागों की निधियों की रक्षा के लिए शस्त्रास्त्रों की पागल होड़ प्रारम्भ हो जाती है। इसलिए जब तक सम्पूर्ण संसार में सम्भव समानता नहीं लायी जाती, तब तक नि:शस्त्रीकरण असम्भव है। समता को ही नि:शस्त्रीकरण का आधार बताते हुए डॉ. लोहिया ने कहा था कि "True and effective disarmament can only come when the world becomes equal.......The desease must be treated at its root."[37]

डॉ. लोहिया का मत था कि शस्त्रीकरण में वृद्धि सफल सामूहिक सुरक्षा के अभाव का परिणाम है, क्योंकि सामूहिक सुरक्षा के अभाव में अन्याय करने और अन्याय के प्रतिकार हेतु शस्त्रों का सृजन होता है। अत: अन्याय ही शस्त्रों का जनक है। इसलिए उन्होंने सलाह दी कि सफल नि:शस्त्रीकरण हेतु विवेकसम्मत सामूहिक सुरक्षा की व्यवस्था होनी चाहिए और अन्यायों की समाप्ति होनी चाहिए। अपनी आशा व्यक्त करते हुए उन्होंने कहा था "अब, हथियार, कैसे खतम होंगे? मुझे खुद बहुत मुश्किल मालूम होता है। बड़े हथियार मान लो खतम कर दिये जायें, तो छोटे कैसे खतम होंगे? क्योंकि छोटे हथियार खतम होने का मतलब है पूरी तरह से नाइन्साफी खतम होना। वहीं मुझको थोड़ी आशा दिखायी देती है कि हथियार पूरी तरह से तब खतम होते हैं जब नाइन्साफी खतम होगी। अबकी दफे, क्योंकि सब नाइन्साफियों के खिलाफ आदमी एक साथ उठ खड़ा हुआ है, ये नाइन्साफियाँ भी खतम हों—और शायद इस बीसवीं सदी के खतम होने तक एक अच्छी दुनिया बने।"[38]

विषमता और अन्याय को समाप्त करने और समता तथा न्याय को लाने के लिए डॉ. लोहिया की दृष्टि में, अन्तरराष्ट्रीय स्तर पर सत्याग्रह किये जाने चाहिए। न्याय और समता की स्थापना के लिए यदि हिंसात्मक उपाय नहीं किये जाते तो फिर हिंसा के द्वारा उसका प्रतिकार होगा और वह स्थिति बर्बरतापूर्ण, पशुतापूर्ण, भयंकर तथा संसारनाशक होगी। तब तो अराजकता का साम्राज्य होगा और न्याय, समता, अहिंसा के स्थान में हिंसा, अन्याय और विषमता पुन: छा जायेंगी। 26 जुलाई, सन् 1951 ई. की अमेरिकावासियों के समक्ष इसी सन्दर्भ में उन्होंने कहा था, "For if men will not fights injustice with weapons of peace, others will come up who will fight it with weapons oh; the usual weapons, the atom bomb, the dagger, the revolver and the like."[39]

समीक्षा—राष्ट्रीय और अन्तरराष्ट्रीय विषमता तथा अन्याय के प्रबल विरोधी, अहिंसात्मक डॉ. लोहिया अपने जीवनपर्यन्त विश्व-शान्ति, विश्व-सरकार, विश्व-संसद् आदि के लिए संघर्षरत रहे। उपर्युक्त कल्पनाओं को साकार करने हेतु वे नि:शस्त्रीकरण के प्रबल समर्थक थे। डॉ. लोहिया के नि:शस्त्रीकरण-सम्बन्धी विचारों से स्पष्ट होता है कि वे अपने दिल और दिमाग से शस्त्रास्त्रों की समाप्ति चाहते थे। विश्व के कोने-कोने मे अन्याय और विषमता के विरुद्ध सत्याग्रह छेड़ने पर जोर देकर उन्होंने नि:शस्त्रीकरण की कल्पना को व्यावहारिक रूप प्रदान किया है। नि:शस्त्रीकरण को समानता और न्याय की नींव पर खड़ा करके उन्होंने इसे

सकारात्मक रूप दिया। समस्या के मूल—अन्याय, विषमता पर कुठाराघात कर उन्होंने रोग को जड़ से उखाड़ने का प्रयत्न किया है। उनके कृत्यों और सिद्धान्तों के अध्ययन से कोई भी निष्पक्षत: कह सकता है कि गाँधी जी के पश्चात् गाँधी जी के अहिंसात्मक आन्दोलन और नि:शस्त्रीकरण-सम्बन्धी सिद्धान्तों के प्रबल और प्रभावशाली पालक डॉ. लोहिया ही थे जिन्होंने सर्वत्र सर्वक्षेत्रों में अपने अथक परिश्रम, मौलिक प्रतिभा और निष्कपट मानव-सेवा के द्वारा विश्व-जागरण का सन्देश दिया।

साक्षात्कार का सिद्धान्त

साक्षात्कार-सिद्धान्त की व्याख्या—डॉ. लोहिया ने साक्षात्कार का सिद्धान्त देकर विश्व की समाजवादी विचारधारा को एक सुदृढ़ और सही आधारशिला प्रदान की है। साक्षात्कार के सिद्धान्तानुसार सुदूर भविष्य में चाहे गये लक्ष्य की प्रत्यक्षानुभूति वर्तमान की कृति में होनी चाहिए। इसमें आज की किसी गलत कृति को कभी भी कल के किसी उचित परिणाम से नहीं जोड़ा जाता। इस सिद्धान्त की परिभाषा करते हुए डॉ. लोहिया ने कहा है, "साक्षात्कार के इस सिद्धान्त के अनुसार हर काम का औचित्य स्वयं उसी में होता है और यहाँ अभी जो काम किया जाता है, उसका औचित्य सिद्ध करने के लिए बाद के किसी काम का उल्लेख करने की आवश्यकता नहीं।"[40] इस सिद्धान्त को राजनीति में लाने का आग्रह करते हुए उन्होंने कहा कि उत्पादन और कार्य-पद्धति की दृष्टि से नये यन्त्र तात्कालिक उपयुक्तता की कसौटी के सिद्धान्तानुसार बनाने चाहिए। विज्ञान और नियोजन में जितनी तात्कालिक उपयुक्तता आवश्यक है उतनी ही शासन संस्थाओं में भी। उनकी दृष्टि में यह एक भ्रष्ट सिद्धान्त है कि भविष्य के जनतन्त्र के लिए वर्तमान में नौकरशाही अथवा तानाशाही का सहारा लिया जाये, भविष्यकालीन विश्व-एकता के लिए वर्तमान की राष्ट्रीय स्वतन्त्रता का होम किया जाये, चरम सत्य की स्थापना के लिए आज असत्य का फैलाव हो, कल की अहिंसा के लिए आज हिंसा हो, कल की गद्दी के लिए आज वनवास भोगा जाय, कल के जीवन के लिए आज हत्या की जाये आदि।

प्रत्येक क्षेत्र में साक्षात्कार के सिद्धान्त का कार्यान्वयन—डॉ. लोहिया का प्रतिपादन था कि समाजवादी औद्योगिकीकरण व नियोजन, समाजवादी जनतन्त्र व शासन-संस्था, समाजवादी संगठन या संघर्ष आदि सभी कार्यों को साक्षात्कार सिद्धान्त की कसौटी पर कसा जाना चाहिए जिससे कि तात्कालिक अपेक्षाओं और अन्तिम लक्ष्यों के बीच जो दरार रहती है वह समाप्त की जा सके। इसी दरार को समाप्त करने के लिए गाँधी जी ने "मेरे लिये एक कदम ही पर्याप्त है" का आदर्श

चुना था और उन्हीं के प्रभाव से लोहिया जी ने भी प्रत्येक क्षेत्र में साक्षात्कार-सिद्धान्त को अपनाया था। तभी तो वे कहा करते थे, ''वर्ग-संघर्ष में साक्षात्कार, उत्पादन में साक्षात्कार, विश्व-संसद् में साक्षात्कार, समीपता में साक्षात्कार।''[41]

साम्यवाद और पूँजीवाद तथा साक्षात्कार का सिद्धान्त—डॉ. लोहिया के मत में, साम्यवाद और पूँजीवाद के अन्तिम लक्ष्य और वर्तमान की कृति में सम्बन्ध नहीं है। इसलिए इन शासन-प्रणालियों से बेकारी, भूख, अन्याय नौकरशाही, तानाशाही आदि का जन्म होता है। हरिभाऊ उपाध्याय भी डॉ. लोहिया की तरह साम्यवाद को साक्षात्कार सिद्धान्त के विपरीत पाते हैं। वे लिखते हैं कि 'हिंसा द्वारा शान्तिमय साम्यवादी व्यवस्था स्थापित करने का साम्यवादी प्रयास जहर पिलाने के पश्चात् अमर बनाने के आश्वासन से अधिक और कुछ नहीं है। उनके मत में यह आशा करना भी व्यर्थ-सा ही है कि हिंसाबल के द्वारा आज भी शासन संस्था का संचालन होता हो, फिर भी समाज में अहिंसा दिन-दिन बढ़ती ही जायेगी।[42] इन साम्यवादी और पूँजीवादी अनर्थों पर विजय पाने के लिए डॉ. लोहिया ने समाजवादी संघर्ष में प्रत्यक्षवाद का साक्षात्कार होना अनिवार्य बताया।

साक्षात्कार-सिद्धान्त : प्रवाह और स्थायित्व की एक कड़ी—डॉ. लोहिया के मतानुसार प्रत्येक क्षण दोनों है—प्रवाह और स्थायित्व। इतिहास के उन सभी दार्शनिकों ने जिन्होंने आनेवाले स्वर्णयुग के बारे में सोचा है, क्षण को केवल प्रवाह या गति के रूप में लिखा है। उन्होंने इसके स्थायी स्वरूप की ओर ध्यान नहीं दिया। इसी प्रकार उन सभी नीतिज्ञों ने, जिन्होंने व्यक्ति के चरित्र और उच्च आदर्शों के बारे में उपदेश देने का प्रयत्न किया है, क्षण को केवल स्थायी मानकर सोचा है और वे उसे प्रवाह के रूप में देखने से चूके हैं। वस्तुतः क्षण प्रवाह और स्थायित्व दोनों है। डॉ. लोहिया की दृष्टि में हम सचमुच एक स्वर्णयुग की ओर बढ़ सकते हैं यदि हम उस स्वर्णयुग को तत्काल पाने का प्रयत्न करें। जिस सीमा तक हम उसे तत्काल पा लेते हैं और साक्षात्कार के सिद्धान्त को व्यवहार में लाते हैं, उस सीमा तक क्षण के प्रवाह रूप और उसके स्थायी रूप के बीच जोड़नेवाली कड़ी भी बनती चली जाती है। इसी प्रकार डॉ. लोहिया का विचार है कि यदि क्षण के प्रवाह और स्थायी दोनों स्वरूपों को विषय (आर्थिक लक्ष्य) और प्रवृत्ति (साधारण लक्ष्य) की दो भिन्न श्रेणियों में पृथक-पृथक् रखा जाता है तो दुर्भाग्य और विनाश के अतिरिक्त और कुछ भी हाथ नहीं लगता। क्योंकि इस स्थिति में आर्थिक लक्ष्य और सामान्य लक्ष्य में से किसी को कारण और किसी को फल समझने की भूल होती है। वे तो वास्तव में एक-दूसरे के सहयोगी हैं और साथ-साथ चलने चहिए। ये दोनों लक्ष्य उसी

प्रकार जुड़े हुए हैं जैसे कि क्षण के स्थायी और प्रवाह दोनों स्वरूप जुड़े हैं। उन्हें जोड़नेवाली कड़ी साक्षात्कार का सिद्धान्त है।[43]

साक्षात्कार-सिद्धान्त का महत्त्व-डॉ. लोहिया का विचार है कि साक्षात्कार का सिद्धान्त प्रत्येक कार्य के औचित्य को समझने में सहयोग देता है। यह सिद्धान्त आज के किसी अनुचित कृत्य के औचित्य को उससे होनेवाले भविष्यकालीन उचित फल से नहीं जोड़ने देते और इस प्रकार सिद्धान्तहीनता से मानव-जाति की रक्षा करता है। यदि हम इस सिद्धान्त के विपरीत चलते हैं तो कारण और फल की श‍ृङ्खला बँधने लगती है जिससे किसी भी कार्य के औचित्य की कसौटी नहीं बन पाती। परिणामस्वरूप भविष्य के उचित परिणाम को बतलाकर वर्तमान की निरंकुशता, स्वेच्छाचारिता और सिद्धान्त-हीनता के औचित्य को सिद्ध किया जाने लगता है जिससे कि अराजकता और अन्याय का साम्राज्य जन्म लेता है।[44]

डॉ. लोहिया का मत था कि साक्षात्कार के सिद्धान्त के अनुसार सामाजिक क्रान्ति और चरित्र-निर्माण साथ-साथ चलने चाहिए। इसमें चरित्र-निर्माण और सामाजिक क्रान्ति एक-दूसरे के पूरक होने चाहिए। इन दोनों में से किसी को एक अथवा दूसरे के परिणाम के रूप में नहीं देखना चाहिए। सच, कर्म और चरित्र को क्रान्ति के बाद की चीजें नहीं समझना चाहिए। यदि क्रान्ति में चरित्र, सत्यता, अहिंसा, करुणा आदि को त्याग देते हैं, तो क्रान्ति के पश्चात् इस प्रकार के आदर्श और कल्याणकारी गुणों को पुनः प्राप्त करना असम्भव हो जाता है।[45] मार्क्सवाद की सबसे बड़ी कमजोरी यही थी कि वह हिसात्मक क्रान्ति के पश्चात् एक शान्तिमय व्यवस्था की कल्पना करता था, सर्वहारा वर्ग के अधिनायकत्व के पश्चात् भी वह एक साम्यवादी समाज का स्वप्न देखता था। वास्तविकता यह है कि हम जिस वस्तु को प्राप्त करना चाहते हैं, उसको हम कभी भी प्राप्त नहीं कर सकते यदि उसे हम वर्तमान में त्याग देते हैं। आखिर भविष्य का प्रत्येक क्षण वर्तमान से ही गुजरता है। अतएव सही सिद्धान्त यही है कि क्रान्ति और मानवीय गुण साथ-साथ चलें। यदि राजनीतिक दल क्रान्ति के साथ-साथ चरित्र-निर्माण का कार्य भी अपना लें, तो राजनीति पवित्र हो सकती है। बड़े दुःख के साथ कहना पड़ता है कि आज के राजनीतिक दल इस सिद्धान्त से पूर्णतया अपरिचित हैं।

समीक्षा—डॉ. लोहिया ने विश्व की समाजवादी विचारधारा को साक्षात्कार का सिद्धान्त देकर उसको व्यावहारिक मानवीय आदर्शों से परिप्लावित किया है। उन्होंने इस सिद्धान्त के द्वारा समाजवाद को हिंसात्मक और अराजकतापूर्ण साधनों से मुक्ति दिला दी है। इस सिद्धान्त के द्वारा उन्होंने राजनीति का पूर्णरूपेण पवित्रीकरण कर दिया और शासक तथा शासितों को सदैव उचित तथा मानवीय कृत्य करने को प्रोत्साहित किया। इस सिद्धान्त में दर्शन और व्यवहारवाद एकाकार हुए हैं।

इस प्रकार डॉ. लोहिया ने विश्व की समाजवादी विचारधारा को समाजवाद का नवदर्शन संयुक्त राष्ट्र संघ के पुनर्गठन का नवीन आधार, विश्व-विकास समिति की योजना, विश्व-सरकार की कल्पना, अन्तरराष्ट्रीयतावाद, अन्तरराष्ट्रीय जाति-प्रथा उन्मूलन, निःशस्त्रीकरण, अन्तरराष्ट्रीय जमींदारी उन्मूलन और साक्षात्कार-सिद्धान्त प्रदान किया है। उन्होंने समाजवादी नवदर्शन द्वारा विश्व को झूठे द्वन्द्वों के भ्रम से मुक्त कर सामञ्जस्य की नवीन दृष्टि दी है। संयुक्त राष्ट्र संघ के पुनर्गठन की दलील देकर उन्होंने विश्व को समता और स्वतन्त्रता के आधार पर संगठित होने का आह्वान किया है। विश्व-सुरक्षा और संयुक्त राष्ट्र संघ को सबल बनाने के लिए उन्होंने कहा कि राष्ट्र संघ को इस प्रकार पुनर्गठित होना चाहिए जिससे कि वह सर्वसुलभ समतामय और समस्त राष्ट्रों की अन्तरात्मा का प्रतीक बने। समस्त विश्व को स्वाभिमान के साथ आर्थिक दृष्टि से विकसित होने का सुअवसर प्रदान करने हेतु उन्होंने विश्व-विकास समिति की स्थापना पर जोर दिया, उन्होंने अन्तरराष्ट्रीयतावाद को सकारात्मक और सक्रिय दृष्टि देकर पुनः जीवित किया। विश्व-सरकार की वास्तविकताओं पर प्रकाश डालकर डॉ. लोहिया ने उसकी रूप-रेखा दी और मानव-जाति को उसे साकार करने के लिए प्रोत्साहित किया। निःशस्त्रीकरण के अपने विपुल प्रयत्नों द्वारा उन्होंने हिंसा और शास्त्रास्त्रों की निःसारता को सशक्त और प्रभावशाली ढंग से विश्व के समक्ष रखा। अन्तरराष्ट्रीय जाति-प्रथा के उन्मूलन का सन्देश देकर उन्होंने विभिन्न प्रकार की विषमताओं की जड़ पर प्रहार किया। उपर्युक्त समस्त मानवीय सिद्धान्तों की शीघ्र कार्यान्वित करने के लिए उन्होंने साक्षात्कार का सिद्धान्त दिया।

शान्तिदूत डॉ. लोहिया के उपर्युक्त सभी विचार सम्यक् दृष्टि और आशावाद से रंजित हैं। इस आशावाद से साक्षात्कार करने के लिए भय और आशंका से भरे आज के विश्व के समक्ष इतनी कठिनाइयाँ हैं कि निराशावादी व्यक्ति इन विचारों को केवल कल्पना अथवा स्वप्न की संज्ञा देगा। किन्तु इसमें कोई सन्देह नहीं कि यदि आशावादी मानवीय प्रयत्न इस ओर बढ़ें तो वे संकुचित भावनाओं की दीवालें तोड़कर इस स्वर्णिम दर्शन को धरा पर उतार सकते हैं। इतिहास इस सत्य का साक्षी है कि अपनी अपूर्णताओं और भिन्नताओं के बावजूद मानव निरन्तर संगठन के उच्चतर स्तर पर चढ़ता गया है। यदि ऐसा न होता तो हम आखेट-युग और संयुक्त राष्ट्रसंगठन के युग में भारी अन्तर को किस प्रकार देख पाते? जिस प्रकार आखेट-युग अथवा नगर राज्यों के युग के लिए आज की दुनिया एक रहस्यमय कल्पना थी उसी प्रकार आज के व्यक्ति के लिए विश्व-सरकार एक सुन्दर स्वप्न हो सकता है। परन्तु डॉ. लोहिया के बताये हुए मार्ग पर अनवरत रूप से चलकर हम उस सुन्दर स्वप्न तथा

रहस्यमय कल्पना को इस धरती पर उतारकर एक सामञ्जस्यपूर्ण सुखद विश्व का निर्माण कर सकते हैं।

सन्दर्भ

1. डॉ. लोहिया : इतिहास-चक्र, पृष्ठ 80
2. Dr. Lohia : Marx, Gandhi and Socialism, page 464.
3. Dr. Lohia : Will to Power, page 76.
4. Dr. Lohia : Marx, Gandhi and Socialism, page 316
5. डॉ. लोहिया : कांचन मुक्ति, पृष्ठ 30
6. 'हरिजन' 19 अप्रैल, सन् 1942 ई. के अंक से
7. Dr. Lohia : Marx, Gandhi and Soclalism, page 243.
8. Dr. Lohia : Interval during politics, page 22
9. डॉ. लोहिया : नया समाज, नया मन, पृष्ठ 11
10. Harris Wofford J.R. : Lohia and America Meet, page 39
11. Dr. Lohia : Marx, Gandhi and Socialism, page 340
12. Dr. Lohia : Will to Power, page 75.
13. Dr. Lohia : Marx, Gandhi and Socialism, page 396.
14. Dr. Lohia : Will to Power, page 80
15. Harris Wofford J.R. : Lohia and America Meet, page 57.
16. इन्दुमति केलकर : लोहिया : सिद्धान्त और कर्म, पृष्ठ 229
17. डॉ. लोहिया : इतिहास-चक्र, पृष्ठ 79
18. Dr. Lohia : Marx, Gandhi and Socialism, page 456.
19. डॉ. लोहिया : इतिहास-चक्र, पृष्ठ 76-77
20. Dr. Lohia : Interval during politics, page 23.
21. डॉ. लोहिया : इतिहास-चक्र, पृष्ठ 77
22. Dr. Lohia : Marx, Gandhi and Socialism, page 467.
23. Dr. Lohia : Marx, Gandhi and Socialism, page 596.
24. Harris Wofford J.R.: Lohia and America Meet, page 19
25. इन्दुमति केलकर : लोहिया : सिद्धान्त और कर्म, पृष्ठ 402
26. Dr. Lohia : Marx, Gandhi and Socialism, p. 152-153
27. इन्दुमति केलकर : लोहिया : सिद्धान्त और कर्म, पृष्ठ 86
28. डॉ. लोहिया : इतिहास-चक्र, पृष्ठ 80
29. इन्दुमति केलकर : लोहिया : सिद्धान्त और कर्म, पृष्ठ 401-402
30. ओंकार शरद : लोहिया, पृष्ठ 100
31. इन्दुमति केलकर : लोहिया : सिद्धान्त और कर्म, पृष्ठ 94
32. Harris Wofford : Lohia and America Meet, page. 38

33. डॉ. लोहिया : देश गरमाओ, पृष्ठ 40
34. डॉ. लोहिया : भारत, चीन और उत्तरी सीमाएँ, पृष्ठ 312
35. डॉ. लोहिया : समाजवादी आन्दोलन का इतिहास, पृष्ठ 107
36. Dr. Lohia : Marx, Gandhi and Socialism, page 348
37. Dr. Lohia : Marx, Gandhi and Socialism, page 466
38. डॉ. लोहिया : आजाद हिन्दुस्तान में नये रुझान, पृष्ठ 14
39. Harris Wofford : Lohia and America Meet, page 77
40. डॉ. लोहिया : इतिहास-चक्र, पृष्ठ 92
41. डॉ. लोहिया : इतिहास-चक्र, पृष्ठ 91
42. हरिभाऊ उपाध्याय : स्वतन्त्रता की ओर, पृष्ठ 290
43. डॉ. लोहिया : इतिहास-चक्र, पृष्ठ 91-92
44. डॉ. लोहिया : मर्यादित उन्मुक्त और असीमित व्यक्तित्व, पृष्ठ 11
45. डॉ. लोहिया : सच, कर्म, प्रतिकार और चरित्र-निर्माण, पृष्ठ 16

9

मार्क्स, गाँधी और लोहिया का समाजवादी दर्शन : एक तुलनात्मक विवेचन

विश्व-समाजवाद की मुख्यत: दो धाराएँ हैं—एक पूर्व की आध्यात्मिक समाजवादी विचारधारा और दूसरी पश्चिम की भौतिक समाजवादी विचारधारा। ये दोनों विचारधाराएँ जैसा कि इनके नाम से ही परिलक्षित होता है, एक-दूसरे के एकदम विपरीत हैं। पूर्व की आध्यात्मिक समाजवादी विचारधारा आत्मा को सब-कुछ मानती है तो पश्चिम की भौतिक समाजवादी धारा पदार्थ को सब-कुछ समझती है। पूर्व की समाजवादी विचारधारा में विकेन्द्रीकरण, अपरिग्रह, अस्तेय, अहिंसा, धर्म, सत्याग्रह आदि का प्रमुख स्थान है। पश्चिम की समाजवादी विचारधारा ठीक इसके विपरीत है। इन दो विचारधाराओं की दृष्टि से विश्व में केवल तीन ही प्रमुख समाजवादी विचारक हुए हैं गाँधी, मार्क्स और लोहिया। गाँधी पूर्व के प्रतिनिधि है। मार्क्स पश्चिम के प्रतिनिधि हैं। लोहिया पूर्व और पश्चिम दोनों के प्रतिनिधि हैं।

डॉ. लोहिया पर कार्ल मार्क्स और महात्मा गाँधी का प्रभाव प्रकटत: परिलक्षित होता है। फिर भी डॉ. लोहिया का दर्शन मार्क्स और गाँधी के दर्शन से भिन्न है। डॉ. लोहिया न तो मार्क्स-समर्थक थे और न मार्क्स के कट्टर दुश्मन। उसी प्रकार वे न तो गाँधी के अनन्य उपासक थे और न ही गाँधी-विरोधी। उन्होंने स्वयं कहा है, "I am neither anti-Marx nor pro-Marx, and that equally applies to my attitude towards Mahatma Gandhi."[1] इस दृष्टि से मार्क्स, गाँधी और लोहिया के समाजवादी दर्शन का तुलनात्मक अध्ययन महत्त्वपूर्ण और मनोरंजक है। तीनों ही दार्शनिकों का संयुक्त अध्ययन करने के पूर्व गाँधी-लोहिया और मार्क्स-लोहिया को पृथक्-पृथक् अध्ययन करना अधिक उपयुक्त समझ में आता है।

महात्मा गाँधी और डॉ. लोहिया

राष्ट्रपिता महात्मा गाँधी भारतीय स्वतन्त्रता संग्राम के नायक थे। उनके नेतृत्व में और उन्हीं के आशीर्वाद से डॉ. लोहिया ने अपने राजनैतिक जीवन का आरम्भ किया। उन्हीं की छत्रच्छाया में कार्य किया और उनके देहान्त के पश्चात्, उनके एकमात्र सच्चे शिष्य के रूप में, उनके सिद्धान्तों को व्यापक और अधिक क्रान्तदर्शी बनाया। महात्मा गाँधी की तरह डॉ. लोहिया भी अपने सिद्धान्तों की क्रियात्मक रूप देने में आजीवन तत्पर रहे और जिस प्रकार गाँधी 'राम-राम' की उच्चारण करते हुए स्वर्ग सिधारे उसी प्रकार डॉ. लोहिया भी अपने जीवन के अन्तिम क्षणों में 'लाखों का क्या होगा? किसानों का क्या होगा? लगान का क्या होगा? हिन्दी का क्या होगा?' कहते-कहते इस दुनिया से गये। दोनों व्यक्ति कथनी और करनी की एकता के सच्चे प्रतीक थे। दोनों ही सत्य के पुजारी और हृदय-शोषक थे। यदि ऐसा न होता तो अपने जीवन के अन्तिम क्षणों की अचेतनावस्था में वे कैसे 'राम' अथवा 'गरीबों' का ध्यान कर सकते थे। दोनों ही व्यक्ति मानवता और दरिद्र नारायण के भक्त थे। डॉ. लोहिया और महात्मा गाँधी के समाजवादी दर्शन का सुविधा हेतु निम्नलिखित शीर्षकों के अन्तर्गत अध्ययन किया जा सकता है—1. सामाजिक संरचना-सम्बन्धी दृष्टिकोण, 2. राजनैतिक चिन्तन, 3. आर्थिक विचार, 4. भाषा विषयक दृष्टि, 5. समाजवादी संहिता की रूपरेखा, 6. विश्व-शान्ति विश्व-सरकार और वसुधैव कुटुम्बकम् के स्वप्न।

सामाजिक संरचना-सम्बन्धी दृष्टिकोण—डॉ. लोहिया और महात्मा गांधी ने सामाजिक विषमताओं पर गहरा दु:ख व्यक्त किया और उन्हें समाप्त करने के लिए अपने जीवन को समर्पित कर दिया। वर्ण-व्यवस्था, अस्पृश्यता, साम्प्रदायिकता, रंग-भेद नीति, नर-नारी असमानता आदि सामाजिक समस्याओं पर इन विचारकों ने विशेष रूप से विचार किया।

वर्ण-व्यवस्था—गाँधी जी भारतीय संस्कृति के पुजारी थे। अत: उन्होंने भारत में प्रचलित वर्ण-व्यवस्था का समर्थन किया। उन्होंने स्पष्टत: कहा था : "वर्ण-व्यवस्था में बुनियादी तौर पर सोची गयी समाज की चौमुखी बनावट ही मुझे तो असली, कुदरती और जरूरी चीज दीखती है।"[2] गाँधी जी ने वर्ण-व्यवस्था और जाति-प्रथा में भेद किया था।[3] उनकी दृष्टि में वर्ण-व्यवस्था के अन्तर्गत ब्राह्मण, क्षत्रिय, वैश्य और शूद्र चार वर्ण आते हैं। जाति-प्रथा के अन्तर्गत इन चार वर्णों के अतिरिक्त अन्य सभी जातियाँ-उपजातियाँ है। जाति-प्रथा को गाँधी जी ने अनुचित ठहराया और उसे समाप्त करने के लिए अपना अभियान तीव्र किया। जहाँ तक इन चार वर्णों का प्रश्न है, गाँधी जी की मान्यता थी कि जो व्यक्ति जिस वर्ण में पैदा

हुआ है, उसे उस वर्ण के लिए निर्धारित व्यवसाय ही करना चाहिए। इस विचार के पीछे उनका तर्क था कि व्यवसाय की जानकारी और विशेषज्ञता पर आनुवंशिकता पर्याप्त प्रभाव डालती है। वातावरण का भी व्यक्ति पर काफी प्रभाव पड़ता है। व्यक्ति को पैतृक व्यवसाय के रूप में आय का साधन मिलता है और समाज को प्रत्येक व्यवसाय के विशेषज्ञ प्राप्त होते हैं।

यद्यपि गाँधी जी व्यक्ति पर वंशानुक्रमण का प्रभाव मानते हैं, तथापि वे वर्ण-व्यवस्था को जन्मगत नहीं, अपितु कर्मगत मानते हैं। उनकी दृष्टि में वर्ण-व्यवस्था सामाजिक न्याय का एक सशक्त साधन है। गाँधी जी का यह दृष्टिकोण भारतीय संस्कृति के अनुकूल है। श्रीमद्‌भगवद्‌गीता के अध्याय 18, श्लोक 41 में लिखा है कि ब्राह्मणादि वर्णों के कर्मों का विभाग उनके सहज गुणों के कारण है। किन्तु इस विभाजन को अफलातून-जैसा सामाजिक न्याय का सिद्धान्त नहीं कहा जा सकता, क्योंकि अफलातून-सिद्धान्त के विपरीत इस व्यवस्था में ऊँच-नीच, छोटे-बड़े का भाव नहीं था और न ही शिक्षा-संस्कृति और धन आदि के अधिकार किसी वर्ण के लिए अमान्य किये गये थे। गाँधी जी के विचारों में भी सभी वर्णों की प्रतिष्ठा समान है। आर्थिक दृष्टि से भी सब समान हैं। उनके आदर्श राज्य में "एक भंगी, एक डॉक्टर, एक वकील की आय व वेतन समान होंगे।" उनके मत में वर्ण-व्यवस्था का आधार बल नहीं स्वाभाविकता और कर्त्तव्यपराणयता है। अत: किसी वर्ण के प्रति भेद-भाव उन्हें हेय था। इस प्रकार कहा जा सकता है कि वे वर्ण को नहीं, अपितु वर्ण-भेद को मिटाना चाहते थे। इस वर्ण-भेद को भी मिटाने के लिए वे कानूनी व्यवस्था आवश्यक नहीं मानते।

यदि महात्मा गाँधी और डॉ. लोहिया के जाति-नीति-सम्बन्धी दृष्टिकोणों की तुलना करें तो दोनों विचारकों में पर्याप्त अन्तर द्रष्टव्य है। वर्ण और जाति में भेद कर गाँधी ने वर्ण को बनाये रखने और जाति को मिटाने का प्रयत्न किया, किन्तु लोहिया ने वर्ण और जाति में कोई भेद नहीं किया। उन्होंने जाति और वर्ण दोनों को समाप्त करने का प्रयास किया। गाँधी ने वर्ण को कर्म और गुण के आधार पर निर्मित हुआ बताया। लोहिया ने उसे बल से निर्मित हुआ माना। गाँधी जी वर्ण नहीं, अपितु वर्ण-भेद समाप्त करना चाहते थे। लोहिया जाति-भेद अथवा वर्ण-भेद को ही नहीं, अपितु वर्ण और जाति नाम की संज्ञाओं का भी होम करना चाहते थे। उन्होंने 'जात-पाँत के भेद मिटाने' और 'जात-पाँत मिटाने' में भेद किया था। वे 'जात-पाँत भेद मिटाने' को एक 'चालाक जुमला' मानते थे। उनके मतानुसार जात-पाँत को मिटाये बिना जात-पाँत का भेद मिटाना असम्भव है।

इस सम्बन्ध में गाँधी जी और डॉ. लोहिया में एक और गहरा अन्तर है। गाँधी जी की वर्ण-भेद और जाति-उन्मूलन सम्बन्ध धारणा की आधारभित्ति मूलतः नैतिक और सामाजिक मान्यता थी, जबकि डॉ. लोहिया की 'जाति तोड़ो' सम्बन्धी नीति सामाजिक एवं वैधानिक मान्यताओं का अनुसरण करती है। डॉ. लोहिया ने स्पष्टतः कहा था कि प्रशासन और सैनिक सेवाओं में शूद्र और द्विज के बीच विवाह की योग्यता और सहभोज को अस्वीकार करना एक अयोग्यता मानी जानी चाहिए।[4] इसके विपरीत गाँधी जी का कहना था, "...एक थाली में खाना या चाहे जिसके साथ शादी करने की छूट लेना जरूरी नहीं।"[5]

स्पष्ट है कि जाति-प्रथा पर गाँधी जी से कहीं अधिक प्रभावशाली प्रहार डॉ. लोहिया ने किया है। केवल गाँधी जी से ही नहीं, अपितु जाति तोड़ने के अभी तक वे सभी अभियानों में लोहिया-अभियान अधिक सशक्त और सर्वाङ्गीण रहा है। जाति-प्रथा की निन्द मुसलमानी काव्य में भक्ति-मार्ग के हिन्दू सन्तों ने की, लेकिन जाति-प्रथा के खिलाफ कोई प्रबल अभियान अभी तक भारतीय समाज में नहीं हुआ। गाँधी जी ने ही वर्णाश्रम व्यवस्था के अत्याचारों को, विशेषकर हरिजनों के सम्बन्ध में ढीला करने का प्रयास किया था, परन्तु उन्होंने भी वर्ण-व्यवस्था के ऊपर सीधा हमला नहीं किया। उन्होंने तो केवल उस समन्वयवादी भावना का पोषण किया था जो एक लोकनायक और कुशल नेता में होना आवश्यक होता है। एक ओर उन्होंने सामाजिक न्याय पर आधारित प्राचीन काल से चली आ रही वर्ण-व्यवस्था का समर्थन किया तो दूसरी ओर उसमें से भेद-भाव की सड़न को समाप्त करके उन्होंने आधुनिकता से उसका समन्वय स्थापित करने का प्रयास किया है। इसके विपरीत डॉ. लोहिया की दृष्टि समन्वयवादी नहीं, अपितु जाति-रोग को जड़ से विनष्ट करने की रही। उनके कुछ सुनिश्चित सिद्धान्त थे, जिन्हें प्रतिष्ठित करने के लिए निर्भीकतापूर्वक वे आजीवन संघर्षरत रहे।

अस्पृश्यता-निवारण—अस्पृश्यता-निवारण हेतु गाँधी जी ने अपने सिद्धान्त और व्यवहार द्वारा अत्यधिक प्रभावशाली प्रहार किये। गाँधी जी ने लिखा था, "अछूत एक जुदा वर्ग है-हिन्दू धर्म के माथे पर लगा हुआ कलंक है। जात-पाँत रुकावट है, पाप नहीं अछूतपन तो पाप है, सख्त जुर्म है, और हिन्दू धर्म इस बड़े साँप को समय रहते नहीं मार डालेगा, तो वह उसको खा जायेगा।"[6] गाँधी जी के अनुसार अस्पृश्यता निवारण का अर्थ है कि अस्पृश्य के लिए कोई भी ऐहिक स्थिति अप्राप्य न हो। मन्दिर, विद्यालय, कुएँ, तालाब आदि सभी स्थान अस्पृश्य के लिए उसी प्रकार खुले होने चाहिए जिस प्रकार अन्य व्यक्तियों को।[7] गाँधी जी मानते थे कि अस्पृश्यता कानून के बल से कभी दूर न होगी। कानून की सहायता तो तब लेनी पड़ेगी, जब वह सुधार की प्रगति में बाधा पहुँचाये। अस्पृश्यता-निवारण हिन्दुओं

के हृदय-परिवर्तन अथवा हृदय-शुद्धि की एक क्रिया है। सन् 1946 ई. के पूर्व गाँधी जी सहभोज को अस्पृश्यता निवारण का आवश्यक अंग नहीं मानते थे यद्यपि उनके निजी विचार सहभोजन के पक्ष में थे। किन्तु सन् 1946 ई. के पश्चात् वे भी सहभोज आदि पर अधिक बल देने लगे थे। उन्होंने लिखा था, लेकिन आज मैं उसको प्रोत्साहन देता हूँ, असल में आज तो मैं इससे आगे बढ़ गया हूँ।"[8] डॉ. लोहिया अस्पृश्यता-निवारण ने गाँधी जी से अधिक क्रान्तिकारी थे। सहभोज, मन्दिर-प्रवेश पर सामाजिक ही नहीं, अपितु कानूनी ढंग से सभी को समान अधिकार देने के वे प्रबल समर्थक थे। गाँधी जी से ही इन सिद्धान्तों की शिक्षा लेकर इनको डॉ. लोहिया ने अधिक प्रभावशाली और व्यापक बनाया। अस्पृश्यता-निवारण हेतु उन्होंने कई सहभोजों का आयोजन किया और हरिजन मन्दिर-प्रवेश के लिए क्रियात्मक ढंग से कार्य किया।

साम्प्रदायिकता-निवारण—डॉ. राधाकृष्णन के अनुसार धर्म यान्त्रिक सिद्धान्तों का समूह नहीं है, यह एक जीवन-पद्धति है। महात्मा गाँधी और डॉ. लोहिया धर्म को एक जीवन-पद्धति ही मानते थे। गाँधी और लोहिया का धर्म संकुचित धर्म नहीं था। उनके अनुसार सभी धर्म समान हैं। कोई धर्म किसी अन्य धर्म से ऊँचा नहीं है। गाँधी जी के अनुसार सभी धर्म एक ही वृक्ष की विभिन्न शाखाएँ हैं, एक ही साध्य के विभिन्न साधन हैं तथा एक ही बगिया के विभिन्न पुष्प हैं। सन् 1990 ई. में उन्होंने हरिजन में लिखा था, आखिर क्यों एक ईसाई हिन्दू को ईसाई धर्म में परिणत करना चाहता है। यदि एक हिन्दू एक अच्छा व्यक्ति है तो भी उसे सन्तोष क्यों नहीं होता? यदि मनुष्यों की नैतिकता और आचार-विचार कोई महत्त्व नहीं रखते, तो चर्च, मन्दिर अथवा मसजिद में पूजा करना बेकार है।"[9]

डॉ. लोहिया की दृष्टि भी इसी प्रकार के मानव धर्म की थी। उनका कहना था कि प्रत्येक क्षेत्र में व्यक्ति को किसी धर्मावलम्बी की तरह नहीं, अपितु एक मानव की तरह मिलना चाहिए। उन्होंने हिन्दू-मुसलमान में व्याप्त परस्पर द्वेष और वैर-भाव को मिटाने के लिए इतिहास की पुनर्व्याख्या की। गाँधी जी इस तरह का कोई प्रयास नहीं कर पाये। धर्म के नाम पर भारत-विभाजन का विरोध डॉ. लोहिया ने गाँधी जी से कहीं अधिक किया। धार्मिक एकता के लिए गाँधी जी के प्रयास उतने क्रान्तिकारी और बहुक्षेत्रीय नहीं जितने कि लोहिया के। धार्मिक एकता के गाँधी-प्रयत्न केवल नैतिक थे, जबकि लोहिया के नैतिक, ऐतिहासिक, तार्किक और राजनैतिक।

रंग-भेद नीति उन्मूलन—डॉ. लोहिया और महात्मा गाँधी दोनों ही महान् पुरुषों ने मानव-मानव के रंग के आधार पर भेदभाव को अमानवीयता बतलाया।

इनका विचार था कि व्यक्ति विभिन्न रंगों का होता है, किन्तु अन्दर दिल सब व्यक्तियों का एक-सा होता है। रंग का गुण और सुन्दरता से कोई सम्बन्ध नहीं होता। गाँधी ने अफ्रीका में रंग-भेदनीति का प्रबल विरोध किया। डॉ. लोहिया ने अमेरिका में रंग-भेद-नीति का विरोध किया और नीग्रो लोगों को अपने अधिकारों के लिए सचेत किया।

नर-नारी असमानता —नर-नारी समता के दोनों ही विचारक प्रबल समर्थक थे। डॉ. लोहिया की तरह महात्मा गाँधी का भी विचार था कि "स्त्री पुरुष की गुलाम नहीं, वह अर्द्धांठिनी है, सहधर्मिणी है, उसको मित्र समझना चाहिए।"[10] महात्मा गाँधी नर-नारी को समान माना और डॉ. लोहिया के समान कहा "जो स्वतन्त्रता पति अपने लिए चाहता है, ठीक वही स्वतन्त्रता पत्नी को भी होनी चाहिए।[11] गाँधी जी बाल विधवा विवाह के समर्थक थे, किन्तु प्रौढ़ विधवा विवाह के नहीं। उन्होंने स्पष्ट कहा था कि "प्रौढ़ विधवाएँ अपने वैधव्य को सुशोभित करते हुए बाल-विधवाओं का विवाह करने के लिए कटिबद्ध हो और हिन्दू समाज में इस प्रथा का प्रचार करें।[12] डॉ. लोहिया बाल और प्रौढ़ सभी विधवाओं के विवाह के पक्षपाती थे।

डॉ. लोहिया ने स्पष्टत: वर्णान्तर विवाह का समर्थन किया है, जबकि गाँधी जी ने अपने ही वर्ण में विवाह करना साधारणत: इष्ट माना, किन्तु गुण-कर्म को ध्यान में रखकर स्वधर्मियों के बीच भी विवाह सम्बन्ध को उचित बताया।[13] पर्दा-प्रथा के दोनों विचारक विरोधी थे। दोनों ही विचारकों ने नारियों को गहने न पहनने के लिए सलाह दी। नर-नारी-सम्बन्धी विचारों में डॉ. लोहिया गाँधी से दो बातों में भिन्न थे। प्रथम, डॉ. लोहिया मुक्त यौन आचरण को यौन-शुचिता मानते थे जबकि गाँधी जी सतीत्व को यौन-शुचिता समझते थे। गाँधी जी पतिव्रता और सहधर्मिणी सावित्री के प्रति आकृष्ट थे सो डॉ. लोहिया हाजिरजवाब, ज्ञानी, समझदार, साहसी द्रौपदी के प्रति। द्वितीय, डॉ. लोहिया ने नर-नारी के बीच कार्य-विभाजन पर उतना बल नहीं दिया जितना गाँधी ने। इस प्रकार इस सम्बन्ध में लोहिया के विचार गाँधी जी से अधिक आधुनिक और अधिक प्रगतिशील थे। वे युग से आगे थे।

राजनैतिक चिन्तन—गाँधी जी धार्मिक व्यक्ति थे। वे राजनीति में धर्म की प्रतिष्ठा चाहते थे। इसी भावना को साकार करने के लिए उन्होंने राजनीति में प्रवेश किया। वे सन्त, महात्मा और समाज-सुधारक पहले थे और बाद में राजनैतिक दार्शनिक। इसके विपरीत लोहिया जी राजनैतिक दार्शनिक पहले थे और बाद में समाज-सुधारक गाँधी जी के दर्शन से लोहिया जी का दर्शन किंचित् भिन्न था। प्रथम

की पृष्ठभूमि में हृदय की अनुभूति-सम्बन्धी उद्‌गार थे, दूसरे में तर्क एवं विवेक बुद्धि पर आधारित चिन्तन। गाँधी जी से लोहिया ने बहुत सीखा। यहाँ तक कहा जा कता है कि यदि गाँधी जी न होते तो शायद लोहिया-जैसा व्यक्तित्व ही न होता। किन्तु लोहिया गाँधी जी से कुछ अधिक प्रगतिशील थे। महात्मा गाँधी की संवेदनशीलता तो उनमें थी ही, साथ-ही-साथ उनमें चिन्तन की मौलिकता भी थी। उनका ऐतिहासिक चिन्तन अपेक्षाकृत अधिक मौलिक थो। डॉ. लोहिया ने राजनैतिक इतिहास की मौलिक व्याख्या की और इतिहास की तीन चालक शक्तियों को स्पष्ट किया। प्रथम, राष्ट्रों का उत्थान-पतन होता रहता है। द्वितीय, राष्ट्र वर्ग और वर्ण के....हिंडोले में झूलते रहते हैं। तृतीय, राष्ट्रों में परस्पर शारीरिक और सांस्कृतिक समीपता अथवा अलगाव रहता है।

विकेन्द्रीकरण—राजनैतिक विकेन्द्रीकरण गाँधी जी और डॉ. लोहिया के विचारों का केन्द्र बिन्दु था। दोनों विचारकों ने साम्यवाद के केन्द्रीकरण की भर्त्सना की है। दोनों विचारकों का मत था कि आधुनिक युग में प्रजातन्त्र के नाम पर राष्ट्र की सम्पूर्ण शक्ति कुछ ही व्यक्तियों के हाथ में रहती है। वे उसका मनमाना प्रयोग करते हैं, जबकि प्रजातन्त्र वह शासन-प्रणाली है जिसमें शासन-शक्ति सभी व्यक्तियों के हाथ में होनी चाहिए।

गाँधी जी एक अराजकतावादी दार्शनिक थे। राज्य की बढ़ती हुई शक्तियों को वे शंका की दृष्टि से देखते थे। उनका विचार था कि यद्यपि देखने में ऐसा लगता है कि राज्य कानून द्वारा शोषण को कम करने में जनहित कर रहा है, परन्तु यह मनुष्यमात्र को सबसे बड़ी हानि पहुँचाता है, क्योंकि इसके द्वारा व्यक्तिगत विशेषता का नाश होता है जो सभी प्रकार की उन्नति की जड़ है। इसके विपरीत डॉ. लोहिया को राज्य में आस्था थी। उनका विश्वास था कि राज्य की अनुपस्थिति में व्यक्ति का व्यक्तित्व ही समाप्त हो जाता है। यद्यपि गाँधी जी और डॉ. लोहिया राजनैतिक विकेन्द्रीकरण के बहुत बड़े समर्थक थे, तथापि दोनों विचारकों में पर्याप्त अन्तर है। गाँधी जी के स्वायत्तशासी गणराज्य एक-दूसरे से स्वतन्त्र और पृथक् इकाई प्रतीत होते हैं, जबकि लोहिया के स्वायत्तशासी गणराज्य आत्मनिर्भर और स्वतन्त्र होते हुए भी परस्पर सुसंगठित, सम्बद्ध और जुड़े हुए हैं।

महात्मा गाँधी के आदर्श समाज में आत्मनिर्भर ग्राम होंगे जो स्वेच्छापूर्ण सहयोग के आधार पर शान्तिपूर्ण और गौरवपूर्ण जीवन व्यतीत करेंगे। प्रत्येक ग्राम एक गणराज्य होगा और उसमें एक पंचायत होगी। ग्राम पंचायत के पास अपनी आवश्यकताओं की पूर्ति एवं रक्षा के लिए साधन विद्यमान होंगे। गाँधी जी के

गणराज्य इतने आत्मनिर्भर होंगे कि वे सारी दुनिया के खिलाफ अपनी हिफाजत खुद कर सकेंगे। उनका आदर्श समाज आज की भाँति एक मीनार नहीं होगा, बल्कि उसका आकार वृत्ताकार होगा जिसके केन्द्र में व्यक्ति होगा। व्यक्ति गाँव के लिए और गाँव बड़ी इकाई के लिए बलिदान करने को तैयार होगा। बड़ी इकाई छोटी इकाई को शक्ति के प्रयोग द्वारा कुचलने का प्रयास नहीं करेंगी।[14] ग्रामीण गणराज्य स्वायत्तशासी इकाई के रूप में एक ढीले-ढाले संघ का निर्माण करेंगे। संघ की शक्ति का आधार नैतिकता होगी न कि हिसात्मक शक्ति। शासन-शक्ति किसी केन्द्रीय इकाई में केन्द्रित नहीं रहेगी, बल्कि शासन की सभी इकाइयों में उनका न्यायोचित बँटवारा होगा। डॉ. लोहिया ने गाँधी के इस अतिशय विकेन्द्रीकरण की कल्पना से अलगाव लिया और चौखम्बा-राज्य की कल्पना प्रस्तुत की, जिसमें शासन ग्राम, मण्डल, प्रान्त और केन्द्र के चार खम्भों पर आधारित होगा।

साध्य-साधन की एकरूपता—डॉ. लोहिया और महात्मा गाँधी साध्य-साधन की एकरूपता पर विश्वास करते थे। महात्मा गाँधी की मान्यता थी कि साधन बीज है और साध्य वृक्ष। जो सम्बन्ध बीज और वृक्ष में है वही सम्बन्ध साधन और साध्य में है। शैतान की उपासना करके कोई व्यक्ति ईश्वर भजन का फल नहीं पा सकता।[15] इसलिए उन्होंने कहा था कि साध्य का नैतिक होना ही पर्याप्त नहीं है,साधन को भी नैतिक होना चाहिए। डॉ. लोहिया इस सम्बन्ध में गाँधी जी से अत्यधिक प्रभावित थे। उनका भी सिद्धान्त था कि अच्छे साध्य के लिए अच्छे साधन की आवश्यकता होती है। उन्होंने महात्मा गाँधी के साधन-साध्य-सम्बन्धी सिद्धान्त पर ही अपना साक्षात्कार का सिद्धान्त निर्मित किया है। इस सिद्धान्त के अनुसार प्रत्येक कार्य का औचित्य उसी में होता है। उसके औचित्य के लिए किसी दूसरे कार्य का उल्लेख करने की आवश्यकता नहीं होती। उनकी दृष्टि में यह एक भ्रष्ट सिद्धान्त है कि भविष्य के जनतन्त्र के लिए वर्तमान में नौकरशाही का सहारा लिया जाये, भविष्यकालीन विश्व की एकता के लिए वर्तमान की राष्ट्रीय स्वतन्त्रता का होम किया जाये, चरम सत्य की स्थापना के लिए आज असत्य का फैलाव हो, कल की अहिंसा के लिए आज हिंसा हो, कल की गद्दी के लिए आज बनवास भोगा जाये, कल के जीवन के लिए आज की हत्या की जाय। डॉ. लोहिया को गाँधी जी के वाक्य, "एक कदम मेरे लिये पर्याप्त" ने अत्यधिक प्रभावित किया था, क्योंकि अच्छे साधन का एक कदम भी अपने में औचित्यपूर्ण साध्य लिये हुए है। डॉ. लोहिया ने स्वयं ही लिखा है, "At times when I have tried to think of Gandhiji, he has come to me in the shape of an image, a series of steps mounting upwards, all set in a specific direction, but the top of it hever yet completely formed, and ever continuing to go, a man who goes along with cautious but firm steps and leads with him millions of his country men, one step enough for me."[16]

सत्याग्रह—आज तक विश्व ने सुधार के केवल दो ही तरीकों को जाना था संसद् अथवा रक्तरंजित क्रान्ति। महात्मा गाँधी ने विश्व को सत्याग्रह का तीसरा तरीका दिया। व्यक्तिगत सत्याग्रह तो मीराँ, प्रह्लाद आदि के उदाहरणों से प्राप्त हो सकता है, परन्तु सामूहिक सत्याग्रह केवल गाँधीजी की ही अद्वितीय देन है। महात्मा गाँधी ने सत्याग्रह के अनेक प्रविधियों के सैद्धान्तिक तथा व्यावहारिक पहलुओं पर प्रकाश डाला, जिनमें असहयोग, सविनय अवज्ञा, हिजरत, उपवास, हड़ताल आदि प्रमुख हैं। उनके सत्याग्रह में गरीबों के प्रति प्रेम और अन्यायियों के प्रति रोष था। इस तथ्य को डॉ. लोहिया ने भी पहिचाना और कहा, "We must however remember that love as well as anger were component parts of Gandhiji's action."[17]

महात्मा गाँधी के सत्याग्रह से डॉ. लोहिया अत्यधिक प्रभावित हुए और उसके प्रेम और रोष के दोनों तत्त्वों को अपने सत्याग्रह में स्थान दिया। उनमें शोषकों के प्रति रोष और शोषितों के प्रति प्रेम था। उन्होंने न ही अहिंसा छोड़ी और न क्रान्ति। उनके सत्याग्रह में क्रान्ति और करुणा का सुन्दर समन्वय था। उन्होंने इसी आधार पर विनोबा के सत्याग्रह को एकांगी बताया। उन्होंने उनके सत्याग्रह में शोषितों के प्रति प्रेम तो देखा, किन्तु शोषकों के प्रति रोष का अभाव अनुभव किया। सत्याग्रह की विभिन्न विधियों में से सविनय अवज्ञा एवं हड़ताल को डॉ. लोहिया उचित और उपवास को अनुचित और धोखाधड़ी मानते थे। असहयोग को तो 'घिराव' आदि तक उन्होंने विकसित किया था। डॉ. लोहिया ने सतत सत्याग्रह करने पर बल दिया और आजीवन एक के बाद एक सत्याग्रह करते रहे, जबकि महात्मा गाँधी तो कभी-कभी ही सत्याग्रह करते थे। महात्मा गाँधी और डॉ. लोहिया में एक यह भी अन्तर है कि महात्मा गाँधी ने विदेशी शासन के प्रति सत्याग्रह किया, जबकि डॉ. लोहिया ने विदेशी और देशी दोनों अन्यायों के प्रति। डॉ. लोहिया ने शोषकों और अमीरों की अपेक्षाकृत गरीबों और दलितों के हृदय-परिवर्तन पर अधिक बल दिया, जबकि गाँधी जी ने अपेक्षाकृत शोषकों और अमीरों के हृदय-परिवर्तन पर अधिक। सामूहिक सत्याग्रह के साथ-साथ क्रान्ति के व्यक्तिगत प्रयत्नों पर गाँधी जी बहुत जोर देते थे, जबकि डॉ. लोहिया का जोर व्यक्तिगत सत्याग्रह के साथ-साथ क्रान्ति के सामूहिक प्रयत्नों पर अधिक था।

डॉ. लोहिया के मत में सविनय अवज्ञा अन्याय से लड़ने का सर्वोत्तम और सशक्त ढंग है। उन्होंने अन्यायी कानून की सविनय अवज्ञा का जनता का

अधिकार सुरक्षित रखना चाहा था, क्योंकि इस अधिकार की अनुपस्थिति में अन्याय के प्रतिकारार्ष सशस्त्र क्रान्ति के द्वार खुल जाते हैं। इस सम्बन्ध में डॉ. लोहिया पर उस गाँधी का प्रभाव था जिसने कहा था "अगर मनुष्य एक बार इस बात को महसूस कर ले कि अनुचित जान पड़नेवाले कानूनों का पालन करना नामर्दी है तो फिर किसी का जुल्म उसे मजबूर नहीं कर सकता। यही स्वराज्य की कुंजी है।"[18]

गाँधी जी के सविनय अवज्ञा-सिद्धान्त को डॉ. लोहिया अद्वितीय और युगान्तकारी देन मानते थे। उन्होंने महात्मा गाँधी के प्रति अपनी कृतज्ञता स्पष्ट करते हुए कहा था, "Civil disobedience both as individual's habit and collective resolve is armed reason and anything else is either weak reason or unreasonable strength, Such Civil disobedience is Gandhiji's direct gift to mankind." डॉ. लोहिया और गाँधी जी भी अन्याय का अहिंसात्मक प्रतिरोध चाहते थे जिससे कि सबको समानता, स्वतन्त्रता और न्याय प्राप्त हो सके। वे 'अधिकतम लोगों के अधिकतम हित' में नहीं, अपितु सर्वोदय में विश्वास रखते थे। दोनों विचारक भेदरहित राजनीति के संस्थापक थे।

धर्म और राजनीति—गाँधी जी और लोहिया मानव-धर्म अथवा विश्व-धर्म में विश्वास करते थे। उनके अनुसार धर्म, सत्य और अहिंसा पर आधारित एक नैतिक जीवन-पद्धति है जो मनुष्य को सदा उसके कर्त्तव्यों की ओर प्रेरित करती रहती है। दोनों ही विचारकों के अनुसार सच्चा धर्म विश्व की एक नैतिक सुव्यवस्था में श्रद्धा रखना ही है। इसका अर्थ कट्टर पन्थ नहीं है। यह धर्म हिन्दू धर्म, इस्लाम धर्म, ईसाई धर्म आदि सबसे परे है। इस प्रकार के धर्म को राजनीति में प्रवेश दिलाने हेतु ही महात्मा गाँधी ने राजनीति में प्रवेश किया। डॉ. लोहिया ने भी उपर्युक्त धर्म को राजनीति से घनिष्ठतम रूप से सम्बन्धित बताया। इतना साम्य होते हुए भी दोनों विचारकों में ईश्वर, मन्दिर और पुनर्जन्म के प्रश्नों पर मतभेद था। गाँधी जी ईश्वर, मन्दिर और पुनर्जन्म में विश्वास करते थे, जबकि डॉ. लोहिया अविश्वास। राम, कृष्ण और शिव गाँधी जी को इसलिए आकर्षित करते हैं कि वे ईश्वर के अवतार हैं, किन्तु डॉ. लोहिया को वे मर्यादित, उन्मुक्त और असीमित व्यक्तित्व होने के कारण आकर्षित करते हैं। महात्मा गाँधी सन्मति प्राप्ति हेतु अपने इष्ट 'राम' से प्रार्थना करते हैं, जबकि डॉ. लोहिया कृष्ण का हृदय, शिव का मस्तिष्क और राम की कृति के लिए राम, कृष्ण अथवा शिव से नहीं, अपितु भारत माता से प्रार्थना करते हैं

अधिकार और कर्त्तव्य—गाँधी और लोहिया की विचार-प्रणाली में अधिकार और कर्त्तव्य एक ही सिक्के के दो पहलू हैं, किन्तु फिर भी गाँधी जी ने अधिकार की अपेक्षा कर्त्तव्य पर अधिक बल दिया है। उनके सिद्धान्तानुसार कर्त्तव्य करने से अधिकार अपने-आप आ जाते हैं। डॉ. लोहिया का सिद्धान्त गाँधी के ठीक विपरीत था। उनके अनुसार जब तक व्यक्ति को अपने अधिकारों का ज्ञान नहीं होता और वह अपने स्वाभिमान के प्रति जागृत नहीं होता, तब तक उसमें कर्त्तव्य की भावना नहीं आ सकती। कर्त्तव्य की भावना लाने के लिए उसे अधिकार दिया जाना आवश्यक है। डॉ. लोहिया ने स्वयं गाँधी जी का उदाहरण देते हुए स्पष्ट किया कि यदि उनको अपने स्वाभिमान और अधिकार के प्रति जागरूकता न होती, तो वे दक्षिण अफ्रीका में रंग-भेद के विरोध में आन्दोलन प्रारम्भ न करते, बल्कि चुपचाप अन्याय और अत्याचार सहन करते रहते, जिस प्रकार लाखों काले लोग कर रहे थे।[19] अपने इसी विश्वास के कारण डॉ. लोहिया पददलितों के प्रवक्ता बने और उनको उनके अधिकारों के प्रति सचेत किया तथा चौखम्भा-योजना प्रस्तुत कर उनको अधिकाधिक अधिकार प्रदान करने की पहल की।

3. आर्थिक विचार—डॉ. लोहिया और महात्मा गाँधी शोषणरहित समाज की स्थापना करना चाहते थे। वे आर्थिक विकेन्द्रीकरण, सम्पत्ति का सामाजिक हित में उपयोग, आय में सम्भव समता, मूल्य की शोषणरहित नीति, सरल जीवन स्तर और श्रम की महत्ता में विश्वास करते थे। दोनों विचारक बड़ी मशीनों को शोषण का मुख्य द्वार मानते थे। उनकी दृष्टि में बड़े यन्त्रों के प्रसार और औद्योगिकीकरण से समाज में भ्रष्टाचार और अनैतिकता का प्रसार होता है। गाँधी जी ने स्पष्ट कहा था, "कल-कारखाने तो साँप के बिल को तरह हैं, जिनमें एक नहीं हजारों साँप भरे पड़े हैं।" जो यन्त्र हजारों आदमियों को उनके श्रम करने के अवसर से वंचित नहीं कर देते, बल्कि जो व्यक्ति को उसके श्रम में मदद देते हैं और उसकी कार्य शक्ति को बढ़ाते हैं और जिन यन्त्रों को मनुष्य अपनी इच्छा से बिना उसका दास हुए चला सकता है, उन सब यन्त्रों को गाँधी के ग्रामोद्योग आन्दोलन में अभयदान प्राप्त था। इस प्रकार के सभी यन्त्रों में चरखा सूर्य के समान था, जिसके चारों ओर ग्रहों के समान हाथ से चलाये जानेवाले अन्य सब यन्त्र चक्कर काटते हैं। गाँधी जी के मत में चर्खा औद्योगिक संघर्ष का नहीं, अपितु औद्योगिक शान्ति का प्रतीक है। "चरखे में नीतिशास्त्र भरा है, अर्थशास्त्र भरा है, और अहिंसा भरी है।"[20] डॉ. लोहिया की दृष्टि में भी केवल छोटे यन्त्रों पर आधारित उद्योग-पद्धति देश में सामाजिक, सांस्कृतिक और आर्थिक क्रान्ति ला सकती है।

दोनों ही विचारकों ने आर्थिक विकेन्द्रीकरण के लिए ग्रामोद्योगों को विकसित करने पर बल दिया, जो केवल छोटे उपकरणों से सम्भव है। उनमें अन्तर केवल इतना है कि गाँधी जी के छोटे यन्त्र प्राचीन काल के केवल हाथ से चलनेवाले सुस्त उपकरण हैं—जैसे ठेकुला, चक्की, चर्खा, करघा, गाड़ी इत्यादि। किन्तु डॉ. लोहिया इन यन्त्रों को पर्याप्त नहीं मानते। उनके मत में, इन हाथ के सुस्त उपकरणों का बिजली, तेल, पेट्रोल आदि की सहायता से नवीनीकरण और आधुनिकीकरण होना चाहिए। इस प्रकार डॉ.. लोहिया के छोटे यन्त्रों की कल्पना मध्यममार्गीय हैं, क्योंकि वे न तो प्राचीनकाल के सुस्त उपकरण हैं और न ही वृहदाकार और शोषक आधुनिक यन्त्र। उनका विश्वास है कि छोटे यन्त्रों पर आधारित उद्योग-व्यवस्था से सभी को कार्य मिल सकेगा और सम्पत्ति एक व्यक्ति अथवा वर्ग में न रहकर सभी के पास होगी तथा धनवान् अपनी सम्पत्ति से श्रमिकों के श्रम का शोषण न कर पायेंगे।

व्यक्तिगत सम्पत्ति—महात्मा गाँधी और डॉ. लोहिया का मत था कि व्यक्तिगत सम्पत्ति का उपयोग सामाजिक हित में होना चाहिए। सत्य अहिंसा के साथ महात्मा गाँधी ने अस्तेय और अपरिग्रह के सिद्धान्त दिये। अस्तेय सिद्धान्त के अनुसार किसी व्यक्ति को दूसरे व्यक्ति की वस्तुओं को अनधिकृत ढंग से नहीं लेना चाहिए, क्योंकि यह चोरी है। अपरिग्रह का सिद्धान्त व्यक्तियों को संचय अथवा एकत्रित करने से रोकता है। यदि कोई व्यक्ति पूँजी को एकत्रित करता है, तो उसे चाहिए कि वह इस सम्पत्ति को समाज की सम्पत्ति समझे, क्योंकि वह सम्पत्ति समाज के सहयोग से ही उसे प्राप्त हुई है। गाँधी जी के मतानुसार पूँजीपति को श्रमिकों की रक्तरंजित क्रान्ति द्वारा ध्वस्त नहीं किया जाना चाहिए, अपितु नैतिक शिक्षा द्वारा उसके हृदय को इस प्रकार परिवर्तित किया जाना चाहिए कि वह अपने को संचित की हुई सम्पत्ति का संरक्षक मात्र समझे और समाज की आवश्यकतानुसार समाज के हित में इसे दे सके। डॉ. लोहिया के मत में भी, पूँजीपतियों और उद्योगपतियों द्वारा श्रमिकों पर जो अत्याचार किये जाते हैं, वे पूर्णत: समाप्त होने चाहिए। इस हेतु उन्होंने श्रम के शोषण पर आधारित समस्त उत्पादन के साधनों के राष्ट्रीयकरण की माँग की।

हम देखते हैं कि गाँधी और लोहिया दोनों ही विचारक मानते थे कि पूँजीपति साधनरहित श्रमिक वर्ग का शोषण करते हैं। उनमें अन्तर यह है कि गाँधी जी पूँजीपतियों से व्यापार और उद्योग को छीनकर राज्य को नहीं सौंपना चाहते, क्योंकि ऐसा करने से एक ओर समाज कुछ व्यक्तियों की योग्यता से वंचित हो जायेगा और दूसरी ओर वह स्वयं भी शोषण करने लग जायेगा। डॉ. लोहिया गाँधी जी की इस

नैतिक और अध्यात्मवादी व्यवस्था को पर्याप्त नहीं मानते थे। उनका मत था कि जब तक राजनैतिक व्यवस्था द्वारा पूँजीशाही को धराशायी नहीं किया जाता तब तक शोषण और विषमता की समाप्ति नहीं हो सकती। इसलिए उन्होंने श्रम के शोषण पर आधारित व्यक्तिगत उत्पादन के साधनों पर राज्य के स्वामित्व को आवश्यक बताया। इसके साथ ही केन्द्रीकरण की प्रवृत्ति को समाप्त करने के लिए उन्होंने विकेन्द्रित व्यवस्था की रूप रेखा भी प्रस्तुत की। संक्षेप में, वे शोषण-समाप्ति के लिए आध्यात्मिक और भौतिक दोनों ही प्रकार के प्रयत्न आवश्यक मानते थे, जबकि गाँधी जी केवल आध्यात्मिक प्रयत्न में ही सन्तुष्ट थे, क्योंकि ये हृदय-परिवर्तन में अधिक विश्वास करते थे। उपर्युक्त विचारों से स्पष्ट है कि गाँधी जी व्यक्तिगत सम्पत्ति की रक्षा करना चाहते थे। इसके विपरीत व्यक्तिगत सम्पत्ति पर लोहिया की कोई आस्था न थी।

भूमि-स्वामित्व—सामन्तशाही को समाप्त करने के लिए डॉ. लोहिया भूमि का पुनर्वितरण चाहते थे। उनके मत में भूमि का पुनर्वितरण इस प्रकार से होना चाहिए कि 1:3 के अनुपात से अधिक न हो। उनका मत था कि बिना मुआवजा के सामन्तों से जमीन छीनकर जोतनेवालों को दे दी जानी चाहिए। गाँधी जी भी सामन्तशाही को अनुचित और अन्यायपूर्ण मानते थे। उन्होंने स्पष्ट कहा था कि "जमीन का मालिक तो वही है जो उस पर मेहनत करता है।"[21] महात्मा गाँधी जमीन पर श्रम करनेवाले व्यक्ति को मालिक मानते हैं, लेकिन उसको जमीन का वास्तविक मालिक बनाने के लिए किसी प्रकार की विधि बनाने पर जोर नहीं देते। यह विचार केवल नैतिक मात्र है, जबकि डॉ. लोहिया ने भूमि के पुनर्वितरण की एक निश्चित सीमा (एक अनुपात तीन) को विधि द्वारा प्रभावशाली एवं सम्भव बनाने पर बल दिया। उनका प्रयत्न वस्तुत: नैतिक होने के साथ-साथ राजनैतिक भी था।

सादा जीवन और श्रम की प्रतिष्ठा—गाँधी जी ने 'रोटी के योग्य श्रम' के सिद्धान्त को देकर श्रम की प्रतिष्ठा स्थापित की। इस सिद्धान्त के अनुसार प्रत्येक व्यक्ति को अपने दैनिक जीवन में इतना शारीरिक श्रम अवश्य करना चाहिए जिससे उसके भोजन की आवश्यकता पूरी हो जाय। इसी प्रकार उन्होंने साधारण जीवन व्यतीत करने पर अत्यधिक बल दिया। गाँधी जी के ये सब नैतिक विचार हैं। डॉ. लोहिया ने राष्ट्रीय विकास हेतु खर्च पर सीमा बाँधने का प्रयास किया और विलासितामय जीवन की भर्त्सना की। इस प्रकार डॉ. लोहिया ने गाँधी जी के सरल जीवन और रोटी के योग्य श्रम के नैतिक नियमों को कानूनी रूप देने का प्रयास किया। गाँधी जी के इन अस्पष्ट और अनिश्चित सिद्धान्तों को स्पष्ट तथा निश्चित बनाने का श्रेय डॉ. लोहिया को है।

आय-नीति और मूल्य-नीति—डॉ. लोहिया का सिद्धान्त था कि निम्नतम आय के वर्ग की आय में वृद्धि करने से ही उनमें कार्यक्षमता आ सकेगी और उनकी कार्यक्षमता से राष्ट्रीय आय बढ़ सकेगी। इसलिए आय में 1 : 10 का अनुपात उन्होंने निश्चित किया। महात्मा गाँधी ने भी कहा था कि 'श्रमिक को श्रम के बदले में इतनी मजदूरी मिलनी या पड़ जानी चाहिए जिससे उसका और उसके अशक्त आश्रितों का गुजारा सन्तोषजनक रीति से ही जाये।[22] इस प्रकार दोनों ही विचारक वस्तुओं के मूल्य को अधिक नहीं बढ़ने देना चाहते थे। उनके मत में निर्माता को अधिक लाभ कमाने का प्रयत्न नहीं करना चाहिए। भौतिक समता के साथ-साथ दोनों विचारकों ने मानसिक समता पर भी बल दिया।

भाषा विषयक दृष्टि—महात्मा गाँधी हिन्दी को राष्ट्रभाषा बनाना चाहते थे और उसी प्रकार डॉ. सोहिया भी तत्काल अंग्रेजी के प्रयोग को सार्वजनिक जीवन से बहिष्कृत करना चाहते थे। दोनों विचारक चाहते थे कि व्यक्ति अपनी मातृभाषा अथवा हिन्दी में कार्य करे। महात्मा गाँधी ने बड़े दुःख के साथ कहा था, "स्वराज्य की बात हम विदेशी भाषा में करते हैं, यह कितनी दयनीय दशा है।"[23] दोनों ही विचारक हिन्दी को सरल, सुबोध, सुस्पष्ट और साधारण जन के समझने लायक बनाना चाहते थे। गाँधी के स्पष्ट शब्द थे, "इन किसानों और मजदूरों की भाषा-ऐसी भाषा जिसे वे सहज ही समझ सकें हिन्दी या हिन्दुस्तानी ही है। वह हमारी राष्ट्रभाषा हो सकती है।"[24] भाषा-सम्बन्धी दृष्टिकोण दोनों ही विचारकों के समान थे। पर इतना अवश्य है कि मातृभाषा के लिए जितना डॉ. लोहिया ने संघर्ष किया उतना गाँधी जी से अधिक कार्य किया।

विश्व-शान्ति, विश्व-सरकार और 'वसुधैव कुटुम्बकम्' के स्वप्न—डॉ. लोहिया और महात्मा गाँधी दोनों ही अहिंसा और सत्याग्रह पर अटल विश्वास रखते थे। अतः स्वाभाविक रूप से वे विश्व-शान्ति के समर्थक थे। निःशस्त्रीकरण, विश्व संघ, अन्तरराष्ट्रीयतावाद आदि में दोनों ही विचारक प्रगाढ़ आस्था रखते थे। वे युद्ध को हेय समझते थे। गाँधी जी से एक पग आगे अढ़कर डॉ. लोहिया ने समता, स्वतन्त्रता और भ्रातृत्व के आधार पर एक विश्व-सरकार और एक विश्व-विकास संस्था की कल्पना दी। उन्होंने सुरक्षा परिषद् की स्थायी सदस्यता और निषेधाधिकार की भर्त्सना की और समता, स्वतन्त्रता के आधार पर संयुक्त राष्ट्र संघ के पुनर्गठन की चर्चा की। साम्राज्यवाद को धराशायी करने के लिए गाँधी जी से कहीं अधिक कार्य डॉ. लोहिया ने किया। अन्तरराष्ट्रीय जमींदारी की समाप्ति की भी पहल डॉ. लोहिया ने की। निःसन्देह गाँधी और लोहिया विश्व-नागरिक थे।

समाजवादी संहिता को रूप-रेखा—ममता, स्वतन्त्रता और भ्रातृत्व में दोनों विचारकों की आस्था थी "सबै भूमि गोपाल की" अथवा 'सब सम्पत्ति प्रजा की है' में दोनों का विश्वास था, किन्तु गाँधी जी इन सिद्धान्तों को व्यावहारिक रूप देने के लिए व्यक्तिगत आचार को ही प्रमुख मानते थे। उनके मत में "समाजवाद की शुरुआत पहले समाजवादी से होती है। अगर एक भी ऐसा समाजवादी हो तो उस पर सिफर बढ़ाये जा सकते हैं। पहले सिफर से उसकी कीमत दस गुनी हो जायेगी। इसके बाद बढ़ाया जानेवाला हर सिफर पहले की तादाद को दस गुनी बढ़ाता जायेगा। अगर पहला सिफर ही हो तो उसके आगे कितने ही सिफर क्यों न बढ़ाये जायें, उसकी कीमत सिफर ही रहेगी।"[25] वे कानून से कार्य नहीं लेना चाहते थे, क्योंकि कानून में दबाव होता है और उससे असमर्थ साधुओं का निर्माण होता है। डॉ. लोहिया नैतिकता और आचार-शास्त्र के साथ-साथ कानून को भी आवश्यक मानते थे।

गाँधी जी की दृष्टि में समता ही समाजवाद है। "जिन तरह मनुष्य के शरीर के सारे अंग बराबर हैं उसी तरह समाजरूपी शरीर के सारे अंग बराबर हैं, यही समाजवाद है।"[26] गाँधी जी ने समाजवाद को अद्वैतवाद की संज्ञा भी दी थी, क्योंकि इस वाद में राजा और प्रजा, अमीर और गरीब, मालिक और मजदूर का द्वैत नहीं है। गाँधी जी का यह दृष्टिकोण अधूरा और अपर्याप्त था, क्योंकि गरीबी और निर्धनता की स्थिति में समता और अद्वैतवाद समाज को सुखी नहीं बना सकता। एक सुखी समाज के लिए समता के साथ सम्पन्नता भी चाहिए, जिसकी पूर्ति डॉ. लोहिया ने की। डॉ. लोहिया की परिभाषा में समाजवाद अद्वैतवाद तो है ही, साथ-साथ सम्पन्नता का भी दर्शन है, अथवा इसे यों भी कहा जा सकता है कि डॉ. लोहिया का समाजवाद समृद्ध, सम्पन्न अद्वैतवाद है।

संक्षेप में, कहा जा सकता है कि गाँधी की ट्रस्ट की कल्पना, वर्णाश्रम का उनका समर्थन, मन्दिर, मूर्ति, ईश्वर, पूजा और प्रार्थना में उनकी निष्ठा आदि कुछ ऐसे विषय हैं जिनसे डॉ. लोहिया कभी भी सहमत नहीं हुए लेकिन इन अपनी विशेषताओं को छोड़ देने के बाद मानव-जाति के प्रति असीम सेवा-भाव, अन्याय का प्रतिकार करने के लिए प्रचण्ड सात्त्विक क्रोध और मानव-कल्याण-चिन्तन की नैसर्गिक एवं मौलिक प्रवृत्ति डॉ. लोहिया और महात्मा गाँधी में समानरूपेण मिलती है। राजनीति में अहिंसात्मक प्रतिरोध को डॉ. लोहिया गाँधी जी की युगान्तकारी देन प्रारम्भ से ही मानते आये हैं, किन्तु गाँधी के आर्थिक विचारों से वे पूरी तरह कभी भी सहमत न थे।

गाँधी जी ने जिस सत्य, अहिंसा, अस्तेय, अपरिग्रह, अभय आदि की दोहाई दी थी, उसे राजनैतिक, आर्थिक, आध्यात्मिक और सामाजिक क्षेत्र में वैधानिक व्यवस्था द्वारा प्रभावशाली और वास्तविक बनाने का कार्य डॉ. लोहिया ने किया। उन्होंने स्पष्टत: कहा था, "Our task now is to elaborate a system in which it would be possible for the individual to be good but also necessary for him to be so."[27] जिन गरीबों को महात्मा गाँधी ने 'कर्मण्येवाधिकारस्ते मा फलेषु कदाचन' का पाठ पढ़ाया था, उनका डॉ. लोहिया ने दायें हाथ से कर्त्तव्य करना और बायें हाथ में अधिकार रखना सिखाया। यदि महात्मा गाँधी ने व्यक्तियों को ईश्वर पर भरोसा करना सिखाया तो डॉ. लोहिया ने समझाया कि मनुष्य अपने भाग्य का स्वयं निर्माण करता है। वे डॉ. लोहिया ही थे जिन्होंने आधुनिक विश्व के 'समाजवाद, 'स्वातन्त्र्य और अहिंसा' के त्रिसूत्रीय आदर्श को इस प्रकार से रखा कि वह 'सत्यम् शिवम् सुन्दरम्' के प्राचीन आदर्श का रूप ले सके। निष्कर्षत: यह कहना गलत न होगा कि डॉ. लोहिया गाँधीवाद के विकसित उत्तराधिकारी हैं। एक होनहार शिष्य की तरह उन्होंने गाँधी जी के मूल सिद्धान्तों को जिन्दा तो रखा ही, उनमें किंचित् परिमार्जन एवं परिवर्द्धन कर उन्हें अधिक सबल भी बनाया। आइये, अब लोहिया को पश्चिम की समाजवादी विचारधारा के प्रतिनिधि—मार्क्स के साथ अध्ययन करे।

कार्ल मार्क्स और डॉ. लोहिया—मार्क्सवाद कुछ निश्चित सिद्धान्तों में बाँटा जा सकता है। यदि हम सामाजिक क्रान्ति के पश्चात् समाज के संगठन पर विचार न करें, क्योंकि इस विषय पर मार्क्स ने अधिक नहीं लिखा है, न तो इसका सम्बन्ध राजनीति से है, न अर्थशास्त्र से ही है और इसीलिए मार्क्सवाद के क्षेत्र से परे है, तो मार्क्स के सिद्धान्तों को हम मूल्य और लाभ (शोषण) के सिद्धान्त कह सकते हैं, जिनका मूल, इतिहास के विकास के एक खास दृष्टिकोण में है और जो वर्तमान पूँजीवाद के क्षय की भविष्यवाणी करता है। मार्क्सवाद के मुख्य सिद्धान्त निम्नलिखित हैं, जिन्हें डॉ. लोहिया के विचारों के साथ निम्नलिखित ढंग से अध्ययन किया जा सकता है।

इतिहास की भौतिकवादी व्याख्या और डॉ. लोहिया—डॉ. लोहिया ने मार्क्स द्वारा की गयी इतिहास की भौतिकवादी व्याख्या को कभी भी नहीं माना। मार्क्स की इस व्याख्या के अनुसार भौतिक जीवन में उत्पादन की पद्धति सामाजिक,राजनैतिक और बौद्धिक जीवन-क्रम को निश्चित करती है। मनुष्य जो सामाजिक उत्पादन करते हैं, उसमें वे ऐसे निश्चित सम्बन्ध स्थापित करते हैं जो अनिवार्य और उनकी इच्छा से स्वतन्त्र होते हैं। मार्क्स की इतिहास की इस भौतिकवादी व्याख्या से स्पष्ट है कि मार्क्स पदार्थ अथवा सामाजिक अस्तित्व अथवा विषय (आर्थिक लक्ष्य) को

निर्णायक मानता है। उसके अनुसार मनुष्य की चेतना भौतिक परिस्थिति को निश्चित नहीं करती, इसके विपरीत उसकी भौतिक परिस्थिति ही उसकी चेतना को निश्चित करती है।

डॉ. लोहिया इस विचार को एकांगी मानते हैं। उनके अनुसार मनुष्य की चेतना और उसकी भौतिक परिस्थिति अन्योन्याश्रित है, दोनों ही एक-दूसरे को प्रभावित करते हैं। इसलिए इनको एक-दूसरे के अधीनस्थ नहीं रखा जा सकता। मार्क्स की मान्यता है कि आर्थिक लक्ष्य प्राप्त हो जाने पर अन्य सभी लक्ष्य प्राप्त हो जाते है, क्योंकि आर्थिक स्थिति की नींद पर ही समाज का सम्पूर्ण ढाँचा खड़ा होता है। इसके विपरीत डॉ. लोहिया आर्थिक लक्ष्य और अन्य सब लक्ष्यों को अन्योन्याश्रित समझते हैं। इसलिए वे आर्थिक लक्ष्य के साथ-साथ अन्य सभी लक्ष्यों (सामाजिक बौद्धिक, राजनैतिक, धार्मिक, सांस्कृतिक आदि) को प्राप्त करने के लिए पृथक् रूप से प्रयाग करना आवश्यक मानते हैं। वे साधारण लक्ष्य को आर्थिक लक्ष्य का परिणाम नहीं मानते और विशेषत: भारत के सन्दर्भ में तो और भी नहीं। उनका स्पष्ट मत था, "जो समाजवादी कहता है कि मन को ठीक किये बिना पेट को अलग से ठीक करो, वह नादान है, बेचारा अभी कुछ जानता नहीं।"[28]

द्वन्द्वात्मक भौतिकवाद और डॉ. लोहिया—डॉ. लोहिया का मत था कि किसी विचारधारा की फलदायक परख उसके आन्तरिक तर्क से की जा सकती है। इतिहास की भौतिकवादी व्याख्या का सम्पूर्ण ढाँचा उत्पादन की बढ़ती हुई शक्तियों और उत्पादन के स्थिर सम्बन्धों के संघर्ष के आन्तरिक तर्क पर खड़ा है। वास्तव में वह तर्क अपने-आप में पूर्ण, निश्चित और संगत है। समाज स्वयं गतिशील है और भौतिकवादी व्याख्या में इस गति की कुंजी है, जिसके अनुसार जड़ती हुई शक्तियों और जकड़े सम्बन्धों, शोषितों और शोषकों के बीच संघर्ष होता रहता है। कुंजी इतनी सरस है और सृष्टि के भेद का पता इससे इतनी अच्छी तरह लगता मालूम होता है कि यह बहुत ही आकर्षक प्रतीत होती है, लेकिन आश्चर्य यह है कि इनसे किसी भी अँधेरे कमरे में प्रकाश नहीं पड़ता। इससे केवल इतना मालूम पड़ता है कि इतिहास, इतिहास नहीं है और इतिहास की गति की ऊँचाइयाँ और शायद नीचाइयाँ भी हमेशा ऐसी ही रही होंगी और भविष्य में भी ऐसी ही रहेंगी। आज समस्त संसार में विकसित शक्तियों और स्थिर सम्बन्धों की एक विशेष स्थिति है, जिसने यूरोप और अमेरिका को इतिहास की चोटी पर रख दिया है और शेष दुनिया को नीचे गड्ढे में। इसलिए डॉ. लोहिया ने मार्क्स पर यह आरोप लगाया कि उसकी इतिहास की भौतिकवादी व्याख्या यथास्थिति की सेवा करनेवाला एक सिद्धान्त है, विशेषत: यूरोप की महानता का। उन्होंने कहा है, "इतिहास पर द्वन्द्वात्मक भौतिकवाद जिस तरह

लागू किया गया है, उसके आन्तरिक तर्क की इस जाँच से पता लगता है कि वह उतना ही आध्यात्मिक है जितना द्वन्द्वात्मक और बिलकुल ऐतिहासिक।''[29] डॉ. लोहिया की आलोचना उचित भी प्रतीत होती है, क्योंकि मार्क्स के इस सिद्धान्तानुसार परिवर्तन की दिशा एक है, और यदि यह सिद्धान्त पूँजीवाद की कब्र पर वर्गविहीन समाज की स्थापना करता है तो वह स्वयं समाप्त होता है, क्योंकि मार्क्स कहता है कि यह सिद्धान्त शाश्वत है।

वर्ग-संघर्ष का सिद्धान्त और डॉ. लोहिया-मार्क्स के वर्ग-संघर्ष के सिद्धान्तानुसार आदिकाल के साम्यवाद के पश्चात् प्रत्येक काल और प्रत्येक देश में समाज दो प्रमुख विरोधी वर्गों में विभक्त हो जाता है। एक तो विशेषाधिकार प्राप्त उत्पादन साधनों के स्वामियों का छोटा-सा शोषक वर्ग और दूसरा श्रमिकों का विशाल शोषित वर्ग। मार्क्स कहता है कि प्राचीन मध्य और आधुनिक काल में क्रमशः मालिक, सामन्त और पूँजीपति शोषक वर्ग तथा दास, कृषक और श्रमिक वर्ग शोषित वर्ग शोषित रहे हैं। डॉ. लोहिया मार्क्स के इस प्रकार के युग-विभाजन में विश्वास नहीं करते। उनके मतानुसार चाहे विभिन्न क्षेत्रों के लिए समय की अवधि का कितना भी अन्तर क्यों न मान लिया जाये, यह सिद्ध करने के लिए कि किसी विशेष कालखण्ड में समस्त दुनिया में सामन्ती सभ्यता थी अथवा दास-युग में भारत में भी निरंकुशता थी तथ्यों को बहुत तोड़ना-मरोड़ना पड़ेगा। इसलिए उन्होंने लिखा है कि ''केवल यूरोप का ही नहीं, बल्कि समस्त दुनिया का मानव-इतिहास इन तीन या चार युगों में बाँटा जा सकता है, इसमें गम्भीर शंका है।''[30]

इनके अतिरिक्त मार्क्स के प्राचीनकाल के मालिक ही मध्यकाल के सामन्त और आधुनिक काल के पूँजीपति बनते हैं तथा प्राचीनकाल के दास ही मध्यकाल के कृषक और आधुनिक काल के श्रमिक में परिवर्तित होते हैं, क्योंकि मार्क्स ने स्पष्ट लिखा है कि उत्पादन भौतिक उत्पादक शक्तियों के विकास की एक निश्चित अवस्था के अनुकूल ही होते हैं। जिस वर्ग के पास उत्पादन की शक्तियाँ होती हैं, वह विकास की प्रत्येक अवस्था में अपनी श्रेष्ठ स्थिति रखता है। डॉ. लोहिया इसे नहीं मानते, क्योंकि इस सिद्धान्तानुसार कोई भी समय, उदाहरण के लिए वह समय जब मिस्र या भारत इतिहास के चोटी पर थे, पहले और बाद में एक समान रहना चाहिए था, सम्पूर्ण इतिहास में संसार का एक ही चेहरा होना चाहिए था, जिसमें एक ओर सुनहरी मुस्कान होती और दूसरी ओर एक टपका हुआ आँसू। इसके विपरीत डॉ. लोहिया राष्ट्रों के उत्थान-पतन को मानते हैं। पूँजीवादी समाज के स्वतः संचालन के अनुसार पूँजीवादी देश-पश्चिम यूरोप और अमेरिका को साम्यवादी समाज को जन्म देना चाहिए था। इसी तर्क से यदि हम पीछे देखें

तो इन्हीं क्षेत्रों को सामन्तशाही और उसके पहले के युगों में भी "नेता होना चाहिए था, क्योंकि यदि कुंजी का इतिहास के भविष्य के लिए प्रयोग हो सकता है तो भूतकाल के लिए भी प्रयोग हो सकना चाहिए।"[31] यहाँ ध्यान योग्य तथ्य यह है कि मार्क्स के एक समाज में चलनेवाले वर्ग-संघर्ष का डॉ. लोहिया राष्ट्र-संघर्ष की तरह परीक्षण करते प्रतीत होते हैं, क्योंकि उनका विश्वास है कि जो सिद्धान्त एक राष्ट्र के आन्तरिक सम्बन्धों के लिए सत्य है उसे अन्तरराष्ट्रीय सम्बन्धों में भी सत्य सिद्ध होना चाहिए।

मार्क्स की तरह डॉ. लोहिया भी वर्ग-संघर्ष में विश्वास करते हैं। डॉ. लोहिया का कथन है, "इसी युगों में आन्तरिक असमानता रही है और वह उन वर्गों के माध्यम से प्रकट होती रही है जो आपस में संषर्ष करते रहे हैं? इसमें कोई शंका नहीं।[32] दोनों विचारकों में अन्तर यह है कि मार्क्स केवल आर्थिक स्थिति को ही वर्ग का आधार मानता है, जबकि डॉ. लोहिया जाति, भाषा, सम्पत्ति आदि को वर्ग का आधार मानते हैं। डॉ. लोहिया ने वर्ग के आधार जाति और भाषा पर अत्यधिक बल दिया है। यदि हम यह कहें कि मार्क्स के वर्ग-संघर्ष को डॉ. लोहिया ने जाति-संघर्ष और भाषा-संघर्ष में संशोधित किया, तो कोई अतिशयोक्ति न होगी। मार्क्स और लोहिया में एक यह भी अन्तर है कि डॉ. लोहिया के मतानुसार वर्गों के आन्तरिक और बाह्य संघर्ष के दोहरे दबाव में (आन्तरिक संषर्ष वर्गों के बीच और बाह्य संघर्ष राष्ट्रों के बीच) सभ्यता टूटती या सड़ती है। इस प्रकार के दोहरे संघर्षों की चर्चा अर्नाल्ड टायनबी ने भी की है, किन्तु मार्क्स ने आन्तरिक सर्वहारा और बाह्य सर्वहारा के इस अन्तर की ओर पर्याप्त ध्यान नहीं दिया। यदि मार्क्स राष्ट्रों के बाह्य संघर्ष पर ध्यान देते तो सर्वहारा राष्ट्र की बढ़ती हुई गरीबी पर उनका ध्यान जाता।

अतिरिक्त मूल्य का सिद्धान्त और डॉ. लोहिया-मार्क्स के अनुसार अतिरिक्त मूल्य के द्वारा पूँजीपति श्रमिकों का शोषण करता है जिसमें पूँजीपतियों के पास धन का केन्द्रीकरण होता है। अतिरिक्त मूल्य के सिद्धान्त पर मार्क्स पूँजीवाद की व्याख्या करता है। वह कहता है कि पूँजीवादी व्यवस्था श्रमिकों की संख्या बढ़ाती है, उन्हें संगठित समूहों में एक साथ लाती है, उनमें वर्ग-चेतना भरती है, उन्हें विश्वव्यापी स्तर पर सहयोग करने और परस्पर मिलने-जुलने के साधन प्रदान करती है, उनकी क्रिया शक्ति को घटाती है और उनका अधिकाधिक शोषण करके उन्हें संगठित विरोध करने के लिए उत्प्रेरित करती है। पूँजीवाद के विरुद्ध उत्क्रान्ति-सम्बन्धी मार्क्स के इन विचारों से डॉ. लोहिया पूर्णत: सहमत नहीं हैं।

डॉ. लोहिया का मत है कि सर्वहारा वर्ग की उत्क्रान्ति-सम्बन्धी मार्क्स की विचारधारा अधूरी और अपर्याप्त है। उनका प्रतिपादन था कि जब हम कहते हैं कि

पूँजीवाद ने उत्पादन-शक्ति और उत्पादन-सम्बन्ध के बीच का संघर्ष तीव्र किया है, तो इस अर्द्ध सत्य को पूर्ण करने के लिए जोड़ना चाहिए कि उत्क्रान्ति की प्रक्रिया में पूँजीवाद ने विश्व को दो भागों में विभाजित किया है। आधुनिक यन्त्रों से लाभ प्राप्त करनेवाला एक तृतीयांश विश्व का वह भाग है जिसकी उत्पादन-शक्ति को इसने लाभान्वित किया है और तृतीयांश विश्व का वह शोषित भाग है जिसकी उत्पादन-शक्ति को इसने संकुचित और ध्वंस करके दरिद्रता, विपत्ति और अगणित कष्ट उत्पन्न किये हैं। डॉ. लोहिया का यह विचार भी व्यापक है। अपने विचार के द्वारा डॉ. लोहिया ने मार्क्स के वर्ग-संघर्ष सिद्धान्त को राष्ट्रीय सीमाओं की संकुचित परिधि से मुक्ति प्रदान की। वर्ग-संघर्ष के साथ-साथ उन्होंने राष्ट्र-संघर्ष को भी अपरिहार्य बताया। उन्होंने स्पष्ट कहा है, "The Marxists claim that the history of human civilization is the history of class struggles, But they forget that race struggles also have played an equally important role."[33] मार्क्स के इन सिद्धान्तों के अतिरिक्त डॉ. लोहिया ने मार्क्स की भविष्यवाणियों पर भी विचार किया था।

मार्क्स की भविष्यवाणियाँ और डॉ. लोहिया—डॉ. लोहिया का मत था कि मजदूरों के समाजीकरण, पूँजी के केन्द्रीकरण और सर्वहारा की गरीबी की वृद्धि-सम्बन्धी मार्क्स की तीनों भविष्यवाणियाँ सत्य निकलीं, किन्तु उस रूप में नहीं जिस रूप में उसने की थी। मार्क्स की भविष्यवाणी के अनुसार उपर्युक्त तीनों तथ्यों को एक ही अर्थव्यवस्था के अन्तर्गत घटित होना चाहिए था, जबकि वे पृथक्-पृथक् अर्थ-व्यवस्थाओं में घटित हुईं। पूँजी का केन्द्रीकरण और मजदूरों का समाजीकरण पश्चिमी यूरोप और अमेरिका में हुआ है और सर्वहारा वर्ग की गरीबी विश्व को दो तृतीयांश देशों की पिछड़ी हुई अर्थव्यवस्थाओं में बढ़ी है। डॉ. लोहिया ने छोटे पूँजीपतियों (मध्य वर्ग) के लोप की मार्क्स की भविष्यवाणी को गलत बताया। डॉ. लोहिया के मत में माध्यम वर्ग की संख्या बढ़ी है, घटी नहीं। डॉ. लोहिया ने मार्क्स के उस लौह नियम को गलत बताया जिसके अनुसार पूँजीवादी दुनिया के महान् स्वामियों को ही समाजवाद का जन्मदाता होना चाहिए था। मार्क्स के इस नियम के अनुसार पूँजीवादी देश इंग्लैण्ड और अमेरिका में समाजवाद सर्वप्रथम आना चाहिए था। वहाँ न आकर समाजवाद गैर-पूँजीवादी देश चीन और रूस में आया। मार्क्स ने रूस में क्रान्ति की सम्भावना चाहे यदा-कदा स्वीकारी भी हो, लेकिन चीन के सम्बन्ध में तो उसने सोचा भी न था। डॉ. लोहिया की दृष्टि में मार्क्स को सही ढंग से यह कहना चाहिए था कि पूँजीवादी व्यवस्था उन देशों में ध्वस्त होगी जहाँ सर्वहारा वर्ग की गरीबी अत्यधिक बढ़ती जायेगी। डॉ. लोहिया के

शब्दों में, "With this correction of Marxist analysis of capitalist development, I could conclude easily that the shattering of capitalist civilization will take place in those areas where poverty has kept on increasing."[34]

डॉ. लोहिया ने मार्क्स को कई स्थलों पर विरोधाभास से भरा पाया। मार्क्स एक ओर ऐतिहासिक निर्णयवाद के सिद्धान्त को मानता है, जिसके अनुसार आर्थिक शक्तियाँ मनुष्य की इच्छा से स्वाधीन रहते हुए इतिहास के प्रवाह को निर्धारित करती हैं और दूसरी ओर वह 'कम्युनिस्ट पार्टी के घोषणा-पत्र' की अन्तिम पंक्तियों में 'दुनिया के मजदूरों, एक हो' का नारा लगाता है। इसके अतिरिक्त डॉ. लोहिया को मार्क्स के इस नारे की पूर्णता भी असम्भाव्य जान पड़ती है, क्योंकि जब तक विभिन्न राष्ट्रों में मजदूरों के वेतन और उत्पादन-शक्ति में विषमता है, तब तक मजदूरों की एकता एक स्वप्न है।

उत्पादन के सम्बन्ध और उत्पादन-शक्तियाँ—मार्क्स और डॉ. लोहिया के विचारों में और भी कई अन्तर सहज ही द्रष्टव्य है। मार्क्स केवल पूँजीवादी उत्पादन के सम्बन्धों को विनष्ट करना चाहता है, जबकि डॉ. लोहिया पूँजीवादी उत्पादन के सम्बन्धों और पूँजीवादी उत्पादन की शक्तियों, दोनों को ही समाप्त करना चाहते हैं। मार्क्स केवल पूँजीपति वर्ग को समाप्त करना चाहते हैं, जबकि डॉ. लोहिया पूँजपति वर्ग और उसके द्वारा दिये गये उत्पादन के विशाल साधनों को भी समाप्त करना चाहते हैं। मार्क्स पूँजीशाही बड़े-बड़े यन्त्रों के उद्योग चाहता है, जबकि डॉ. लोहिया तेल, बिजली, पेट्रोल आदि से परिचालित ऐसे छोटे-छोटे यन्त्रों पर आधारित उद्योगों की स्थापना करना चाहते हैं, जो कि साधनहीन छोटे-छोटे श्रमिकों, कृषकों और अन्य गरीब वर्गों को उपलब्ध हो सके। इस अन्तर के प्रमुख दो कारण प्रतीत होते हैं। प्रथम कारण तो यह है कि मार्क्स यूरोप और अमेरिका-जैसे साधनयुक्त देशों की प्रगति पर अपनी दृष्टि गड़ाये था, जबकि डॉ. लोहिया भारत-जैसे अविकसित और निर्धन देश की प्रगति पर। दूसरा कारण यह है कि मार्क्स केन्द्रीकरण को उचित मानता है, जबकि डॉ. लोहिया विकेन्द्रीकरण को।

केन्द्रीकरण और विकेन्द्रीकरण—डॉ. लोहिया के मत में, जहाँ आर्थिक जनतन्त्र नहीं हैं वहाँ राजनैतिक जनतन्त्र नहीं हो सकता। इसी तरह जहाँ राजनैतिक जनतन्त्र नहीं है वहाँ आर्थिक जनतन्त्र नहीं हो सकता। इसलिए डॉ. लोहिया के मतानुसार जनतन्त्र के लिए आर्थिक और राजनैतिक विकेन्द्रीकरण आवश्यक है। वे मार्क्सवादी व्यवस्था में आर्थिक और राजनैतिक शक्ति का केन्द्रीकरण पाते हैं, क्योंकि मार्क्स का कार्य व्यक्तिगत पूँजी को छीनकर राज्य को सौंपना है। यह तो उत्पादन सम्बन्धों का हस्तान्तरण मात्र है, क्योंकि व्यक्ति पूँजीपति का स्थान राज्य-

जैसा पूँजीपति ले लेता है और श्रमिक तो फिर भी पराधीन रह जाता है। अन्तर केवल इतना हो जाता है कि पहले वह व्यक्ति पूँजीपतियों के अधीन रहता है और अब वह राज्य की केन्द्रीकृत सत्ता के अधीन। यह आत्म-स्वाभिमानी न होकर नौकर मात्र रह जाता है, क्योंकि जो उसके पास छोट-छोटे घरेलू उद्योग-धन्धे रह भी जाते हैं, वे राष्ट्रीयकृत बड़े यन्त्रों की तुलना में टिक नहीं पाते। हाँ, उसकी भौतिक आवश्यकता की पूर्ति तुलनात्मक ढंग से अधिक हो जाती है, क्योंकि व्यक्ति पूँजीपति-जैसा शोषण राज्य-पूँजीपति नहीं करता। मार्क्स के दर्शन में सर्वहारा वर्ग के इस प्रकार के अधिनायकत्व का कभी अन्त नहीं होता। मार्क्स के द्वारा बताया गया वह साम्यवाद कभी नहीं आता जिसमें राज्य मुरझा जायेगा और मात्र वस्तुओं का प्रशासन रह जायेगा। सन् 1917 ई. के बाद अब भी रूस में उपर्युक्त अधिनायकत्व ही चल रहा है, जिसके गर्भ में मार्क्स का अन्तिम चरण शायद ही जन्म लेगा। साम्यवादी दल के कठोर नियन्त्रण ने व्यक्तियों की स्वतन्त्रता को भी हजम कर लिया है। क्या व्यक्ति तोते की तरह केवल रोटी पाकर पिंजड़े में बन्द रह सकता है; इसलिए मार्क्स के विपरीत डॉ. लोहिया विकेन्द्रित राष्ट्रीयकरण, लघु उद्योग-धन्धे तथा ऐसी विकेन्द्रित राजनैतिक व्यवस्था चाहते हैं जिसमें व्यक्ति स्वतन्त्रतापूर्वक हाथ बँटा सकता है।

आर्थिक लक्ष्य और सामान्य लक्ष्य—उपर्युक्त विभेदीकरण के अतिरिक्त मार्क्स और डॉ. लोहिया में एक और गहरा अन्तर यह है कि पूँजीवादी व्यवस्था विनष्ट करने के पश्चात् मार्क्स सन्तुष्ट हो जाता है, क्योंकि उसके अनुसार आर्थिक लक्ष्यों को प्राप्त कर लेने पर जीवन के साधारण लक्ष्य (सामाजिक, राजनैतिक, सांस्कृतिक) स्वतः प्राप्त हो जाते हैं। डॉ. लोहिया पूँजीवादी व्यवस्था मात्र को विनष्ट करना पर्याप्त नहीं मानते। इसके पश्चात् वे सांस्कृतिक सामाजिक, राजनैतिक और धार्मिक समस्याओं से भी जूझना चाहते हैं, क्योंकि उनके मतानुसार आर्थिक लक्ष्य के पश्चात् साधारण लक्ष्य स्वतः प्राप्त नहीं हो जाते, उनके लिए पृथक् से प्रयास करना पड़ता है। डॉ. लोहिया का कहना है कि, "Even apart from the fact that a general refining of the economic theory is necessary, an intergrated theory which deals with general aims and economic aims separately is required."[35]

समता तथा मार्क्स और लोहिया—आर्थिक लक्ष्य और सामान्य लक्ष्य के उपर्युक्त विभेद के कारण मार्क्स का समाजवादी दर्शन एक आर्थिक दर्शन मात्र है, जो कि भौतिक समता और विशेषतः आर्थिक समता का सिद्धान्त है। इसके विपरीत डॉ. लोहिया का समाजवाद एक जीवन-दर्शन है, जिसमें समता के विभिन्न पहलुओं का महत्त्व है। डॉ. लोहिया ने समता के तीन पहलू बतलाये हैं—

भौतिक, सहानुभूतिगत अथवा मानसिक तथा आध्यात्मिक। भौतिक समता का तात्पर्य एक राष्ट्र की सीमा में मनुष्य और मनुष्य के बीच की बराबरी ही नहीं, बल्कि एक राष्ट्र और दूसरे राष्ट्र के बीच मनुष्यों की बराबरी या समत्व भी है। मार्क्स ने भौतिक समता को आर्थिक समता में सीमित कर दिया, लेकिन डॉ. लोहिया की भौतिक समता में आर्थिक समता के अतिरिक्त राजनैतिक, सामाजिक और सांस्कृतिक समताएँ भी सम्मिलित हैं। मार्क्स ने राष्ट्रों के बीच की भौतिक समता पर उतना अधिक बल नहीं दिया जितना कि डॉ. लोहिया ने। समता का दूसरा पहलू मानसिक है। जिस प्रकार एक परिवार के सभी सदस्य एक-दूसरे के प्रति मानसिक समता रखते हैं उसी प्रकार विश्व के सम्पूर्ण राष्ट्रों को और सम्पूर्ण मानव समुदाय को छोटे और बड़े का भाव न रखकर आपस में एक-दूसरे के प्रति सहानुभूति रखना चाहिए। डॉ. लोहिया का यह सिद्धान्त 'वसुधैव कुटुम्बकम्' की कल्पना को मूर्त रूप देने का एक भव्य प्रयास है। 'समत्वम्' का तीसरा पहलू आध्यात्मिक है, जिसके अनुसार व्यक्ति को सुख-दुःख, जयाजय, हानि-लाभ, जन्म-मरण, शीतोष्ण में एक समान रहना चाहिए। इस प्रकार के स्थितप्रज्ञ व्यक्ति का वर्णन अपने यहाँ गीता और उपनिषदों में भी प्राप्त होता है। इस प्रकार मार्क्स के विपरीत डॉ. लोहिया ने भौतिक, मानसिक और आध्यात्मिक समता को समत्व कहा और यह समत्व ही उनके समाजवाद का आधार है। उन्होंने स्पष्ट कहा था, "समाजवाद की राजनीति का आधार समत्व ही होगा। भविष्य का हिन्दुस्तान ऐसे ही लोगों को पैदा करे।"[36]

मानव स्वतन्त्रता तथा मार्क्स और लोहिया—मार्क्स ने आर्थिक समता के अतिरिक्त अन्य मानव-अधिकारों की कोई कल्पना नहीं की, क्योंकि वह मानव-अधिकारों को आर्थिक समता पर ही अवलम्बित मानता था। उसका यह विचार स्वप्नमात्र था। मार्क्सवाद का जो रूप रूस, चीन अथवा अन्य साम्यवादी देशों में आया उससे यह स्पष्ट होता है कि साम्यवाद आर्थिक समता की झूठी बलिवेदी पर मानव के समस्त मानव-अधिकारों को बलिदान करना चाहता है। इस प्रकार की शासन-व्यवस्था राष्ट्रीय और अन्तरराष्ट्रीय स्तर पर व्यक्तियों के जनतान्त्रिक शासन के अधिकारों, भाषण देने, सभा करने और विचार-अभिव्यक्ति के अधिकारों के लिए गम्भीर संकट उत्पन्न करती है। मार्क्स का सर्वहारा वर्ग का अधिनायकत्व संक्रान्ति काल नहीं, बल्कि अन्तिम लक्ष्य बन गया और अधिनायकत्व तथा मानव के मौलिक अधिकार दो विरोधी विचार हैं जिनका साथ-साथ चलना प्रायः असम्भव होता है। इसके विपरीत डॉ. लोहिया ने मानव के भाषण देने, सभा करने, विचार अभिव्यक्त करने, सविनय आज्ञा करने के मूल अधिकारों को मान्यता दी और उनके लिए जीवनपर्यन्त संघर्षरत रहे।

सम्पन्नता तथा मार्क्स और लोहिया—मार्क्स ने जो दर्शन विश्व को दिया वह केवल आर्थिक समता लाने का प्रयास है। ऐसा प्रतीत होता है कि मार्क्स आर्थिक समता को ही समाजवाद समझता है। डॉ. लोहिया मार्क्स से एक पग अधिक आगे हैं, क्योंकि डॉ. लोहिया ने समता के साथ-साथ सम्पन्नता लाने के भी सिद्धान्त और कार्यक्रम बतलाये हैं। उनका समाजवाद केवल समता का नहीं, अपितु सम्पन्नता का भी दर्शन है। दोनों दार्शनिकों के उपुर्यक्त विभेदों के कारण उनके साध्यों में भिन्नता आ गयी है। मार्क्स का साध्य वर्गहीन और राज्यहीन समाज की स्थापना है जबकि डॉ. लोहिया का साध्य उस वर्गहीन और वर्णहीन राज्य की स्थापना है जिसमें लोक-भाषा, लोक-भूषा, लोक-भोजन और लोक-संस्कृति का स्वतन्त्र विचरण हो और जिसमें समता के साथ-साथ सम्पन्नता और स्वतन्त्रता का भी उपयोग लोग कर सकै।

साध्य-साधन तथा मार्क्स और लोहिया—डॉ. लोहिया और मार्क्स के दर्शनों में केवल साध्य का ही नहीं, अपितु साधन का भी अन्तर है। जनतान्त्रिक दृष्टि से अधिक विकसित देशों में मार्क्स ने भले ही दबे दिल से संवैधानिक साधनों की सम्भाव्यता स्वीकारी हो, किन्तु इसमें कोई सन्देह नहीं कि उसने हिंसात्मक क्रान्ति में अपना विश्वास प्रकट किया है। उसका मत था कि कोई भी व्यक्ति अपनी गद्दी को बिना भय के नहीं त्यागता। इसलिए उसे सशस्त्र क्रान्ति में पूर्ण आस्था है। वह अपने साध्य को प्राप्त करने के लिए छल, कपट, झूठ, हिंसा और हत्या आदि का सहारा लेने से नहीं हिचकिचाता। वह भविष्य के जनतन्त्र के लिए वर्तमान के अधिनायकत्व को स्वीकारता है। वह आज असत्य का फैलाव करके कल चरम सत्य की स्थापना करना चाहता है। कल की अहिंसा के लिए वह आज हिंसा करता है और कल के जीवन के लिए आज हत्या करता है। इसके विपरीत डॉ. लोहिया साक्षात्कार-सिद्धान्त के स्रष्टा और सत्याग्रह-मार्ग के अनुयायी हैं। वे चाहते हैं कि प्रत्येक कार्य का औचित्य स्वयं उसी कार्य में निहित हो, उसका औचित्य सिद्ध करने के लिए बाद के किसी कार्य के उल्लेख की आवश्यकता न हो। उनका सिद्धान्त रचनात्मक, उचित और तर्कसंगत है, जबकि मार्क्स का सिद्धान्त ध्वंसात्मक, अनुचित और कुतर्कपूर्ण है। क्योंकि आज के किसी अनुचित कृत्य को कल के किसी उचित परिणाम से जोड़कर उचित ठहराना सिद्धान्तहीनता है। कारण और फल की श्रृङ्खला बाँधने से किसी भी कार्य के औचित्य की कसौटी नहीं बन पाती और न ही अभीष्ट फल प्राप्त हो पाता है। लोहिया मार्क्स, गाँधी से कहाँ तक भिन्न हैं, इस तथ्य को पूर्ण रूप से समझने के लिए अब हम मार्क्स, गाँधी और लोहिया के दर्शनों का संयुक्त रूप से अध्ययन करेंगे।

मार्क्स, गाँधी और डॉ. लोहिया

मार्क्स, गाँधी और डॉ. लोहिया के तुलनात्मक अध्ययन से स्पष्ट होता है कि गाँधी और मार्क्स दोनों ही विचारक अतिवादी थे। गाँधी को आत्मा पर विश्वास था तो मार्क्स को पदार्थ पर। गाँधी के अनुसार व्यक्ति के विचार भौतिक परिस्थितियों को बनाते हैं। मार्क्स के अनुसार भौतिक परिस्थितियाँ विचारों का सृजन करती हैं। डॉ. लोहिया दोनों विचारकों को एकांगी मानते हैं। उनके अनुसार आत्मा और पदार्थ का द्वन्द्व झूठा है। पदार्थ के बिना आत्मा और आत्मा के बिना पदार्थ का कोई अस्तित्व नहीं। दोनों एक-दूसरे के पूरक हैं। विचार भौतिक परिस्थितियों को प्रभावित करते हैं और भौतिक परिस्थितियाँ विचारों को। इसलिए आत्मा और पदार्थ (मानव-चेतना और सामाजिक अस्तित्व) अन्योन्याश्रित हैं।

विषय और प्रवृत्ति (मार्क्स, गाँधी और लोहिया)—गाँधी जी का मत है कि मानव की चेतना अथवा विचार बदल देने से समाज अपने-आप बदल जायेगा। इसलिए गाँधी जी ने न्यायधारी की कल्पना निकाली और अस्तेय, अपरिग्रह, सत्य, अहिंसा आदि की नैतिक शिक्षा देकर पूँजीपतियों के हृदय-परिवर्तन का प्रयास किया। इस प्रकार वे प्राचीन आध्यात्मिक समाजवाद के प्रतीक थे। इसके विपरीत मार्क्स का विश्वास था कि भौतिक परिस्थिति पदल देने से व्यक्तियों के विचार अपने-आप बदल जायेंगे। इसलिए उसने आर्थिक स्थिति को परिवर्तित करने पर ही अपना ध्यान केन्द्रित किया। इस प्रकार वह भौतिक समाजवाद का अग्रदूत बना। डॉ. लोहिया ने मार्क्स के आर्थिक और असंयमित समाजवाद को सर्वाङ्गीण और संयमित किया। उन्होंने गाँधी जी के आध्यात्मिक समाजवाद को भौतिक वास्तविकताओं से सम्बद्ध किया। डॉ. लोहिया के समाजवाद में गाँधी दर्शन की चाह (व्यक्ति के अन्तराल का सुधार) एवं मार्क्सवादी उत्कण्ठा (बाह्य अथवा भौतिक स्थिति का सुधार) दोनों ही अपनी बुराइयों को खोकर साकार हुए हैं। उन्होंने स्वयं कहा था, "हिन्दुस्तान के समाजवाद को अब आध्यात्मिक और भौतिक दोनों का वैचारिक पुट देकर खड़ा किया जाये, यह नहीं कि फिर खिचड़ी पकायी जाये, बल्कि एक ऐसे आधार पर खड़ा किया जाये कि जिसमें उसे मनुष्य के इन दोनों तथ्यों की सहायता मिल सके।"[37]

आर्थिक लक्ष्य और सामान्य लक्ष्य (मार्क्स, गाँधी और लोहिया)—कार्ल मार्क्स ने विषय (आर्थिक लक्ष्य) को प्रधानता दी और प्रवृत्ति (साधारण लक्ष्य) को उसका अधीनस्थ और अनुगमन करनेवाला बताया। इसके विपरीत महात्मा गाँधी ने प्रवृत्ति (साधारण लक्ष्य, धार्मिक, सामाजिक, आध्यात्मिक लक्ष्य आदि) को प्रधानता दी और विषय को उसके अधीन माना। मार्क्स के अनुसार

आर्थिक लक्ष्यों को प्राप्त कर लेने पर साधारण लक्ष्य स्वत: प्राप्त हो जायेंगे और गाँधी जी के अनुसार आर्थिक लक्ष्य अपने-आप साधारण लक्ष्यों से मिल जायेंगे। इस प्रकार दोनों विचारकों ने विषय और प्रवृत्ति में से एक को प्रमुख और दूसरे को गौण समझा है। डॉ. लोहिया ने विषय और प्रवृत्ति को अन्योन्याश्रित सम्बन्धों में जोड़ने का प्रयास किया।[38] उन्होंने समाजवाद का ऐसा शस्त्र दिया है जो दोनों को ही काट-छाँटकर सँवारता है और उन्हें वर्तमान तथा परम्परागत रूपों से निकालकर एक-दूसरे के अनुरूप बनाता है। यही स्वर्णिम मध्य मार्ग हम उनके धार्मिक दृष्टिकोण में भी पाते हैं।

धर्म और राजनीतिक (मार्क्स, गाँधी और लोहिया)—मार्क्स धर्म को 'अफीम की गोली' मानकर उसका तिरस्कार करता है। गाँधी जी ने राजनीति में धर्म-प्रवेशार्थ ही प्रवेश किया था। डॉ. लोहिया न तो मार्क्स के समान राजनीति को धर्म से पृथक् ही करना चाहते हैं और न गाँधी जी के समान राजनीति को धर्म से संयुक्त। उनके मतानुसार धर्म जहाँ तक हिंसात्मक संघर्ष उत्पन्न करता हो अथवा सम्पत्ति, जाति-प्रथा, नारी आदि की दृष्टि से यथास्थिति का समर्थन करता हो, वहाँ तक वह अफीम की गोली है और जहाँ तक वह सदाचार की दृष्टि से नैतिक और सामाजिक शिक्षा दे अथवा भूतदयावाद और समाधिवत् अनुशासन सिखावे वहाँ तक उसको राजनीति से संयुक्त करना अत्यावश्यक है।[39] इस प्रकार डॉ. लोहिया ने धर्म और अधर्म के कल्पित विरोध को समाप्त किया। डॉ. लोहिया की धर्म-सम्बन्धी इस सन्तुलित विचारधारा को हम सत्ता विकेन्द्रीकरण के सम्बन्ध में सहज ही देख सकते हैं।

केन्द्रीकरण और विकेन्द्रीकरण (मार्क्स, गाँधी और लोहिया)—मार्क्स आर्थिक और राजनैतिक शक्तियों के केन्द्रीकरण का प्रतीक है। उसका सर्वहारा वर्ग का अधिनायकत्व राज्यहीनता और वस्तुओं के प्रशासन में परिणत होता कभी भी दिखायी नहीं देता। विशाल उपकरणों पर आधारित उसका औद्योगिकीकरण स्वाभाविक रूप से आर्थिक शक्ति का केन्द्रीकरण करता है, यह बात अलग है कि यह केन्द्रीकरण पूँजीपति में न होकर राज्य में होता है। इसके विपरीत गाँधी जी की आस्था स्वायत्तशासी और स्वावलम्बी ग्रामों में है। उनके ग्राम यहाँ तक स्वतन्त्र हो जाते हैं कि वे सम्पूर्ण विश्व के विरुद्ध अपनी रक्षा करने का अधिकार रखते हैं, उन्हें आवागमन और संचार के साधनों की आवश्यकता नहीं। वे एथेन्स और स्पार्टा से भी अधिक स्वतन्त्र और एकान्तप्रिय गणराज्य बन जाते हैं। इस राजनैतिक विकेन्द्रीकरण के साथ-साथ गाँधी जी ने चर्खा और अन्य परम्परावादी हाथ से चलनेवाले यन्त्रों के कुटीर उद्योगों पर बल देकर आर्थिक विकेन्द्रीकरण चाहा है। मार्क्स और गाँधी

के ये विचार अतिवादी हैं। एक में प्रगतिवाद की अति है तो दूसरे में परम्परावाद से चिपकाव। एक में केन्द्रीकरण का चरमोत्कर्ष है तो दूसरे में विकेन्द्रीकरण की विशिष्टता।

डॉ. लोहिया ने केन्द्रीकरण और विकेन्द्रीकरण के मध्य का मार्ग अपनाया है। उनकी चौखम्भा-राज्य की योजना के अन्तर्गत ग्राम, मण्डल, राज्य और केन्द्र की चार सरकारें होंगी, जिनको चारों को अपने-अपने संविधान, अपनी-अपनी सरकारें बनाने का अधिकार होगा।[40] वे एक-दूसरे से स्वतन्त्र रहती हुई इस प्रकार संयोजित होंगी कि राष्ट्रीय एकता को कोई धक्का न लगे। इस राजनीतिक विकेन्द्रीकरण की तरह ही उन्होंने आर्थिक विकेन्द्रीकरण चाहा है। उन्होंने न तो मार्क्स के विशाल यन्त्रों को अपनाया और न ही गाँधी जी के परम्परावादी सुस्त हाथ के उपकरणों को। उनकी दृष्टि में बिजली, तेल, पेट्रोल आदि से चलनेवाले और सबको उपलब्ध हो सकनेवाले छोटे यन्त्र ही वे आधार हैं जिन पर भारत की स्वावलम्बी उद्योग-व्यवस्था खड़ी हो सकती है।

व्यक्तिगत सम्पत्ति (मार्क्स, गाँधी और लोहिया)—गाँधी जी सम्पत्ति पर व्यक्तिगत अधिकार के समर्थक थे। वे सम्पत्ति के राष्ट्रीयकरण को उचित नहीं समझते। वे सम्पत्ति के प्रति मोह-त्याग को आवश्यक मानते थे। इसके विपरीत मार्क्स ने सम्पत्ति के मोह-त्याग की कोई चर्चा नहीं की। वह श्रम का शोषक करनेवाले सभी उत्पादन साधनों का राष्ट्रीयकरण चाहता था। डॉ. लोहिया मार्क्स और गाँधी से भिन्न थे। वे श्रम का शोषण करनेवाले उत्पादन के साधनों का विकेन्द्रित राष्ट्रीयकरण चाहते थे। किन्तु साथ-ही-साथ सम्पत्ति के प्रति मोह का त्याग भी। उनका मत था कि बिना राष्ट्रीयकरण के सम्पत्ति के प्रति मोह-त्याग नहीं हो सकता और बिना मोह-त्याग किये सम्पत्ति का राष्ट्रीयकरण बन्धन, विवशता और दासता है। गाँधी और मार्क्स के विचारों को वे एकांगी और अपर्याप्त मानते थे। वे सम्पत्ति की संस्था और सम्पत्ति के प्रति मोह दोनों को विनष्ट करना चाहते थे। उनका साफ कहना था, "मुझे ऐसा लगता है कि हमको इस तरह का मन और इस तरह के कार्यक्रम बनाने पड़ेंगे कि जिसमें एक तरफ तो सम्पत्ति के मोह का नाश हो और दूसरी तरफ राष्ट्रीयकरण हो।"[41]

समता का स्वरूप (मार्क्स, गाँधी और लोहिया)—कार्ल मार्क्स और महात्मा गाँधी ने समता का केवल भावात्मक, अमूर्त और निर्गुणात्मक रूप ही विश्व को दिया। गाँधी और मार्क्स का सिद्धान्त 'योग्यतानुसार करना और आवश्यकतानुसार पाना' एक अनिश्चित, अस्पष्ट, अमूर्त और भ्रमात्मक सिद्धान्त है।[42] वर्तमान समाजवाद ने भी समता का कोई निश्चित अनुपात प्रस्तुत नहीं किया। डॉ. लोहिया

ने ही सर्वप्रथम समता को ठोस और निश्चयात्मक रूप दिया। उन्होंने आमदनी में 1:10 का अनुपात, भू-स्वामित्व में 1:3 का अनुपात निश्चित किया। उनका मत था कि दो फसलों के बीच वस्तुओं की कीमत में सोलह प्रतिशत से अधिक का अन्तर नहीं होना चाहिए। उनका प्रतिपादन था कि तैयार माल के विक्रय मूल्य और लागत मूल्य में ड्योढ़े से अधिक का अन्तर नहीं होना चाहिए। खर्च पर सीमा का प्रस्ताव उन्हीं ने रखा। उपर्युक्त नीतियों द्वारा उन्होंने आर्थिक समता को ठोस रूप दिया। इसी प्रकार सामाजिक और राजनैतिक समता को भी उन्होंने ठोस रूप दिया। जाति-उन्मूलन, नर-नारी समता, हरिजन प्रवेश, भाषा, चौखम्भा-सम्बन्धी उनके सभी सिद्धान्त ठोस और निश्चित हैं। उनका स्पष्ट कहना था कि देश-काल, परिस्थिति के अनुसार समता का कोई अर्थ नहीं। हम कह सकते हैं कि समाजवाद के प्रत्येक अमूर्त और अस्पष्ट सिद्धान्त को मूर्त और स्पष्ट रूप देने का श्रेय डॉ. लोहिया को ही है। हवाई और काल्पनिक समाजवाद को वास्तविकताओं से रँगने का कार्य उनकी आगमनात्मक शैली ने किया। वास्तव में डॉ. लोहिया के समग्र दर्शन का उद्‌भव अध्ययन के बन्द कक्षों अथवा विद्यार्थियों की संकुचित किताबी कक्षाओं से नहीं हुआ। उसका उदय तो जीवन की दैनिक आवश्यकताओं, संघर्षमय वास्तविकताओं और कठोर परिस्थितियों से हुआ है।

सत्याग्रह और वर्ग-संघर्ष (मार्क्स, गाँधी और लोहिया)—डॉ. लोहिया ने गाँधी जी की शोषितों के प्रति सहानुभूति को और शोषकों के प्रति रोष को गहरा किया है। उन्होंने मार्क्स की हिंसात्मक वृत्ति को फटकारा है और उसकी क्रान्ति-सम्बन्धी धारणा को अपनाया है। इस प्रकार उन्होंने क्रान्तिमय करुणा का मेल किया है। गाँधी जी को वर्ग-संघर्ष में नहीं, अपितु सत्याग्रह में विश्वास था। इसके विपरीत मार्क्स को सत्याग्रह में नहीं, अपितु वर्ग-संघर्ष में विश्वास था। डॉ. लोहिया ने सत्याग्रह और वर्ग-संघर्ष के विरोध को काल्पनिक बताया। उनका मत था कि वर्ग-संघर्ष के सिद्धान्तानुसार पूँजीपति शोषक और सर्वहारा वर्ग शोषित है। दोनों वर्गों के हितों में टकराव ही संघर्ष का मूल है। सविनय अवज्ञा में अन्यायी अशुभ है, सत्याग्रही अथवा न्यायी शुभ है। दोनों के उद्‌देश्यों में विरोध ही संघर्ष का कारण है। वर्ग-संघर्ष के सिद्धान्त की तरह सत्याग्रह का सिद्धान्त का अशुभ की शक्ति को कम करना और शुभ की शक्ति को बढ़ाना चाहता है। डॉ. लोहिया के शब्दों में,

"A fancy opposition has been allowed to grow between Satyagrah and class struggle. There is in fact no such opposition, and a genuine class struggle is civil disobedience.....Satyagrah and class struggle are but two names for a single exercise in power, reduction of the power of evil and increase in the power of the good."[43]

व्यक्ति और समाज (मार्क्स, गाँधी और लोहिया)—मार्क्स समाज को साध्य और व्यक्ति को साधन मानता था। इसके विपरीत गाँधी जी व्यक्ति को साध्य और समाज अथवा राज्य को साधन मानते थे। डॉ. लोहिया व्यक्ति को ही साध्य और साधन दोनों मानते थे। उनका मत था कि व्यक्ति अन्याय के विरुद्ध संघर्ष करने के अस्त्र के रूप में साधन है और चूँकि वह सुधारे जानेवाले समाज का एक अभिन्न अंग है इसलिए वह साध्य है।[44] हम सारांश में कह सकते हैं कि डॉ. लोहिया द्वन्द्व की भाषा को अपर्याप्त और एकांगी मानते थे। प्रत्येक वस्तु के सम्बन्ध तीन प्रकार के हो सकते हैं—स्वतन्त्र, अधीन और अन्योन्याश्रित। मार्क्स और गाँधी ने हिंसा-अहिंसा, पदार्थ, आत्मा, विषय-प्रवृत्ति, केन्द्रीकरण-विकेन्द्रीकरण, राजनीतिक धर्म, समाज-व्यक्ति में स्वतन्त्र और अधीन के सम्बन्ध माने हैं, जबकि डॉ. लोहिया ने इनको अन्योन्याश्रित पाया। वे स्वर्णिम मध्यम मार्ग के अनुयायी थे। संक्षेप में, डॉ. लोहिया मार्क्स और गाँधी का संशोधित और सन्तुलित रूप हैं।

संक्षेप में, हम कह सकते हैं कि डॉ. लोहिया का दर्शन एक ऐसा जीवन-दर्शन है जिसका अन्वेषण और सृजन जीते-जागते, हाड़-मांसवाले उस मानव-जाति के लिए किया गया है जो स्वयं ही भौतिक एवं आधिभौतिक तत्त्वों के सम्यक् सम्मिश्रण का प्रतिफल है। डॉ. लोहिया का दर्शन मार्क्स के दर्शन के समान न तो उत्तरी ध्रुव है जहाँ जीवन दूभर है न तो गाँधी के दर्शन के समान दक्षिणी ध्रुव, जहाँ पहुँचना दु:साध्य। उनका दर्शन तो वह प्रथम मध्याह्न रेखा है जो इन दोनों ध्रुवों को जोड़ती है और जिस पर सुखी संसार के समृद्ध जन निवास करते हैं। डॉ. लोहिया का दर्शन यथार्थवादी है, व्यावहारिक है, मनोवैज्ञानिक है और वैज्ञानिक है। यह वह त्रिवेणी का संगम है जहाँ जमुना का हरा, गंगा का स्वच्छ और अदृश्य सरस्वती का लाल जल अपने विभिन्न रंगों को तजकर एक नवीन रूप धारण करता है, जिसमें मानव को मोक्ष देने की अमोघ शक्ति होती है।

सन्दर्भ

1. Lohia : Speech Pachmarhi, May 1952.
2. महात्मा गाँधी : वर्ण-व्यवस्था, पृष्ठ 3
3. महात्मा गाँधी : वर्ण-व्यवस्था, पृष्ठ 91
4. डॉ. लोहिया : जाति-प्रथा, पृष्ठ 4
5. मो. क. गाँधी : वर्ण-व्यवस्था, पृष्ठ 5
6. मो क. गाँधी : वर्ण-व्यवस्था, पृष्ठ 47
7. महात्मा गाँधी : अस्पृश्यता निवारण, पृष्ठ 11
8. महात्मा गाँधी : हरिजन सेवक, 4-8-46, पृष्ठ 246

9. महात्मा गाँधी : विवाह-समस्या, पृष्ठ 19
10. महात्मा गाँधी : विवाह-समस्या, पृष्ठ 19
11. महात्मा गाँधी : विवाह-समस्या, पृष्ठ 52
12. महात्मा गाँधी : विवाह-समस्या, पृष्ठ 79
13. किशोरी लाल घ. मशरूबाला : गाँधी-विचार-दोहन, पृष्ठ 50
14. रामनारायण उपाध्याय : गाँधी दर्शन, पृष्ठ 137
15. मो. क. गाँधी : हिन्द स्वराज (1980), पृष्ठ 126
16. Dr. Lohia : Speech, Hyderabad, August 1952.
17. Dr. Lohia : Will to Power and other writings, page 145.
18. Dr. Lohia : Marx, Gandhi and Socialism, page 17.
19. डॉ. लोहिया : जाति-प्रथा, पृष्ठ 114
20. महात्मा गाँधी : हरिजन सेवक (नयी दिल्ली, 13-12-47)
21. महात्मा गाँधी (रोज के विचार) बापू के आशीर्वाद, पृष्ठ 127
22. किशोरीलाल घ. मशरूवाला : गाँधी-विचार-दोहन, पृष्ठ 96
23. रामनारायण उपाध्याय : गाँधी-दर्शन, पृष्ठ 99
24. महात्मा गाँधी : हरिजन-सेवक, पृष्ठ 8-3-5-35
25. महात्मा गाँधी : हरिजन-सेवक, पृष्ठ 13-7-47
26. महात्मा गाँधी : हरिजन-सेवक, पृष्ठ 13-7-47
27. Dr. Lohia : Marx, Gandhi and Socialism, page 136
28. डॉ. लोहिया : भारत में समाजवाद, पृष्ठ 12
29. डॉ. लोहिया : इतिहास-चक्र, पृष्ठ 33
30. डॉ. लोहिया : इतिहास-चक्र, पृष्ठ 26
31. डॉ. लोहिया : इतिहास-चक्र, पृष्ठ 31
32. डॉ. लोहिया : इतिहास-चक्र, पृष्ठ 29
33. Dr. Lohia : Marx, Gandhi and Socialism, page 367.
34. Dr. Lohia : Marx, Gandhi and Socialism, Page 101.
35. Dr. Lohia : Marx, Gandhi and Socialism, page 112.
36. डॉ. लोहिया : नया समाज, नया मन, पृष्ठ 13
37. डॉ. लोहिया : भारत में समाजवाद, पृष्ठ 19
38. डॉ. लोहिया : इतिहास-चक्र, पृष्ठ 36
39. Dr. Lohia : Marx, Gandhi and Socialism, page 373.
40. Harris Wofford J.R. : Lohia and America Meet, Front page 136.
41. डॉ. लोहिया : भारत में समाजवाद, पृष्ठ 22
42. रामनारायण उपाध्याय : गाँधी दर्शन, पृष्ठ 185
43. Dr. Lohia : Marx, Gandhi and Socialism, page 346
44. Dr. Lohia : Marx, Gandhi and Socialism, page 375

•

10

मूल्यांकन

डॉ. लोहिया का जीवन नेता, मित्र, पथ-प्रदर्शक तीनों का अद्‌भुत सम्मिश्रण था। उनके व्यक्तित्व में करुणा, प्रेम, क्रोध और घृणा के आदर्श रूपों का समावेश था। वे योद्धा, सेनानी, वीर विचारक भविष्यद्रष्टा, पददलितों के प्रवक्ता और गरीबों के मसीहा थे। वे भारतीय राजनीति के क्रुद्ध युवक थे, किन्तु उनका क्रोध कभी भी व्यक्तिगत द्वेष पर आधारित न था। अपनी निर्भीक और पवित्र राजनीति के कारण उन्हें अपने ऊपर सनकी, अशिष्टभाषी, द्वेषी, वैयक्तिक, आक्षेपकर्त्ता, मूर्तिभंजक आदि के आक्षेप सहन करने पड़े, किन्तु फिर भी उन्होंने सम्पूर्ण देश पर अमिट प्रभाव छोड़ा, उसे निर्देशित और आन्दोलित किया। गाँधी जी के पश्चात् केवल वही एक नेता थे जिन्होंने भारतीय राजनीति को जनाभिमुख बनाने और जन-स्पर्शी कार्यक्रम प्रारम्भ करने की प्रक्रिया प्रारम्भ की।

मूलतः डॉ. लोहिया राजनीतिक विचारक चिन्तक और स्वप्नद्रष्टा थे, लेकिन उनका चिन्तन राजनीति तक कभी सीमित नहीं रहा। संस्कृति, दर्शन, साहित्य, इतिहास, भाषा आदि के सम्बन्ध में भी उनके मौलिक विचार थे। व्यापक दृष्टिकोण, दूरदर्शिता, समन्वय और सन्तुलन, उनकी चिन्तनधारा की विशेषता थी। उनकी विचारधारा देश- काल की परिधि से बँधी नहीं थी। विश्व की रचना और विकास के सम्बन्ध में उनकी अनोखी व अद्वितीय दृष्टि थी। वे एक नवीन सभ्यता और नवीन संस्कृति के द्रष्टा और स्रष्टा थे।

डॉ. लोहिया के चिन्तन में अनेकता के दर्शन होते हैं। त्याग बुद्धि और प्रतिभा के साथ सूर्य की प्रखरता है तो वहीं चन्द्रमा की शीतलता भी। शोषितों के प्रति उनमें फूल की कोमलता है तो शोषकों के प्रति उनमें वज्र की कठोरता भी है। एक ओर उनका दर्शन ध्वंसात्मक है तो दूसरी ओर रचनात्मक भी। एक ओर यदि वे गृह-व्यवस्था से लेकर विश्व-व्यवस्था तक के प्रति विद्रोह कर उसे ध्वस्त करते हुए प्रतीत होते हैं तो दूसरी ओर प्रत्येक स्तर की व्यवस्था का पुनर्निर्माण करने में भी

नहीं चूकते। उनके दर्शन की इस ध्वंसात्मकता और रचनात्मकता की व्याख्या निम्न चश्मोंवाले व्यक्ति भिन्न ढंग से कर सकते हैं। जो व्यक्ति लोहिया की तरह विश्व को सर्वत्र अन्यायों और विषमताओं से भरा पाते हैं, वे उनकी ध्वंसात्मक प्रवृत्ति को अन्यायों का सतत और सर्वत्र संघर्ष मानकर उसकी प्रशंसा कर सकते हैं और जो व्यक्ति विश्व में उतना अन्याय और अत्याचार नहीं देखते जितना लोहिया, वे लोहिया-दर्शन की ध्वंसात्मकता को अनुपस्थित शत्रु से झगड़ता हुआ मानकर उसकी आलोचना भी कर सकते हैं। लेकिन डॉ. लोहिया के दर्शन का ध्वंसात्मक पहलू उनके सृजनात्मक पहलू का एक अभिन्न अंग है। वे कुरूप, त्रस्त, दलित, भूखे और नंगे वर्तमान को इसलिए ध्वस्त करना चाहते हैं कि उसका स्थान एक सुन्दर, सुखी और सम्पन्न भविष्य ले सके। इस सन्दर्भ में राष्ट्रीय और अन्तरराष्ट्रीय स्तर पर उनके द्वारा प्रतिपादित राजनैतिक, सामाजिक, आर्थिक आदि व्यवस्थाओं के मानचित्र इसके ज्वलन्त प्रमाण हैं। लेकिन उनकी कुछ आदर्श योजनाएँ कुछ लोगों को अव्यावहारिक और असम्भव-सी प्रतीत हो सकती हैं जैसे विश्व-सरकार, संयुक्त राष्ट्र संघ का पुनर्गठन, विश्व-समाजवाद का नवदर्शन, भूमि का पुनर्वितरण, अन्तरराष्ट्रीय जमींदारी-उन्मूलन, अन्तरराष्ट्रीय जाति-प्रथा-उन्मूलन-सम्बन्धी उनकी आदर्श कल्पनाएँ।

उनकी कुछ विचारधाराएँ कुछ विचारकों को विरोधाभास से भी परिपूर्ण प्रतीत हो सकती है। क्योंकि एक ओर वे व्यक्तिगत सम्पत्ति के राष्ट्रीयकरण का प्रतिपादन करते हैं तो दूसरी ओर व्यक्तिगत स्वतन्त्रता का भी। एक ओर व्यय पर प्रतिबन्ध लगाकर वे जीवन को सरल बनाना चाहते हैं तो दूसरी ओर वे सम्पन्नता और आनन्द को भी आवश्यक मानते हैं। एक तरफ तो वे 'कर्मण्येवाधिकारस्ते मा फलेषु कदाचन' के सिद्धान्त का पालन करते हैं तो दूसरी ओर अधिकारों को भी बहुत महत्त्वपूर्ण मानते हैं। एक जगह तो उन्होंने यहाँ तक कहा है कि अधिकार की भावना के आये बिना कर्त्तव्य की भावना नहीं आ सकती। इसी प्रकार उनका मत था कि सिद्धान्त दीर्घकालीन कार्यक्रम है और कार्यक्रम अल्पकालीन सिद्धान्त, धर्म दीर्घकालीन राजनीति है और राजनीति अल्पकालीन धर्म। रूसो के समान उनकी ऐसी कई उक्तियाँ विरोधाभासपूर्ण प्रतीत होती हैं। उन्हें समझने के लिए गहन दृष्टि की आवश्यकता है। डॉ. लोहिया के राजनीतिक चिन्तन की यह विशेषता थी कि वे वर्तमान की राजनीति को सुदूर से और सुदूर की राजनीति को वर्तमान से जोड़ते थे।

डॉ. लोहिया बहुमुखी क्रान्तिकारी दर्शन के जनक थे। अन्याय का तीव्रतम प्रतिकार उनके कर्मों व सिद्धान्तों की बुनियाद रही है। संसदीय राजनीति में तो वे क्रान्तिकारी थे ही, किन्तु संसद् के बाहर की राजनीति को वे उससे भी अधिक तीव्र करना चाहते थे। वे जानते थे कि क्रान्ति के एक पहलू को पकड़ना क्रान्ति का विरोध

करना है। इसलिए वर्तमान व्यवस्था पर उन्होंने सामाजिक, आर्थिक, राजनैतिक, सांस्कृतिक, धार्मिक आदि सभी पहलुओं से प्रहार किया।

राष्ट्रीय जीवन के उत्थान के लिए डॉ. लोहिया ने साम्प्रदायिकता, जाति-प्रथा, नर-नारी असमानता, अस्पृश्यता, रंग-भेद नीति तथा अन्य इसी प्रकार की सामाजिक कुरीतियों पर गहरा प्रहार किया। डॉ. लोहिया की सामाजिक साधना ने राष्ट्रीय जीवन के मस्तिष्क और आत्मा का विकास किया है। उन्होंने जिस सामाजिक समता का प्रतिपादन किया है वह जनस्पर्शी और क्रान्तिकारी है। डॉ. लोहिया ने इसे गाँधी जी की तरह केवल नैतिक अथवा सामाजिक परिधि में सीमित नहीं रखा, वरन उसे राजनैतिक और वैधानिक रूप देने का प्रयास किया। यह डॉ. लोहिया ही थे जिन्होंने 700-800 वर्ष पुरानी दासता को इन सामाजिक विषमताओं की उपज बताया। उनका मत था कि भारतीय समाज को जब तक सामाजिक समता प्राप्त नहीं होती, तब तक आर्थिक समता कोई अर्थ नहीं रखती। उनकी दृष्टि में भारतीय समाजवाद का सामाजिक समता से घनिष्ठ सम्बन्ध है, किन्तु इसका यह अर्थ नहीं कि आर्थिक समता की ओर उन्होंने कम ध्यान दिया।

समाजवादी धरातल पर डॉ. लोहिया के आर्थिक चिन्तन से राष्ट्र में आर्थिक समता की अपूर्व लहर दौड़ी। निर्गुणात्मक समता को उन्होंने ठोस रूप दिया। भारत में व्याप्त आय-विषमता, मूल्य-वृद्धि, भ्रष्टाचार, वर्ग-व्यवस्था, जमींदारी, आर्थिक केन्द्रीकरण और विलासिता को वे जड़ से उखाड़ फेंकना चाहते थे। अन्न एवं भू-सेना तथा छोटे यन्त्रों की योजना एक ओर उनकी मौलिक प्रतिभा की परिचायक है और दूसरी ओर उनकी आत्म-स्वावलम्बन की भावना को भी व्यक्त करती है। उनकी आर्थिक नीतियाँ भारत-जैसे पिछड़े राष्ट्र के लिए एक ऐसी देन हैं जो भारत के आर्थिक, सांस्कृतिक, मानसिक, राजनैतिक, सामाजिक और आध्यात्मिक विकास को उत्तरोत्तर प्रगति के पथ पर ले जा सकतीं हैं। कुछ विचारकों को ऐसा प्रतीत हो सकता है कि आय की सीमा बाँधना, मूल्य को निश्चित करना, भू-सीमा-निर्धारण अथवा व्यय पर प्रतिबन्ध आदि की उनकी नीतियाँ, अस्वाभाविक असम्भव, अव्यावहारिक और अनुत्पादक हैं। किन्तु वास्तविकता कुछ और ही है। अधिक-से-अधिक यही कहा जा सकता है कि इन नीतियों के कार्यान्वयन में कठिनाइयाँ अधिक आवेंगी, किन्तु प्रगति करनेवालों के लिए विश्व में कुछ भी असम्भव नहीं होता। आज मानव को स्वयं संयमित होने की आवश्यकता तो है ही, साथ-ही-साथ एक ऐसी व्यवस्था की भी आवश्यकता है जिसके द्वारा उसे संयमित होना आवश्यक भी हो जाय। लोहिया जी ने एक ऐसी ही व्यवस्था देने का प्रयत्न किया है। जिस सत्य को गाँधी जी परम्परावादी और नैतिक ढंग से राष्ट्रीय जीवन का एक अंग बनाना चाहते थे, उसे ही डॉ. लोहिया ने वैधानिक रूप देने का प्रयास किया है। मेरी समझ

में नहीं आता कि जो नियम नैतिक ढंग से उचित है, वह वैधानिक ढंग से क्यों उचित नहीं? डॉ. लोहिया का आर्थिक चिन्तन सैद्धान्तिक और व्यावहारिक ढंग से बहुत ही सशक्त और महत्त्वपूर्ण है, भले ही उसके कार्यान्वयन में कुछ कठिनाइयों का सामना करना पड़े। उन्होंने आदर्श आर्थिक व्यवस्था ही नहीं दी, अपितु उस समाजवादी राज्य का स्वरूप भी निश्चित किया जिसके अन्तर्गत उसकी आर्थिक व्यवस्था स्थापित की जायेगी।

डॉ. लोहिया ने चौखम्भा-राज्य की योजना प्रस्तुत कर समाजवादी चिन्तन में चार चाँद लगा दिये हैं। चौखम्भा-योजना द्वारा राजनैतिक शक्तियों का विकेन्द्रीकरण किया गया है, जो व्यक्ति की राजनैतिक स्वतन्त्रता का परिचायक है। इससे स्पष्ट है कि डॉ. लोहिया समाजवाद को प्रजातन्त्र के बिना अधूरा और अपर्याप्त मानते थे। किन्तु वर्तमान प्रजातन्त्रों के वे कटु आलोचक थे क्योंकि इनमें शक्ति का केन्द्रीकरण उच्चतर संगठनों में होता है, जिसके कारण जनता की स्वतन्त्रता केवल नाममात्र की रह जाती है। डॉ. लोहिया ही एक ऐसे विचारक थे जिन्होंने वाणी-स्वतन्त्रता और कर्म-नियन्त्रण का सिद्धान्त दिया। उन्होंने सविनय अवज्ञा के अधिकार को जनता का मूल अधिकार माना और अपनी कृति द्वारा अन्यायों का सतत प्रतिकार किया। राजनैतिक इतिहास की व्यवस्था कर उन्होंने एक ओर भारत के गिरे हुए मनोबल को ऊँचा किया और दूसरी ओर समाजवादी राज्य की स्थापना के लिए आशा और विश्वास का द्वार खोला।

डॉ. लोहिया ने लोक-भाषा और मातृभाषा को प्रतिष्ठित करने के लिए जो सिद्धान्त और कर्म दिये हैं, वे अद्वितीय हैं। उनके प्रयास इस तथ्य का प्रत्यक्ष प्रमाण हैं कि उन्हें गोली से बोली की महत्ता पर अधिक विश्वास है। गरीबों, किसानों और शोषितों को उनकी भाषा देकर उन्होंने उनमें आत्मस्वावलम्बन, राजनैतिक जागरण और स्वतन्त्रता के बीच बोये हैं। उनके 'पेट' की समस्याओं को ही नहीं, अपितु मन की भी समस्याओं को सुलझाने का प्रयास डॉ. लोहिया ने किया है। उन्होंने भाषा को पारिभाषिक, ठेठ, सशक्त, सरल, बोधगम्य, रोचक और सटीक बनाने पर बल दिया। उनकी भाषानीति की आलोचना लोग यह कहकर कर सकते हैं कि उन्होंने भाषा के स्तर को निम्न किया है अथवा उसकी साहित्यिक गरिमा को आघात पहुँचाया है। किन्तु वह आलोचना उचित नहीं कही जा सकती, क्योंकि भाषा के लिए सर्वप्रथम यह आवश्यक है कि वह सामान्य जन की भाषा बने। केवल तभी वह सार्वजनिक कार्यों की भाषा बन सकती है और केवल उसी हालत में वह सशक्त परिमार्जित और साहित्यिक भी बन सकती है। इसके विपरीत शुद्धता के चक्कर में पड़कर यदि भाषा को इतना अधिक जटिल बना दिया जाता है कि सामान्य जन के प्रयोग में वह न आ सके तो वह अविकसित और कमजोर भाषा बनकर रह जाती है।

डॉ. लोहिया के दर्शन के अध्ययन से यह स्पष्ट होता है कि उसमें सन्तुलन और सम्मिलन का समावेश है। डॉ. लोहिया को भारतीय संस्कृति से न केवल अगाध प्रेम था, बल्कि उसकी आत्मा को उन्होंने हृदयंगम किया था। उन्होंने 'अद्वैतवाद', 'ब्रह्म-ज्ञान' की जिस तरह सही व्यवस्था की है उसी तरह राम, कृष्ण और शिव की भी क्रमश: सीमित, उन्मुक्त और असीमित व्यक्तित्व के प्रतीक के रूप में अराधना की है। उन्होंने अपनी संस्कृति को एकता और समता का मूल बतलाया है। कोरी और हवाई आध्यात्मिकता में न भटककर उन्होंने संस्कृति के इन मूल तत्त्वों को समझा है और इसीलिए राष्ट्रीयता और राष्ट्रीय संस्कृति की भावना में उनको संकुचित और सीमित नहीं किया है। उन पर जर्मनी की शिक्षा का भी प्रभाव पड़ा। उन्होंने पश्चिमी समाजवाद पर भी चिन्तन कर अपनी नीर-क्षीर-विवेक बुद्धि का परिचय दिया। समाजवाद की यूरोपीय सीमाओं और आध्यात्मिकता की राष्ट्रीय सीमाओं को तोड़कर उन्होंने एक विश्व-दृष्टि विकसित की। उनका विश्वास था कि पश्चिमी विज्ञान और भारतीय अध्यात्म का सच्चा मिलन तभी हो सकता है जब दोनों को इस प्रकार संशोधित किया जाय कि वे एक-दूसरे के पूरक बनने में समर्थ हो सकें।

डॉ. लोहिया की विचार-पद्धति रचनात्मक है। वे जीवनपर्यन्त उस साधना में रत रहे जिसने अर्द्ध-सत्यों को इस प्रकार संशोधित किया कि वे अपर्याप्त से पर्याप्त और अपूर्ण से सम्पूर्ण हो गये। इसी रूप में उन्होंने 'समत्व' के सिद्धान्त को केवल भौतिक समता अथवा केवल आध्यात्मिक समता की सीमाओं से मुक्त करके, जीवन के उक्त दोनों क्षेत्रों के अतिरिक्त स्थितप्रज्ञता का भी समावेश इस सिद्धान्त में किया। वे उस समाजवाद को एकांगी और अपर्याप्त समझते थे जो अध्यात्मवाद और भौतिकवाद में से किसी एक का पुछल्ला मात्र बनकर रह जाता है। डॉ. लोहिया का दर्शन एक ऐसा समुद्र है जहाँ पश्चिम और पूर्व की धाराएँ अपने शुद्ध रूपों में आकर मिलती हैं। डॉ. लोहिया ने भारत की आध्यात्मिकता और पश्चिम की कार्यक्षमता का सम्मिश्रण है। उनका विश्वास था कि 'सत्यम्, शिवम्, सुन्दरम्' के प्राचीन आदर्श और आधुनिक विश्व के 'समाजवाद स्वातन्त्र्य और अहिंसा' के त्रिसूत्रीय आदर्श को इस रूप में रखना होगा कि वे एक-दूसरे का स्थान ले सकें। वही मानव-जीवन का सुन्दर सत्य होगा और उस सत्य को जीवन में प्रतिष्ठित करने के लिए मर्यादा-अमर्यादा का, सीमा-असीमा का बहुत ध्यान रखना होगा।

द्वन्द्व की अनुपस्थिति डॉ. लोहिया के दर्शन की सबसे बड़ी विशेषता है। आज तक वे अधिकांश विचारकों ने धर्म-राजनीति में आत्मा-पदार्थ में, व्यक्ति-समाज में, विषय (आर्थिक लक्ष्य) प्रवृत्ति (साधारण लक्ष्य) में, राष्ट्रीयता और अन्तरराष्ट्रीयता में द्वन्द्व-ही-द्वन्द्व देखा है। कोई धर्म और राजनीति में दामनचोली का सम्बन्ध मानता है तो कोई राजनीति को धर्म से एकदम पृथक् कर देता है। गाँधी के समान कोई यदि

आत्मा को मानता है तो मार्क्स के समान कोई पदार्थ को मानता है। यदि कोई आर्थिक लक्ष्य की पूजा करता है तो कोई साधारण लक्ष्य की। कोई व्यक्तिवाद का भक्त है तो कोई समाजवाद का। इसी प्रकार यदि कोई राष्ट्रीयता का आदर करता है तो कोई अन्तरराष्ट्रीयता का। अब तक एक से महत्त्व को स्वीकार कर दूसरे के महत्त्व का ठुकराया गया है। एक-दूसरे को कारण और फल की शृंखला में रखने का गलत क्रम ही शताब्दियों से दर्शनों को भ्रमित करता आया है। डॉ. लोहिया ने सर्वप्रथम दोनों के कल्पित संघर्ष को समाप्त किया। उन्होंने स्पष्ट किया कि दोनों विरोधी समझे जानेवाले तत्त्व एक-दूसरे के विरोधी नहीं, अपितु सहायक और पूरक हैं। वे अन्योन्याश्रित हैं।

डॉ. लोहिया की मान्यता है कि आत्मा पदार्थ को प्रभावित करती है और पदार्थ आत्मा को। इसी प्रकार आर्थिक लक्ष्य साधारण लक्ष्य को प्रभावित करते हैं और साधारण लक्ष्य आर्थिक लक्ष्य को। व्यक्ति समाज को प्रभावित करता है और समाज व्यक्ति को। राष्ट्रीयता अन्तरराष्ट्रीयता को और अन्तरराष्ट्रीयता राष्ट्रीयता को प्रभावित करती है। विरोधी समझे जानेवाले दोनों तत्त्वों में अधीन और स्वतन्त्र का रिश्ता उचित नहीं। इस प्रकार के रिश्तों की खोज करनेवाले दर्शन अपर्याप्त, अव्यावहारिक और असत्य हैं। ऐसे दोनों तत्त्वों के बीच अन्योन्याश्रय सम्बन्धों का दिग्दर्शन की यथार्थता है और यह यथार्थता डॉ. लोहिया के दर्शन में हमें बड़े सुन्दर और स्वाभाविक ढंग से मिलती है। शताब्दियों से चले आ रहे दर्शन के इन अधीन और स्वतन्त्र रिश्तों का बहिष्कार ऊँच-नीच की खाईं पाटनेवाला व्यक्ति डॉ. लोहिया ही कर सका है। अन्योन्याश्रय के सम्बन्धों की प्रतिष्ठापना केवल उस हृदय से हो सकती है जो सर्वत्र स्वाभाविक ढंग से समता के दर्शन कर रहा हो।

अभी तक के अधिकांश दर्शनों में या तो निर्गुणात्मक (व्यापक, निराकार) सिद्धान्तों का यशोगान किया जाता रहा है अथवा केवल सगुणात्मक (साकार अथवा ठोस) विचारों का। आदर्श और यथार्थ में तादात्म्य स्थापित करने का प्रयास नहीं किया गया। दर्शन का यह दोष भारतीय मस्तिष्क में और भी अधिक रहा। वर्तमान भारत तो उसका शिकार ही प्रतीत होता है। यही कारण है कि यहाँ जीभ चर्खा चलाया करती है और हाथ वृहदाकार यन्त्रों पर आधारित उद्योगों का निर्माण करते हैं, जीभ अहिंसा का गुणगान करती है और हाथ हिंसा किया करते हैं, जीभ विकेन्द्रीकरण की प्रशंसा करती है और हाथ सचिवालयों और उच्चतर प्रशासनिक अंगों में शक्ति केन्द्रित करने में रत रहते हैं। यथार्थ से सम्बन्ध टूट जाने पर उच्च सिद्धान्तों का एक पृथक् कल्पना-जगत् बन जाता है और उनके साकार स्वरूप मस्तिष्क में न होने पर हम उसी कल्पना-जगत् में विचरण किया करते हैं। सिद्धान्त के साधारणीकृत व्यापक स्वरूप और ठोस सार्थक स्वरूप का परस्पर सम्बन्ध अत्यन्त महत्त्वपूर्ण है।

साकार चित्र के बिना व्यापक सिद्धान्त केवल प्रवंचना फैलाते हैं। इसी प्रकार व्यापक (निराकार) सिद्धान्त से पृथक् हो जाने पर उसके साकार रूप केवल जड़ता लाते हैं। केवल साकार चित्रों से ही काम नहीं चलता क्योंकि भूमिका में तो निराकार सिद्धान्त ही रहता है, किन्तु वे आवश्यक हैं। व्यापक सिद्धान्त तो सदा एक ही रहता है, किन्तु उसके सीमित साकार रूप युग और परिस्थिति के अनुकूल परिवर्तित होते रहते हैं।

डॉ. लोहिया ही एक ऐसे दार्शनिक थे जिन्होंने स्पष्ट किया कि निराकार और साकार का परस्पर सम्बन्ध कभी टूटना नहीं चाहिए। भारत की समग्र राजनीति के अन्तिम पाँच व्यापक लक्ष्यों-समता, अहिंसा, विकेन्द्रीकरण, लोकतन्त्र और समाजवाद को साकार (ठोस) रूप प्रदान करने का श्रेय डॉ. लोहिया को ही है। आय का निश्चित अनुपात 1:10 रखकर उन्होंने समता को साकार रूप दिया। इसी प्रकार साक्षात्कार का सिद्धान्त देकर अहिंसा को, छोटे यन्त्र और चौखम्भा-योजना प्रस्तुत कर विकेन्द्रीकरण को ठोस रूप दिया है। चौखम्भा-राज्य, सविनय अवज्ञा, वाणी-स्वतन्त्रता और कर्म-नियन्त्रण के सिद्धान्त प्रतिपादित कर उन्होंने जन-इच्छा को महत्त्व दिया है और लोकतन्त्र के व्यापक आदर्श को साकार रूप प्रदान किया है। वर्ण और वर्ण की व्यापक एवं यथार्थवादी व्याख्या द्वारा उन्होंने वर्णहीन और वर्गहीन समाजवादी व्यवस्था का साकार रूप प्रस्तुत किया है।

डॉ. लोहिया का दर्शन सिद्धान्त और व्यवहार की एकता पर सर्वाधिक बल देता है। उनका दर्शन उनके आचरण की अभिव्यक्ति है। अत: वे स्वयं में एक इतिहास थे और स्वयं में एक संस्था। उनका जीवन विचार, प्रतिभा और कर्मठता का अद्‌भुत सम्मिश्रण था। उनकी राजनीति पवित्र और सिद्धान्तनिष्ठ थी। उस दर्शन का मूल्यांकन कौन कर सकता है जो एक ऐसे कर्मयोगी से नि:सृत हुआ हो जिसने अपने ही दल को किसी भूल पर शासन से हटने के लिए विवश कर दिया हो। यदि सन् 1954 ई. में डॉ. लोहिया के कहने पर केरल के समाजवादी मन्त्रिमण्डल के त्याग-पत्र दे दिया होता तो आज इस देश में समाजवादी आन्दोलन तो आदर्श बनता ही, साथ ही, विश्व में एक नवीन आदर्श का निर्माण हुआ होता।

डॉ. लोहिया की चिन्तनधारा देश-काल की परिधि में कभी भी नहीं बँधी। जिस कार्य को उन्होंने एक राष्ट्र में करना चाहा था वही कार्य वे सम्पूर्ण विश्व में करना चाहते थे। एक स्थान-विशेष की राजनीति को वे सदैव सम्पूर्ण विश्व की राजनीति से जोड़ते थे। भारत की जाति-व्यवस्था के यदि वे विरोधी थे तो वे अन्तरराष्ट्रीय जाति-प्रथा को भी विनष्ट करना चाहते थे। जमींदारी को यदि वे भारत में समाप्त करना चाहते थे तो वे विश्व से भी जमींदारी प्रथा को समाप्त करना चाहते थे। उनके विचार में यह एक अन्तरराष्ट्रीय जमींदारी ही है जिसके अनुसार साइबेरिया या

आस्ट्रेलिया या कनाडा के बहुत बड़े हिस्से में एक वर्गमील पर प्राय: एक, कैलिफोर्निया में 1 वर्गमील पर 7 या 8 व्यक्ति और भारत में लगभग 350 व्यक्ति रहते हैं। इसके लिए राष्ट्रों के बीच भूमि के पुनर्वितरण की उन्होंने चर्चा की। भले ही उनका यह विचार आज की परिस्थितियों में एक कल्पनामात्र हो, किन्तु मानव को क्या ऐसे महान् आदर्श के लिए आशान्वित न होना चाहिए? उन्होंने यदि एक ओर राष्ट्र के अन्दर होनेवाले वर्ग-संघर्ष को परखा था तो दूसरी ओर विश्व के रंगमंच पर हो रहे राष्ट्र-संघर्ष को भी समझा था और इसीलिए वे वर्ग-संघर्ष की समाप्ति के साथ राष्ट्र-संघर्ष को भी दफनाना चाहते थे।

डॉ. लोहिया का दर्शन विश्व-शान्ति और 'वसुधैव कुटुम्बकम्' का सच्चा प्रतीक है। नि:शस्त्रीकरण विश्व-विकास समिति, अन्तरराष्ट्रीयतावाद, संयुक्त राष्ट्र संघ के पुनर्गठन और विश्व-सरकार को उनकी योजनाएँ उन्हें विश्व-नागरिक और उनके दर्शन को विश्व-दर्शन सिद्ध करती हैं। डॉ. लोहिया के मत में साम्यवाद और पूँजीवाद दोनों में राजनैतिक और आर्थिक केन्द्रीकरण है और दोनों में जनसंस्कृति स्थूल और रूढ़िग्रस्त होती जाती है। पूँजीवादी व्यवस्था संस्कृति की और साम्यवादी व्यवस्था 'रोटी' की झूठी प्रतीक है। दुनिया के वास्तविक प्रश्न हल करने की शक्ति किसी में नहीं है। 'सारे मानवों को पेट भर अन्न', 'मन की आजादी की प्यास', 'युद्धबन्दी', की तीन प्रमुख समस्याओं का हल न रूसी गुट के पास है और न अमेरिकी। अत: पूँजीवाद और साम्यवाद दोनों एक-दूसरे के विरोधी होकर भी दोनों एकांगी और हेय है। आधुनिक प्रजातन्त्रों और साम्यवाद की इस अपर्याप्तता के कारण ही उन्होंने एक तृतीय सभ्यता की योजना प्रस्तुत की।

जिस विश्व-व्यवस्था की रूप-रेखा उन्होंने प्रस्तुत की है, वह विश्व के लिए एक अपूर्व देन है। साम्यवाद ने निश्चय ही शोषण के अन्त द्वारा राष्ट्रों की समानता और मानव-व्यक्तित्व के पूर्ण विकास पर आधारित विश्व-व्यवस्था की बात की है। परन्तु ये साधारण आदर्श वैसे ही भ्रमात्मक और निरर्थक हैं जैसे इसके पूर्व पूँजीवाद के थे जिसने दोषरहित स्पर्द्धा से बननेवाली विश्व-व्यवस्था की बात की थी। डॉ. लोहिया के अनुसार राज्यों की जनता अपने-अपने राज्य में नेताओं के विरुद्ध और विश्व-सरकार के पक्ष में उठ खड़ी होगी। वयस्क मताधिकार के द्वारा समानता के आधार पर विश्व-संसद् का निर्माण होगा। व्यक्ति की समझ और राष्ट्रों का शारीरिक तथा सांस्कृतिक मिलन इसमें योग देगा। साक्षात्कार के सिद्धान्त पर यह विश्व-व्यवस्था निर्मित होगी।

नवीन सभ्यता सम्पूर्ण विश्व में लगभग समान उत्पादन द्वारा मानव-जाति में समीपता लायेगी। यह वर्ग और वर्ण तथा क्षेत्रीय परिवर्तनों का अन्त करने का प्रयत्न

करेगी। इसकी तकनीकी और प्रशासन इस आवश्यकता के अनुकूल होगा और विकेन्द्रित समुदायों की आपसी महत्त्व के आधार पर तथा मानवता की एकता द्वारा लोग अपना शासन स्वयं चला सकेंगे। श्रम-शोषण पर आधारित समस्त उत्पादन के साधनों का समाजीकरण कर दिया जायेगा। राष्ट्र के अन्दर आय-नीति का दृढ़ता से पालन किया जायेगा। जिससे राष्ट्रों में समीपता का क्रम फैलेगा। मनुष्य समूह में और व्यक्तिगत रूप से अन्याय के विरुद्ध सविनय अवज्ञा कर सकेगा। व्यक्तिगत स्तर पर मनुष्य कथाओं का इतिहास से, स्थायित्व का प्रवाह से मिश्रण जानने का प्रयत्न करेगा। व्यक्ति सन्तुलन के साथ संघर्ष के द्वारा अपने व्यक्तित्व का विकास करने का प्रयत्न करते हुए शान्तिमय क्रियाशीलता की अपनी नवीन सभ्यता में भाग लेगा। डॉ. लोहिया द्वारा खींचा गया विश्व-सभ्यता का यह चित्र कितना सुखद और स्वर्गिक है। स्वप्नद्रष्टा डॉ. लोहिया का यह एक स्वप्न है, किन्तु स्वप्न की महत्ता उन्होंने स्वीकारी है, हमें भी स्वीकार करनी पड़ेगी। हमारा दैनिक अनुभव बतलाता है कि हर स्वप्न झूठा नहीं होता। क्या ही अच्छा हो कि हम ऐसे स्वर्गिक स्वप्न को साकार रूप देने के लिए प्रयत्नशील हों।

डॉ. लोहिया राष्ट्रवादी थे, लेकिन विश्व-सरकार का सपना देखते थे, वे आधुनिकतम आधुनिक थे, लेकिन आधुनिक सभ्यता को बदलने का प्रयत्न करते रहते थे, वे विद्रोही तथा क्रान्तिकारी थे, लेकिन शान्ति व अहिंसा के अनूठे उपासक थे। वे गाँधी के सत्याग्रह और अहिंसा के अखण्ड समर्थक थे। लेकिन गाँधीवाद को वे अधूरा और अपर्याप्त दर्शन मानते थे। वे समाजवादी थे, लेकिन मार्क्स को एकांगी मानते थे। डॉ. लोहिया ने मार्क्सवाद और गाँधीवाद को मूल रूप में समझा और दोनों को एकांगी पाया, क्योंकि इतिहास की गति ने दोनों को छोड़ दिया है, दोनों का महत्त्व मात्र युगीन है। मार्क्स पदार्थ में विश्वास करता है और गाँधी आत्मा में, लेकिन डॉ. लोहिया पदार्थ और आत्मा को अन्योन्याश्रित मानते हैं। मार्क्स साधारण लक्ष्य को आर्थिक लक्ष्य का परिणाम मानता है तो गाँधी आर्थिक लक्ष्य को साधारण लक्ष्य का परिणाम। डॉ. लोहिया आर्थिक लक्ष्य और साधारण लक्ष्य को अन्योन्याश्रित मानते हैं। मार्क्स धर्म को अफीम की गोली बताकर उसका तिरस्कार करता है, जबकि गाँधी जी राजनीति में धर्म को प्रवेश दिलाना चाहते थे। डॉ. लोहिया धर्म की अग्नि-परीक्षा करते हैं और तब तपे हुए शुद्ध धर्म को राजनीति से जोड़ते हैं। मार्क्स वर्ग-संघर्ष में पूर्ण आस्था रखता है, जबकि गाँधी जी को वर्ग-संघर्ष के स्थान में सत्याग्रह पर विश्वास है। लोहिया जी सत्याग्रह और वर्ग-संघर्ष के द्वन्द्व को समाप्त करके सत्याग्रह को ही वर्ग-संघर्ष में परिणत करते हैं। मार्क्स अति केन्द्रीकरण का प्रतीक है तो गाँधी अत्यधिक विकेन्द्रीकरण के। लोहिया की चौखम्भा-योजना विकेन्द्रित व्यवस्था का एक मध्यम मार्ग है। मार्क्स वृहदाकार यन्त्रों पर आधारित व्यवस्था का

द्योतक है तो गाँधी प्राचीनकाल के हाथवाले सुस्त उपकरणों के। लोहिया जी तेल, बिजली और पेट्रोल आदि से परिचालित छोटे और सुलभ यन्त्रों के द्योतक हैं। मार्क्स समाज को साध्य और व्यक्ति को साधन मानता था, जबकि गाँधी जी व्यक्ति को साध्य और राज्य को साधन मानते थे। डॉ. लोहिया व्यक्ति को साध्य और साधन दोनों मानते थे। वे समाज (राज्य) और व्यक्ति में कोई द्वन्द्व नहीं देखते थे।

मार्क्स पश्चिम के और गाँधी पूर्व के प्रतीक हैं, जबकि डॉ. लोहिया पश्चिम और पूर्व दोनों के प्रतीक हैं। वे पश्चिम-पूर्व की खाईं पाटना चाहते थे। मानवता के दृष्टिकोण से वे पूर्व-पश्चिम, काले-गोरे, अमीर-गरीब, छोटे-बड़े राष्ट्रों और नर-नारी के बीच की दूरी मिटाना चाहते थे। जाति-समाप्ति, लोकतन्त्र के विकास और शस्त्रास्त्र समाप्ति के लिए भी उन्होंने अद्वितीय प्रयास किये डॉ. लोहिया ने एक साथ सात क्रान्तियों का आव्हान किया है। इस प्रकार कर्म के क्षेत्र में अखण्ड प्रयोग और वैचारिक क्षेत्र में निरन्तर संशोधन द्वारा नवनिर्माण के लिए सतत प्रयत्नशील भी डॉ. लोहिया का एक रूप है। जीवन का कोई भी पहलू शायद बचा हो, जिसे डॉ. लोहिया ने अपनी मौलिक प्रतिभा से स्पर्श न किया हो। मानव-विकास के प्रत्येक क्षेत्र में उनकी विचारधारा सबसे भिन्न और मौलिक रही है।

विश्व के समाजवादी विचारकों में डॉ. लोहिया का नाम एक नवीन समाजवादी विश्व-सभ्यता के स्रष्टा, एकांगी सभ्यताओं के पूर्तिकर्त्ता, गाँधीवाद-मार्क्सवाद के संशोधक और सर्वाधिक मौलिक विचारक के रूप में स्मरणीय रहेगा। उन क्रान्तिकारियों में उनका प्रथम स्थान होगा जिन्होंने विश्व की हर सम्भव विषमता को ढूँढ़ा हो और उसे जड़-मूल से विनष्ट करने के लिए सतत संघर्ष किया हो। वे एक ऐसे प्रतिभासम्पन्न, कर्मठ और आदर्श समाजवादी विचारक के रूप में जाने जायेंगे जिन्होंने पश्चिम पूर्व की खाइयों को पाटा हो, कल्पित द्वन्द्वों को दूर किया हो, व्यापक और साकार सिद्धान्तों की विवेचना की हो, और समाजवाद को एक ठोस रूप प्रदान किया हो।

कर्म क्षेत्र में अखण्ड प्रयोग और वैचारिक क्षेत्र में निरन्तर संशोधन द्वारा नवनिर्माण के लिए सतत प्रयत्नशील व्यक्तित्व और इतिहास के मौलिक व्याख्याकार के रूप में डॉ. लोहिया कभी भी भुलाये न जा सकेंगे। वे वर्ड्सवर्थ के द्वारा वर्णित स्काईलार्क (दार्शनिक) के रूप में प्रख्यात होंगे जो आकाश में उड़ते भी अपनी दृष्टि यथार्थ की ओर रखता हो। वे राष्ट्रवादी होते हुए भी अन्तरराष्ट्रीयता के पुजारी थे, व्रिदोही तथा क्रान्तिकारी होते हुए भी शान्ति व अहिंसा के उपासक थे और आधुनिक होते हुए भी आधुनिक सभ्यता का पुनर्निर्माण चाहते थे। पवित्र और निष्पक्ष राजनीति के द्योतक, गरीबों के मसीहा डॉ. लोहिया को मानव-जाति एक सन्तुलन और

सम्मिलन के समाजवादी दर्शन के स्रष्टा और मानवतावादी चिन्तक के रूप में अपने हृदय में प्रतिष्ठित करेगी।

डॉ. लोहिया के विचारों को हम पर्याप्त रूप में अवतरित होते देख रहे है। भले ही इस अवतरण की पृष्ठ-भूमि में गाँधीवाद, संविधान और सामाजिक चेतना की शक्ति हो, किन्तु इस तथ्य से इनकार नहीं किया जा सकता कि डॉ. लोहिया के लड़ाकू समाजवादी आन्दोलन ने जन-मानस पर गहरा प्रभाव डाला है। शनैः-शनैः जाति-प्रथा समाप्त हो रही है। अस्पृश्यता की कलंकमयी भावना तो समाप्तप्राय हो गयी है। जिस अधिकार-चेतना और आत्म-स्वाभिमान की भावना को डॉ. लोहिया आदिवासी, नारी, नीची जातियों और अस्पृश्यों में भरना चाहते थे, वह इन वर्गों के कृत्यों और आन्दोलनों से स्पष्टतः द्रष्टव्य है। खेल से लेकर राजनैतिक स्तर तक धार्मिक कट्टरता और रंग-भेद नीति का होम होता जा रहा है। शरणार्थियों का आवागमन और बँगला देश का अभ्युदय तो उनकी दूर-दृष्टि का स्पष्ट प्रमाण है। संविद सरकारों का अभ्युदय और पतन भी डॉ. लोहिया की यादगार है।

लोहिया-नीतियों की विरोधी सत्ताधारी कांग्रेस भी अब उनकी नीतियों की ओर बढ़ रही है, यद्यपि आंशिक ढंग से। राष्ट्रीयकरण के क्रम में तीव्रता, शहरी सम्पत्ति की सीमांकन-योजना, मूल्य स्थिर करने के कुछ प्रयास, विदेशी सहायता से बचने और आत्म-निर्भरता के प्रयास, राजाओं की थैली और विशेषाधिकारों की समाप्ति इस सत्य के स्पष्ट प्रमाण हैं। लोहिया-नीति के अनुसार अब भारत की तटस्थ नीति ने कभी रूस और कभी अमेरिका की सेवा करना भी त्याग दिया है। सन् 1971 ई. का भारत-पाक-संघर्ष उनकी नीति के ही अनुसार था। बांग्लादेश की सहायता कर भारत ने उनके सपने को साकार किया है, यद्यपि तत्कालीन शासन की मनोवृत्ति देख उन्होंने भारतीय शासन से ऐसी आशा नहीं की थी। इस कार्य में भारतीय जनता के सहयोग की उन्होंने सन् 1950 ई. में ही भविष्यवाणी की थी। आशा है भविष्य में भारत समता और स्वाभिमान के आधार पर राष्ट्रों से ठोस मैत्री कर इनकी विदेशी नीति को वास्तविकता प्रदान करेगा।

कुछ राज्यों ने उनकी नीति के अनुसार अंग्रेजी को अनिवार्य विषय के रूप में समाप्त करने और हिन्दी भाषा में काम-काज करने का निर्णय लिया है। स्थान-स्थान पर अंग्रेजी भाषा के नामपट्टों को हटते और हिन्दी भाषा के नामपट्टों को स्थापित होते देख डॉ. लोहिया की याद आना स्वाभाविक ही है। सभी राज्यों में अपनी मातृ-भाषा की प्रतिष्ठा के प्रति जागरण लोहिया की अमर यादगार है। लोहिया-नीति के अनुसार मध्य प्रदेश में 1 जुलाई, सन् 1968 ई. से सम्पूर्ण लगान-समाप्ति की घोषणा 24 जुलाई, सन् 1968 ई. को एक अध्यादेश द्वारा की गयी। उत्तर प्रदेश में संविद शासन ने सवा छह एकड़ तक की जोतों पर से भू-राजस्व समाप्त किया। यहाँ वृत्ति-

कर समाप्ति विधेयक (लखनऊ 21 दिसम्बर, 1970 ई.) विधान सभा ने पारित किया। इस प्रकार के प्रयास अधिकांश राज्यों में किये जा चुके हैं और भविष्य में भी अपेक्षित हैं। सत्ताधारी दलों की उलट-फेर के साथ डॉ. लोहिया की इन नीतियों का कार्यान्वयन भी उलटता-पलटता रहता है। उनकी नीतियाँ संघर्षों को पार करती हुई निरन्तर प्रगति के पथ पर हैं।

डॉ. लोहिया से विचार और व्यवहार की एक परम्परा समाजवादी आन्दोलन को मिली है। किन्तु कोई परम्परा नित-नूतन परिवर्तन और प्रयोग से जीवित और जाग्रत रहती है। नदी की शक्ति वह जल नहीं है जो पहले बह गया है, बल्कि वह जल है जो आज बह रहा है और उसके पीछे भविष्य में बहनेवाला है। इस दृष्टि से संयुक्त समाजवादी दल के समाजवादी नेता डॉ. लोहिया के विचारों का अनुगमन कर रहे हैं। वे उनकी नीतियों को कार्य रूप देने के लिए कृतसंकल्प हैं—स्थान-स्थान पर डॉ. लोहिया के द्वारा प्रारम्भ किये गये 'घेरा डालो' और 'भूमिहीनों को भूमि दो', आन्दोलन अभी सन् 1970-71 ई. में भी चलाये गये। सन् 1969 ई. में गाँधी जी के जन्म-दिन 2 अक्टूबर से लोहिया के निधन-दिवस 12 अक्टूबर तक संसोपा ने चम्पारण में गैर मजुरवा तथा परती जमीन को भूमिहीनों के बीच बाँटने का सशक्त एवं सफल आन्दोलन चलाकर जन-मानस में एक नवीन आशा का संचार किया है। बिहार में श्री कर्पूरी ठाकुर के नेतृत्व में शासन ने लोहिया की भाषा, भूमि, भू-राजस्व-सम्बन्धी नीतियों को कार्यान्वित करने का प्रयास किया है।

डॉ. लोहिया के प्रमुख अनुयायियों में सर्वश्री मधु लिमये, राजनारायण सिह, कर्पूरी ठाकुर, केशव गोरे, जगदीशचन्द्र जोशी, लाड़ली मोहन निगम और अध्यात्म त्रिपाठी हैं। इसके अतिरिक्त गोपाल नारायण सक्सेना, बालेश्वर दयाल, बाबू शंकर सिंह महादेव, आर. एस. मानकलाथ, विजय राजू, विपिन पाल दास, कमलनाथ झा, सी. जी. के. रेड्डी, ऐण्टोनी पिल्ले, वी.पी. सिन्हा, इन्दुमति केलकर, ओंकार शरद, भूपेन्द्र नारायण मण्डल, हेक्टर अभव पटवर्धन, रविराय, हीरालाल जैन, विनायक कुलकर्णी, स्वामी भगवान, कुमारी अलमेलु अम्मल, रामचन्द्र शुक्ल, ज्योतिष जोरदार, रंगनाथ, रिशांगकेशिंग, दल श्रृंगार दुबे, राजेन्द्र सच्चर, वाई. सूर्यनारायणराव, गोपाल गौड़, सुरेन्द्र सक्सेना, एल. नारायण उपेन्द्रनाथ वर्मा, जी. मुरहरि, बृजमोहन तूफान और पी. डी. मेलो, बदरीविशाल पित्ती आदि भी ऐसे अनुयायी हैं जो उनके विचारों और नीतियों के प्रति आस्था रखते हैं तथा भारतीय समाज में उन्हें प्रतिष्ठित करने के लिए निरन्तर संघर्षरत हैं।

9 अगस्त, सन् 1971 ई. को संयुक्त समाजवादी दल और प्रजा समाजवादी दल का विलयन एक समाजवादी दल के रूप में हुआ। इस विलयन से लोहिया के लड़ाकू समाजवाद में आस्था रखनेवाले कुछ विचारकों और प्रचारकों को निराशा

हुई है। उनके मत में वह विलयन की नीति उन समाजवादी नेताओं द्वारा चलायी गयी है जो डॉ. लोहिया द्वारा संचालित निरन्तर संघर्ष की नीति से ऊब चुके हैं और अब कुछ आराम करना चाहते हैं। वे संघर्ष के स्थान पर अब प्रस्ताव द्वारा क्रान्ति लाने की दिशा में बढ़ना चाहते हैं, संसद् के बाहर की राजनीति को तीव्र करने के स्थान में संसदीय राजनीति को ही दृष्टि में रखकर सम्पूर्ण आन्दोलन को नया परिवेश देना चाहते हैं। संसद् और राज्यसभा के अपने सदस्यों की गणना चक्कर में वर्तमान समाजवादी दल निश्चय ही क्रान्ति के मार्ग से हट गया है और प्रकारान्तर में वह यथास्थितिवाद का समर्थक-सा लगता है।

मेरी दृष्टि में समाजवादी आन्दोलन यदि एकता के सूत्र में बँधकर परिस्थितियों के अनुकूल डॉ. लोहिया के समाजवादी विचारों को कार्य रूप देने के लिए निःस्वार्थ भाव से सतत संघर्ष करे तो उनके द्वारा बहायी गयी क्रान्ति की धारा को तीव्रतर बनाया जा सकता है, किन्तु एकता केवल एकता के मन्त्रजाप से नहीं आती है। यह तो काम के बीच उपजती है। यदि समाजवादी आन्दोलन थोड़े से अधिकारयुक्त व्यक्तियों के हितों और स्वार्थों की रक्षा में सहायक बने और दलित व्यक्तियों के प्रति मात्र मौखिक सहानुभूति व्यक्त कर अपने स्वरूप और उद्देश्य के सम्बन्ध में सन्देह उत्पन्न करे तो वह समाजवादी आन्दोलन नहीं। उसे अपने को अनिवार्यत: शोषित और पीड़ित लोगों के साथ जोड़ना चाहिए। उसे ठोस सामाजिक, आर्थिक, राजनीतिक और सांस्कृतिक नीतियों को विकसित करना चाहिए। देश की विशिष्ट प्रकृति और आकांक्षा के अनुरूप डॉ. लोहिया के द्वारा निखारे गये समता, राष्ट्रीयता, जनतन्त्र, सविनय अवज्ञा, परिवर्तन, जाति-उन्मूलन, लोक-भाषा आदि के सिद्धान्तों को समाजवादी आन्दोलन द्वारा आगे बढ़ाना होगा। डॉ. लोहिया की इस देन का अपना इतिहास है, पूर्वापर सम्बन्ध है और भविष्य में इसका निरन्तर विकास होते रहना आवश्यक है। इस विशिष्ट देन को खो देना और सपाट किस्म के परम्परित पश्चिमी समाजवादी से चिपके रहना स्वतन्त्र सृजनशील समाजवादी आन्दोलन के लिए मारक होगा।

•

परिशिष्ट

सन्दर्भ-ग्रन्थ

लोहिया द्वारा रचित ग्रन्थ-हिन्दी

1. अन्न समस्या : प्रथम संस्करण, 1963 : नवहिन्द प्रकाशन, हैदराबाद
2. आजाद हिन्दुस्तान में नये रुझान : प्रथम संस्करण 1968 : नवहिन्द प्रकाशन, हैदराबाद
3. इतिहास-चक्र (अनुवादक ओंकार शरद) : द्वितीय संस्करण, 1968 : लोकभारती प्रकाशन, इलाहाबाद
4. उत्तर प्रदेश और बिहार के एक दौरे के कुछ अनुभव : प्रथम संस्करण, 1962 : नवहिन्द प्रकाशन, हैदराबाद
5. कांचन-मुक्ति : प्रथम संस्करण, 1956 : नवहिन्द प्रकाशन, हैदराबाद
6. क्रान्ति के लिए संगठन (भाग 1) : प्रथम संस्करण, 1963 : नवहिन्द प्रकाशन, हैदराबाद
7. कृष्ण : प्रथम संस्करण, 1960, : राममनोहर लोहिया समता विद्यालय न्यास प्रकाशन, हैदराबाद-12
8. खर्च पर सीमा (प्रस्ताव और बहस) : विजय ढाढनिया, कलकत्ता-7
9. खोज, वर्णमाला, विषमता, एकता : 1960 : समाजवादी प्रकाशन, हैदराबाद
10. जर्मन सोशलिस्ट पार्टी : प्रथम संस्करण, 1962 : नवहिन्द प्रकाशन, हैदराबाद
11. जाति-प्रथा : प्रथम संस्करण, 1964 : नवहिन्द प्रकाशन, हैदराबाद
12. देश-विदेश नीति: कुछ पहलू : 1970 : राममनोहर लोहिया समता विद्यालय न्यास प्रकाशन, हैदराबाद-12
13. देश गरमाओ : 1970 : राममनोहर लोहिया समता विद्यालय न्यास प्रकाशन, हैदराबाद-12
14. धर्म पर एक दृष्टि : प्रथम संस्करण, 1966 : नवहिन्द प्रकाशन, हैदराबाद
15. नया समाज : नया मन : 1956 : नवहिन्द प्रकाशन, हैदराबाद

16. नरम और गरम पन्थ : 1969 : राममनोहर लोहिया समता विद्यालय न्यास प्रकाशन, हैदराबाद-12
17. निजी और सार्वजनिक क्षेत्र : प्रथम संस्करण, 1966 : नवहिन्द प्रकाशन, हैदराबाद
18. निराशा के कर्त्तव्य : प्रथम संस्करण, 1966 : नवहिन्द प्रकाशन, हैदराबाद
19. पाकिस्तान में पलटनी शासन : प्रथम संस्करण, 1963 : नवहिन्द प्रकाशन, हैदराबाद
20. भारत, चीन और उत्तरी सीमाएँ : प्रथम संस्करण, 1963, नवहिन्द प्रकाशन, हैदराबाद
21. भारत में समाजवाद : प्रथम संस्करण, 1968 : नवहिन्द प्रकाशन, हैदराबाद
22. भाषा : प्रथम संस्करण, 1965 : नवहिन्द प्रकाशन, हैदराबाद
23. मर्यादित, उन्मुक्त और असीमित व्यक्तित्व और रामायण मेला : प्रथम संस्करण, 1962 : नवहिन्द प्रकाशन, हैदराबाद
24. राजस्थान और गुजरात के दौरे के कुछ अनुभव : प्रथम संस्करण, 1962 , नवहिन्द प्रकाशन, हैदराबाद
25. राम, कृष्ण और शिव : द्वितीय संस्करण, 1969 : राममनोहर लोहिया समता विद्यालय न्यास प्रकाशन, हैदराबाद-12
26. वशिष्ठ और वाल्मीकि : 1958 : समाजवादी प्रकाशन, हैदराबाद
27. सगुण और निर्गुण : 1969 : राममनोहर लोहिया समता विद्यालय न्यास प्रकाशन, हैदराबाद-12
28. सच, कर्म, प्रतिकार और चरित्र-निर्माण : आह्वान : समाजवादी प्रकाशन, हैदराबाद
29. सम दृष्टि : 1970 : राममनोहर लोहिया समता विद्यालय न्यास प्रकाशन, हैदराबाद-12
30. सम लक्ष्य : सम बोध : 1969 : राममनोहर लोहिया समता विद्यालय न्यास प्रकाशन, हैदराबाद-12
31. समाजवाद की अर्थ-नीति : प्रथम संस्करण, 1968 : नवहिन्द प्रकाशन, हैदराबाद
32. समाजवाद की राजनीति : प्रथम संस्करण, 1968 : नवहिन्द प्रकाशन, हैदराबाद
33. समाजवाद के आर्थिक आधार : 1952 : नवभारत प्रकाशन गृह, लहरिया सराय
34. समाजवादी आन्दोलन का इतिहास : प्रथम संस्करण, 1969 : राममनोहर लोहिया समता विद्यालय न्यास प्रकाशन, हैदराबाद-12
35. समावादी एकता : समाजवादी प्रकाशन, हैदराबाद
36. समाजवादी चिन्तन : 1956 : नवहिन्द प्रकाशन, हैदराबाद

37. सरकार से सहयोग और समाजवादी एकता : प्रथम संस्करण, 1962 : नवहिन्द प्रकाशन, हैदराबाद
38. सरकारी, मठी और कुजात गाँधीवादी : 1969 : राममनोहर लोहिया समता विद्यालय न्यास प्रकाशन, हैदराबाद-12
39. सात क्रान्तियाँ : प्रथम संस्करण, 1966 : नवहिन्द प्रकाशन, हैदराबाद
40. सिविल नाफरमानी की व्यापकता : समाजवादी प्रकाशन, हैदराबाद
41. सिविल नाफरमानी : सिद्धान्त और अमल : 1960 : समाजवादी प्रकाशन, 6-3-19 हिमायत नगर, हैदराबाद
42. सुधरो अथवा टूटो : 1971 : राममनोहर लोहिया समता विद्यालय न्यास प्रकाशन, हैदराबाद-12
43. हिन्दू और मुसलमान : 1969 : राममनोहर लोहिया समता विद्यालय न्यास प्रकाशन, हैदराबाद-12
44. हिन्दू-पाक युद्ध और एका : 1970 : राममनोहर लोहिया समता विद्यालय न्यास प्रकाशन, हैदराबाद-12

लोहिया द्वारा रचित ग्रन्थ-अंग्रेजी

1. Guilty Men of India's Partition : 1970 : Ram Manohar Lohia Samata Nyas Vidyalaya Prakashan, Hyderabad-12
2. Interval During First Edition Politics : 1955 : Navahind Prakashan, Hyderabad
3. Marx, Gandhi and Socialism : First Edition 1963 : Navahind Prakashan, Hyderabad
4. Rs.25,000/ -A Day : 1963 : Navahind Prakashan, Hyderabad
5. Will to Power and other writings : 1956 : Navahind Prakashan, Hyderabad

लोहिया-सम्बन्धी ग्रन्थ

1. ओंकार शरद : लोहिया : तृतीय संस्करण, 1967 : लोकभारती इलाहाबाद-3
2. ओंकार शरद (सम्पादक) लोहिया के विचार : प्रथम संस्करण, 1969 : लोकभारती प्रकाशन, इलाहाबाद
3. इन्दुमति केलकर : लोहिया : सिद्धान्त और कर्म : 1963 : नवहिन्द प्रकाशन, हैदराबाद
4. जगदीश जोशी : समाजवाद : नये प्रयोग, नये चरण : प्रथम संस्करण : सं. शो. पार्टी प्र.वि., भोपाल
5. रजनीकान्त वर्मा : गैर कांग्रेसवाद और लोहियावाद : 1970 : रंजना प्रकाशन, इलाहाबाद

6. रजनीकान्त वर्मा : लोहिया और जाति-प्रथा : 1970 : रंजना प्रकाशन, इलाहाबाद
7. रजनीकान्त वर्मा : लोहिया और औरत : प्रथम संस्करण, 1969 : लोहियावादी साहित्य विभाग, श्री विष्णु आर्ट प्रेस, इलाहाबाद
8. लोशनाथ जोशी, सच्चिदानन्द सिन्हा, बिहार में सविनय अवज्ञा : 1956 : 3-6-19 शो. पा के कार्या. हैदराबाद
9. शिवप्रसाद चिनपुरिया : म. प्र. में लगान की समाप्ति : सं. सो. पा. म. प्र., भोपाल
10. Harris Wofford J.R. : Lohia and America Meet. : 1961 : Snehalata Rama Reddy, 8, Valmik Road, Madras-27

अन्य ग्रन्थ-संस्कृत

1. छविनाग राय पत्रकार (टीकाकार) मनुस्मृति : हिन्दी पुस्तकालय, मथुरा
2. शंकराचार्य (भाष्यकार) : ईशावास्योपनिषद् : संवत् 2010 : गीता प्रेस, गोरखपुर
3. शंकराचार्य (भाष्यकार) : श्रीमद्‌भगवद्‌गीता : संवत् 2024 : गीता प्रेस, गोरखपुर
4. बाल गंगाधर तिलक : श्रीमद्‌भगवद्‌गीता रहस्य, नवम सं. 1950 : श्री जयन्त श्रीधर तिलकंधर (गायकवाड़ बाडा) पुणे-3
5. शंकराचार्य (भाष्यकार) : कठोपनिषद् : संस्करण, 2010 : गीता प्रेस, गोरखपुर
6. भवभूति नाटककार नाटक-मालतीमाधवम् : सन् 1937 : निर्णय सागर प्रेस

अन्य ग्रन्थ-हिन्दी

1. अमरनाथ अग्रवाल : समाजवाद की रूपरेखा, तृतीय संस्करण, 1947 : विनोद पुस्तकालय मन्दिर, आगरा
2. आचार्य नरेन्द्रदेव : राष्ट्रीयता और समाजवाद : प्रथम संस्करण, 2006 : ज्ञान मन्दिर लि., बनारस
3. आचार्य नरेन्द्रदेव : समाजवाद-लक्ष्य तथा साधन : संस्करण, 2002 : ज्ञान मन्दिर लि., बनारस
4. आचार्य नरेन्द्रदेव : सामाजवाद और राष्ट्रीय क्रान्ति : सन् 1946 : शिवलाल अग्रवाल एण्ड कं. लि., आगरा
5. आनन्द हिंगोरानी (सम्पादक-प्रकाशक बापू के आशीर्वाद (रोज के विचार : प्रथम संस्करण, 1948 : गाँधी सीरीज, 7 एडमांस्टन रोड, इलाहाबाद
6. कृष्णदास एम.ए. गाँधीवाद-मार्क्सवाद : प्रथम संस्करण, 1946 अमर भारती प्रकाशन, काशी

7. कार्ल मार्क्स फ्रेडरिक एंगेल्स : संकलित रचनाएँ (चार भागों में) : भाग-1 से 4 तक प्रगति प्रकाशन, मास्को
8. किशोरलाल घ. मशरूवाला : गाँधी-विचार-दोहन : सातवाँ संस्करण, 1957 : मार्तण्ड उपाध्याय, मन्त्री, सस्ता साहित्य मण्डल, नयी दिल्ली
9. किशोरलाल घ. मशरूवाला : बुद्ध और महावीर : प्रथम संस्करण, 1964 : नवजीवन प्रकाशन, अहमदाबाद
10. किशोरलाल घ. मशरूवाला : गाँधी और साम्यवाद : द्वितीय संस्करण, 1954 : नवजीवन प्रकाशन, अहमदाबाद
11. गणेश मन्त्री (सं.) शिक्षा बनाम छात्र : 1969 : नरेन्द्र वास्ते, केन्द्रीय कार्या. समाजवादी युवजन सभा, 24 गुरुद्वारा रकाबगंज रोड, नयी दिल्ली
12. जयप्रकाश नारायण : संघर्ष की ओर : प्रथम संस्करण, 1948 : शिवलाल अग्रवाल एण्ड कं. लि., आगरा
13. जवाहरलाल नेहरू : विश्व-इतिहास की झलक : द्वितीय संस्करण, 1952 : सस्ता साहित्य मण्डल, नयी दिल्ली
14. बाबू, मक्खनलाल पंजाबी (टीकाकार) : सुख सागर : 48वाँ संस्करण, 1965 : तेजकुमार बुक डिपो, लखनऊ
15. वी. पट्टाभि सीतारमैय्या : महात्मा गाँधी का समाजवाद : 1956 : राष्ट्रभाषा मन्दिर, इलाहाबाद
16. मो. क. गाँधी वर्ण-व्यवस्था : प्रथम संस्करण 1948 : नवजीवन प्रकाशन, अहमदाबाद
17. मो. क. गाँधी हरिजन समस्या : 1968 : राष्ट्रीय प्रकाशन मन्दिर लखनऊ
18. मो. क. गाँधी (सम्पादक भारतन कुमारप्पा) : अस्पृश्यता : 1959 : नवजीवन प्रकाशन मन्दिर, अहमदाबाद
19. मो. क. गाँधी विवाह समस्या : 1968 : राष्ट्रीय प्रकाशन मन्दिर, लखनऊ
20. यू. एस. (संकलनकर्त्ता और सम्पादक) : मोटनराव महात्मा गाँधी का सन्देश : 1969 : सूचना और प्रसारण, मन्त्रालय भारत सरकार, नयी दिल्ली
21. राजेन्द्र प्रसाद (प्रस्तावना लेखक) गाँधीवाद-समाजवाद : पाँचवाँ संस्करण, 1953 : हिन्दी प्रकाशन मन्दिर, इलाहाबाद
22. राजेन्द्र प्रसाद (लेखक) गाँधी जी की देन : द्वितीय संस्करण, 1956 मार्तण्ड उपाध्याय, मन्त्री, सस्ता साहित्य मण्डल, नयी दिल्ली
23. श्री च. राजगोपालाचार्य, जे. सी. कुमारप्पा राष्ट्रवाणी : द्वितीय संस्करण, 1948 मार्तण्ड उपाध्याय, मन्त्री, सस्ता साहित्य मण्डल, नयी दिल्ली
24. रामनारायण उपाध्याय (संकलन और सम्पादककर्त्ता) : तृतीय संस्करण 1971 : सरला प्रकाशन, नयी दिल्ली
25. राहुल सांस्कृत्यायन : साम्यवाद ही क्यों? : चतुर्थ संस्करण 1948 : किताब महल, इलाहाबाद

26. व्ला ई. लेनिन : संकलित रचनाएँ तीन खण्डों में (खण्ड 1 भाग 1) : 1960 : विदेशी भाषा प्रकाशन गृह, मास्को
27. ब्ला. ई. लेनिन : संकलित रचनाएँ तीन खण्डों में (खण्ड 3 भाग 1) : 1966 : प्रगति प्रकाशन, मास्को
28. सी.एल. पेपर (अनुवादक राधेलाल वार्ष्णेय राजदर्शन का स्वाध्ययन : प्रथम संस्करण, 1963 किताब महल, इलाहाबाद
29. सम्पूर्णानन्द समाजवाद : चतुर्थ संस्करण सं 2002 : प्रकाशन विभाग, काशी विद्यापीठ, वाराणसी
30. हरिभाऊ उपाध्याय : स्वतन्त्रता की ओर : तृतीय सं, सं. 1953 : सस्ता साहित्य मण्डल, नयी दिल्ली

अन्य ग्रन्थ अंग्रेजी

1. A.C. Pigou : Essays in Economics, 1952 : Macmillan and Co Ltd., London
2. C.E.M.Joad : Modern Political Theory, 1953 : Oxford University Press, Amen House, London E.C. 4
3. : F.W.Coker : Recent Political Thought, First Ed. 1657 : The World Press Pvt. Ltd., Calcutta-12
4. Gopinath Dhawan : The Political Philosophy of Mahatma Gandhi : Third Ed. 1957, Navajiwan Publishing house, Ahmedabad
4. G. B. Shaw. Sidney etc. : Fahian Essays in Socialims, 1920 London,
6. G. D. H. Cole : Some Relations betwen political and Economic Theory, 1935, Macmillan & Co, Ltd. St. Martin's street, London
7. G. D. H. Cole : Self-Government in Industry, 1917, London
8. G. D. H. Cole : Guild Socialism Restated, 1920, London
9. H, J, Laski : Communist Manifesto Socialism Landmark, Third Ed., 1954, Gerge Allen & Unwin Ltd., London
10. H. J. Laski : A Grammer of Politics, Fourth Ed. 1955, George Allen & Unwin Ltd., London
11. J. C. Kumarappa : Gandhian Economic Thought, First Ed., 1962, A. B. Sarva Seva Sangh Prakashan, Rajghat, Varanasi
12. Levinc Loius : Syndicalism in France, Second Ed., 1914, New York
13. M. Spahr (Editor) : Readings in Recent Political Philosophy 9th Ed., 1935, Macmillan Co. New York
14. Pease, Edward R. : History of Fabian Society, 1925, London
15. P. A. Kropotkin : The Conquest of Bread, 1907, New York and London

16. Plato : The Republic (Translated in to English By B. Jowett) Rondom House, New York
17. R. C. Gupta : Socialism, Democracy and India, 1965, Ram Prasad & Sons, Agra
18. R. V. Rao : Current Economic Problems, 1949, Kitab Mahal, Allahabad
19. T. H. Green : Lectures on the principles of Political Obligation, 1955, Longmans, Grreen & Company, London
20. Dr. V. P. Verma : The polical Philosophy of Mahatma Gandhi and Sarvodaya, 1969, Lakshmi Narain agrawal Educational Publishers, Agra

विश्व-कोश हिन्दी और अंग्रेजी

1. रामप्रसाद त्रिपाठी (प्रधान सम्पादक) हिन्दी विश्व-कोश, खण्ड 10, संस्करण, 2025 (नागरी प्रचारिणी सभा, वाराणसी)
2. Edvin R. A. Seligman (Editor-in-Chief) Encyclopaedia of Social Sciences (Vol. 5-6, 13-14), Fifteenth Ed., 1963, The Macmillan Company, New York
3. E. F. Bazman (Editor) Every Man's Encyclopaedia, Vol. 3, Fourth Ed., 1958, J. M. Dents & Sons Ltd., London
4. W. E. Preece (Editor) : Encylopaedia Britannica, Vol. 20, 1963, William Benton, Chicago

पत्र-पत्रिकाएँ : हिन्दी और अंग्रेजी

1. दिनमान 15 अक्टूबर, 1967, टाइम्स ऑफ इण्डिया प्रकाशन, दिल्ली-6
2. दिनमान, 22 अक्टूबर, 1967, टाइम्स ऑफ इण्डिया प्रकाशन, दिल्ली-6
3. दिनमान, 1 दिसम्बर, 1968, टाइम्स ऑफ इण्डिया प्रकाशन, दिल्ली-6
4. दिनमान, 5 जनवरी, 1969, टाइम्स ऑफ इण्डिया प्रकाशन, दिल्ली-6
5. दिनमान, 12 अक्टूबर 1969, टाइम्स ऑफ इण्डिया प्रकाशन, दिल्ली-6
6. दिनमान, 9 नवम्बर, 1969, टाइम्स ऑफ इण्डिया प्रकाशन, दिल्ली-6
7. दिनमान, 4 जनवरी, 1970, टाइम्स ऑफ इण्डिया प्रकाशन, दिल्ली-6
8. दिनमान, 6 जून, 1971, टाइम्स ऑफ इण्डिया प्रकाशन, दिल्ली-6
9. दिनमान, 10 अक्टूबर, 1971 एवं अन्य अंक, टाइम्स ऑफ इण्डिया प्रकाशन, दिल्ली-6
10. धर्मयुग, 24 मार्च, 1968, टाइम्स ऑफ इण्डिया प्रकाशन, दिल्ली-6
11. जन. दिसम्बर, 1967, प्रकाशक : गौडे मुराहरि, नयी दिल्ली
12. जन. मार्च, 1968, प्रकाशक : गौडे मुराहरि, नयी दिल्ली

13. जन. मई, 1968, प्रकाशक : गौडे मुराहरि, नयी दिल्ली
14. स्मारिका, अखिल भारतीय चतुर्थ, राजाराम मोहनराय, अधि. सं. सो. पा. बम्बई, 4
15. स्मारिका, चौथा राज्य सम्मेलन, म. प्र. रीवा. सं. पार्टी, दिसम्बर, 70
16. सम्पदा समाजवाद अंक : दिसम्बर, 1970 अशोक प्रकाशन, मन्दिर, दिल्ली-7
17. समाजवादी मेमार, 1956, नवहिन्द प्रकाशन, हैदराबाद
18. सोशलिस्ट पार्टी सिद्धान्त और कर्म 1956, सोशलिस्ट पार्टी केन्द्रीय कार्यालय, हैदराबाद
19. कांग्रेसी राज्य में न्याय, 1958 और मजिस्टरी समाजवादी प्रकाशन, हैदराबाद
20. The Indian Journal of Political Science, March, 1970, Editor J. S. Bains, Published by the Indian Political Science Association
21. Socialism, Forum of Free Enterprise, Sohrab House, 236 Dr. D. N. Road, Bombay

●●●